D0226870

LA TROISIÈME
PROPHÉTIE

DU MÊME AUTEUR
CHEZ LE MÊME ÉDITEUR

Dans la série Ballantyne

L'Œil du faucon
À la conquête du royaume

Wilbur Smith

LA TROISIÈME PROPHÉTIE

Libre Expression

Libre Expression

Données de catalogage avant publication (Canada)
Smith, Wilbur, 1933-
La troisième prophétie
Traduction de : The angels weep.
Suite de : L'œil du faucon; et de, À la conquête du royaume.
ISBN 2-89111-851-0
1. Zimbabwe – Histoire – Romans, nouvelles, etc. I. Piélat, Thierry. II. Titre.
PR9405.9.S6A814 1999   823'.914   C99-940889-5

Titre original
THE ANGELS WEEP

Traduction
THIERRY PIÉLAT

Tous droits de traduction et d'adaptation réservés;
toute reproduction d'un extrait quelconque de ce livre
par quelque procédé que ce soit, et notamment par photocopie
ou microfilm, est strictement interdite sans l'autorisation
écrite de l'éditeur.

© Wilbur Smith, 1982
© Macmillan Publishers Limited, 1998
© Presses de la Cité, 1999, pour la traduction française
© Éditions Libre Expression ltée, 1999, pour l'édition canadienne

Éditions Libre Expression
2016, rue Saint-Hubert
Montréal (Québec) H2L 3Z5

Dépôt légal :
3e trimestre 1999

ISBN 2-89111-851-0

Ce livre est dédié à Danielle Antoinette,
ma femme bien-aimée.

Mais l'homme, l'homme orgueilleux,
drapé d'une courte et faible autorité, ignorant tout à fait ce qu'il croit le mieux
connaître : son essence fragile comme le
verre, tel un singe coléreux joue à la face
du ciel de si grotesques comédies qu'en
pleurent les anges.

Mesure pour mesure
William Shakespeare

PREMIÈRE PARTIE

Trois cavaliers sortirent de la forêt avec une ardeur contenue que des semaines de recherches pénibles n'avaient pu émousser. Ils ramenèrent leurs chevaux au pas et plongèrent leurs regards dans le vallon suivant. La brise légère agitait doucement l'herbe sèche, chaque brin surmonté d'un ravissant duvet rose pâle, si bien qu'au fond du vallon le troupeau d'antilopes noires semblait flotter sur un banc de brume rosée tourbillonnante.

Il n'y avait qu'un seul mâle, d'au moins quinze paumes au garrot, le dos et les épaules noirs comme ceux d'une panthère, mais le ventre et les motifs complexes de son masque d'une blancheur nacrée. Ses grandes cornes striées, incurvées comme le cimeterre d'Aladin, étaient inclinées vers l'arrière jusqu'à toucher sa croupe, et, tel un étalon arabe, il cambrait fièrement l'encolure. Depuis longtemps disparue de ses montagnes méridionales à cause de la chasse, cette antilope, la plus noble de toutes celles d'Afrique, en était arrivée à symboliser aux yeux de Ralph Ballantyne ce pays neuf, sauvage et magnifique, entre le Limpopo et le puissant Zambèze aux eaux vertes.

Le grand mâle fixa avec arrogance les cavaliers sur la crête au-dessus de lui, puis il s'ébroua et rejeta sa tête en arrière de manière belliqueuse. Crinière au vent, sabots martelant le sol rocailleux, il conduisit au galop ses femelles couleur chocolat en haut de la crête opposée, et les trois hommes restèrent muets, subjugués par leur beauté.

Ralph Ballantyne fut le premier à reprendre ses esprits et se tourna vers son père.

— Alors, papa, vous reconnaissez quelque chose ?

— C'était il y a plus de trente ans, murmura Zouga Ballantyne, le sourcil froncé à force de concentration. Trente ans, et j'avais le palu. (Il se tourna vers le troisième cavalier, le petit

13

Hottentot ratatiné qui était son compagnon de route et son servi-teur depuis ces jours lointains.) Qu'en pensez-vous, Jan ?

Le Hottentot souleva son calot de fantassin et égalisa sa courte toison laineuse toute blanche.

— Peut-être...

— Peut-être n'était-ce tout simplement qu'un rêve de cerveau enfiévré, coupa Ralph avec brusquerie.

Les beaux traits de son père se froncèrent un peu plus et la cicatrice de sa joue passa du blanc ivoire au rose, tandis que Jan Cheroot souriait : il était plus divertissant de voir le père et le fils ensemble que d'assister à un combat de coqs.

— Bon sang ! Pourquoi ne rentres-tu pas aux chariots pour tenir compagnie aux femmes, fit sèchement Zouga avant de tirer de son gousset une fine chaîne qu'il tint devant le visage de son fils. La preuve, la voilà.

À l'anneau de la chaîne étaient suspendus un petit trousseau de clés et d'autres menus objets : un sceau d'or, un saint Christophe, un coupe-cigare et un morceau de quartz de la taille d'un grain de raisin. Ce dernier était tacheté de bleu comme du marbre et parcouru par une épaisse veine de métal brillant.

— De l'or rouge pur, ajouta Zouga. Suffit de se baisser pour le ramasser !

Ralph sourit à son père — un sourire insolent et provocateur, car il était las. Ces semaines d'errance et de recherches infruc-tueuses n'étaient guère à son goût.

— J'ai toujours soupçonné que vous aviez acheté ça à un camelot sur Grand Parade au Cap, que c'était du toc.

La cicatrice de Zouga se mit à rougeoyer. Ralph éclata de rire et lui donna une tape sur l'épaule.

— Papa, si je l'avais réellement cru, pensez-vous que j'aurais pris toutes ces semaines sur mon temps ? Ne croyez-vous pas que je serais à Johannesburg ou à Kimberley pour m'occuper de la construction de la voie ferrée ou surveiller une des autres casseroles que j'ai sur le feu ? dit-il en secouant doucement l'épaule de Zouga. L'or est là, nous en sommes tous les deux convaincus. Peut-être sommes-nous sur le filon en ce moment même ou bien est-il sous la colline suivante. (La cicatrice de Zouga reprenait peu à peu une teinte normale et Ralph poursui-vit d'un ton égal.) Le tout est évidemment de le retrouver. Nous pouvons aussi bien tomber dessus dans l'heure qui suit que cher-cher encore pendant dix ans.

Jan Cheroot était un peu déçu. Il avait vu le père et le fils se colleter déjà une fois, mais c'était longtemps auparavant. À près de trente ans, Ralph était dans la force de l'âge, à présent habitué à diriger les centaines d'hommes rudes qu'il employait dans sa

14

compagnie de transport et son entreprise de construction, à se faire entendre non seulement par les mots mais aussi à coups de botte et de poing. Il était grand et fort, dur et crâneur comme un coq de combat, mais Jan Cheroot croyait le vieux chien encore capable de faire mordre la poussière à son chiot. Les Matabélé avaient donné à Zouga Ballantyne le nom de louange de Bakela, le Poing, et il était toujours svelte et rapide. Oui, estima Jan Cheroot avec regret, cela vaudrait la peine de les voir se mesurer l'un à l'autre, mais ce sera pour une autre fois. Déjà les deux hommes s'étaient calmés et remis à discuter tranquillement mais avec passion, penchés l'un vers l'autre sur leur selle. Ils ressemblaient davantage à deux frères, Zouga ne paraissant pas assez vieux pour être le père de Ralph : sa peau était trop lisse, ses yeux trop vifs, et les quelques fils argentés de sa barbe dorée auraient pu être l'œuvre de l'ardent soleil d'Afrique.

— Si seulement vous aviez pu faire le point, se lamenta Ralph. Vos observations astronomiques étaient tout à fait exactes. J'ai retrouvé sans difficulté toutes les cachettes où vous aviez laissé vos défenses d'éléphant.

— Les pluies venaient de commencer, remarqua Zouga en secouant la tête, et, bon sang, qu'est-ce qu'il a plu ! Nous n'avons pas vu le soleil pendant une semaine entière, et toutes les rivières étaient en crue. Nous décrivions des cercles pour essayer de trouver un gué... (Il s'interrompit et leva les rênes de la main gauche.) Mais j'ai déjà raconté cette histoire cent fois. Continuons nos recherches.

Ils descendirent au trot dans le fond du vallon. Zouga se penchait sur sa selle en espérant apercevoir des morceaux de minerai, ou parcourait du regard l'horizon pour essayer de reconnaître la forme des crêtes ou, au loin, la silhouette bleutée d'un kopje se découpant sur le ciel africain, dans lequel les cumulus argentés, signe de beau temps, dérivaient sereinement à haute altitude.

— Les ruines du Grand Zimbabwe sont le seul point de repère dont nous disposons, marmonna Zouga. Nous avons marché huit jours plein ouest à partir des ruines.

— Neuf jours, corrigea Jan Cheroot. Nous avons perdu une journée quand Matthieu est mort. Vous aviez la fièvre. Il fallait que je m'occupe de vous comme d'un bébé, et nous nous coltinions ce fichu oiseau de pierre.

— Nous n'avons pu parcourir plus de dix miles par jour, reprit Zouga en l'ignorant. Huit jours de marche, pas plus de quatre-vingts miles.

— Et le Grand Zimbabwe est là. Plein est par rapport à nous. (Ralph ramena son cheval au pas lorsqu'ils atteignirent la crête suivante.) Voilà la Sentinelle, dit-il en désignant au loin le kopje bleuté dont la forme évoquait un lion tapi. Les ruines sont juste derrière, il n'y a pas à se tromper.

Pour le père comme pour le fils la cité en ruine, abandonnée par ses habitants depuis longtemps disparus, possédait une signification particulière. C'est là, à l'intérieur des massives murailles de pierre, que Zouga et Jan Cheroot avaient découvert les antiques sculptures d'oiseau. Malgré l'état désespéré dans lequel les avaient mis la fièvre et les autres épreuves de leur longue expédition du Zambèze vers le nord, Zouga avait insisté pour qu'ils emportent l'une des statues.

De nombreuses années plus tard, Ralph à son tour était parvenu à la citadelle abandonnée, guidé par les notes de voyage et les méticuleuses observations astronomiques de son père. Il avait enfreint le tabou royal qui frappait le lieu saint et avait emporté les statues restantes, poursuivi par les gardes-frontières de Lobengula, le roi matabélé. Les trois hommes avaient donc une connaissance intime de ces ruines, et c'est en silence, assaillis par les souvenirs, qu'ils contemplaient au loin les collines qui en signalaient la présence.

— Je continue de me demander qui étaient ceux qui ont bâti le Zimbabwe. Et ce qui leur est arrivé, dit finalement Ralph avec un accent rêveur inhabituel. Étaient-ce les mineurs de la reine de Saba ? Est-ce l'Ophir dont parle la Bible ? Apportaient-ils l'or qu'ils trouvaient au roi Salomon ?

— Nous ne le saurons peut-être jamais, fit Zouga en sortant de sa rêverie. Nous savons en revanche qu'ils appréciaient l'or autant que nous. J'ai trouvé de la feuille d'or, des perles et des petits lingots d'or dans la cour intérieure du Grand Zimbabwe, et nous ne devons pas être à plus de quelques miles de l'endroit où Jan et moi avons exploré les puits qu'ils avaient creusés et trouvé les tas de minerai prêt à être broyé. (Zouga lança un coup d'œil au petit Hottentot.) Reconnaissez-vous quelque chose ?

Tandis que Jan Cheroot scrutait les parages, son petit visage sombre de lutin se plissa comme un pruneau.

— Peut-être de la prochaine crête, marmonna-t-il lugubrement.

Le trio descendit dans le fond du vallon qui ressemblait à cent autres qu'ils avaient franchis au cours des semaines précédentes. Avec une douzaine de pas d'avance sur les autres, Ralph menait sa monture au petit galop ; il la fit bifurquer pour longer un dense bosquet d'ébéniers, puis se dressa brusquement sur ses étriers et agita son chapeau.

— Taïaut ! cria-t-il, emporté par l'excitation. Ils ont fichu le camp ! (Zouga entrevit un éclair doré, un mouvement fluide tra-

16

verser le versant opposé.) Il y en a trois ! Jan Cheroot, contournez-les sur la gauche ! Papa, empêchez-les de traverser le ravin !

Le ton de commandement venait naturellement à Ralph Ballantyne, et les deux hommes plus âgés obtempérèrent de bonne grâce sans qu'aucun ne se demande un seul instant pour quelle raison il leur fallait abattre les animaux magnifiques que Ralph avait débusqués. Ralph était propriétaire de deux cents chariots, chacun tiré par seize bœufs. King's Lynn, les terres obtenues par Zouga grâce aux concessions foncières accordées par la British South Africa Company aux volontaires qui avaient anéanti les régiments du roi matabélé, représentait plusieurs dizaines de milliers d'hectares. Elles étaient montées en bétail avec les troupeaux pris aux Matabélé et des taureaux reproducteurs importés de Bonne-Espérance et de la vieille Angleterre.

Le père et le fils étaient tous deux éleveurs et avaient subi les terribles déprédations infligées par les troupes de lions qui sillonnaient la région magnifique située au nord du Limpopo et de la Shashi. Ils avaient trop souvent entendu leurs bêtes pousser des beuglements d'agonie pendant la nuit, et retrouvé à l'aube leurs carcasses dépecées. À leurs yeux, les lions étaient les pires des prédateurs, et la chance de surprendre une troupe au plein jour les remplissait d'allégresse.

Ralph tira d'un coup sec la Winchester à répétition de son fourreau suspendu à la selle et poussa sa monture au galop à la poursuite des grands félins. Le lion avait été le premier à s'enfuir, et Ralph ne l'avait qu'entraperçu tandis qu'il disparaissait majestueusement de sa démarche ondoyante, sa crinière sombre hérissée. La lionne la plus âgée le suivait rapidement en bondissant. Elle était mince, couverte de cicatrices laissées par les chasseurs, et offrait un pelage bleuté par les ans sur les épaules et le dos. La lionne la plus jeune, qui n'avait pas l'habitude des hommes, était hardie et curieuse comme un chat. Elle avait encore le poil or pâle du ventre tacheté comme celui des lionceaux. Les oreilles rabattues en arrière, ses moustaches blanches raides comme des piquants de porc-épic, elle fit volte-face au sortir du fourré pour rugir et montrer les crocs aux cavaliers.

Ralph laissa tomber les rênes sur l'encolure du hongre, et celui-ci réagit instantanément en s'immobilisant, seuls les mouvements de ses oreilles trahissant son agitation.

Ralph leva la Winchester et tira au moment où la crosse touchait son épaule. La lionne gronda à l'instant où la balle heurtait son épaule avec un bruit mat et pénétrait vers le cœur. Elle fit la culbute en poussant un rugissement d'agonie. Elle tomba en roulant sur le dos, déchirant les broussailles de ses griffes écartées avant de s'étirer en une dernière convulsion, puis s'affaissa mollement dans la mort.

Ralph rechargea la Winchester et rassembla les rênes. Le hongre bondit en avant.

Sur sa droite, Zouga remontait le long du bord du ravin penché en avant sur sa selle. La vieille lionne apparut soudain sur le terrain découvert devant lui, courant en direction des broussailles qui encombraient le fond du ravin, et Zouga tira en plein galop. Ralph vit la poussière jaillir sous le ventre de l'animal.

« Trop bas et trop à gauche. Papa se fait vieux », songea Ralph avec dérision en arrêtant brusquement sa monture. Avant qu'il ait eu le temps de tirer, Zouga fit feu de nouveau, la lionne s'effondra et roula sur le sol rocailleux, touchée à l'encolure, à une main sous l'oreille.

— Z'êtes un chef ! lança Ralph en riant.

Il enfonça ses talons dans les flancs de sa monture et tous deux montèrent la pente au galop, épaule contre épaule.

— Où est Jan Cheroot ? cria Zouga.

En guise de réponse, ils entendirent un coup de feu dans la forêt, et lancèrent les chevaux dans cette direction.

— Est-ce que vous le voyez ? cria Ralph à son tour.

Les broussailles devenaient de plus en plus denses à mesure qu'ils avançaient, et les branches épineuses leur fouettaient les cuisses au passage. Il y eut un autre coup de feu, et immédiatement après les rugissements furieux du lion mêlés aux cris de terreur de Jan Cheroot.

— Il est dans le pétrin ! lâcha Zouga anxieusement au moment où ils émergeaient des épais fourrés.

Devant eux, le long de la crête, s'étendait sur un tapis d'herbe un bois de grands acacias en forme d'ombrelle. Une centaine de yards plus loin, Jan Cheroot filait à toute allure, à moitié tourné sur sa selle pour regarder par-dessus son épaule, le visage déformé par l'horreur, les yeux écarquillés. Il avait perdu son chapeau et son fusil, et fouettait l'encolure et les épaules de son cheval, bien que celui-ci fût déjà lancé dans un galop éperdu.

Le lion se trouvait à une douzaine de pas derrière lui, mais gagnait du terrain à chacun de ses bonds élastiques comme si le cavalier et sa monture avaient fait du sur place. Touché au ventre, il avait le flanc humide de sang frais, mais la blessure ne l'avait pas immobilisé et n'avait pas même ralenti sa course. Elle l'avait seulement rendu enragé, de sorte que ses rugissements faisaient l'effet de coups de tonnerre.

Ralph fit dévier son hongre pour tenter d'intercepter le petit Hottentot et modifia son angle de tir pour viser le lion, mais à cet instant le félin se cabra, bondit sur l'arrière-train humide de sueur du cheval qu'il déchira de ses longues griffes incurvées, y laissant de profondes blessures parallèles d'où s'échappa une fine brume écarlate.

Le cheval poussa un hennissement aigu et décocha une ruade dans la poitrine du lion. Celui-ci chancela, soudainement interrompu. Il se ressaisit immédiatement et revint à la charge, courant à côté du cheval affolé et s'apprêtant à bondir sur lui.

— Sautez, Jan ! Sautez, bon sang ! cria Ralph, car le lion était trop près pour qu'il prenne le risque de tirer.

Mais Jan Cheroot ne semblait pas l'avoir entendu et se cramponnait désespérément à la crinière de sa monture, paralysé par la peur.

Le lion s'éleva avec légèreté dans les airs et se posa comme un énorme rapace fauve sur le dos du cheval, écrasant Jan Cheroot sous son poids. À cet instant, cheval, cavalier et lion semblèrent s'escamoter ; seule une colonne tourbillonnante de poussière marqua l'endroit où ils s'étaient tenus. Les rugissements assourdissants de l'animal enragé et les hurlements de terreur de Jan Cheroot se faisaient cependant de plus en plus forts tandis que Ralph approchait au galop de la crête où ils avaient disparu.

La Winchester dans une main, Ralph lâcha les étriers et sauta à terre. Emporté par son élan, il arriva au bord du puits aux parois verticales. Au fond se trouvait un enchevêtrement de corps.

— Le diable est en train de me tuer ! hurla Jan Cheroot, cloué au sol par son cheval.

L'animal avait dû se briser l'encolure dans la chute. Masse inerte, il avait la tête rejetée en arrière sous l'épaule. Le lion déchirait sa carcasse et la selle pour essayer d'atteindre le Hottentot.

— Reste tranquille, que je puisse tirer, cria Ralph à Jan Cheroot.

Mais c'est le lion qui l'entendit. Il laissa le cheval et escalada la paroi du puits avec l'agilité d'un chat grimpant à un arbre, ses yeux jaune pâle rivés sur Ralph.

Celui-ci posa un genou à terre pour se stabiliser et visa le large poitrail doré du félin, dont la gueule aux crocs longs comme le doigt et blancs comme l'ivoire était grande ouverte. Son rugissement éclata au visage de Ralph, l'aspergeant de postillons de salive chaude, et son haleine sentait la chair putréfiée.

Ralph fit feu, manœuvra la manette de chargement et tira de nouveau, si vite que les détonations se confondirent. Le lion se cabra, accroché pendant d'interminables secondes à la paroi du puits, puis bascula en arrière et dégringola sur le cheval mort.

Plus rien ne bougeait au fond du puits, et le silence était plus accablant que le vacarme qui l'avait précédé.

— Est-ce que ça va, Jan ? demanda Ralph anxieusement.

Le petit Hottentot ne donnait aucun signe de vie, il semblait avoir été complètement étouffé par les carcasses du cheval et du lion.

— Tu m'entends, Jan ?

La réponse sembla venir d'outre-tombe.

— Les morts ne peuvent pas entendre... Tout est fini, on a réussi à avoir le vieux Jan Cheroot.

— Sortez de là-dessous, ordonna Zouga Ballantyne en arrivant aux côtés de son fils. C'est pas le moment de faire le clown, Jan.

Ralph lança une corde à Jan Cheroot, puis son père et lui le remontèrent à la surface avec la selle du cheval mort.

L'excavation dans laquelle le Hottentot était tombé formait une tranchée profonde et étroite le long de la crête. À certains endroits, elle atteignait vingt pieds de profondeur, mais n'en avait jamais plus de six de largeur. Elle était presque partout envahie par des plantes grimpantes et une végétation luxuriante, mais il n'en restait pas moins qu'elle avait été creusée par des hommes.

— La veine a été mise à nu le long de cette ligne, estima Zouga, tandis qu'ils suivaient le bord de l'ancienne tranchée. Les mineurs se sont contentés de creuser et n'ont pas pris la peine de reboucher.

— Comment ont-ils pu faire sauter le filon ? demanda Ralph. C'est de la roche dure.

— Probablement en allumant des feux à même le roc, puis en les éteignant avec de l'eau. La contraction fendait la roche.

— Apparemment, ils ne nous ont pas laissé un gramme de minerai.

Zouga acquiesça.

— Ils ont dû commencer par exploiter cette veine, ensuite, lorsqu'elle s'est épuisée, ils ont vraisemblablement creusé des puits le long du gisement pour essayer de le retrouver. Est-ce que vous reconnaissez les lieux maintenant, Jan ? (Comme le Hottentot hésitait, il indiqua le bas de la pente.) Le marais au fond de la vallée et les tecks...

— Oui, oui, fit Jan Cheroot en applaudissant, les yeux pétillant de plaisir. C'est là que vous avez tué l'éléphant dont les défenses sont sur la véranda de King's Lynn.

— Le déblai doit être un peu plus loin, dit Zouga en pressant le pas.

Il retrouva le petit remblai couvert d'herbe, s'agenouilla pour farfouiller dedans, ramassant des fragments de quartz blanc et les examinant rapidement avant de les rejeter. De temps à autre, il en humidifiait un avec sa langue, le présentait au soleil pour essayer de mettre en évidence l'éclat du métal, puis fronçait les sourcils et secouait la tête, déçu.

Il se releva finalement et s'essuya les mains sur son pantalon.

— C'est effectivement du quartz, mais les mineurs d'alors ont dû faire le tri. Il faut que nous retrouvions les puits si nous voulons voir de l'or dans le minerai.

Depuis le sommet de l'ancien remblai, Zouga parvint à s'orienter.

— L'éléphant est tombé mort à peu près là, dit-il en pointant du doigt.

Pour confirmer, Jan Cheroot après avoir fouillé dans l'herbe ressortit un énorme fémur, sec et blanc comme de la craie, qui, après trente ans, commença alors à se désagréger.

— C'était le père de tous les éléphants, déclara le Hottentot avec respect. On n'en verra plus un pareil. C'est lui qui nous a conduits ici ; lorsque vous avez tiré, il est tombé à cet endroit comme pour nous l'indiquer.

Zouga se tourna et tendit de nouveau le doigt.

— L'ancien puits où nous avons enterré ce bon vieux Matthieu doit se trouver par là.

Ralph se souvenait de la chasse à l'éléphant telle que son père l'avait décrite dans *L'Odyssée d'un chasseur*. Le porteur de fusil indigène ne s'était pas dérobé face à la charge du grand pachyderme, mais il l'avait affrontée et avait tendu à Zouga le second fusil, sacrifiant sa vie pour sauver celle de son maître. Ralph comprit donc et se tut quand Zouga posa un genou à terre près du tas de pierres qui constituait la tombe du porteur.

Après une minute, Zouga se releva, s'épousseta le genou et dit simplement :

— C'était un brave gars.

— Brave, mais stupide, précisa Jan Cheroot. Un type sensé se serait enfui.

— Et aurait choisi un autre endroit pour se faire enterrer, murmura Ralph. Il est en plein milieu du filon aurifère. Il va falloir que nous le déplacions.

Zouga fronça les sourcils.

— Laissons-le reposer. Il y a d'autres puits le long de la veine.

Il s'éloigna et ses compagnons le suivirent. Cent mètres plus loin, Zouga s'arrêta de nouveau.

— Ici ! lança-t-il avec satisfaction. Le deuxième puits... il y en avait quatre en tout.

Cette excavation avait elle aussi été rebouchée avec des morceaux de roche. Ralph se débarrassa de sa veste, appuya son fusil contre le tronc de l'arbre le plus proche et descendit dans la petite dépression où il se baissa sur l'étroite entrée obstruée.

— Je vais l'ouvrir.

Ils travaillèrent pendant une demi-heure à déplacer les blocs de pierre avec une branche d'arbre afin de libérer l'entrée du puits. Elle était étroite, si étroite que seul un enfant pouvait passer. Ils s'agenouillèrent et jetèrent un coup d'œil à l'intérieur. Il était impossible de dire quelle était la profondeur du puits car l'obscurité y était impénétrable. Une odeur d'humidité, de champignons, de chauves-souris et de putréfaction s'en dégageait.

Ralph et son père regardaient l'entrée, fascinés et horrifiés.

— On dit que dans les mines les anciens utilisaient des enfants esclaves ou des captifs bochimans, murmura Zouga.

— Nous devons savoir si le filon est là, fit Ralph sur le même ton. Mais aucun homme adulte...

Il s'interrompit et resta pensif quelques instants avant que lui et Zouga se tournent à l'unisson vers Jan Cheroot.

— Jamais ! s'écria farouchement le petit Hottentot. Je suis un vieil homme malade. Jamais ! Il faudra d'abord me tuer !

Ralph dénicha un bout de chandelle dans sa sacoche de selle tandis que Zouga épissait prestement les trois cordes utilisées pour attacher les chevaux. Jan Cheroot les regardait effectuer ces préparatifs comme un condamné assistant à la construction de la potence.

— Depuis vingt-neuf ans, depuis le jour de ma naissance, tu me parles de ton courage et de ton audace, lui rappela Ralph en le prenant par l'épaule et le conduisant avec ménagements vers l'entrée du puits.

— J'ai peut-être exagéré un peu, admit Jan Cheroot pendant que Zouga lui nouait la corde sous les aisselles et lui attachait une sacoche de selle à la taille.

— Vous qui avez affronté des sauvages et chassé l'éléphant et le lion, qu'avez-vous à craindre dans ce petit trou ? Quelques serpents, l'obscurité, des fantômes et c'est tout.

— Peut-être ai-je pas mal exagéré, murmura Jan Cheroot d'une voix rauque.

— Vous ne voulez pas me dire que vous êtes peureux, n'est-ce pas ?

— Si, acquiesça le petit Hottentot avec ardeur en faisant mine de s'éloigner. Je suis peureux et ce n'est pas un endroit où aller quand on est peureux.

Ralph le tira en arrière avec la corde. Il se débattait comme un poisson pris à l'hameçon, mais fut soulevé sans difficulté et déposé dans le puits. Ses protestations s'affaiblirent progressivement tandis que Ralph lâchait la corde.

Il mesurait la corde avec ses bras tendus, six pieds à chaque fois. Au bout d'une soixantaine de pieds, la corde devint molle.

— Jan Cheroot ! beugla Zouga vers le fond du puits.

— Il y a une petite caverne, répondit le Hottentot d'une voix étouffée et déformée par l'écho. Je tiens à peine debout. Le filon est noir de suie.

— Des feux de cuisson. Ils devaient obliger les esclaves à rester en bas, dans le noir, supputa Zouga. Jusqu'à ce qu'ils meurent. Quoi d'autre ?

— Des cordes, des cordes en herbes tressées, et des seaux en cuir comme ceux que nous utilisions dans les mines de diamant à Kimberley... (Jan Cheroot poussa une exclamation.) Ils sont tombés en poussière quand je les ai touchés. (Ils l'entendirent éternuer et tousser dans la poussière qu'il avait soulevée.) Des outils en fer qui ressemblent à des herminettes. Par le grand serpent, reprit-il d'une voix où ils distinguèrent un tremblement, il y a des cadavres, des ossements humains. Je remonte... remontez-moi !

Ralph apercevait la lumière vacillante de la bougie en contrebas.

— Jan, y a-t-il un tunnel qui part de la caverne ?

— Remontez-moi.

— Est-ce que tu vois un tunnel ?

— Oui. Est-ce que vous allez me remonter, à la fin ?

— Quand tu auras suivi le tunnel jusqu'au bout.

— Vous êtes fou ? Il faudrait que je rampe.

— Emmène avec toi un des outils métalliques pour extraire un morceau du filon.

— Non. Ça suffit. Je ne vais pas plus loin, pas avec des squelettes qui gardent l'entrée.

— Très bien, beugla Ralph dans le trou. Puisque c'est comme ça, je laisse tomber l'extrémité de la corde.

— Vous ne feriez pas une chose pareille ?

— Si. Et ensuite je refermerai l'entrée avec les rochers.

— J'y vais, capitula Jan Cheroot avec un accent de désespoir.

De nouveau, la corde commença à descendre en ondulant dans le puits. Accroupis au bord du trou, Ralph et Zouga se passaient leur dernier cigarillo et attendaient avec impatience et mauvaise grâce.

— Quand ils ont abandonné la mine, ils ont dû enfermer les esclaves dans le puits. Un esclave était un bien précieux ; ça prouve qu'ils exploitaient encore la mine et qu'ils sont partis en catastrophe. (Zouga marqua une pause, pencha la tête pour écouter et lâcha un « Ah ! » de satisfaction. Des profondeurs de la terre provenait le tintement d'un outil métallique sur le roc.) Jan Cheroot a atteint le filon.

De longues minutes passèrent pourtant avant qu'ils ne voient réapparaître la lueur de la bougie au fond du puits. Enfin la voix tremblante et pitoyable du Hottentot leur parvint de nouveau.

— Je vous en prie, maître Ralph. J'ai fait ce que vous vouliez. Allez-vous me remonter maintenant ?

Un pied de chaque côté du trou, Ralph tira sur la corde et hissa Jan Cheroot et son fardeau jusqu'à la surface sans marquer une seule pause, les muscles de ses bras saillant à chaque traction sous les manches de sa chemise. À la fin, il n'était pas du tout essoufflé et ne transpirait même pas.

— Alors, Jan, qu'est-ce que tu as trouvé ?

Jan Cheroot était couvert d'une couche de poussière sur laquelle la sueur avait laissé de longues traînées et il dégageait une odeur de champignons et de guano de chauves-souris, caractéristique des cavernes depuis longtemps abandonnées. D'une main toujours tremblante de peur et d'épuisement, il souleva le rabat de la sacoche de selle attachée à sa taille.

— Voilà ce que j'ai trouvé, répondit-il en tendant à Zouga un morceau de roche.

C'était une pierre cristalline, marbrée de bleu, qui miroitait comme de la glace et présentait de minuscules défauts et fissures, dont certaines s'étaient ouvertes sous les coups de l'herminette avec laquelle Jan Cheroot l'avait arrachée à la paroi rocheuse. Les fragments brisés de quartz étaient cependant maintenus ensemble par la matière qui emplissait chaque fissure du minerai. Ce ciment formait une fine couche malléable de métal brillant qui scintilla au soleil lorsque Zouga le mouilla avec le bout de sa langue.

— Bon sang, Ralph, regarde-moi ça !

Ralph prit le morceau de minerai des mains de son père avec la vénération d'un fidèle recevant un sacrement.

— De l'or ! murmura-t-il.

La pierre lança ses feux, ces superbes feux jaunes qui fascinent les hommes depuis la nuit des temps.

— De l'or ! répéta Ralph.

Pour voir l'éclat du précieux métal, le père et le fils avaient passé la majeure partie de leur vie à peiner, ils avaient chevauché au loin et, en compagnie d'autres flibustiers, mené des batailles sanglantes, aidé à détruire un peuple fier et chassé son roi jusqu'à ce qu'il meure dans la solitude.

Entraînés par un homme au cœur malade et aux rêves grandioses, ils s'étaient emparés d'un vaste pays qui portait à présent le nom de ce géant. La Rhodésie, cette terre qu'ils avaient forcée à leur livrer une à une toutes ses richesses. Ils avaient pris ses immenses pâturages d'herbe grasse et ses belles régions montagneuses, ses forêts aux bois précieux, ses troupeaux de bétail au poil brillant, ses légions d'indigènes solides qui, en échange d'une simple pitance, fournissaient le travail nécessaire pour rentrer l'ample moisson. À présent, ils avaient enfin entre leurs mains l'ultime trésor.

— De l'or ! dit Ralph pour la troisième fois.

Ils plantèrent leurs piquets le long de la crête. Après les avoir taillés dans des branches d'acacias desquels suintait de la sève à l'endroit des coupes, ils les enfonçaient dans la terre dure avec le plat de la lame de leur hache. Ils élevèrent ensuite des tas de pierres pour marquer les coins de chaque concession.

En vertu de l'accord que tous deux avaient signé lorsqu'ils s'étaient portés volontaires pour chevaucher contre les régiments de Lobengula, chacun avait droit à dix concessions aurifères. Cela ne s'appliquait évidemment pas à Jan Cheroot. Bien qu'il soit entré dans le Matabeleland avec la colonne volante de Jameson et qu'il ait tiré sur les guerriers matabélé près des rives de la Shangani et de la Bambesi avec autant d'enthousiasme que ses maîtres, à cause de la couleur de sa peau il ne pouvait recevoir sa part du butin.

Zouga et Ralph, outre le butin auquel ils avaient droit selon les termes de l'accord de Fort Victoria, possédaient plusieurs ensembles de concessions rachetées à des soldats dissolus et paniers percés de la troupe de Jameson, dont certains les avaient vendues pour le prix d'une bouteille de whisky. À eux deux, ils étaient donc à même de piqueter toute la crête et la plus grande partie du fond des vallées de chaque côté.

C'était un travail dur mais urgent, car il y avait d'autres prospecteurs dans la région, dont l'un avait pu les suivre. Ils travaillèrent toute la journée, d'abord en pleine chaleur puis au clair de lune, jusqu'au moment où, épuisés, ils laissèrent tomber leur hache et s'endormirent sur place. Le quatrième soir, ils s'arrêtèrent enfin, ayant la certitude que l'ensemble du filon leur était acquis. Il n'y avait aucun espace entre les piquets par lequel un tiers aurait pu s'immiscer.

— Jan Cheroot, il ne reste qu'une bouteille de whisky, grogna

25

Zouga en s'étirant, mais ce soir je vous laisse vous servir tout seul.

Ils regardèrent d'un œil amusé le petit Hottentot ignorer la ligne qui marquait sa ration quotidienne et verser avec un luxe de précautions une dernière goutte d'alcool dans son gobelet plein à ras bord, puis laper à quatre pattes la première gorgée afin de ne pas en renverser.

Ralph récupéra la bouteille et constata avec regret qu'il ne restait plus grand-chose dedans avant de servir un fond de gobelet à son père et à lui.

— À la mine Harkness, lança Zouga.

— Pourquoi la baptiser ainsi ? demanda Ralph en abaissant son verre et en s'essuyant la moustache d'un revers de main.

— C'est grâce à la carte que m'a donnée le vieux Tom Harkness que je l'ai trouvée, répondit Zouga.

— Vous auriez pu choisir un plus joli nom.

— Peut-être, mais c'est celui-là que je veux.

— L'or n'en sera pas moins brillant, j'espère, capitula Ralph en déplaçant prudemment la bouteille de whisky pour la mettre hors de portée du Hottentot, car celui-ci avait déjà vidé son gobelet. Je suis content que nous entreprenions de nouveau quelque chose ensemble, papa, ajouta-t-il en s'installant voluptueusement contre sa selle.

— Oui, acquiesça doucement Zouga. Trop d'années ont passé depuis le temps où nous travaillions côte à côte dans la mine de diamants de Kimberley.

— J'ai exactement le gars qu'il faut pour lancer le chantier, c'est un type exceptionnel, le meilleur des mines d'or du Witwatersrand. Et je vais faire acheminer par mes chariots le matériel avant la saison des pluies.

Lorsque Zouga avait conduit Ralph à la mine Harkness, ils étaient convenus que celui-ci se chargerait de fournir les hommes, le matériel et l'argent nécessaires à l'exploitation. Car Ralph était riche. D'aucuns affirmaient qu'il était déjà millionnaire, bien que Zouga ait jugé cela peu vraisemblable. Il se souvenait néanmoins que son fils avait assuré le transport et l'intendance à la fois pour la colonne chargée d'investir le Mashonaland et pour l'expédition du Matabeleland contre Lobengula, et qu'il avait été payé pour cela des sommes énormes par la British South Africa Company de M. Rhodes, non en liquide mais en actions de la société. La Rhodesia Lands Company de Ralph possédait encore plus de terres que Zouga lui-même.

Ralph avait aussi spéculé sur les actions de la British South Africa Company. Au cours de cette période grisante où la première colonne avait atteint Fort Salisbury, il avait vendu trois livres et quinze shillings à la Bourse de Londres des actions émises par M. Rhodes à une livre. Puis, lorsque les espoirs et l'optimisme des pionniers s'étaient étiolés sur le veld acide et les veines de minerai stériles du Mashonaland, et que Rhodes et Jameson préparaient en secret leur guerre contre le roi matabélé, Ralph avait racheté les actions de la British South Africa Company à huit shillings. Il les avait vues grimper à huit livres lorsque la colonne de cavaliers était entrée dans les ruines encore fumantes du kraal de Lobengula à GuBulawayo et que la société avait ajouté le royaume entier du monarque matabélé à ses possessions.

Tout en écoutant son fils parler avec son énergie et son charisme habituels que même ces journées et ces nuits de dur labeur n'avaient pu affecter, Zouga songeait que Ralph avait installé les lignes du télégraphe entre Kimberley et Fort Salisbury, que ses équipes étaient en ce moment même en train de construire la voie ferrée jusqu'à GuBulawayo, que ses deux cents chariots acheminaient des marchandises vers ses comptoirs commerciaux, plus d'une centaine répartis à travers le Bechuanaland, le Matabeleland et le Mashonaland, et qu'il était à présent propriétaire de la moitié d'une mine d'or qui promettait d'être aussi riche que celles du fabuleux Witwatersrand.

Zouga sourit intérieurement en écoutant Ralph parler à la lumière vacillante du feu de camp, et il pensa soudain : « Bon sang, peut-être ont-ils raison après tout : il se peut que le jeune loup soit déjà millionnaire. » Sa fierté était mêlée de jalousie. Lui-même avait bâti des rêves de richesse et travaillé longtemps avant la naissance de Ralph ; il avait accepté des sacrifices et souffert des privations qui le faisaient encore frissonner lorsqu'il y songeait, tout cela pour recevoir une récompense bien moindre. Hormis ce nouveau filon aurifère, King's Lynn et Louise étaient tout ce qu'il avait à son actif après une vie d'efforts acharnés. Il sourit alors : avec ces deux possessions, il était plus riche que M. Rhodes ne le serait jamais.

Zouga soupira, inclina son chapeau sur ses yeux et, avec l'image du visage bien aimé de Louise à l'esprit, se laissa glisser dans le sommeil. De l'autre côté du feu, Ralph continuait de parler à voix basse, plus à lui-même qu'à son père, et formait de nouveaux rêves de richesse et de pouvoir.

Ils avaient chevauché deux jours entiers pour retourner aux chariots, mais se trouvaient encore à un demi-mile du camp lorsqu'ils furent repérés. Une foule joyeuse de serviteurs, d'enfants, de chiens et d'épouses vint à leur rencontre avec force cris.

Ralph éperonna son cheval. Penché sur sa selle, il souleva Cathy de terre si brusquement que les cheveux lui tombèrent sur le visage et qu'elle poussa des cris aigus jusqu'à ce qu'il la pose sur le pommeau et la réduise au silence en la bâillonnant de ses lèvres. Il prolongea le baiser sans vergogne tandis que le petit Jonathan gambadait impatiemment autour du cheval en criant :

— Moi aussi, papa, moi aussi, monte-moi sur le cheval !

Quand il interrompit enfin son baiser, il la garda étroitement enlacée, lui chatouillant l'oreille avec sa moustache, et lui murmura :

— Dès que nous serons dans la tente, ma chérie, nous allons tester sérieusement votre nouveau matelas.

Elle rougit et essaya de lui donner une tape sur la joue, mais si légère qu'elle ressemblait davantage à une caresse. Ralph rit, puis se pencha à nouveau pour attraper Jonathan par un bras et le prendre en croupe.

Le petit garçon passa ses bras autour de la taille de son père et demanda d'une voix haut perchée :

— Tu as trouvé de l'or, papa ?

— Une tonne.

— Tu as tué des lions ?

— Une centaine.

— Tu as tué des Matabélé ?

— La chasse est fermée, répondit Ralph en riant et ébouriffant les épaisses mèches brunes de son fils.

Cathy le réprimanda :

— Il ne faut pas dire des choses pareilles, vilain petit païen.

De sa démarche souple et légère, Louise suivait la jeune femme et l'enfant à une allure plus posée sur la piste poussiéreuse. Ses cheveux tirés en arrière soulignaient ses pommettes saillantes et lui tombaient jusqu'à la taille en une lourde tresse.

Ses yeux avaient encore changé de couleur. Zouga était fasciné par ces variations d'humeur reflétées dans ses immenses yeux en amande. Ils étaient alors bleu clair, la couleur du bonheur. Elle s'arrêta à hauteur de la tête du cheval, Zouga mit pied à terre et souleva son chapeau, l'examinant d'un air grave pendant quelques instants avant de parler.

— Je ne me suis pas absenté longtemps mais j'avais déjà oublié combien vous étiez belle, dit-il.

— Ce n'était pas une absence aussi courte que cela, objectat-elle. Chaque heure passée loin de vous est pour moi une éternité.

Le camp avait été bien organisé car c'était là qu'habitaient

Cathy et Ralph. Ils n'avaient pas d'autre domicile et, tels des Gitans, allaient là où les espérances de gain étaient les plus importantes. Sur la berge de la rivière au-dessus du gué, quatre chariots avaient été rangés sous un grand caprifiguier au tronc tordu. Les tentes étaient en toile neuve, blanche comme neige ; l'une d'elles, montée un peu à l'écart et équipée d'une baignoire où l'on pouvait s'allonger complètement, servait aux ablutions. Un boy avait pour unique tâche de s'occuper du bidon de quarante gallons installé sur le feu derrière la tente et de fournir de l'eau chaude à la demande, de jour comme de nuit. Dans une tente plus petite se trouvait une chaise percée dont Cathy avait décoré le siège avec des cupidons et des bouquets de roses, et près de laquelle, luxe suprême, elle avait placé dans une boîte en bois de santal du papier hygiénique parfumé de couleur pastel.

Chaque lit de camp était équipé d'un matelas en crin de cheval ; il y avait des chaises en toile et une longue table à tréteaux sous l'auvent de la tente salle à manger ouverte sur le côté. Il y avait des glacières en toile pour le champagne et la limonade, des garde-manger grillagés à l'épreuve des insectes. Et il y avait enfin une trentaine de serviteurs : pour couper le bois et entretenir le feu de camp, s'occuper du lavage et du repassage — de sorte que les femmes pouvaient changer de vêtements chaque jour —, faire les lits, balayer le sol entre les tentes et l'asperger d'eau pour empêcher la poussière de voler. Une femme était chargée de veiller exclusivement sur maître Jonathan, de le nourrir, de lui donner son bain, de le porter et de lui chanter quelque chose lorsqu'il était de mauvaise humeur. Des domestiques s'occupaient de la cuisine, de servir à table, d'autres allumaient les lanternes et attachaient les auvents des tentes à la nuit tombée ; l'un avait pour fonction de vider le seau de la chaise percée chaque fois que tintait la petite cloche.

Ralph conduisit sa monture à travers l'entrée de la haute palissade en branches d'épineux qui entourait tout le camp pour le protéger contre les visites nocturnes des troupes de lions. Cathy se trouvait toujours devant lui sur la selle et son fils derrière. Il jeta un coup d'œil satisfait sur le camp et serra la taille de Cathy.

— Par Dieu que c'est bon de se retrouver chez soi. Je crois que je vais prendre un bain chaud et vous me frotterez le dos, Cathy.

Il s'interrompit et poussa une exclamation de surprise :

— Bon sang, femme ! Vous auriez pu m'avertir !

— Vous ne m'en avez guère laissé le loisir, protesta-t-elle.

Au bout de la rangée des chariots se trouvait parquée une voiture fermée, équipée de suspensions, avec des volets en teck aux fenêtres qui pouvaient être relevés pour se protéger contre la chaleur. Sous la poussière et la boue séchée laissée par le voyage, on apercevait la jolie peinture vert clair de la carrosserie ; les portes étaient rehaussées à la feuille d'or et les grandes roues décorées du même or. La garniture intérieure était en cuir vert brillant avec des pompons d'or aux rideaux. Des malles de bateau en cuir avec renforts de cuivre étaient attachées sur la galerie, et derrière la voiture, les grands mulets blancs, tous de la même taille, se nourrissaient d'herbe fraîchement coupée par les serviteurs de Ralph le long de la rivière.

— Comment est-ce qu'*il* nous a trouvés ? demanda Ralph en déposant Cathy à terre, sans avoir besoin de s'enquérir de l'identité du visiteur, son magnifique équipage étant célèbre sur tout le continent.

— Notre campement ne se trouve qu'à un mile de la route du sud, fit remarquer Cathy aigrement. Il ne risquait guère de nous manquer.

— Et apparemment il a toute son équipe avec lui, marmonna Ralph en voyant que deux douzaines de pur-sang se trouvaient dans le kraal avec les mulets.

— Tous les chevaux du roi avec tous les hommes du roi, confirma Cathy.

À cet instant, Zouga entra en se hâtant dans le kraal, Louise à son bras, aussi excité par la présence de leur visiteur que Ralph en était irrité.

— Louise me dit qu'il a interrompu son voyage tout exprès pour me parler.

— Alors, vous feriez bien de ne pas le faire attendre, papa, fit Ralph avec un petit rire sardonique.

Il était curieux de voir que tout le monde, y compris l'imperturbable et hautain major Ballantyne, tombait sous le charme de leur visiteur. Ralph se flattait d'être le seul à y résister, bien que cela exigeât parfois de lui un effort conscient.

Zouga parcourut à grandes enjambées la rangée des chariots en direction de la palissade intérieure, Louise gambadant à son côté pour le suivre. Ralph flânait délibérément, admirant les remarquables animaux que Jonathan avait moulés avec de l'argile et qu'il faisait défiler en attendant son approbation.

— Magnifiques hippopotames, Jon-Jon ! Ah, ce ne sont pas des hippopotames ? Je comprends, les cornes sont tombées ! Eh bien, en ce cas, ce sont les koudous les plus beaux et les plus gras que j'aie jamais vus.

Cathy le tira finalement par la manche.

— Vous savez, Ralph, il veut vous parler à vous aussi, le pressa-t-elle.

Ralph prit Jonathan sur une épaule et Cathy sur l'autre bras, sachant qu'une telle parade familiale aurait le don d'irriter l'homme qu'ils allaient rencontrer. Puis il entra nonchalamment à l'intérieur de la deuxième palissade du camp.

Les côtés de la grande tente avaient été roulés afin de laisser passer la brise fraîche de l'après-midi, et ils étaient une douzaine d'hommes assis à la longue table à tréteaux. Au centre du groupe se trouvait un personnage un peu lourdaud dans une veste mal coupée de bonne étoffe anglaise, boutonnée jusqu'en haut. Le nœud de sa cravate s'était à moitié défait et les couleurs de l'Oriel College étaient ternies par la poussière de la longue route depuis Kimberley, la ville du diamant.

Même Ralph, dont les sentiments pour ce géant à l'allure gauche étaient mitigés — de l'hostilité mêlée à une admiration réticente —, fut stupéfait par les changements survenus en quelques années dans son apparence. Ses traits lourds étaient creusés, la coloration de son visage était malsaine. Il avait à peine quarante ans ; pourtant sa moustache et ses favoris de blond roux étaient devenus gris terne, et il semblait avoir quinze ans de plus. Seuls ses yeux pâles conservaient la force de leur regard et cet éclat mystique de visionnaire.

— Alors, comment allez-vous, Ralph ? lança-t-il d'une voix haute et claire, incongrue dans ce grand corps.

— Bonjour, monsieur Rhodes, répondit Ralph, qui, malgré lui, laissa son fils glisser de son épaule et le posa doucement par terre. Instantanément, l'enfant s'éloigna à toutes jambes.

— Comment avancent les travaux de ma voie ferrée pendant que vous êtes là à prendre du bon temps ?

— En avance sur les délais et à un coût inférieur aux prévisions, répliqua Ralph, ripostant à la réprimande à peine déguisée.

Il lui fallut faire un petit effort pour détourner le regard de ces yeux bleus hypnotiques et jeter un coup d'œil aux hommes qui flanquaient M. Rhodes.

À sa droite se trouvait l'ombre du grand homme, un individu petit, étroit d'épaules et vêtu avec autant de soin que son maître était négligé. Il avait l'allure compassée et quelconque d'un instituteur, un début de calvitie, mais un regard vif et avide qui démentait tout le reste.

— Jameson, salua froidement Ralph avec un signe de tête, ne donnant pas à Leander Starr Jameson son titre de docteur ni ne l'appelant de manière plus familière et amicale « Docteur Jim ».

— Ballantyne junior, répondit Jameson, dont l'accent légèrement désobligeant insistait un peu sur le diminutif, l'hostilité ayant été réciproque et instinctive entre les deux hommes dès le début.

31

Près de Rhodes un homme jeune aux larges épaules, au beau visage ouvert et au sourire amical qui découvrait ses dents blanches et régulières se leva, le dos bien droit.

— Salut, Ralph, dit-il avec l'accent coulant et agréable du Kentucky, et une poignée de main ferme.

— Harry, je parlais de vous ce matin même. (Le plaisir de Ralph était évident, et il jeta un coup d'œil à Zouga.) Papa, je vous présente Harry Mellow, le meilleur ingénieur des mines d'Afrique.

Zouga fit un signe de tête.

— Nous avons déjà été présentés.

Père et fils échangèrent un regard entendu. Le jeune Américain était celui que Ralph avait choisi pour exploiter la mine Harkness. Peu lui importait que Harry Mellow, comme la plupart des jeunes diplômés brillants et pleins d'avenir du sud de l'Afrique, soit déjà au service de Cecil John Rhodes. Ralph avait bien l'intention de trouver l'appât susceptible de le tenter.

— Il faudra que nous parlions, Harry, chuchota-t-il avant de se tourner vers un autre jeune homme assis au bout de la table. Jordan ! s'exclama-t-il. Ça fait plaisir de te voir.

Les deux frères s'embrassèrent, et Ralph ne chercha pas à cacher son affection — tout le monde aimait Jordan. On ne l'appréciait pas seulement pour sa beauté et ses manières aimables, mais aussi pour ses multiples talents, pour son caractère chaleureux et l'intérêt qu'il témoignait à son entourage.

— Oh, Ralph, j'ai tant de choses à te demander et tant à te dire, fit-il, manifestement aussi content que son frère aîné.

— Plus tard, Jordan, intervint M. Rhodes d'un ton bougon.

Il n'aimait pas être interrompu, et fit signe à Jordan de regagner son siège. Celui-ci s'exécuta sur-le-champ. Il était le secrétaire particulier de M. Rhodes depuis l'âge de dix-neuf ans, et l'obéissance aux caprices de son patron était devenue pour lui une seconde nature.

Rhodes jeta un coup d'œil à Cathy et à Louise.

— Mesdames, je suis persuadé que vous trouverez notre conversation fastidieuse et que des tâches urgentes vous attendent.

Cathy regarda son mari et vit combien Ralph était contrarié par la façon dont M. Rhodes se comportait dans le camp en faisant comme chez lui. Elle lui pressa subrepticement la main pour le calmer et sentit qu'il se détendait légèrement. Son attitude de défi vis-à-vis de M. Rhodes avait des limites : même s'il n'était pas à son service, le contrat de construction de la voie ferrée et d'une centaine de routes carrossables dépendait de cet homme.

Cathy tourna alors son regard vers Louise, et constata qu'elle était elle aussi froissée par ce congédiement. Une étincelle bleutée brillait dans ses yeux et, sous ses taches de rousseur, ses joues s'étaient légèrement empourprées, mais c'est d'une voix posée et indifférente qu'elle répondit pour Cathy et elle-même :

— Vous avez raison, monsieur Rhodes. Voulez-vous nous excuser.

Il était bien connu que M. Rhodes était mal à l'aise en la présence des femmes. Il n'y en avait pas dans sa domesticité et aucun tableau, aucune statue représentant une femme ne décorait son imposant manoir de Groote Schuur, au cap de Bonne-Espérance. Il ne voulait pas davantage employer d'homme marié proche dans son environnement, et renvoyait immédiatement celui qui, même le plus digne de confiance, commettait l'erreur impardonnable de se lancer dans l'aventure matrimoniale : « Vous ne pouvez pas faire les quatre volontés d'une femme et me servir en même temps. »

Rhodes fit signe à Ralph.

— Venez vous asseoir là que je puisse vous voir, ordonna-t-il avant de se retourner vers Zouga et de le bombarder de questions. Chacune cinglait comme un coup de fouet, mais l'attention avec laquelle il écoutait les réponses attestait de la haute estime dans laquelle il tenait Zouga Ballantyne. Les deux hommes se connaissaient depuis de longues années, depuis les premiers jours des mines de diamants du kopje Colesberg, rebaptisées ensuite Kimberley, du nom du ministre britannique des Colonies qui les avait intégrées aux possessions de Sa Majesté.

Zouga y avait exploité des concessions qui avaient produit le fabuleux « diamant Ballantyne », mais Rhodes avait acquis ensuite ces concessions comme toutes celles de Kimberley. Rhodes avait fait alors de Zouga son agent personnel au kraal du roi Lobengula, car il parlait couramment la langue des Matabélé. Lorsque Jameson avait lancé sa colonne volante dans cette offensive éclair victorieuse contre le roi, Zouga avait chevauché à ses côtés en tant qu'officier et il avait été le premier à entrer dans le kraal incendié de GuBulawayo après la fuite du souverain.

Après la mort de Lobengula, Rhodes avait nommé Zouga « intendant des possessions de l'ennemi », et celui-ci avait été chargé de rassembler les troupeaux de bétail pris aux Matabélé et de les redistribuer comme butin à la Compagnie et aux volontaires de Jameson.

Après que Zouga eut mené à bien cette tâche, Rhodes avait voulu le nommer commissaire en chef aux Affaires indigènes, pour traiter avec les indunas des Matabélé, mais Zouga avait préféré se retirer dans sa propriété de King's Lynn avec sa jeune épouse, et il avait laissé le poste au général Saint John. Cependant, il faisait toujours partie du conseil d'administration de la British South Africa Company, et Rhodes lui faisait confiance comme à peu d'autres hommes.

— Le Matabeleland se développe rapidement, monsieur Rhodes, rapporta Zouga. Vous verrez que Bulawayo est maintenant presque une ville, avec son école et son hôpital. Il y a déjà près de six cents femmes et enfants blancs dans le Matabeleland, signe évident que vos colons sont enfin décidés à y rester. Toutes les concessions foncières ont été reprises et beaucoup de fermes sont déjà exploitées. Les taureaux importés du Cap s'adaptent aux conditions locales et se reproduisent bien avec le bétail confisqué aux Matabélé.

— Qu'en est-il des richesses minérales, Ballantyne ?

— Plus de dix mille concessions ont été enregistrées, et j'ai vu des prospecteurs effectuer des broyages très productifs. (Zouga hésita, lança un coup d'œil à Ralph et, sur un signe d'acquiescement de celui-ci, se retourna vers Rhodes.) Ces jours derniers, mon fils et moi avons retrouvé et piqueté les anciennes mines sur lesquelles j'étais tombé dans les années 60.

— La mine Harkness, commenta Rhodes avec un lourd hochement de tête, et même Ralph fut impressionné par sa mémoire et sa perspicacité. Je me souviens de la description que vous en avez donnée dans *L'Odyssée d'un chasseur*. Avez-vous prélevé des échantillons ?

En réponse, Zouga déposa sur la table devant lui une douzaine de morceaux de quartz, et l'or brut brilla d'un tel éclat que, fascinés, les hommes attablés penchèrent la tête pour mieux voir. Rhodes fit tourner un des échantillons dans ses grosses mains à la peau marbrée avant de le passer à l'ingénieur américain.

— Qu'en pensez-vous, Harry ?

— Ça ira chercher dans les quinze onces la tonne, répondit Harry avec un petit sifflement. Peut-être trop riche, comme Nome ou le Klondike. (L'Américain leva les yeux vers Ralph.) Quelle épaisseur a le filon ? Quelle est sa largeur ?

Ralph secoua la tête.

— Je n'en sais rien, les travaux ne sont pas assez avancés pour en juger.

— C'est bien évidemment du quartz, et non pas un conglomérat aurifère comme à Witwatersrand, murmura Harry Mellow.

Le conglomérat, qui faisait penser à une sorte de nougat, formé par les épaisses couches de sédiments d'anciens lacs, n'était pas aussi riche en or que cet éclat de quartz, mais il avait plusieurs pieds d'épaisseur et s'étendait sur toute la surface de ces grands lacs disparus, filon mère que l'on pouvait exploiter pendant des siècles sans l'épuiser.

— C'est trop riche, répéta Harry Mellow en caressant l'échantillon de quartz. Je ne crois pas que le filon dépasse quelques pouces d'épaisseur.

— Et si ce n'était pas le cas ? interrogea Rhodes durement.

L'Américain eut un petit sourire.

— Alors, monsieur Rhodes, vous aurez le monopole non seulement de presque tous les diamants de la planète, mais aussi de presque tout l'or.

Ces mots rappelaient brusquement à Ralph que la British South Africa Company devait recevoir cinquante pour cent de royalties sur chaque once d'or découverte dans le sous-sol du Matabeleland, et le ressentiment de Ralph resurgit dans toute sa force. Avec son omniprésente BSA Company, Rhodes était comme une gigantesque pieuvre qui se nourrissait des efforts et de la chance des hommes moins puissants.

— Acceptez-vous, monsieur Rhodes, que Harry prenne quelques jours pour m'accompagner afin d'examiner le filon ? demanda Ralph d'une voix où perçait l'irritation, si bien que Rhodes leva brusquement sa grosse tête ébouriffée.

Pendant quelques instants ses yeux bleu pâle semblèrent sonder l'âme de son interlocuteur, puis il donna son approbation d'un hochement de tête. Il changea ensuite de sujet et accabla de nouveau Zouga de questions.

— Les indunas matabélé... comment se comportent-ils ?

Cette fois-ci, Zouga marqua un temps d'hésitation.

— Ils se plaignent, monsieur Rhodes.

— Oui ? fit celui-ci en fronçant les sourcils.

— Comme on pouvait s'y attendre, le bétail est leur principale cause de doléances, dit Zouga à voix basse.

— Nous avons capturé moins de cent vingt-cinq mille têtes et nous en avons restitué quarante mille à la tribu, coupa Rhodes.

Zouga ne lui rappela pas que la restitution n'avait été faite que sur les instances les plus pressantes de Robyn Saint John, la sœur de Zouga. Robyn était le médecin-missionnaire de la mission de Khami, et elle avait été l'amie intime et la conseillère de Lobengula.

— Quarante mille têtes de bétail, Ballantyne ! Un geste on ne peut plus généreux de la Compagnie ! répéta Rhodes d'un air pontifiant.

Là encore, il ne précisa pas qu'il avait rendu les bêtes afin d'éviter la famine qui, de l'avis de Robyn Saint John, eût décimé le peuple matabélé vaincu. Elle aurait vraisemblablement entraîné l'intervention du gouvernement impérial de Whitehall, et peut-être la révocation de la charte royale en vertu de laquelle la compagnie de Rhodes gouvernait à la fois le Mashonaland et le Matabeleland. Rien à voir avec un acte de charité, pensa Ralph avec une ironie désabusée.

— Après avoir rendu ce bétail aux indunas, il nous est resté moins de quatre-vingt-cinq mille têtes : la Compagnie a tout juste couvert les frais de la guerre.

— Les indunas n'en affirment pas moins qu'on leur a rendu seulement les bêtes les moins bonnes, les vieilles vaches stériles et les taureaux sur le retour.

— Bon sang, Ballantyne, dit Rhodes, les volontaires ont bien gagné le droit d'effectuer leur choix parmi les troupeaux. Ils ont naturellement jeté leur dévolu sur le meilleur bétail. (Il tendit un index accusateur vers Zouga.) Je me suis laissé dire que vos propres troupeaux, choisis parmi les bêtes capturées, étaient les meilleurs du Matabeleland.

— Les indunas ne comprennent pas cela, répondit Zouga.

— Eh bien, il faut en tout cas qu'ils comprennent qu'ils sont un peuple conquis. Leur prospérité dépend du bon vouloir de leurs vainqueurs. Ils n'avaient pas tant de considération à l'égard des tribus qu'ils assujettissaient lorsqu'ils parcouraient le continent comme en pays conquis. Mosélékatsé a fait un million de morts quand il a dévasté le pays au sud du Limpopo, et Lobengula, son fils, disait des membres des tribus inféodées qu'ils étaient ses chiens, qu'il pouvait abattre ou réduire en esclavage selon son bon plaisir. Il ne faut pas qu'ils se plaignent maintenant de goûter à l'amertume de la défaite.

Même le gentil Jordan, à l'autre bout de la table, acquiesça.

— Protéger les tribus mashona des agressions de Lobengula était l'une des raisons pour lesquelles nous avons marché sur GuBulawayo, murmura-t-il.

— J'ai dit qu'ils avaient des doléances, fit remarquer Zouga. Je n'ai pas dit qu'elles étaient justifiées.

— De quoi d'autre se plaignent-ils ? demanda Rhodes.

— De la police de la Compagnie. Les jeunes Matabélé recrutés et armés par le général Saint John se pavanent dans les kraals, usurpant le pouvoir des indunas, faisant leur choix parmi les jeunes filles...

— Mieux vaut cela que de voir les régiments renaître sous le commandement des indunas, coupa derechef Rhodes. Imaginez-vous vingt mille guerriers sous les ordres de Babiaan, de Gandang et de Bazo ? Non, Saint John a eu raison de briser le pouvoir des indunas. En tant que commissaire aux Affaires indigènes, il est de son devoir de prévenir une résurgence de la tradition guerrière matabélé.

— Surtout en sachant ce qui se passe en ce moment au sud d'ici, ajouta le docteur Leander Jameson, qui prenait la parole pour la première fois depuis qu'il avait accueilli Ralph.

Rhodes se tourna prestement vers lui.

— Je me demande si c'est bien le moment d'en parler, Docteur Jim.

— Pourquoi pas ? Tous les hommes présents sont discrets et dignes de confiance. Nous avons tous la même noble vision de l'Empire et Dicu sait que nos propos ne risquent pas d'être surpris. Pas ici, dans cette région reculée. Je ne vois pas de moment mieux choisi pour expliquer pourquoi la police de la Compagnie doit être encore renforcée, mieux armée et parfaitement entraînée.

Instinctivement Rhodes jeta un coup d'œil à Ralph Ballantyne. Celui-ci dressa un sourcil, geste cynique et légèrement provocateur qui sembla décider Rhodes.

— Non, Docteur Jim, dit-il d'un ton décidé. Nous aurons le temps de le faire plus tard. (Jameson haussa les épaules et capitula, sur quoi Rhodes se tourna vers Jordan pour ajouter :) Le soleil se couche.

Jordan se leva alors docilement pour remplir les verres. Le whisky du soir faisait d'ores et déjà partie des traditions au nord du Limpopo.

Suspendues au-dessus du camp de Ralph, les gemmes blanches et brillantes de la Croix du Sud éclipsaient les autres étoiles et diffusaient une lumière nacrée sur les dômes chauves des kopjes de granit. Ralph regagnait sa tente. Il tenait de son père une bonne résistance à l'alcool, si bien que ses pas étaient assurés. C'étaient les idées qui l'enivraient, et non le whisky.

Il se baissa sous l'auvent de la tente plongé dans l'obscurité, s'assit au bord du lit de camp et toucha la joue de Cathy.

— Je ne dors pas, dit-elle à voix basse. Quelle heure est-il ?

— Minuit passé.

— Qu'est-ce qui vous a retenu si tard ? chuchota-t-elle pour ne pas réveiller Jonathan, qui dormait juste derrière l'écran de toile.

— Les rêves et les fanfaronnades d'hommes grisés par le pouvoir et le succès, répondit-il en souriant et retirant ses bottes. Et bon sang, je n'ai pas été en reste. (Il se leva pour ôter son pantalon.) Que pensez-vous de Harry Mellow ? demanda-t-il en changeant brusquement de rythme.

— L'Américain ? Il est très... (Cathy hésita.) Je veux dire qu'il a l'air très viril et qu'il est plutôt bien.

— Séduisant ? Irrésistible pour une jeune femme ?

— Vous savez bien que je ne pense pas à ça, protesta Cathy avec un petit air sage.

— Et comment, que vous y pensez, gloussa Ralph en l'embrassant.

Il referma sa main sur un de ses seins ronds, ferme comme un melon bien mûr sous la fine cotonnade de sa chemise de nuit. Elle se débattit pour la forme afin de libérer ses lèvres des siennes et retirer sa main, mais il la tenait fermement et après quelques secondes elle cessa de lutter, passant au contraire ses bras autour de son cou.

— Vous sentez la sueur, le cigare et le whisky.

— Je suis désolé.

— Ne le soyez pas, c'est agréable.

— Laissez-moi enlever ma chemise.

— Je vais le faire moi-même.

Bien plus tard, Ralph était couché sur le dos, Cathy blottie contre sa poitrine nue.

— Cela vous ferait plaisir que nous fassions venir vos sœurs de Khami ? demanda-t-il à brûle-pourpoint. Elles aiment la vie du camp, et plus encore, échapper à votre mère.

— C'est moi qui voulais inviter les jumelles, lui rappela-t-elle d'une voix ensommeillée. Et c'est vous qui disiez qu'elles étaient trop... perturbatrices.

— Pour être exact, j'ai dit qu'elles étaient trop chahuteuses et turbulentes, corrigea-t-il.

Elle leva la tête et le regarda dans le faible clair de lune qui filtrait à travers la toile de tente.

— C'est un revirement...

Elle y songea pendant un moment, consciente du fait qu'il y avait toujours de bonnes raisons derrière les suggestions de son mari, même les plus déraisonnables.

— L'Américain ! s'exclama-t-elle, avec une telle force que derrière l'écran de toile Jonathan s'agita et gémit. (Instantanément, Cathy baissa le ton et murmura avec virulence :) Vous ne vous serviriez tout de même pas de mes sœurs, n'est-ce pas ?

— Elles sont grandes maintenant. Quel âge ont-elles ? demanda-t-il en attirant de nouveau sa tête contre sa poitrine.

— Dix-huit ans. (Elle plissa le nez, chatouillée par ses poils.) Mais, Ralph...

— Déjà des vieilles filles.

— Mes propres sœurs... vous ne vous serviriez pas d'elles ?

— Elles n'auront jamais l'occasion de rencontrer des jeunes gens convenables à Khami. Votre mère les fait fuir.

— Vous êtes un affreux personnage, Ralph Ballantyne.

— Voulez-vous que je vous montre combien je peux l'être ?

Elle réfléchit quelques instants à la question.

— Oui, s'il vous plaît, gloussa-t-elle finalement.

— Un jour je monterai à cheval avec vous, dit Jonathan. C'est vrai, hein, papa ?

— Un jour, bientôt, acquiesça Ralph en ébouriffant la chevelure bouclée de l'enfant. Pour l'instant, je veux que tu t'occupes de ta mère quand je ne suis pas là, Jon-Jon.

Jonathan hocha la tête, tout pâle, les traits figés, retenant ses larmes avec acharnement.

— Promis ?

Ralph serra dans ses bras le petit garçon, puis se pencha sur sa selle pour le déposer à côté de Cathy. Alors même qu'il ne lui arrivait pas à la hanche, Jonathan prit sa main en un geste protecteur.

— Promis, papa, répondit-il la gorge serrée, les yeux fixés sur son père monté sur le grand cheval.

Ralph effleura la joue de Cathy du bout de ses doigts.

— Je vous aime, dit-elle à voix basse.

— Ma belle Cathy.

C'était vrai. Les premiers rayons dorés du soleil transformaient sa chevelure en une auréole brillante et, dans la certitude inébranlable de leur amour, elle avait la sérénité d'une madone.

Ralph éperonna sa monture. Harry Mellow lança son cheval à ses côtés, un beau pur-sang alezan qui appartenait aux écuries personnelles de M. Rhodes. Il montait comme un homme de la plaine. À la lisière de la forêt, les deux cavaliers se retournèrent. La femme et l'enfant se tenaient toujours à la porte de la palissade.

— Vous avez de la chance, dit Harry à voix basse.

— Sans une bonne épouse, il n'y a pas de présent, et sans fils, il n'y a pas de lendemain.

Les vautours étaient encore perchés à la cime des arbres, le ventre gonflé, la tête dans les épaules, bien que les os des lions aient été nettoyés et éparpillés sur le sol rocailleux de la crête. Il leur fallait digérer leur festin avant de reprendre leur essor, et c'est leurs formes sombres et contrefaites, découpées sur le ciel limpide de l'hiver, qui guidèrent Ralph et Harry sur les derniers miles qui les séparaient des concessions Harkness.

— Ça a l'air prometteur, estima prudemment Harry le premier soir, autour du feu de camp. Le soubassement rocheux est en contact avec le filon. Il se peut que la veine soit vraiment profonde, et nous l'avons suivie sur plus de deux miles. Demain, je marquerai les endroits où il vous faudra creuser vos puits de prospection.

— On trouve du minerai dans toute la région, lui dit Ralph. Le croissant d'or des champs aurifères du Witwatersrand, de Pilgrim's Rest et de Tati se poursuit jusqu'ici... (Ralph s'interrompit.) Mais vous avez un don particulier. J'ai entendu dire que vous étiez capable de flairer la présence de l'or à cinquante miles.

Harry agita sa tasse de café en un geste de dénégation, mais Ralph poursuivit :

— Et j'ai les chariots et le capital pour financer la prospection et exploiter les découvertes. J'ai de l'amitié pour vous, Harry ; je suis persuadé que nous nous entendrions bien pour exploiter la mine Harkness pour commencer, puis, qui sait, l'ensemble de ce fichu pays.

Harry s'apprêtait à prendre la parole, mais Ralph lui posa la main sur le bras pour l'en empêcher.

— Ce continent est une véritable caverne d'Ali Baba. Les champs diamantifères de Kimberley et le conglomérat aurifère du Witwatersrand côte à côte : tous les diamants et l'or dans le même panier... qui l'eût cru ?

— Ralph... (Harry secoua la tête.) J'ai déjà uni ma destinée à celle de M. Rhodes.

Ralph soupira et contempla les flammes du feu de camp pendant une longue minute. Puis il ralluma son bout de cigarillo et commença à argumenter avec sa conviction habituelle. Une heure plus tard, en se roulant dans sa couverture, il répéta son offre.

— Au service de Rhodes, vous ne serez jamais votre propre maître, vous resterez un employé.

— Vous aussi vous travaillez pour M. Rhodes, Ralph.

— J'ai un contrat avec lui, Harry, mais le profit ou la perte est pour moi. Je ne perds pas mon âme.

— Contrairement à moi, ajouta Harry avec un petit rire.

— Joignez-vous à moi, Harry. Vous saurez ce que ça fait de jouer avec ses propres cartes, de prendre des risques soi-même, de donner des ordres au lieu d'en recevoir. La vie n'est qu'un jeu, Harry, et il n'y a qu'une seule façon d'y participer : en s'y donnant à fond.

— Je suis au service de Rhodes.

— Nous en reparlerons le moment venu, conclut Ralph en tirant la couverture sur sa tête.

Quelques minutes après, sa respiration était lente et régulière.

Le lendemain matin, Harry marqua avec des tas de pierres les sites où devaient avoir lieu les forages, et Ralph se rendit compte avec quelle habileté il circonscrivait l'ensemble du filon. À midi, Harry avait fini. Pendant qu'ils sellaient les chevaux, Ralph fit un rapide calcul et réalisa que les deux sœurs de Cathy n'arriveraient pas au camp de base avant deux jours.

— Nous sommes allés si loin, il serait dommage de ne pas pousser un peu vers l'est avant de revenir. Dieu sait ce que nous pouvons trouver... peut-être encore de l'or et des diamants. (Et comme Harry hésitait, il ajouta :) M. Rhodes doit déjà être parti pour GuBulawayo. Il va y tenir sa cour pendant au moins un mois et il n'aura pas besoin de vous.

Harry réfléchit un moment, puis sourit comme un écolier sur le point de sécher ses cours pour aller chaparder des pommes.

— Allons-y, dit-il.

Ils chevauchaient à petite allure, et à chaque rivière mettaient pied à terre pour laver à la batée le gravier prélevé au fond des plans d'eau verte. Lorsque le soubassement rocheux affleurait, ils prenaient des échantillons. Ils fouillaient les terriers de fourmiliers et de porcs-épics et les termitières grouillantes pour connaître la nature des grains de sable et des éclats de roche ramenés des profondeurs du sous-sol par les animaux.

« Nous avons trouvé une douzaine de minéraux de couleurs prometteuses, dit Harry le troisième jour. J'apprécie particulièrement ces cristaux de béryllium : ils sont un bon indice de la présence de gisements d'émeraudes. »

Chaque mile de chevauchée avait vu l'enthousiasme de Harry augmenter, mais ils avaient atteint la limite de leur détour par l'est, et même Ralph se rendait compte qu'il était temps de rentrer. Voilà cinq jours qu'ils avaient quitté le camp de base. Ils n'avaient plus ni café, ni sucre, ni farine, et Cathy devait commencer à s'inquiéter.

Ils jetèrent un dernier coup d'œil à cette région qu'il leur fallait laisser inexplorée pour l'instant.

— C'est magnifique, murmura Harry. Je n'ai jamais vu un pays aussi beau. Comment s'appelle cette chaîne de collines, là-bas au loin ?

— C'est l'extrémité sud des Matopos.

41

— J'ai entendu M. Rhodes en parler. N'est-ce pas là les collines sacrées des Matabélé ?

Ralph acquiesça.

— Si je croyais en la sorcellerie... (Il s'interrompit et eut un petit rire embarrassé.) Ces collines ont quelque chose de particulier.

Les premières lueurs rosées du crépuscule teintaient le ciel à l'occident et transformaient en marbre rose la roche lisse de ces troublantes collines, tandis que leurs crêtes s'enguirlandaient de fragiles volutes de nuages couleur d'ivoire et de cendre sous les rayons bas du soleil.

— Il y a là-bas une caverne secrète où vivait une sorcière qui présidait à la destinée des tribus. Mon père est allé la supprimer à la tête d'un commando au début de la guerre contre Lobengula.

— J'ai entendu l'histoire ; elle fait déjà partie de la légende.

— C'est la vérité. On dit... (Ralph se tut et examina d'un air pensif la haute chaîne rocheuse surmontée de tourelles.) Ce n'est pas des nuages, Harry, dit-il enfin. C'est de la fumée. Et pourtant, il n'y a pas de kraals dans les Matopos. Ce pourrait être un feu de brousse, mais je ne le crois pas, le front n'est pas assez large.

— D'où vient alors cette fumée ?

— C'est ce que nous allons voir, répondit Ralph, et avant que Harry ait eu le temps de protester, il avait lancé son cheval et parcourait au petit galop la plaine couverte de l'herbe pâle hivernale en direction du haut rempart de granit nu qui fermait l'horizon.

À l'écart des hommes qui s'agglutinaient autour des fours en argile, un guerrier matabélé était assis à l'ombre maigre d'un arbre tordu. Il était mince et l'on voyait ses côtes à travers la musculature élastique de sa poitrine à demi cachée par sa cape. Sa peau brûlée par le soleil avait la teinte de l'ébène et le lustre de la robe d'un pur-sang entraîné pour la course ; seuls sa poitrine et son dos étaient abîmés par de vieilles cicatrices de blessures par balle.

Il portait un simple pagne et une cape de cuir tanné, pas de crécelles de guerre, ni de tenue en fourrure, ni de plumes de marabout sur sa tête rasée. Il n'était pas armé, car les Blancs avaient fait des feux de joie avec les longs boucliers en peau et emporté les sagaies à large lame par chariots entiers ; ils avaient également confisqué les fusils Martini-Henry avec lesquels la

Compagnie avait payé le roi Lobengula pour la concession de toutes les richesses minérales de son sous-sol.

Le guerrier portait également l'anneau d'induna en gomme et argile, tissé de manière permanente dans ses cheveux, noir et dur comme du fer. Cet insigne de son rang annonçait qu'il avait été conseiller de Lobengula, le dernier roi matabélé. Cette simple couronne attestait de son appartenance à une lignée royale, le sang zanzi de la tribu des Kumalo, qui remontait directement dans toute sa pureté jusqu'à l'époque du Zoulouland, à mille miles au moins au sud.

Mosélékatsé avait été le grand-père de cet homme, Mosélékatsé qui avait défié le tyran Chaka et conduit son peuple vers le nord. Mosélékatsé, le petit chef responsable d'un million de morts au cours de cette terrible marche et qui, du même coup, était devenu un puissant empereur, aussi puissant et cruel que l'avait été Chaka. Mosélékatsé, son grand-père, qui avait finalement amené son peuple dans ce riche et beau pays, qui avait été le premier à pénétrer dans ces collines magiques et à écouter les innombrables voix étranges de l'Umlimo, l'Élue, la sorcière et oracle des Matopos.

Lobengula, fils de Mosélékatsé, qui avait gouverné les Matabélé à la mort du vieux roi, était l'oncle de cet homme. C'était Lobengula qui lui avait accordé l'honneur de porter l'anneau d'induna et l'avait nommé commandant de l'un de ses régiments d'élite. Mais les mitrailleuses Maxim avaient anéanti le régiment du jeune induna sur les berges de la Shangani, et l'avaient marqué lui-même de ces profondes cicatrices sur le torse.

Le nom de cet homme était Bazo, ce qui signifie « la Hache », mais à présent on l'appelait plus souvent « le Vagabond ». Toute la journée il était resté assis sous l'arbre tordu à regarder les chaudronniers en fer accomplir leurs rites, car la naissance du fer était un mystère, hormis pour ces experts. Les chaudronniers n'étaient pas matabélé, mais appartenaient à une tribu plus ancienne, un peuple antique dont les origines étaient étroitement mêlées à celles des murailles de pierre hantées et en ruine du Grand Zimbabwe.

Bien que les Blancs et leur reine d'au-delà des mers aient décrété que les Matabélé ne pouvaient plus posséder d'*amaholi*, d'esclaves, ces chaudronniers rozwi étaient toujours les chiens de leurs maîtres guerriers et continuaient de pratiquer leur artisanat sur leur ordre.

Les dix chaudronniers rozwi les plus âgés et avisés avaient choisi le minerai dans la carrière, délibérant sur chaque fragment comme des femmes futiles choisissant des perles de céramique dans le stock du marchand. Ils avaient sélectionné le minerai pour sa couleur et son poids, pour la perfection du métal qu'il contenait et sa pureté, puis ils l'avaient brisé sur les enclumes de pierre jusqu'à ce que chaque morceau ait la taille requise. Tandis qu'ils travaillaient avec application, certains de leurs apprentis coupaient et brûlaient des troncs d'arbres dans les fosses à charbon de bois, contrôlant la combustion avec des couches de terre et l'arrêtant finalement avec des cruches d'eau. Pendant ce temps-là, d'autres apprentis effectuaient le long trajet jusqu'aux carrières de calcaire et revenaient avec le catalyseur broyé dans des sacs en cuir portés par des bœufs. Lorsque les maîtres chaudronniers avaient approuvé de mauvaise grâce la qualité du charbon de bois et de la pierre à chaux, la construction de la rangée de fours d'argile avait pu commencer.

La forme de ces fours évoquait le corps d'une femme enceinte, un gros ventre, à l'intérieur duquel les couches de minerai de fer, de charbon de bois et de chaux étaient superposées. Dans le bas du four, entre des cuisses d'argile symboliquement tronquées, s'ouvrait l'orifice étroit dans lequel on introduisait le bec en corne du soufflet en cuir.

Quand tout était prêt, le chef chaudronnier tranchait la tête du coq sacrifié et longeait la rangée des fours en les aspergeant de sang chaud tout en chantant les premières incantations traditionnelles à l'intention de l'esprit du fer.

Bazo regardait avec fascination et un frisson superstitieux courut sur sa peau lorsque le feu fut introduit par l'ouverture vaginale des fours, moment magique de la fécondation accueilli par le cri de joie des chaudronniers. Puis les apprentis actionnèrent les soufflets en une sorte d'extase religieuse, chantant les hymnes qui assuraient le succès de la fonte et marquaient le rythme pour le travail des soufflets. Quand l'un reculait, épuisé, un autre prenait sa place et continuait de projeter avec régularité le souffle d'air dans les profondeurs du four.

Une fine nappe de fumée flottait au-dessus du théâtre des opérations comme une légère brume de mer un jour de canicule, et elle s'élevait en tourbillonnant lentement autour des arêtes dénudées des collines. Le moment était enfin venu de sortir la matière en fusion et lorsque le chef chaudronnier retira la bonde d'argile du premier four, un cri joyeux d'action de grâce s'éleva de l'assemblée au vu du flot rougeoyant de métal fondu qui s'échappait de la matrice du foyer.

Bazo tremblait d'excitation et d'étonnement, comme il l'avait fait lorsque son premier fils était né dans l'une des grottes de ces mêmes collines.

« La naissance des lames », murmura-t-il, et il entendait déjà en imagination le tintement des marteaux battant le métal et le

44

sifflement grésillant de la trempe qui allait donner toute leur dureté au tranchant et à la pointe de la large lame des sagaies.

Une main sur son épaule le tira brusquement de sa rêverie ; il leva les yeux vers la jeune femme qui se tenait au-dessus de lui et sourit. Elle portait le pagne de cuir décoré de perles des femmes mariées, mais n'avait pas de bracelets autour de ses membres fins.

Son corps était droit et ferme, ses seins nus, symétriques et parfaitement proportionnés. Bien qu'elle eût déjà allaité un beau garçon, aucune vergeture ne les abîmait. Elle avait le ventre plat, la peau lisse et tendue. Son cou était long et gracieux, son nez, droit et fin, ses yeux, bridés au-dessus de ses pommettes hautes comme celles des Égyptiennes. Ses traits étaient ceux d'une statuette tirée de la tombe de quelque pharaon.

— Tanase, voilà encore mille lames... dit Bazo. (Voyant son expression, il s'interrompit.) Que se passe-t-il ? demanda-t-il, inquiet.

— Des cavaliers. Ils sont deux. Des hommes blancs qui viennent des forêts du sud, et ils arrivent vite.

Rapide comme un léopard alarmé par l'approche des chasseurs, Bazo se leva d'un seul mouvement, révélant sa haute taille et la largeur de ses épaules — il dépassait d'une tête les chaudronniers qui l'entouraient. Il leva le sifflet en corne suspendu à un lacet autour de son cou et donna un unique coup aigu. L'affairement autour des fours cessa immédiatement et le maître chaudronnier se hâta vers lui.

— Combien de temps faut-il pour sortir ce qui reste de métal fondu et démolir les fours ? demanda Bazo.

— Deux jours, ô Seigneur, répondit l'homme en s'inclinant avec respect.

Il avait les yeux injectés de sang à cause de la fumée des foyers, et celle-ci teintait en jaune sale la laine de ses cheveux blancs.

— Vous avez jusqu'à l'aube...

— Seigneur !

— Travaillez toute la nuit, mais masquez les feux afin qu'on ne les voie pas de la plaine.

Bazo tourna les talons et gravit à grandes enjambées la pente raide au sommet de laquelle une vingtaine d'hommes attendaient sous le dôme de granit de la colline.

Comme Bazo, ils ne portaient que de simples pagnes de cuir et n'étaient pas armés, mais ils avaient le corps trempé et affiné par la guerre et l'entraînement à la guerre. Il y avait l'arrogance des guerriers dans leur attitude lorsqu'ils se levèrent à l'approche

45

de leur induna et un éclat féroce dans leurs yeux. C'étaient sans doute possible des Matabélé et non des chiens d'*amaholi*.

— Suivez-moi ! ordonna Bazo. Il les conduisit au trot autour de la colline. Il y avait une grotte étroite à la base de la falaise ; Bazo écarta les plantes grimpantes dont le rideau cachait l'entrée et se baissa pour pénétrer à l'intérieur, dans l'obscurité. La caverne n'avait que dix pas de profondeur et se terminait brusquement en un éboulis de rochers.

Sur un geste de Bazo, deux de ses hommes se dirigèrent vers le fond de la grotte et écartèrent les rochers en les roulant. De derrière provint un reflet de métal poli semblable à celui des écailles d'un reptile assoupi. Lorsque Bazo s'écarta de l'entrée, les rayons obliques du soleil couchant vinrent éclairer les profondeurs de la caverne et l'arsenal secret. Les sagaies étaient liées par faisceaux de dix avec des lacets de cuir vert.

Les deux guerriers prirent chacun un faisceau, arrachèrent les lacets et firent rapidement passer les sagaies de main en main jusqu'à ce que chacun fût armé. Bazo soupesa sa lance. La hampe était en cœur poli de mukusi, l'arbre couleur de sang, la lame, forgée à la main, large comme la paume de Bazo et aussi longue que son avant-bras. Il aurait pu raser les poils du dos de sa main avec le bord aiguisé.

Jusqu'à cet instant il avait eu l'impression d'être nu, mais à présent, en sentant le poids et l'équilibre familiers de la sagaie dans sa main, il redevenait un homme. Il fit signe à ses guerriers de remettre les rochers en place afin de fermer de nouveau la cachette, puis il les reconduisit le long du sentier. Sur l'épaulement de la colline, Tanase l'attendait sur une corniche surplombant des plaines herbeuses, et au-delà les forêts bleutées rêvassant dans la lumière du soir.

— Là, dit-elle.

Bazo les vit tout de suite : Deux cavaliers qui se déplaçaient au petit galop. Ils avaient atteint le pied des collines et les longeaient, à la recherche d'une voie facile. Ils levaient les yeux d'un air dubitatif vers les amas de rochers et les parois nacrées et lisses de granit qui n'offraient aucune prise.

Deux pistes seulement permettaient d'accéder à la vallée des chaudronniers, toutes deux étroites et escarpées, et elles franchissaient des cols aisément défendables. Bazo se retourna et regarda en arrière. La fumée des fours se dissipait, seules quelques pâles volutes s'enroulaient autour des falaises de granit gris. Le lendemain matin, il n'y aurait plus rien pour attirer un randonneur curieux vers le lieu secret, mais la nuit ne serait pas tombée avant une heure, peut-être moins, car elle vient avec une rapidité déconcertante en Afrique, au nord du Limpopo.

— Il faut absolument que je les retarde avant qu'il fasse nuit, dit Bazo. Je dois les détourner avant qu'ils ne trouvent le sentier.

— Et si tu n'y arrives pas ? demanda Tanase à voix basse.

Pour toute réponse, Bazo déplaça sa main sur le manche de sa sagaie, puis tira brusquement Tanase en arrière pour l'écarter du bord de la corniche, car les cavaliers s'étaient arrêtés et l'un des deux, le plus grand et le plus large d'épaules, scrutait attentivement le flanc de la colline avec une paire de jumelles.

— Où est mon fils ? demanda Bazo.

— Dans la caverne, répondit Tanase.

— Tu sais ce que tu as à faire si...

Il n'eut pas à finir sa phrase, car Tanase hochait la tête.

— Je sais, murmura-t-elle.

Bazo se détourna et partit en bondissant vers le bas du sentier abrupt, suivi par ses vingt *amadoda* en armes.

À l'endroit resserré qu'il avait repéré, Bazo s'arrêta. Il n'eut pas à prononcer un mot ; sur un simple geste de sa main libre, ses hommes se glissèrent hors de l'étroit sentier et disparurent dans les crevasses et les fissures des gigantesques rochers qui se dressaient de chaque côté. Quelques secondes plus tard, il n'y avait plus aucun signe de leur présence ; Bazo brisa une branche d'un des arbres rabougris qui poussaient dans une anfractuosité de rocher et repartit en arrière au pas de course en balayant la piste pour éliminer tout signe susceptible d'alerter un homme sur ses gardes. Il plaça ensuite sa sagaie sur un rebord de pierre qui longeait le sentier à hauteur d'épaule et la cacha sous la branche. Elle se trouverait ainsi à portée de sa main s'il était forcé de guider les cavaliers le long de la piste.

— Je vais essayer de les détourner, mais si je n'y parviens pas, attendez qu'ils arrivent ici, lança-t-il à ses guerriers cachés. Alors, agissez vite.

Ses hommes étaient disséminés sur deux cents pas le long des deux côtés du sentier, mais le gros de la troupe était concentré à proximité de la courbe. Une bonne embuscade doit avoir de la profondeur, de sorte que si une victime réussit à franchir le premier rang des attaquants, d'autres l'attendent derrière. Cette embuscade était bien montée : en terrain difficile sur une piste étroite et escarpée où un cheval ne pouvait ni faire demi-tour facilement ni continuer au grand galop. Bazo hocha la tête avec satisfaction, puis, sans arme ni bouclier, il descendit rapidement le sentier vers la plaine, agile comme un oréotrague.

— Il va faire nuit dans une demi-heure, cria Harry Mellow à Ralph, qui le précédait. Nous ferions bien de chercher un endroit où camper.

— Il doit y avoir un sentier, répondit Ralph.

47

Il chevauchait un poing sur la hanche, son chapeau de feutre renversé en arrière, les yeux levés vers la falaise lisse.

— Qu'espérez-vous trouver là ?

— Je n'en sais rien, voilà le hic.

Ralph lança un sourire à Harry par-dessus son épaule. Déséquilibré par ce mouvement, il faillit perdre un étrier lorsque son cheval broncha violemment sous lui, et, pris au dépourvu, il dut agripper le pommeau de la selle pour ne pas tomber. En même temps, il cria cependant à Harry :

— Couvrez-moi !

De sa main libre, Ralph tira la Winchester de sa sacoche, attachée à hauteur de son genou. Son cheval se cabrait et pirouettait, de sorte qu'il n'arrivait pas à lever son arme. Sachant qu'il était dans la ligne de feu de Harry et, durant ces longues secondes, complètement sans défense, il jura, s'attendant à voir jaillir des éboulis et des fourrés au pied des falaises une meute de guerriers indigènes armés de sagaies.

Il se rendit alors compte qu'il n'y avait qu'un homme et qu'il était sans arme.

— Ne tirez pas ! cria-t-il alors à Harry, d'un ton encore plus pressant, car il avait entendu derrière lui le claquement de la culasse du fusil que chargeait et armait l'Américain.

Le hongre se cabra de nouveau, mais cette fois Ralph le maîtrisa brusquement et dévisagea le grand Noir qui était sorti si silencieusement et de manière si inattendue d'une fracture d'un bloc de granit.

— Qui es-tu ? demanda-t-il d'une voix grinçante, encore sous le choc, l'estomac noué. Va au diable, j'ai failli te tirer dessus.

Ralph se reprit et répéta en ndébélé, la langue des Matabélé :

— Qui es-tu ?

L'homme à la cape de cuir pencha légèrement la tête, mais son corps resta parfaitement immobile, ses mains vides pendant à ses côtés.

— Est-ce là le genre de question qu'on pose entre frères ? demanda-t-il avec gravité.

Ralph le fixa du regard, scrutant l'anneau d'induna qui lui ceignait le front et les traits émaciés et taillés à coups de serpe, le visage creusé de lignes profondes laissées par quelque terrible souffrance, un chagrin ou une maladie qui avait dû amener cet homme aux portes de l'enfer. Voir ce visage marqué remua profondément Ralph, car quelque chose dans ces yeux sombres et ardents, dans le ton de cette voix posée et profonde, lui semblait très familier et était en même temps déformé au point d'être méconnaissable.

— Henshaw, reprit l'homme, se servant du nom de louange

matabélé de Ralph Ballantyne. Henshaw, le Faucon, tu ne me reconnais pas ? Ces quelques brèves années nous ont-elles tant changés ?

Ralph secoua la tête avec incrédulité, et c'est d'une voix pleine d'étonnement qu'il dit :

— Bazo, ce n'est pas toi — ce ne peut être toi, n'est-ce pas ? N'es-tu pas mort à Shangani avec ceux de ton régiment ?

Il se débarrassa de ses étriers d'une secousse et sauta à terre.

Mon frère, mon frère noir, fit-il avec une joie sans mélange.

Bazo accepta tranquillement l'accolade, les mains toujours pendantes à ses côtés. Ralph se recula finalement et le tint, les bras tendus.

— À Shangani, lorsque les fusils se sont tus, j'ai quitté le cercle des chariots et j'ai gagné l'extérieur de la clairière. Tes hommes étaient là, les Taupes-qui-creusent-sous-la-montagne. (C'était le nom que le roi Lobengula en personne avait donné au régiment de Bazo, *Izimvukuzane Ezembintaba*.) Je les ai reconnus à leurs boucliers rouges, à leurs plumes de marabout et à leur serre-tête en peau de taupe. (C'étaient là les signes distinctifs assignés par le vieux roi au régiment, et les yeux de Bazo s'enflammèrent à ce souvenir douloureux tandis que Ralph poursuivait.) Tes hommes s'étaient là, amas, étendus les uns sur les autres comme les feuilles tombées des arbres de la forêt. Je t'ai cherché, retournant les morts pour voir leur visage, mais il y en avait tant...

— Il y en avait tant..., répéta Bazo, et seuls ses yeux trahissaient son émotion.

— Et je n'ai pas eu beaucoup de temps pour te chercher, expliqua Ralph à voix basse. Je ne pouvais procéder que lentement, avec précaution, car certains de tes hommes étaient *fanisa file*. (C'était un vieux truc zoulou que de simuler la mort sur le champ de bataille et d'attendre que l'ennemi vienne se livrer au pillage et compter les victimes.) Je n'avais pas envie de me retrouver avec une sagaie entre les omoplates. Ensuite, les chariots ont rompu le laager et se sont mis en branle en direction du kraal royal. Il fallait que je parte.

— J'étais là, dit Bazo en écartant sa cape. (Ralph regarda ses affreuses cicatrices puis baissa les yeux tandis qu'il ramenait sa cape sur son torse.) J'étais couché au milieu des morts.

— Et maintenant ? demanda Ralph. Maintenant que tout est fini, que fais-tu par ici ?

— Que fait un guerrier lorsque la guerre est finie, lorsque les régiments sont défaits et désarmés, et que le roi est mort ? répondit Bazo avec un haussement d'épaules. Je ramasse le miel sauvage. (Il leva les yeux vers la falaise où les dernières volutes de fumée s'estompaient dans le ciel du crépuscule tandis qu'à l'occident le soleil touchait la cime des arbres de la forêt.) J'étais en train d'enfumer un essaim quand je vous ai vus venir.

— Ah ! acquiesça Ralph. C'est cette fumée qui nous a conduits à toi.

— C'était donc une fumée propice, Henshaw, mon frère.

— Tu continues de m'appeler ton frère ? s'étonna Ralph gentiment. Alors que c'est peut-être moi qui ai tiré les balles...

Il ne finit pas sa phrase et baissa les yeux vers la poitrine de Bazo.

— Nul ne peut être tenu de rendre des comptes pour ce qu'il fait dans la folie de la bataille, répondit Bazo. Si j'avais réussi à atteindre les chariots ce jour-là, ce serait peut-être toi qui porterais des cicatrices, ajouta-t-il avec un haussement d'épaules.

— Bazo, dit Ralph en faisant signe à Harry d'avancer, voici Harry Mellow. C'est un homme qui connaît les mystères de la terre, qui est capable de trouver l'or et le fer que nous cherchons.

— Nkosi, je te vois [1], salua gravement Bazo.

Il avait appelé Harry « Seigneur », sans laisser transparaître un seul instant son profond ressentiment. Son roi était mort et son peuple avait été brisé par l'étrange passion des hommes blancs pour ce maudit métal jaune.

— Bazo et moi avons passé notre jeunesse sur les champs diamantifères de Kimberley. Je n'ai jamais eu d'ami plus cher, dit rapidement Ralph à Harry avant de se tourner avec impétuosité vers Bazo. Nous avons un peu de nourriture, tu vas la partager avec nous, Bazo. (Cette fois-ci, Ralph perçut le changement dans le regard de Bazo, et il insista.) Campe ici avec nous. Nous avons beaucoup de choses à nous dire.

— Je suis avec ma femme et mon fils. Ils sont dans les collines.

— Amène-les. Dépêche-toi d'aller les chercher avant que la nuit tombe.

Bazo avertit les hommes de son arrivée en poussant le cri du francolin au crépuscule, et l'un d'eux sortit des rochers et apparut sur le sentier.

— Je vais retenir les hommes blancs au pied des collines pour la nuit, lui dit Bazo à voix basse. Peut-être pourrai-je les faire repartir satisfaits, sans qu'ils essaient de trouver la vallée. Avertissez cependant les chaudronniers d'éteindre impérativement

---

1. Expression de respect.

les fours avant l'aube : il ne doit plus y avoir la moindre trace de fumée demain matin.

Bazo continua de donner ses ordres : cacher les armes déjà fabriquées et le métal fraîchement fondu, effacer les pistes sur les sentiers ; les chaudronniers, quant à eux, devaient se retirer dans les profondeurs des collines en suivant le sentier secret, leur retraite couverte par des gardes matabélé.

— Je vous suivrai lorsque les hommes blancs seront partis, conclut Bazo. Attendez-moi au sommet de la colline du Singe Aveugle.

— Nkosi.

Les guerriers le saluèrent ainsi et disparurent dans la clarté déclinante, silencieux comme des léopards chassant de nuit. Bazo obliqua à la fourche du sentier, et quand il atteignit l'éperon rocheux à la proue de la colline, il n'eut pas besoin d'appeler. Tanase l'attendait en portant leur petit garçon sur sa hanche, leurs nattes roulées en équilibre sur sa tête et le sac à grains en cuir en bandoulière.

— C'est Henshaw, annonça-t-il.

Il entendit le sifflement de sa respiration. Bien qu'il ne pût voir l'expression de son visage, il la devinait.

— C'est le rejeton de ce chien de Blanc qui a violé lui-même ancrés...

— Il est mon ami.

— Tu as prêté le serment, lui rappela-t-elle farouchement. Comment un homme blanc peut-il encore être ton ami ?

— Il était mon ami, alors, corrigea Bazo.

— Te souviens-tu de la vision que j'ai eue avant que les pouvoirs de divination m'aient été arrachés par le père de cet homme ?

— Tanase, nous devons descendre le rejoindre, dit Bazo en ignorant sa question. S'il voit que ma femme et mon fils m'accompagnent, il n'aura pas de soupçons. Il croira que nous ramassons du miel d'abeilles sauvages, comme je le lui ai dit. Suis-moi.

Il fit demi-tour et redescendit le sentier. Tanase lui emboîta le pas ; sa voix devint un chuchotement, dont il pouvait entendre chaque parole. Il ne se retournait pas mais l'écoutait.

— Tu te souviens de ma vision, Bazo ? Le jour où j'ai rencontré cet homme que tu appelles le Faucon, je t'ai averti. Avant la naissance de ton fils, lorsque le voile de ma virginité était encore intact, avant que les cavaliers blancs viennent avec leurs fusils à trois pieds qui riaient comme les démons des rivières dans les rochers où chute le Zambèze. Lorsque tu l'appelais encore ton « frère » et ton « ami », je t'ai mis en garde contre lui.

— Je m'en souviens, fit Bazo d'une voix aussi basse.

— Dans ma vision, je t'ai vu te balancer à la branche haute d'un arbre, Bazo.

— Oui, dit-il dans un souffle, continuant de descendre le sentier sans se retourner.

Il y avait à présent un tremblement superstitieux dans sa voix, car sa jeune et belle femme avait été naguère l'apprentie de Pemba, le sorcier fou. Lorsque à la tête de son régiment il avait pris d'assaut la montagne qui était la place forte du sorcier, il avait tranché la tête de Pemba et emmené Tanase comme captive, mais les esprits l'avaient réclamée.

La veille du jour où Bazo aurait dû prendre la vierge Tanase pour première épouse, un vieux sorcier était venu pour la ramener aux Matopos. Bazo avait été incapable d'intervenir. Tanase était fille des esprits des ténèbres et avait suivi son destin au cœur de ces collines.

— La vision était si claire que j'ai pleuré, lui rappela Tanase, et Bazo frissonna.

Dans cette caverne secrète des Matopos, tout le pouvoir des esprits était descendu sur Tanase, et elle était devenue l'Umlimo, l'Élue, l'oracle. C'était elle qui, parlant avec les voix étranges des esprits, avait révélé sa destinée à Lobengula. C'était elle qui avait présagé la venue des hommes blancs avec leurs extraordinaires machines qui éclairaient la nuit comme en plein jour, et leurs petits miroirs qui étincelaient comme des étoiles sur les collines en envoyant des messages à la vitesse de l'éclair sur d'énormes distances à travers les plaines. Il était indubitable qu'elle avait possédé les pouvoirs de l'oracle et que, dans ses transes mystiques, elle avait été capable de voir à travers les voiles obscurs de l'avenir du peuple matabélé.

Ces étranges pouvoirs dépendaient cependant de l'intégrité de son hymen. Elle en avait averti Bazo, l'avait supplié de lui enlever sa virginité et de la débarrasser de ces terribles pouvoirs, mais il avait hésité, tenu par le respect de la loi et de la coutume, jusqu'à ce qu'il soit trop tard et que les sorciers soient descendus des collines pour la reprendre.

Au début de la guerre que les hommes blancs avaient menée si rapidement contre le kraal de Lobengula à GuBulawayo, une petite troupe avait été détachée du gros de l'armée ; on avait choisi les hommes les plus rudes et les plus cruels, conduits par Bakela, le Poing, lui-même un homme dur et impitoyable. Ils avaient suivi la piste secrète que Bakela avait découverte vingt-cinq ans plus tôt, et galopé jusqu'à la caverne de l'Umlimo. Car Bakela connaissait la valeur de l'Umlimo, savait combien elle était sacrée et dans quel désespoir son élimination jetterait le peuple matabélé. Les cavaliers de Bakela avaient abattu les gardiens de la caverne et pénétré de force à l'intérieur de celle-ci. Deux des soldats de Bakela avaient trouvé Tanase, jeune, ravissante et nue, dans les profondeurs de la grotte, et l'avaient violée, la dépouillant sauvagement de cette virginité qu'elle avait offerte si amoureusement à Bazo. Ils avaient forniqué jusqu'à ce que son sang de vierge éclabousse le sol de la caverne et que ses cris conduisent Bakela jusqu'à eux.

Ce dernier avait chassé ses hommes à coups de poing et de botte, et quand il s'était retrouvé seul avec elle, il avait baissé les yeux vers Tanase, étendue à ses pieds, ensanglantée et brisée. Curieusement, cet homme endurci avait alors été pris de compassion. Bien qu'il eût effectué cette dangereuse expédition dans le seul but de tuer l'Umlimo, le comportement bestial de ses mercenaires avait affaibli sa résolution et suscité en lui un besoin de compensation.

Bakela ne devait pas ignorer qu'en perdant sa virginité Tanase avait perdu ses pouvoirs, car il lui avait dit : « Toi qui étais l'Umlimo, tu ne l'es plus. » Il avait détruit l'Umlimo sans avoir eu à tirer sur elle : il tourna les talons et sortit de la caverne obscure en lui laissant la vie pour compenser la perte de sa virginité et de ses pouvoirs occultes.

Elle avait maintes fois raconté l'histoire à Bazo, et il savait que les brumes du temps s'étaient refermées devant les yeux de Tanase et qu'elles lui cachaient le futur, mais nul ne pouvait douter qu'elle avait possédé un jour le pouvoir de la Vision.

Bazo eut donc un frisson et, tandis que Tanase continuait de chuchoter de sa voix rauque, il sentit un fourmillement dans son cou.

— J'ai pleuré, Bazo, mon Seigneur, lorsque je t'ai vu te balancer à la branche haute de l'arbre, et pendant ce temps-là, celui que tu appelles Henshaw, le Faucon, avait les yeux levés vers toi... et souriait !

Ils mangèrent du corned-beef froid directement dans les boîtes en se servant d'un couteau de chasse comme d'une cuillère et se passant les boîtes de main en main. Il n'y avait plus de café et ils firent donc descendre cette nourriture gluante avec quelques gorgées d'eau chauffée par le soleil dans les gourdes recouvertes de feutre, puis Ralph partagea ses derniers cigarillos avec Harry Mellow et Bazo. Ils les allumèrent avec des rameaux brûlants pris dans le feu et fumèrent en silence un bon moment.

Tout près, une hyène roucoulait et sanglotait dans l'obscurité, attirée par la lumière du feu de camp et l'odeur de la nourriture.

Plus loin dans la plaine, les lions chassaient, avançant majestueusement vers la lune ascendante ; ils ne rugissaient pas avant d'avoir attrapé leur proie mais toussaient pour garder le contact avec les autres membres de la troupe.

Tanase, avec l'enfant sur ses genoux, était assise à la limite de la zone éclairée par le feu, à l'écart des hommes, qui l'ignoraient. Bazo eût été offensé si les deux autres hommes lui avaient accordé une attention injustifiée, mais à présent Ralph ôtait le cigare de ses lèvres et regardait dans sa direction.

— Comment s'appelle ton fils ? demanda-t-il à Bazo, et celui-ci hésita une fraction de seconde avant de répondre.

— Tungata Zebiwe.

Ralph fronça un instant les sourcils, mais rengaina les paroles dures qui venaient à ses lèvres et dit simplement :

— C'est un beau garçon.

Bazo tendit la main vers l'enfant, mais Tanase retint celui-ci pendant quelques instants avec une farouche détermination.

— Laisse-le venir à moi, ordonna Bazo avec brusquerie.

À contrecœur, Tanase laissa l'enfant somnolent aller vers son père en titubant et grimper dans ses bras. C'était un joli petit garçon, le ventre rond et les membres potelés, la peau couleur caramel foncé. Hormis les bracelets en fil de cuivre à ses poignets et un unique rang de perles autour de la taille, il était tout nu ; ses cheveux formaient une calotte pelucheuse. Il posa sur Ralph un regard ensommeillé.

— Tungata Zebiwe, répéta ce dernier en se penchant pour caresser la tête de l'enfant.

Celui-ci ne chercha pas à se dérober et ne montra nul signe de crainte, mais dans l'ombre Tanase siffla doucement et tendit la main comme pour ramener le petit garçon à elle, puis renonça.

— Celui-qui-cherche-ce-qui-a-été-volé, dit Ralph, traduisant le nom de l'enfant, puis il regarda la mère dans les yeux. Celui qui cherche la justice... c'est placer un lourd fardeau sur de si jeunes épaules, ajouta-t-il à voix basse. Vous voudriez faire de lui le vengeur d'une injustice commise avant sa naissance ? (Ralph sembla ensuite changer de sujet.) Tu te souviens, Bazo, du jour où nous avons fait connaissance ? Tu étais un jeunot envoyé pour travailler sur les champs diamantifères par ton père et son frère le roi. J'étais encore plus jeune que toi lorsque mon père et moi t'avons rencontré sur le veld et qu'il t'a fait signer un contrat d'embauche de trois ans avant qu'un autre prospecteur puisse te mettre le grappin dessus.

Les lignes qui marquaient le visage de Bazo semblèrent

s'adoucir quand il sourit, et pendant quelques instants il redevint ce jeune insouciant et candide qu'il avait été.

— C'est bien après seulement, reprit Ralph, que j'ai découvert que la raison pour laquelle Lobengula vous avait envoyés, toi et des milliers d'autres jeunes gens, sur les mines était de vous faire rapporter au pays autant de gros diamants que vous pouviez en voler.

Tous deux se mirent à rire, Ralph d'un air piteux et Bazo avec un peu de la joie de sa jeunesse.

— Lobengula a dû cacher un grand trésor quelque part. Jameson n'a jamais trouvé ces diamants lorsqu'il a pris GuBulawayo.

— Tu te souviens de Scipion, le faucon de chasse ? demanda Bazo.

— Oui, et aussi de l'araignée géante qui nous avait permis de gagner nos premiers souverains d'or aux combats d'araignées de Kimberley, enchaîna Ralph, et ils bavardèrent avec animation, se rappelant comment ils avaient travaillé épaule contre épaule dans le grand puits de la mine de diamants, et les folles distractions grâce auxquelles ils rompaient la terrible monotonie de ce travail de brute.

Ne comprenant pas la langue, Harry Mellow s'enroula dans sa couverture et la tira par-dessus sa tête. Tanase était assise dans l'ombre, immobile comme une superbe statue d'ébène ; elle ne souriait pas quand les hommes riaient mais gardait ses yeux fixés sur leurs lèvres quand ils parlaient.

Ralph changea de nouveau brusquement de sujet.

— Moi aussi j'ai un fils, dit-il. Il est né avant la guerre ; il a donc un an ou deux de plus que le tien.

Bazo cessa immédiatement de rire et, bien qu'il restât impassible, on voyait dans ses yeux qu'il était sur ses gardes.

— Ils pourraient devenir amis comme nous le sommes, suggéra Ralph. (Tanase jeta un regard protecteur sur son fils, mais Bazo ne répondit pas.) Toi et moi pourrions de nouveau travailler côte à côte, poursuivit Ralph. Je vais bientôt exploiter une riche mine d'or là-bas dans les forêts, et il va me falloir un grand induna pour diriger les centaines d'hommes qui vont venir y travailler.

— Je suis un guerrier, dit Bazo, et non plus un mineur.

— Le monde évolue, Bazo, répondit doucement Ralph. Il n'y a plus de guerriers dans le Matabeleland. Les boucliers ont été brûlés, les lames des sagaies, brisées. Les yeux ne voient plus rouge, Bazo, car les guerres sont finies. Les yeux voient blanc maintenant, et la paix est appelée à régner dans ce pays pendant mille ans.

Bazo ne disait rien.

— Viens avec moi, Bazo. Amène ton fils pour qu'il acquière le savoir de l'homme blanc. Un jour, il saura lire et écrire, il deviendra un homme important et pas seulement un chasseur de miel sauvage. Oublie le triste nom que tu lui as donné et trouves-en un autre. Donne-lui un nom joyeux et amène-le avec toi pour qu'il rencontre mon fils. Ils jouiront ensemble de ce beau pays et seront frères comme nous l'avons été jadis.

Bazo soupira.

— Peut-être as-tu raison, Henshaw. Comme tu le dis, les régiments matabélé sont dispersés. Ceux qui étaient naguère des guerriers travaillent sur les routes que Lodzi est en train de construire.

Pour les Matabélé qui avaient toujours eu du mal à prononcer les *r*, Rhodes était devenu Lodzi, et Bazo évoquait le système de travail obligatoire institué dans le Matabeleland par le commissaire aux Affaires indigènes, le général Mungo Saint John. Bazo soupira de nouveau.

— S'il faut travailler, autant le faire dignement, en se consacrant à une tâche importante, avec quelqu'un que l'on respecte. Quand dois-tu commencer à creuser pour chercher ton or, Henshaw ?

— Après les pluies, Bazo. Mais viens avec moi maintenant. Emmène ta femme et ton fils...

Bazo leva la main pour l'interrompre.

— Après les pluies, après les grandes tempêtes, nous en reparlerons, Henshaw, dit-il à voix basse.

Tanase hocha la tête et sourit pour la première fois, un étrange petit sourire d'approbation. Bazo avait raison de faire semblant et de bercer Henshaw avec de vagues promesses. L'intuition particulièrement aiguisée de Tanase lui disait que, en dépit du regard direct de ses yeux verts et de son sourire franc, presque enfantin, ce jeune Blanc était plus dur et plus dangereux encore que Bakela, son père.

« Après les grandes tempêtes », lui avait promis Bazo, et ces mots avaient un sens caché. La grande tempête était leur projet secret.

— J'ai d'abord des choses à faire, et quand elles seront accomplies, je me mettrai à ta recherche, promit Bazo.

Bazo ouvrait la marche sur le sentier abrupt qui gravissait l'étroit défilé entre les collines de granit. Tanase le suivait à une douzaine de pas. Elle portait sur sa tête avec aisance les nattes roulées et la marmite en fer, le dos bien droit, la démarche fluide et régulière pour équilibrer le chargement. Le petit garçon gambadait à ses côtés en chantant de sa voix haut perchée des paroles sans queue ni tête. Il était le seul à ne pas être affecté par l'aspect menaçant de cette sombre vallée. De chaque côté, d'épais buissons d'épineux bordaient le sentier. Le silence était oppressant ; aucun oiseau ne chantait et pas le moindre animal ne faisait bruisser les feuilles.

Bazo marchait avec légèreté entre les rochers qui occupaient le lit du ruisseau étroit que traversait la piste. Il marqua une pause pour regarder Tanase recueillir un peu d'eau fraîche dans ses mains qu'elle tint devant les lèvres de l'enfant, puis ils continuèrent.

Le sentier finissait brusquement au pied d'une falaise à pic de granit nacré ; Bazo s'arrêta et s'appuya sur sa lance légère, la seule arme que l'administrateur blanc de Bulawayo autorisait les Noirs à porter pour se défendre et défendre leur famille contre les prédateurs qui abondaient dans ces régions sauvages. C'était un objet fragile, et non une arme de guerre comme la sagaie à large lame.

Appuyé sur sa lance, Bazo leva les yeux vers la haute falaise. Une petite case à toit de chaume servait de guet sur une corniche au-dessous du sommet, et une voix chevrotante de vieillard lui lança une sommation.

— Qui ose emprunter le sentier secret ?

Bazo leva le menton et répondit d'une voix tonitruante dont les falaises renvoyèrent les échos.

— Bazo, fils de Gandang. Bazo, induna du sang royal des Kumalo.

Puis, sans daigner attendre la réponse, il franchit les portails de granit convolutés qui marquaient l'entrée du passage ouvert dans la falaise, si étroit que deux hommes pouvaient à peine s'y avancer de front. Du sable blanc couvrait le sol, avec des petits éclats de mica qui scintillaient et craquaient sous ses pieds nus comme du sucre en poudre. Tel un serpent lové le passage semblait se refermer sur lui-même, puis débouchait brusquement sur une large vallée à la végétation luxuriante, au fond de laquelle gazouillait un ruisseau qui tombait en cascade de la paroi rocheuse près de Bazo.

La vallée, ceinte par les hautes falaises, formait un bassin circulaire d'un mile de large. Au centre était tapi un petit village de cases à toit de chaume. Mais lorsque Tanase sortit à son tour du passage secret et arriva près de Bazo, c'est au-delà du village qu'ils regardèrent, vers la falaise opposée, de l'autre côté de la vallée.

Au pied de celle-ci, l'entrée basse et large d'une caverne leur faisait l'effet d'une bouche édentée. Ils la contemplèrent sans souffler mot pendant de longues minutes, tandis que les souvenirs leur revenaient en foule. Dans cette caverne, Tanase avait subi la terrible initiation qui avait fait d'elle l'Umlimo, et c'était sur son sol rocheux qu'elle avait été violée, perdant par là même ses pouvoirs pour redevenir une femme ordinaire.

Dans cette caverne, une autre officiait à présent à la place de Tanase en tant que chef spirituel du peuple, car la fonction de l'Umlimo ne s'éteignait jamais, mais était transmise d'une initiée à l'autre depuis des temps immémoriaux, depuis que les Anciens avaient bâti la grande cité de pierre à présent en ruine du Zimbabwe.

— Es-tu prête ? demanda enfin Bazo.

— Je le suis, Seigneur, répondit-elle, et ils commencèrent à descendre vers le village.

Avant qu'ils l'aient atteint, vint à leur rencontre une étrange procession de créatures dont certaines semblaient à peine humaines, car elles marchaient à quatre pattes, gémissaient et jappaient comme des animaux. Il y avait des vieilles ratatinées aux mamelles flasques qui leur battaient le ventre, de jolies petites filles à la poitrine pubescente, au visage qui ne souriait pas et dénué d'expression, des vieillards aux membres déformés qui se traînaient dans la poussière, des jeunes gens minces et maniérés au corps bien musclé et aux yeux fous qui roulaient en arrière dans leurs orbites, tous affublés de l'épouvantable attirail du nécromancien et du sorcier : vessies de lion et de crocodile, peau de python et dépouilles d'oiseau, crânes et dents d'homme et de singe. Ils entourèrent Bazo et Tanase en se pavanant, piaillant et lorgnant le jeune couple, tant et si bien que Bazo se sentit parcouru par un frisson de dégoût et leva son fils sur ses épaules afin de le soustraire au contact de leurs mains fureteuses.

Tanase restait imperturbable, car cette foule fantastique avait été naguère son cortège, et quand une des horribles sorcières rampa vers elle et bava sur ses pieds nus, elle demeura impassible. Dansant et chantant, les gardiens de l'Umlimo conduisirent les deux voyageurs à l'intérieur du village, puis disparurent entre les cases à toit de chaume.

Bazo et Tanase n'étaient cependant pas tout seuls. Au centre du hameau se dressait un *setenghi*, une case en poteaux de bois de mopani blanc, ouverte sur un côté. À l'ombre du *setenghi*, des hommes attendaient, mais ils étaient tout à fait différents de l'étrange cohorte qui les avait accueillis à l'entrée du village.

Chacun de ces hommes était assis sur un tabouret bas en bois sculpté. Bien que certains fussent extrêmement gras et d'autres maigres et voûtés, tous étaient entourés d'une aura presque palpable de dignité et d'autorité. Les uns avaient la barbe et les cheveux blancs, le visage profondément ridé, les autres étaient dans la fleur de l'âge, dans la pleine possession de leur force, mais tous portaient sur leur tête la simple couronne noire de gomme et d'argile.

Là, dans la vallée secrète de l'Umlimo, étaient assemblés ceux qui restaient des chefs du peuple matabélé, des hommes qui commandaient naguère les régiments, lorsqu'ils adoptaient la formation de combat du « buffle », celle où les « cornes » encerclaient l'ennemi, écrasé par le « poitrail ». Certains d'entre eux, les plus âgés, se souvenaient de l'exode depuis le sud, conduit par les cavaliers boers ; dans leur jeunesse, ils avaient combattu sous les ordres de Mosélékatsé lui-même et portaient toujours avec fierté les pompons honorifiques avec lesquels il les avait récompensés.

Tous avaient siégé aux conseils du roi Lobengula, fils du grand Mosélékatsé, et étaient présents ce jour fatidique où le roi s'était tenu devant les régiments sur les collines des indunas et s'était tourné vers l'est, la direction d'où étaient venues les colonnes de chariots et de soldats blancs qui avaient pénétré dans le Matabeleland. Ils avaient lancé le salut royal — « *Bayété !* » — au moment où Lobengula, maintenant en équilibre son énorme corps gonflé sur des jambes déformées par la goutte, avait jeté dans un geste de défi la lance miniature, symbole de la royauté, vers les envahisseurs, encore hors de vue au-delà de l'horizon bleuté. C'étaient eux les indunas qui, à la tête de leurs guerriers, avaient défilé devant le roi en chantant ses louanges et les hymnes de combat de leur régiment. Ils avaient salué leur souverain pour la dernière fois et étaient partis vers l'endroit où les mitrailleuses Maxim les attendaient, à couvert derrière les flancs des chariots et les barrières d'épineux qui formaient le laager, le camp des hommes blancs.

Au milieu de cette assemblée distinguée étaient assis trois hommes, les trois fils survivants de Mosélékatsé, les plus nobles et les plus révérés de tous les indunas. Somabula, à gauche, était l'aîné, le vainqueur de féroces batailles, le guerrier à qui les superbes forêts de Somabula devaient leur nom. À droite se trouvait le sage et courageux Babiaan, au torse et aux membres sillonnés d'honorables cicatrices. Ce fut cependant l'homme assis au milieu qui se leva de son tabouret en bois d'ébène sculpté et s'avança dans le soleil.

— Gandang, mon père, je te vois et mon cœur chante, s'écria Bazo.

— Je te vois, mon fils, dit Gandang, son visage taillé à coups de serpe embelli par la joie qui l'illuminait.

Et lorsque Bazo s'agenouilla devant lui, il lui toucha la tête en un geste de bénédiction avant de le relever.

— Baba ! lança Tanase en frappant dans ses mains avec respect devant son visage, et lorsque Gandang eut hoché la tête pour la remercier, elle se retira silencieusement vers la case la plus proche, d'où elle pouvait entendre ce qui se disait à travers la fine paroi de roseaux.

Il ne convenait pas qu'une femme assiste aux conseils supérieurs de la nation. Du temps des rois, une femme d'un rang inférieur eût été frappée à mort d'un coup de lance pour avoir osé approcher ainsi d'une telle *indaba*. Tanase avait été cependant l'Umlimo, et elle était toujours la porte-parole de l'Élue. De plus, le monde changeait, les rois appartenaient au passé, les anciennes coutumes étaient mortes avec eux, et cette femme possédait davantage de pouvoir que n'importe lequel des indunas assemblés, à l'exception des plus grands. Elle n'en fit pas moins le geste de se retirer vers la case fermée afin de ne pas heurter la mémoire des mœurs anciennes.

Gandang frappa dans ses mains et les esclaves apportèrent un tabouret et une chope de bière en terre cuite pour Bazo. Celui-ci se rafraîchit avec une longue rasade de ce gruau aigrelet et pétillant, puis salua ses confrères indunas par ordre décroissant d'âge. Il commença par Somabula puis parcourut lentement les rangs, s'apitoyant sur leur petit nombre : ils n'étaient plus que vingt-six.

— Kamuza, mon cousin. Mon très cher ami, je te vois, lança-t-il au vingt-sixième induna, le cadet.

Puis Bazo eut un comportement sans précédent : il se leva, regarda par-dessus les têtes et poursuivit ses salutations cérémonieuses.

— Je te salue, Manonda, le brave ! s'écria-t-il. Je te vois pendu à la branche du mukusi. Tu as choisi la mort plutôt que de subir la servitude des hommes blancs.

Les indunas jetèrent un coup d'œil par-dessus leur épaule, suivant la direction du regard de Bazo, avec des expressions de crainte superstitieuse.

— Est-ce toi, Ntabéné ? De ton vivant, on t'appelait la Montagne, et comme une montagne tu es tombé sur les rives de la Shangani. Je te salue, esprit courageux.

Les indunas comprirent alors. Bazo s'adressait tour à tour à tous ceux qui étaient morts pour la nation matabélé, et ils reprirent les salutations en un chœur de voix graves.

— *Sakubona*, Ntabébé.

— Je te vois, Tambo. Ton sang a rougi les eaux du Bambesi près du gué.

— *Sakubona*, Tambo, grondèrent les indunas de Kumalo.

Bazo se débarrassa de sa cape et se mit à danser. C'était une danse voluptueuse, balancée, et il fut bientôt inondé de sueur, sa peau et les cicatrices de sa poitrine luisantes comme des pierres précieuses noires. Chaque fois qu'il lançait le nom d'un des indunas disparus, il levait son genou droit jusqu'à ce qu'il touche sa poitrine, puis battait la terre dure de son pied nu avec fracas, et l'assemblée répétait en écho le nom du héros.

Bazo se laissa finalement tomber sur son tabouret. Le silence était chargé d'une sorte d'extase belliqueuse. Lentement, toutes les têtes se tournèrent vers Somabula, l'aîné, le plus ancien. Le vieil induna se leva, leur fit face et, comme c'était une *indaba* lourde de conséquences, il commença à réciter l'histoire du peuple matabélé. Bien que tous l'eussent entendue des milliers de fois depuis leur plus tendre enfance, les indunas se penchèrent avidement pour mieux écouter. Ce récit n'était consigné dans aucun écrit, aucune archive ; ils devaient s'en souvenir mot pour mot afin de pouvoir la transmettre à leurs enfants et aux enfants de leurs enfants.

L'histoire commençait dans le Zoulouland, à un millier de kilomètres plus au sud, au moment où le jeune guerrier Mosélékatsé défiait Chaka, le tyran fou, et n'infligeait vokha le nord avec son régiment. Elle retraçait ses pérégrinations, ses batailles contre les forces que Chaka avait envoyées à sa poursuite, ses victoires sur les petites tribus qui se trouvaient sur son chemin. Elle rapportait comment il intégrait à ses régiments les jeunes gens des tribus conquises et donnait les jeunes femmes pour épouses à ses guerriers. Elle racontait l'ascension de Mosélékatsé, qui, de fugitif et rebelle, était devenu d'abord un petit chef, puis un grand chef de guerre, et enfin un roi puissant.

Somabula décrivit fidèlement la terrible *M'fecane*, le massacre d'un million de personnes quand Mosélékatsé sema la désolation entre les fleuves Orange et Limpopo. Il parla ensuite de l'arrivée des Blancs et de la nouvelle manière de faire la guerre. Il évoqua les escadrons de robustes petits poneys montés par des hommes barbus qui galopaient jusqu'à arriver à portée de fusil, puis faisaient demi-tour pour recharger avant que les *amadoda* aient pu porter le fer contre eux. Il raconta de nouveau comment les régiments avaient affronté pour la première fois les forteresses roulantes, les formations en carré de chariots attachés par des chaînes, les barricades d'épineux enlacés dans les rayons des roues et obstruant la moindre faille dans le rempart de bois, et comment les rangs des Matabélé s'étaient brisés et avaient été anéantis contre ces murailles de bois et d'épines.

Il baissa la voix lugubrement en parlant de l'exode vers le

nord, conduit par les sinistres cavaliers barbus. Il rappela que les gringalets et les enfants en bas âge avaient péri au cours de cette tragique randonnée, puis il éleva joyeusement la voix en décrivant la traversée du Limpopo et de la Shashi, et enfin, au-delà, la découverte de cette terre généreuse.

Somabula avait la voix enrouée ; il se laissa tomber sur son tabouret et but de la bière pendant que Babiaan, son demi-frère, se levait pour évoquer la grande époque, la soumission des tribus voisines, la multiplication des troupeaux des Matabélé au point qu'ils assombrissaient les herbages dorés, l'accession de Lobengula, « celui qui emporte tout comme le vent », à la royauté, les raids furieux des détachements de guerriers cafres, lorsqu'ils partaient écumer le pays à des centaines de kilomètres au-delà des frontières et rapportaient le butin et les esclaves qui faisaient la grandeur des Matabélé. Il évoqua ensuite les guerriers, revêtus de leurs parures de plumes et de fourrures et portant leurs boucliers aux couleurs assorties, qui défilaient devant le roi comme le flot intarissable du Zambèze, les jeunes filles qui dansaient à la fête des premiers fruits, la poitrine nue et enduite d'argile rouge brillante, parées de fleurs sauvages et de perles de céramique. Il décrivit l'exposition secrète du trésor : les épouses de Lobengula oignaient son énorme corps de graisse, puis y collaient les diamants, diamants volés par les jeunes Matabélé dans le grand puits que les Blancs avaient creusé loin au sud.

En écoutant cette description, les indunas se souvinrent des pierres brutes qui rutilaient sur le grand corps du roi comme une cotte de maille précieuse ou les écailles de la cuirasse de quelque extraordinaire monstre reptilien mythique. Babiaan rappela combien le roi était grand à cette époque, combien ses troupeaux étaient innombrables, les jeunes guerriers féroces et belliqueux, belles les filles — ils hochèrent la tête et poussèrent des exclamations d'approbation.

Puis Babiaan se rassit et Gandang se leva de son tabouret. Il était grand et puissant, un guerrier dans la période tardive de sa pleine puissance, d'une noblesse incontestée, son courage cent fois éprouvé, et c'est d'une voix profonde et sonore qu'il reprit le récit.

Il raconta comment les Blancs étaient arrivés du sud. Au début, il n'y en avait eu qu'un ou deux, qui quémandaient de menues faveurs — tuer quelques éléphants, échanger leurs perles et leurs bouteilles contre du cuivre et de l'ivoire. Puis ils vinrent plus nombreux et leurs demandes se firent plus pressantes, plus inquiétantes. Ils voulaient prêcher un étrange dieu à trois têtes, ils voulaient creuser des trous pour chercher le métal jaune et les pierres brillantes. Profondément troublé, Lobengula était venu ici dans les Matopos, et l'Umlimo l'avait averti que lorsque les statues de l'oiseau sacré se seraient envolées des ruines du Grand Zimbabwe, il n'y aurait plus de paix dans le pays.

« Les faucons de pierre ont été volés dans les lieux sacrés, leur rappela Gandang, et Lobengula savait alors qu'il ne pourrait pas plus résister aux Blancs que son père Mosélékatsé n'avait pu le faire. »

Le roi avait donc choisi le plus puissant de tous les pétitionnaires blancs, « Lodzi », cet homme grand et fort aux yeux bleus, qui avait accaparé toutes les mines de diamants et qui était l'induna de la reine blanche d'au-delà des mers. Espérant faire de lui un allié, Lobengula avait conclu un traité avec Lodzi ; en l'échange de pièces d'or et de fusils, il lui avait accordé une charte l'autorisant à creuser pour chercher les trésors renfermés par la terre, exclusivement dans ses territoires de l'est.

Cependant, pour prendre possession des régions visées par la charte, Lodzi avait envoyé un long cortège de chariots et de rudes guerriers comme Selous et Bakela, à la tête de centaines de jeunes Blancs armés comme des soldats. Gandang récita tristement la longue liste de griefs et de manquements à la parole donnée, qui trouvèrent leur apothéose dans le fracas des Maxim, la destruction du kraal royal de GuBulawayo et la fuite de Lobengula vers le nord.

Il décrivit finalement la mort du roi. Le cœur brisé, malade, Lobengula avait pris un poison, et Gandang lui-même avait porté son corps dans une caverne secrète surplombant la vallée du Zambèze, et il avait placé toutes les possessions du roi autour de lui : son tabouret, son repose-tête d'ivoire, sa natte et sa couverture de fourrure, ses chopes de bière et ses écuelles pour manger le bœuf, ses fusils, son bouclier de guerre, sa hache de combat, sa lance, et enfin les petits pots d'argile contenant les diamants scintillants, qu'il avait laissés à ses pieds déformés par la goutte. Après quoi, Gandang avait fait murer l'entrée de la caverne et tué les esclaves qui avaient effectué le travail. Puis il avait reconduit le peuple brisé vers le sud et la captivité.

Sur ses dernières paroles, les mains de Gandang retombèrent à ses côtés, son menton s'affaissa sur sa large poitrine musclée et couturée de cicatrices, et un silence désolé s'empara de l'assemblée. Finalement, un induna intervint au deuxième rang. C'était un frêle vieillard, qui avait perdu toutes les dents du haut. Ses paupières inférieures bâillaient sous ses globes oculaires larmoyants, de sorte qu'on voyait la muqueuse intérieure, pareille à du velours rose, et sa voix était éraillée et haletante.

— Choisissons un autre roi, commença-t-il, mais Bazo l'interrompit.

— Un roi d'esclaves, un roi de captifs ? (Il éclata de rire avec mépris.) Il ne pourra y avoir de roi tant qu'il n'y aura pas de nouveau une nation.

Le vieil induna se laissa choir sur son tabouret, ferma sa bouche édentée et jeta un regard circulaire en clignant des yeux pitoyablement, passant du coq à l'âne comme le font les vieux.

— Le bétail, murmura-t-il, ils nous ont pris notre bétail.

Un bourdonnement de colère s'éleva en assentiment. Le bétail était leur seule vraie richesse ; l'or et les diamants n'étaient que marottes d'hommes blancs tandis que le bétail constituait le fondement du bien-être de la nation.

— Œil Brillant envoie nos jeunes gens faire la police dans les kraals, où ils se comportent en grands seigneurs..., se plaignit un autre.

« Œil Brillant » était le nom donné par les Matabélé au général Mungo Saint John, le commissaire aux Affaires indigènes du Matabeleland.

— Cette police de la Compagnie est armée de fusils, et ses membres méprisent la coutume et la loi. Ils se moquent des indunas et des anciens, et entraînent les filles dans les buissons...

— Œil Brillant ordonne à tous nos *amadoda*, même à ceux de sang zanzi, aux guerriers respectés et aux pères des guerriers, de travailler comme des *amaholi*, des esclaves mangeurs de terre, pour construire ses routes.

Encore une fois, la litanie de leurs maux, réels ou imaginaires, fut reprise tour à tour par les indunas furieux, tandis que seuls Somabula, Babiaan, Gandang et Bazo conservaient le silence.

— Lodzi a brûlé nos boucliers et cassé les lames de nos lances. Il a refusé à nos jeunes guerriers l'antique droit de razzier les Mashona, alors que tout le monde sait que les Mashona sont nos chiens que nous pouvons tuer ou laisser vivre à notre guise.

— Œil Brillant a dispersé les régiments, et maintenant personne ne sait plus qui a le droit de prendre une épouse, quel champ de maïs appartient à quel village, et les gens se disputent comme des enfants maladifs les quelques bêtes efflanquées rendues par Lodzi.

— Que devons-nous faire ? s'écria l'un, puis une chose étrange et sans précédent se produisit.

Tous, y compris Somabula, regardèrent en direction du grand jeune homme au torse couturé qu'ils appelaient le Vagabond, et ils attendirent on ne sait quoi.

Bazo fit un signe de la main et Tanase sortit en se baissant de la case en roseaux. Uniquement vêtue de son court pagne de cuir, mince, droite et souple, elle portait une natte roulée sous le bras. Elle s'agenouilla devant Bazo et déroula la natte par terre à ses pieds.

Les indunas les plus proches qui pouvaient voir ce que cachait le rouleau poussèrent un grognement d'excitation. Bazo le leva dans ses deux mains et le tint haut. Le métal réfléchit la lumière, et tous en eurent le souffle coupé. La forme de la lame était celle conçue par le roi Chaka lui-même ; le métal avait été battu et poli jusqu'à prendre la teinte de l'argent bruni par les artisans rozwi, et la hampe, liée avec du fil de cuivre et des poils noirs de queue d'éléphant.

« Djii ! » siffla l'un des indunas, entonnant le cri de guerre, grave et prolongé, des régiments de guerriers matabélé, et les autres reprirent ce cri, en se balançant légèrement sous l'effet de sa force, leurs visages éclairés par la première extase de la fureur belliqueuse.

Gandang les fit taire. Il se leva d'un bond et la psalmodie s'interrompit sur un geste brusque de lui.

— Ce n'est pas une lame qui va armer le peuple, une lame n'aura pas le dessus sur les petits fusils à trois pieds de Lodzi.

Bazo se leva et fit face à son père.

Prends-la en main, Bulu, l'invita-t-il. (Gandang secoua la tête avec colère, mais il ne pouvait détacher ses yeux de l'arme.) Sens comme son poids peut transformer en homme même un esclave, insista Bazo calmement.

Cette fois-ci Gandang tendit la main droite et, la paume exsangue, les doigts tremblants, la referma sur la hampe.

— Il n'en reste pas moins que c'est une seule lame, s'obstina-t-il, mais il ne pouvait résister à l'impression produite par la belle arme et il frappa l'air avec la sagaie.

— Il y en a mille comme celle-ci, murmura Bazo.

— Où ? aboya Somabula.

— Dis-nous où elles sont, vociférèrent les autres indunas, mais Bazo les aiguillonna.

— Lorsque tomberont les premières pluies, il y en aura cinq mille de plus. En cinquante endroits différents des collines les forgerons sont à l'œuvre.

— Où ? répéta Somabula. Où sont-elles ?

— Cachées dans les cavernes des collines.

— Pourquoi ne nous a-t-on pas tenus au courant ? demanda Babiaan.

— Certains auraient douté qu'il était possible de le faire, d'autres auraient conseillé la prudence et de remettre à plus tard, et il n'y avait pas de temps à perdre en discussions, répondit Bazo.

Gandang hocha la tête.

— Nous savons tous qu'il a raison, la défaite a fait de nous de vieilles bavardes. Mais maintenant, sentez cela ! ordonna-t-il en tendant la sagaie à l'homme qui se trouvait à côté de lui.

— Comment allons-nous rassembler les régiments ? demanda l'homme en faisant tourner l'arme dans sa main. Ils sont dispersés et décimés.

— C'est notre tâche à nous tous. Reconstituer les régiments et nous assurer qu'ils seront prêts lorsqu'on nous apportera les lances.

— Comment arriveront-elles jusqu'à nous ?

— Les femmes nous les apporteront, dans des bottes de chaume ou roulées dans des nattes.

— Par où attaquerons-nous ? Frapperons-nous au cœur, le grand kraal que les Blancs ont construit à GuBulawayo ?

— Non, répondit Bazo d'un ton féroce. C'est une telle folie qui nous a valu d'être défaits. Dans notre fureur, nous avons oublié les leçons de Chaka et Mosélékatsé, nous avons attaqué l'ennemi à son point fort, avançant à terrain découvert vers les chariots où les fusils nous attendaient. (Bazo s'interrompit et inclina la tête vers l'aîné des indunas.) Pardonne-moi, Baba, le chiot ne devrait pas japper quand aboient les vieux chiens. J'ai parlé sans attendre mon tour.

— Tu n'es pas un chiot, Bazo, grogna Somabula. Continue !

— Nous devons être comme des mouches, poursuivit Bazo à voix basse. Nous devons nous cacher dans les vêtements de l'homme blanc et le piquer là où il a la peau tendre jusqu'à ce qu'il devienne fou. Mais quand il se grattera, nous devrons nous déplacer vers un autre point vulnérable.

« Nous devons rôder dans l'obscurité et attaquer à l'aube, nous devons l'attendre en terrain difficile et harceler ses flancs et ses arrières. (Bazo n'élevait jamais la voix, mais tous écoutaient avidement.) Nous ne devrons jamais nous précipiter contre les remparts du laager, et lorsque les fusils à trois pieds commenceront à rire comme des vieilles femmes, il nous faudra nous évaporer comme la brume du matin dissipée par les premiers rayons du soleil.

— Ce n'est pas faire la guerre, protesta Babiaan.

— Si, Baba, objecta Bazo. Une nouvelle forme de guerre, la seule que nous pouvons gagner.

— Il a raison, lança une voix parmi les rangs. Il doit en être ainsi.

L'un après l'autre, les indunas prirent la parole, et aucun ne mit en cause la façon de voir de Bazo, jusqu'au moment où il se tourna de nouveau vers Babiaan.

— Mon frère Somabula a dit vrai, tu n'es pas un chiot, Bazo. Dis-nous encore une chose : quand passerons-nous à l'action ?

— Ça, je ne puis te le dire.

— Qui peut le faire ?

Bazo baissa les yeux vers Tanase, toujours agenouillée à ses pieds.

— Nous nous sommes réunis dans cette vallée pour une bonne raison. Si vous en demeurez tous d'accord, ma femme, qui est proche de l'Umlimo et initiée aux mystères, ira jusqu'à la caverne sacrée pour recevoir l'oracle.

— Elle doit y aller immédiatement.

— Non, Baba, dit Tanase, sa jolie tête toujours inclinée en signe de profond respect. Nous devons attendre que l'Umlimo nous envoie chercher.

Les cicatrices de Bazo formaient par endroits des kystes. Les balles de mitrailleuses avaient provoqué de gros dégâts. L'un de ses bras, heureusement pas celui qui portait la lance, était tordu et raccourci, déformé de manière définitive. Sa chair déchirée et bosselée, agitée de spasmes atrocement douloureux, s'ankylosait après une marche ou un exercice pénible avec les armes de guerre, ou encore lorsqu'il Bazo devait tirer des plans, discuter et amener les autres à ses vues.

Agenouillée près de lui dans la petite case en roseaux, Tanase voyait les muscles et les tendons contractés sous la peau sombre comme si des mambas essayaient de s'échapper d'un sac en soie noire. De ses longs doigts effilés, elle fit pénétrer l'onguent à base de graisse et de plantes à l'intérieur des muscles saillant le long de sa colonne vertébrale, entre les omoplates, et jusqu'à la base du crâne. La douleur suave fit grogner Bazo et il se détendit lentement.

— Tu me fais du bien de tant de façons différentes, murmura-t-il.

— Je ne suis pas née pour autre chose, répondit-elle.

Mais Bazo soupira et secoua la tête lentement.

— Nous sommes nés tous les deux dans un but qui nous est toujours caché. Tu sais que... toi et moi, nous sommes différents.

Elle lui toucha les lèvres de son doigt pour le faire taire.

— Nous en reparlerons demain, dit-elle.

Elle posa ses mains sur les épaules de Bazo et le poussa en arrière jusqu'à ce qu'il soit étendu sur la natte en roseau, et elle commença à masser sa poitrine et les muscles rigides de son ventre plat et dur.

— Ce soir, il n'y a que nous, dit-elle, avec le ronronnement rauque d'une lionne en chasse, se délectant du pouvoir qu'elle exerçait sur lui avec ses seuls doigts, et en même temps consumée par une tendresse si profonde qu'elle en sentait sa poitrine comme écrasée par un poids. Ce soir, nous sommes le monde tout entier.

Avec la pointe de sa langue, elle toucha les cicatrices laissées par les balles ; l'excitation de Bazo fut si grande qu'elle ne pouvait refermer ses doigts sur son membre viril.

Il essaya de s'asseoir, mais elle le maintint au sol par une légère pression contre sa poitrine, puis elle fit glisser le cordon de son pagne et l'enfourcha d'un seul mouvement. Tous deux poussèrent un cri involontaire sous l'effet du désir avant d'être emportés par une soudaine fureur amoureuse.

Quand la tempête fut passée, elle posa doucement sa tête contre sa poitrine et lui fredonna un petit air comme à un enfant jusqu'à ce que sa respiration soit devenue profonde et régulière dans la case obscure. Elle ne s'endormit pas tout de suite mais resta étendue en silence, s'étonnant que la rage et la compassion puissent la posséder en même temps.

« Je ne connaîtrai jamais plus la paix, pensa-t-elle soudain. Et lui non plus. »

Et elle se lamenta sur le sort de l'homme qu'elle aimait, et sur la nécessité de l'aiguillonner et de le pousser sur la route du destin qui, elle le savait, les attendait tous les deux.

Le troisième jour, la messagère de l'Umlimo sortit de la caverne et descendit au village, où attendaient les indunas.

C'était une jolie fille à l'expression solennelle et aux yeux sages d'adulte. Elle était à la veille de la puberté ; ses mamelons couleur de mûre commençaient à éclore et le premier duvet ombrait la fente profonde entre ses cuisses. Elle portait autour du cou un talisman que seule Tanase reconnut. Il indiquait qu'un jour cette enfant endosserait à son tour le manteau sacré de l'Umlimo et officierait dans l'horrible caverne au pied de la falaise, au-dessus du village.

Instinctivement, l'enfant regarda Tanase, accroupie à une extrémité de la rangée des hommes. Des yeux et d'un signe de la main connu seulement des initiés, celle-ci désigna Somabula, l'aîné des indunas. L'indécision de l'enfant n'était qu'un symptôme de la rapide dégénérescence de la société matabélé. Du temps des rois, nul, enfant ou adulte, n'aurait eu le moindre doute quant à l'ordre de préséance.

Lorsque Somabula se leva pour suivre la messagère, ses demi-frères se levèrent avec lui, Babiaan d'un côté, Gandang de l'autre.

— Toi aussi, Bazo, dit Somabula.

Et bien que Bazo fût plus jeune et portât le bandeau depuis moins longtemps que certains indunas, aucun des autres ne souleva d'objection à ce qu'il soit ainsi invité à participer à la mission.

L'apprentie sorcière prit Tanase par la main, car elles étaient sœurs des esprits des ténèbres, et toutes deux ouvrirent la marche sur le sentier escarpé. L'ouverture de la caverne avait une centaine de pas de côté, mais elle était à peine assez haute pour qu'on puisse la franchir sans se baisser. Elle avait été fortifiée jadis par un mur en pierre de taille, construit de la même manière que les murailles du Grand Zimbabwe, mais les pierres s'étaient éboulées, laissant des trous comme dans la bouche d'un vieillard.

Les membres de la petite troupe s'arrêtèrent malgré eux. Les indunas hésitaient à aller de l'avant. Ils se rapprochèrent les uns des autres comme pour se donner du courage. Ces hommes, qui avaient manié la sagaie au cours de cent batailles sanglantes et couru à l'assaut du laager des Blancs sous le feu des mitrailleuses, se montraient craintifs devant l'entrée obscure de la caverne.

Au-dessus d'eux, émanant de la paroi lisse de granit couverte de taches de lichen, la voix chevrotante et discordante d'un vieillard dément brisa le silence : « Laissez les indunas du sang royal des Kumalo pénétrer dans le lieu sacré ! » Apeurés, les quatre guerriers levèrent les yeux, mais ne virent aucune créature vivante et aucun d'eux n'eut le courage de répondre.

Tanase avait senti la main de l'enfant trembler dans la sienne. Elle seule était assez habituée aux manières des sorcières pour savoir que l'art de la ventriloquie était enseigné aux apprenties de l'Umlimo. L'enfant était déjà très expérimentée, et Tanase frissonna malgré elle en imaginant les autres talents redoutables qu'elle avait acquis, les épreuves épouvantables et les souffrances terribles qu'elle devait déjà avoir endurées. Prise d'empathie, elle serra la main fine et fraîche de l'enfant, et elles franchirent ensemble le portail en ruine.

Derrière elles, les quatre nobles guerriers se pressaient avec la témérité de gamins, regardant anxieusement autour d'eux et trébuchant sur le sol irrégulier. L'entrée de la caverne se rétrécissait, et Tanase pensa avec un humour sinistre qu'il était préférable que la faiblesse de la lumière empêchât les indunas de distinguer nettement les parois de chaque côté, car même leur courage de guerriers aurait pu fléchir à la vue de l'horrible spectacle de ces catacombes.

À une époque lointaine dont l'histoire orale des Rozwi et des Karanga ne pouvait plus mesurer l'ancienneté, des générations avant que Mosélékatsé ait mené sa tribu à l'intérieur de ces collines, un autre maraudeur pillard était passé par là. Peut-être était-ce Manatassi, la reine conquérante légendaire, à la tête de ses hordes impitoyables, qui semait la désolation et tuait tout sur son passage, n'épargnant ni les femmes, ni les enfants, ni même les animaux domestiques.

Les tribus menacées avaient cherché refuge dans cette vallée, mais les maraudeurs avaient fait irruption par l'étroit défilé et la foule pitoyable s'était réfugiée dans cette caverne, son ultime demeure. Le plafond de la grotte était encore couvert de suie, car les pillards avaient estimé que cela ne valait pas la peine de faire le siège de la caverne. Ils avaient abattu le mur de protection et bloqué l'entrée avec des tas de bois et de broussailles avant d'y mettre le feu. Toute la tribu avait péri, et la fumée avait momifié leurs dépouilles. Ils avaient donc franchi les années entassés les uns sur les autres, parfois jusqu'à toucher le plafond bas.

Tandis que Tanase et sa petite escorte allaient de l'avant, quelque part devant eux une faible lumière bleutée augmentait en intensité. Soudain Bazo poussa une exclamation et montra les débris humains entassés près de lui. La peau parcheminée avait pelé par endroits, de sorte que les crânes blanchis semblaient leur sourire et les bras squelettiques et déformés, leur adresser une macabre salutation sur leur passage. Les indunas étaient inondés de sueur en dépit de la fraîcheur de l'obscurité, ils avaient l'air malades et semblaient envahis d'une crainte superstitieuse.

Tanase et l'enfant suivirent les méandres du sentier sans se tromper, et arrivèrent enfin au-dessus d'un amphithéâtre naturel où un unique rayon de lumière tombait d'une étroite fissure dans le dôme de la caverne. Un foyer en occupait le centre et une fine volute de fumée pâle s'élevait lentement vers la fissure. Tanase et l'enfant conduisirent les hommes en bas des marches taillées dans le roc jusque sur le sol sablonneux de l'amphithéâtre ; sur un geste d'elles, les quatre indunas s'accroupirent avec soulagement devant le feu fumant.

Tanase lâcha la main de l'enfant et s'assit un peu sur le côté et en arrière des hommes. L'enfant se dirigea vers la paroi opposée et prit une poignée d'herbes dans l'un des grands pots d'argile rangés là. Elle les jeta dans le feu et immédiatement un grand nuage de fumée âcre s'éleva en tourbillonnant. Il se dissipa lentement ; les indunas tressaillirent alors et poussèrent une exclamation de terreur.

Un personnage monstrueux leur faisait face de l'autre côté des flammes. C'était une femme albinos à la peau blanc argenté de lépreuse, à la lourde poitrine pendante, dont les mamelons avaient une teinte rose pâle. Elle était toute nue et sa toison pubienne blanche comme de l'herbe couverte de givre, sous les gros bourrelets de graisse de son ventre. Elle avait le front bas et fuyant, la bouche large et mince comme celle des crapauds. Des éruptions à vif couvraient la peau dépigmentée de son nez épaté et de ses joues pâles. Agenouillée sur une natte en peau de zèbre, ses avant-bras épais croisés sur son ventre, ses cuisses semées de grandes taches de rousseur, grandes ouvertes, elle regardait fixement les quatre hommes.

— Je te vois, ô Élue, la salua Somabula d'une voix qui tremblait, malgré un immense effort de volonté.

L'Umlimo ne répondit pas ; Somabula se balança en arrière sur ses talons et se tut. L'enfant s'affairait au milieu des pots, puis elle s'avança et s'agenouilla près de la grosse albinos en lui tendant la pipe en terre qu'elle avait préparée.

L'Umlimo prit le long tuyau en roseau entre ses minces lèvres argentées. La fille l'alluma à mains nues un charbon ardent dans le feu et le posa sur la boulette de matière végétale dans le fourneau de la pipe. L'herbe commença à rougeoyer et à crépiter ; l'Umlimo tira une longue bouffée puis laissa la fumée aromatique chatouiller ses narines simiesques. Les hommes sentirent immédiatement l'odeur lourde et suave de l'*insanghu*.

Les pouvoirs divinatoires pouvaient être sollicités de diverses manières. Avant qu'elle ait perdu les siens, ils venaient spontanément à Tanase, la plongeant dans une crise de convulsions tandis que les voix des esprits luttaient pour s'échapper de sa gorge. Cette femme monstrueuse qui lui avait succédé devait en revanche utiliser une pipe de chanvre. Les graines et les fleurs de *Cannabis sativa*, broyées pour former des boulettes séchées au soleil, étaient pour elle la clé qui ouvrait le monde des esprits.

Elle fumait calmement, par de brèves inhalations en gardant la fumée jusqu'à ce que son visage pâle donne l'impression d'enfler et que ses pupilles pâles deviennent vitreuses. Elle rejetait ensuite la fumée brusquement et recommençait. Les indunas la regardaient avec une telle fascination qu'ils ne remarquèrent tout d'abord pas le léger frottement sur le sol de la caverne. C'est Bazo qui finalement sursauta et grogna de stupéfaction en agrippant le bras de son père. Gandang poussa une exclamation et commença à se lever, alarmé, saisi d'horreur, mais la voix de Tanase l'arrêta.

71

— Ne bouge pas. Il est dangereux, murmura-t-elle d'un ton pressant.

Gandang se laissa retomber à sa place et s'immobilisa. Venue des profondeurs obscures de la caverne, une créature pareille à une langouste traversait rapidement l'espace sablonneux en direction de l'Umlimo. La bête, dont la carapace se mit à luire à la lumière des flammes quand elle atteignit la femme, commença à grimper sur son corps blanc et boursouflé. Elle s'arrêta sur son giron, sa longue queue segmentée se levant rythmiquement, ses pattes d'araignée accrochées dans les poils rêches et blancs de son pubis, puis elle reprit son ascension sur son ventre protubérant, suspendue à l'une de ses mamelles comme un fruit vénéneux. Elle grimpa sur son épaule et atteignit l'angle de sa mâchoire sous l'oreille.

Imperturbable, l'Umlimo continuait de tirer sur l'embouchure de sa pipe par petites bouffées, ses yeux roses fixés sur les indunas sans les voir. L'énorme insecte rampa le long de sa tempe puis s'arrêta au milieu de son front couvert de croûtes, où il resta suspendu la tête en bas. La queue du scorpion, plus longue que le doigt, s'incurva jusqu'à toucher le dos de sa carapace.

L'Umlimo commença à marmotter et de l'écume bouillonna sur ses lèvres à vif. Elle dit quelques mots dans une langue bizarre, la longue queue du scorpion se mit à palpiter, et à l'extrémité, sur la pointe du croc rouge, apparut une goutte de venin clair qui étincela comme une pierre précieuse dans la faible lumière.

L'Umlimo parla de nouveau, d'une voix rauque et dans une langue incompréhensible.

— Que dit-elle ? chuchota Bazo en tournant la tête vers Tanase. Dans quelle langue parle-t-elle ?

— La langue secrète des initiés, murmura Tanase. Elle invite les esprits à entrer dans son corps et à en prendre le contrôle.

L'albinos se leva lentement et retira le scorpion de son front. Elle saisit la tête et le corps dans son poing fermé ; seule la longue queue battait furieusement d'un côté et de l'autre, elle l'abaissa lentement et la tint devant sa poitrine. Le scorpion frappa, et le croc acéré s'enfonça profondément dans la chair rose obscène. L'Umlimo ne broncha pas tandis que le scorpion frappait encore et encore, laissant des petites piqûres rouges dans la poitrine flasque.

— Elle va mourir ! s'exclama Bazo.

— Laisse-la faire, siffla Tanase. Elle n'est pas comme les autres femmes. Le poison ne lui fera pas de mal... il ne sert qu'à lui ouvrir l'âme aux esprits.

L'albinos retira le scorpion de son sein, et le jeta dans les flammes, où il se tordit et se ratatina en une petite masse calcinée. Puis, soudain, l'Umlimo poussa un cri sinistre.

— Les esprits pénètrent en elle, chuchota Tanase.

L'Umlimo avait la bouche ouverte, et des petits filets de bave dégoulinaient de son menton, tandis que trois ou quatre voix furieuses semblaient sortir de sa gorge simultanément, voix d'hommes, de femmes et d'animaux, chacune essayant de couvrir les autres, jusqu'à ce que finalement l'une s'élève au-dessus d'elles et les réduise au silence. C'était une voix d'homme qui s'exprimait dans la langue mystique, sa modulation et sa cadence étaient d'un autre monde, mais Tanase leur traduisit les paroles à voix basse.

« Lorsque le soleil de midi sera obscurci par des ailes et que les arbres perdront leurs feuilles au printemps, affûtez vos lames, guerriers matabélé. »

Les quatre indunas hochèrent la tête. Ils avaient déjà entendu cette prophétie car l'Umlimo se répétait souvent et parlait toujours par énigmes. Ils s'étaient interrogés sur ces paroles auparavant. C'était ce message que Bazo et Tanase avaient transmis aux clans matabélé disséminés au cours de leurs pérégrinations de kraal en kraal.

La grosse albinos grogna et tendit les bras comme si elle luttait avec un adversaire imaginaire. Ses yeux rose pâle tournoient en tous sens dans leurs orbites indépendamment l'un de l'autre, elle louchait et grinçait des dents avec autant de bruit qu'un chien en train de ronger un os.

La fille accroupie entre les pots d'argile se leva sans bruit, se pencha au-dessus de l'Umlimo et lui lança une pincée de poudre rouge et âcre en plein visage. L'Umlimo sortit de sa transe paroxystique, elle desserra les mâchoires et une autre voix s'éleva, gutturale, indistincte, à peine humaine, s'exprimant dans le même étrange dialecte ; Tanase se pencha en avant pour mieux entendre et répéta ses paroles.

« Lorsque les bestiaux seront couchés sans pouvoir se relever, la tête tournée jusqu'à toucher le flanc, alors, guerriers matabélé, reprenez courage car le temps sera proche. »

Il y avait une légère différence dans la formulation de la prophétie par rapport à celle qu'ils avaient déjà entendue, et tous la méditèrent en silence tandis que l'Umlimo s'effondrait mollement, telle une méduse, face contre terre. Lentement le corps de l'albinos s'immobilisa et elle resta étendue comme morte.

Gandang voulut se lever, mais Tanase le mit en garde d'une voix sifflante ; il s'arrêta dans son mouvement et attendit avec les autres. Le seul bruit dans la caverne était le crépitement du feu et le frôlement des ailes de chauves-souris, tout en haut contre le dôme de pierre.

Une nouvelle convulsion parcourut alors le dos de l'Umlimo et sa colonne vertébrale s'arqua. Son visage hideux levé, elle s'exprima avec une voix enfantine et douce, en langue ndébélé pour que tous comprennent.

« Lorsque le bétail sans cornes sera mangé par la grande croix, que la tempête éclate. »

Sa tête se mit à pendre en avant, et l'enfant la couvrit d'une fourrure pelucheuse de chacal.

— C'est fini, dit Tanase. Il n'y aura plus rien.

Les quatre indunas se levèrent avec soulagement et, sans bruit, refirent en sens inverse le trajet à travers les lugubres catacombes. Quand ils virent devant eux la lumière du soleil filtrer à travers l'entrée de la caverne, ils pressèrent le pas pour ressortir au grand jour. Leur hâte manquait tant de dignité qu'ils évitèrent de se regarder.

Ce soir-là, assis dans le *setenghi* au fond de la vallée, Somabula répéta les prophéties de l'Umlimo devant les indunas assemblés. Ils hochèrent la tête en entendant les deux premières énigmes qu'ils connaissaient bien, et, comme ils l'avaient fait cent fois déjà, se creusèrent la tête en vain sur leur sens avant de conclure : « Nous en comprendrons la signification le moment venu... il en va toujours ainsi. »

Somabula rapporta ensuite la troisième prophétie de l'Umlimo, la nouvelle énigme : « Lorsque le bétail sans cornes sera mangé par la grande croix... »

Les indunas prisèrent et les chopes de bière passèrent de main en main tandis qu'ils épiloguaient sur le sens caché de la prophétie. C'est seulement quand tous se furent exprimés que Somabula regarda derrière eux à l'endroit où Tanase était assise, tenant son enfant sous sa cape de cuir pour le protéger de la fraîcheur de la nuit.

— Quel est le sens véritable, femme ? demanda-t-il.

— L'Umlimo elle-même l'ignore, répondit Tanase, mais lorsque nos ancêtres ont vu pour la première fois les Blancs chevaucher depuis le sud, ils ont cru qu'ils montaient du bétail sans cornes.

— Il s'agirait donc de chevaux ? s'interrogea Gandang d'un air pensif.

— Cela se pourrait, convint Tanase. Les paroles de l'Umlimo peuvent cependant posséder autant de significations qu'il y a de crocodiles dans le Limpopo.

— Qu'est-ce que cette croix, la grande croix de la prophétie ? demanda Bazo.

— C'est le symbole du dieu à trois têtes des Blancs, répondit Gandang. Ma première épouse, Jouba, la Petite Colombe, porte cette croix autour du cou. Elle lui a été donnée par la missionnaire de Khami le jour où elle lui a versé de l'eau sur la tête.

— Est-il possible que le dieu des Blancs mange leurs chevaux ? fit Babiaan d'un air dubitatif. Il est manifestement leur protecteur, non leur destructeur.

La discussion se poursuivit entre anciens, tandis que le feu de camp brûlait doucement et que la voûte brillante des cieux tournait au-dessus de la vallée avec une grave dignité.

Au sud de la vallée, parmi les autres corps célestes, brillaient quatre grosses étoiles blanches que les Matabélé appelaient les « Enfants de Manatassi ». On racontait que Manatassi, cette terrible reine, avait étranglé ses enfants de ses propres mains à la naissance, afin qu'aucun ne pût briguer son trône. Selon la légende, les âmes de ces enfants étaient montées haut dans le ciel, où elles témoignaient de la cruauté de leur mère.

Aucun des indunas ne savait que le nom par lequel les Blancs désignaient cette même constellation était la Croix du Sud.

Ralph Ballantyne s'était trompé lorsqu'il avait prédit à Harry Mellow qu'à leur retour au camp M. Rhodes et sa suite seraient déjà partis pour GuBulawayo. Car il n'avait pas plus tôt franchi les portes de la palissade qu'il vit la superbe voiture à mules encore garée là où il l'avait vue la dernière fois, et à côté se trouvaient une douzaine d'autres véhicules délabrés et usés : des chariots, des cabriolets, et même une bicyclette aux pneus usés remplacés par des bandes de peau de buffle.

— M. Rhodes tient sa cour ici, expliqua Cathy d'un ton furieux, dès que Ralph et elle se retrouvèrent seuls dans la tente qui servait de salle de bain. J'ai rendu le camp beaucoup trop confortable et il se l'est approprié.

— Comme il le fait de tout le reste, fit remarquer Ralph philosophiquement tout en se débarrassant de sa chemise qui sentait la sueur et la jetant à l'autre bout de la tente. Ça fait cinq nuits que je dors avec : bon sang ! le boy chargé du blanchissage va devoir la battre comme plâtre avant de la mettre dans la lessiveuse.

— Ralph, vous ne prenez pas les choses au sérieux, fit Cathy en tapant du pied de dépit. Je suis ici chez moi, c'est ma seule maison, et puis savez-vous ce que... ce que M. Rhodes m'a dit ?

— Est-ce qu'il y a un autre savon que celui-là ? demanda Ralph en sautant à cloche-pied pour retirer son pantalon. Un seul ne suffira pas.

— Il a dit : « Jordan se chargera des cuisines durant notre séjour ici, madame Ballantyne ; il connaît mes goûts. » Que pensez-vous de cela ?

— Jordan est un sacré cordon bleu, répondit Ralph en entrant avec précaution dans la baignoire, puis il poussa un grognement lorsque ses fesses touchèrent l'eau presque bouillante.

— On m'interdit l'accès à ma cuisine.

— Venez dans le bain ! ordonna Ralph.

Elle s'interrompit et le regarda avec incrédulité.

— Qu'avez-vous dit ? demanda-t-elle.

Pour toute réponse, il la prit par la cheville et la fit basculer par-dessus lui, ce qui entraîna des glapissements de protestation. De l'eau chaude et de la mousse de savon éclaboussèrent la toile de la tente, et quand il lâcha finalement Cathy, elle était trempée jusqu'à la taille.

— Votre robe est toute mouillée, remarqua-t-il avec suffisance. Maintenant, vous n'avez plus le choix... enlevez-la.

Toute nue, elle s'assit dos à dos avec lui dans la baignoire galvanisée, les genoux remontés jusqu'au menton, les cheveux humides noués sur le dessus de la tête, pourtant elle continuait ses doléances.

— Même Louise ne peut plus supporter l'arrogance et la misogynie de cet homme. Elle s'est fait reconduire à King's Lynn par votre père, et maintenant il faut donc que je le supporte toute seule !

— Vous avez toujours été une fille courageuse, lui dit Ralph en lui savonnant le dos d'une main caressante.

— Tous les parasites et traîne-savates savent qu'il est ici et ils arrivent des quatre coins du Matabeleland pour avoir du whisky à l'œil.

— M. Rhodes est un homme généreux, admit Ralph en passant tendrement le gant par-dessus l'épaule de Cathy avant de redescendre sur le devant.

— C'est votre whisky, objecta-t-elle en lui attrapant le poignet avant qu'il ait pu atteindre son évidente destination.

— Ce type a un toupet de tous les diables, fit Ralph, montrant pour la première fois une certaine émotion. Il va falloir nous débarrasser de lui. Ce whisky vaut dix livres à Bulawayo, ajouta-t-il en réussissant à faire descendre le gant un peu plus bas.

— Ralph, ça chatouille, s'exclama Cathy en se tortillant.

— Quand vos deux sœurs arrivent-elles ? dit-il en ignorant sa protestation.

— Elles ont envoyé un messager, elles devraient être là avant la nuit. Ralph, donnez-moi ce gant immédiatement !

76

— Nous allons voir si M. Rhodes a autant d'aplomb qu'il y paraît...

— Ralph, je peux faire ça toute seule, merci beaucoup, donnez-moi ce gant !

— Et vous jugerez aussi de la rapidité des réflexes de Harry Mellow...

— Ralph, êtes-vous fou ? Nous sommes dans le bain !

— Nous allons faire en sorte que Jordan quitte votre cuisine, que Harry Mellow devienne contremaître de la mine Harkness et que M. Rhodes soit en route pour Bulawayo une heure après l'arrivée des deux jumelles...

— Ralph chéri, taisez-vous, je ne peux pas me concentrer sur deux choses à la fois, murmura Cathy.

Un peu comme une scène représentée au musée Grévin, le tableau que formaient les dîneurs à la table à tréteaux dressée dans la tente-salle à manger n'avait pas changé depuis la dernière fois que Ralph l'avait vu. M. Rhodes, qui s'imposait par son charisme expansif, portait même des vêtements identiques.

Seuls les seconds rôles assis à la place des solliciteurs, de l'autre côté de la longue table, avaient changé. Il y avait une bande hétéroclite de prospecteurs malchanceux, des hommes désireux d'acquérir des concessions et des promoteurs impécunieux d'entreprises ambitieuses, qui avaient été attirés par la réputation et les millions de M. Rhodes comme des chacals et des hyènes par les carcasses laissées par le lion.

Il était de mode dans le Matabeleland de faire preuve d'originalité en adoptant un couvre-chef excentrique, et dans l'échantillonnage que M. Rhodes avait en face de lui, on remarquait un béret écossais avec une plume d'aigle fixée au bord par une épingle décorée d'une pierre de Cairngorm jaune, un chapeau haut de forme en castor brossé avec un ruban vert de la Saint-Patrick, et un magnifique sombrero brodé, dont le propriétaire se lançait dans le récit emberlificoté de ses malheurs, auquel M. Rhodes coupa court. Il n'aimait pas écouter autant qu'il aimait parler.

— Ainsi, vous en avez assez de l'Afrique mais vous n'avez pas l'argent nécessaire pour payer votre voyage de retour, n'est-ce pas ?

— C'est cela, monsieur Rhodes. Ma vieille mère...

— Jordan, donnez à ce garçon un viatique pour qu'il puisse rentrer chez lui et débitez ça sur mon compte personnel.

Il éluda d'un geste de la main les remerciements de l'homme et leva les yeux à l'entrée de Ralph dans la tente.

77

— Harry m'a dit que votre virée a été couronnée de succès. En lavant votre minerai à la batée, il l'a estimé à trente onces la tonne, soit trente fois plus riche que le meilleur conglomérat du Witwatersrand. Il me semble que du champagne s'impose. Jordan, est-ce qu'il nous reste quelques bouteilles de Pommery 87 ?

« Au moins, ce n'est pas moi qui fournit aussi le champagne », pensa Ralph cyniquement en levant son verre.

— À la mine Harkness !

Il se joignit au chœur obéissant et après avoir bu se tourna vers le Dr Leander Starr Jameson.

— Qu'en est-il des lois qui régissent l'exploitation minière ? Harry m'a dit que vous adoptiez le code minier américain.

— Vous avez une objection ? fit Jameson tout rouge, ses moustaches blond roux hérissées.

— Ce code a été rédigé par des juristes pour s'assurer de gros honoraires à perpétuité. Les nouvelles lois du Witwatersrand sont plus simples et mille fois plus pratiques. Sacrebleu, ça ne suffit donc pas que votre compagnie nous vole cinquante pour cent de nos profits en royalties ?

Tout en parlant, il vint à l'esprit de Ralph que le code minier américain serait un écran de fumée derrière lequel le rusé Rhodes pourrait manœuvrer à loisir.

— Rappelez-vous, jeune Ballantyne, fit Jameson en se lissant la moustache et en clignant pieusement de l'œil, rappelez-vous à qui appartient la région. Rappelez-vous qui a supporté le coût de l'occupation du Mashonaland et qui a financé la guerre contre les Matabélé.

— Le pouvoir de gouverner dévolu à une société commerciale. (Malgré lui, Ralph sentait sa colère monter de nouveau et il serra entre ses mains la table devant lui.) Une société qui possède les forces de police et les tribunaux. Et si j'ai un litige avec votre société, qui le réglera ? Certainement pas les magistrats de la BSA Company ?

— Il y a des précédents, intervint Rhodes d'un ton modéré et apaisant démenti par son regard. La Compagnie des Indes orientales...

— Le gouvernement britannique a dû finalement retirer l'Inde à ces pirates — Clive, Hastings et ceux de cet acabit — pour corruption et oppression des indigènes, répliqua Ralph, sarcastique. La révolte des cipayes a été le résultat logique de leur administration.

— Monsieur Ballantyne. (La voix de M. Rhodes devenait toujours perçante quand il était énervé ou en colère.) Je vous demande de retirer ce que vous avez dit. Ces remarques sont historiquement inexactes et implicitement insultantes.

— Je les retire, sans réserve. (Ralph était furieux contre lui-même ; il était d'ordinaire trop imperturbable pour se laisser provoquer. Il n'y avait rien à gagner en heurtant de front Cecil John Rhodes. C'est avec un sourire cordial et amical qu'il poursuivit.) Je suis persuadé que nous n'aurons pas besoin des services des magistrats de la Compagnie.

M. Rhodes répondit à son sourire avec la même cordialité, mais un éclat bleu métallique vacilla dans ses yeux quand il leva son verre.

— Buvons à un filon profond et à une relation qui le soit encore davantage, lança-t-il.

Une seule personne vit un défi dans ces paroles. Jordan s'agitait dans son fauteuil de camping au fond de la tente. Il connaissait très bien les deux hommes et les aimait autant l'un que l'autre. Son frère Ralph, au cours de leur enfance solitaire et tempétueuse, avait été à ses côtés son protecteur et son réconfort dans les mauvais jours, son ami joyeux dans les bons.

Lorsque, à présent, il regardait Ralph et le comparait à lui, il lui semblait impossible que deux frères puissent être à tel point différents. Jordan était blond, mince et gracieux, Ralph brun, mince et puissant ; Jordan était doux et effacé, Ralph, dur, audacieux et féroce comme un faucon, ainsi que le sous-entendait son nom de louange matabélé. Instinctivement, Jordan tourna son regard vers le grand gaillard qui faisait face à son frère de l'autre côté de la table.

À son égard, ses sentiments touchaient à une sorte de ferveur religieuse. Il était aveugle aux changements physiques que ces quelques années avaient provoqués chez ce personnage, figure divine de son existence : le corps massif de M. Rhodes s'était encore empâté ; son visage, déjà marbré par la cyanose, due au travail intensif d'un cœur surmené, était gonflé, ses traits, épaissis ; ses cheveux blond roux commençaient à tomber et à grisonner sur les tempes. De même qu'une femme aimante n'accorde guère d'importance à l'apparence physique de l'homme qu'elle a choisi, Jordan ne voyait pas les marques de souffrance, de maladie et celles laissées par les années. Il voyait le fond imperturbable de cet homme, la source ultime de son immense pouvoir et de sa présence troublante.

Jordan avait envie de crier, de s'élancer vers son frère bien-aimé afin de l'empêcher de commettre la folie de se faire un ennemi de cette âme de géant. Il en avait vu d'autres s'y risquer et être impitoyablement écrasés.

Puis, avec une sensation d'écœurement au creux de l'estomac, il sut de quel côté il se rangerait si cet affrontement redouté devait un jour le contraindre à effectuer un choix. Il était l'homme de M. Rhodes, au-delà des liens fraternels et des fidélités familiales ; jusqu'à la fin de ses jours, il serait l'homme de M. Rhodes.

Il chercha désespérément une échappatoire pour briser la tension entre les deux personnages centraux de son existence. C'est cependant de derrière la palissade que vint la délivrance, sous la forme des cris ravis des domestiques, des aboiements hystériques des chiens de garde, du fracas de roues de chariot et des exclamations excitées de femmes. Jordan était le seul à regarder le visage de Ralph, et, quand son frère se leva, il y entrevit donc une expression espiègle et béate.

— Il semble que nous ayons de la visite, dit Ralph, et les deux jumelles franchirent la palissade.

Comme Ralph s'y était attendu, Victoria arrivait en tête sur ses longues jambes fuselées, esquissées sous le tourbillon de ses jupes en cotonnade légère. Faisant fi de toute prétention à la distinction, elle marchait pieds nus, tenant ses chaussures d'une main, Jonathan à califourchon sur sa hanche. L'enfant piaillait comme un bébé phacochère ayant perdu la tétine.

— Vicky ! Vicky, tu m'as apporté quelque chose ?

— Un baiser sur la joue et une tape sur le derrière, répondit-elle en riant et l'étreignant.

Son rire était sonore, gai et sans affectation, sa bouche un peu trop grande, mais ses lèvres veloutées comme des pétales de rose et agréablement dessinées, ses dents grandes, régulières et blanches comme de la porcelaine, sa langue rose. Elle avait les yeux verts et très écartés, et sa peau, cet éclat soyeux des Anglaises que ni le soleil ni des doses massives de quinine antimalarienne ne pouvaient ternir. Elle eût été remarquable même sans son épaisse chevelure cuivrée, ébouriffée par le vent, qui lui dégringolait sur le visage et les épaules.

Elle fascinait tous les hommes présents, M. Rhodes compris, mais c'est vers Ralph qu'elle courut, portant toujours Jonathan sur la hanche, et elle lui jeta son bras libre autour du cou. Elle était si grande qu'il lui suffit de se dresser sur la pointe des pieds pour l'embrasser. Son baiser ne dura pas, mais ses lèvres étaient douces et humides, ses seins se pressèrent, chauds et fermes, à travers son chemisier. Ralph fut parcouru d'un frisson au contact des cuisses de sa belle-sœur contre les siennes, et rompit l'étreinte. Pendant un instant les yeux verts de la jeune fille lui lancèrent un défi qu'il ne comprit pas entièrement ; elle se délecta de cette sensation enivrante de pouvoir sur les hommes dont elle ne connaissait pas encore les limites.

Elle abandonna ensuite Jonathan à Ralph et tourna les talons pour courir, toujours nu-pieds, à l'autre extrémité de la tente et se précipiter dans les bras de Jordan.

— Jordan chéri, oh, comme vous nous avez manqué !

Elle l'entraîna malgré lui dans une gigue effrénée autour de la palissade en secouant ses cheveux fous et chantant joyeusement.

Ralph jeta un coup d'œil vers M. Rhodes. Le voyant choqué et mal à l'aise, il sourit et lâcha Jonathan, le laissant courir s'accrocher à la jupe de Vicky et ajouter sa voix aiguë au tumulte, puis il se tourna pour accueillir la deuxième jumelle.

Elizabeth était aussi grande que Vicky, mais sa chevelure avait la teinte plus sombre de l'acajou, semée d'éclats incarnats, et sa peau avait pris un léger hâle qui lui donnait la couleur des yeux de tigre. Elle était mince comme une danseuse, la taille fine et les épaules étroites surmontées d'un long cou de héron. Ses seins, plus petits que ceux de Vicky, pointaient cependant avec élégance. Bien que sa voix fût douce et son rire pareil à un ronronnement, ses lèvres avaient une courbure malicieuse, elle se tenait la tête inclinée avec désinvolture, et on voyait dans le regard de ses yeux couleur de miel qu'elle n'était pas tout à fait inconsciente de l'effet qu'elle produisait sur les hommes.

Cathy et elle s'embrassèrent, mais elle se dégagea de l'étreinte de sa sœur aînée et alla vers Ralph.

— Mon beau-frère préféré, murmura-t-elle, et en regardant dans ses yeux, Ralph se souvint que, en dépit de sa voix plus douce et de ses manières apparemment plus réservées que celles de sa sœur, Elizabeth était toujours l'instigatrice de toutes les sottises commises par les jumelles. De si près, sa beauté était manifeste, moins éclatante peut-être que celle de Vicky, mais l'équilibre de ses traits et la profondeur de ses yeux marron doré plus troublants.

Elle embrassa Ralph. Le baiser fut aussi bref mais encore moins fraternel que l'avait été celui de sa sœur jumelle, et quand elle s'écarta de lui, elle plissa les yeux avec une innocence feinte, plus redoutable que l'impudence. Ralph rompit ce contact visuel électrisant et regarda Cathy avec une moue comique de résignation en espérant qu'elle continuerait de croire qu'il évitait les jumelles parce qu'il les trouvait turbulentes et puériles.

Rouge et haletante, Vicky lâcha Jordan et, les mains sur les hanches, s'adressa à Ralph :

— Ralph, vous ne nous présentez pas à ces messieurs ?

— Monsieur Rhodes, puis-je vous présenter mes belles-sœurs ? fit celui-ci avec délectation.

— Oh, le fameux M. Rhodes, lança Vicky théâtralement, des petites étincelles dans ses yeux verts. C'est un grand honneur de rencontrer le conquérant du peuple matabélé, parce que, voyez-vous, le roi Lobengula était un ami personnel de notre famille.

— Veuillez excuser ma sœur, monsieur Rhodes, intervint Elizabeth avant de faire la révérence, l'air modeste. Elle ne voulait pas se montrer désobligeante, mais nos parents ont été les premiers missionnaires à évangéliser les Matabélé, et notre père a sacrifié sa vie pour essayer d'aider Lobengula pendant que vos troupes le poursuivaient et l'acculaient au suicide. Ma mère...

— Je sais parfaitement qui est votre mère, mademoiselle, anticipa M. Rhodes avec brusquerie.

— Ah, très bien, carillonna Vicky d'une voix douce. Vous apprécierez donc le cadeau qu'elle nous a chargées de vous remettre.

Elle fouilla dans la poche de sa longue jupe et en sortit un petit livre cartonné, au papier grossier, qu'elle posa sur la table devant M. Rhodes. Lorsqu'il en lut le titre, sa lourde mâchoire se serra. Même Ralph tressaillit. Il avait compté sur le charme des jumelles, mais il ne s'était pas attendu à ce qu'elles fassent une entrée aussi fracassante.

Le petit ouvrage, intitulé *Le Soldat Hackett au Matabeleland*, était de Robyn Ballantyne, car la mère des jumelles écrivait et publiait sous son nom de jeune fille. Il n'y avait probablement personne au camp qui n'ait déjà lu le petit volume ou du moins entendu parler de lui, et si Vicky avait lancé un mamba vivant sur la table, elle n'aurait pas semé davantage la consternation.

Le contenu de l'ouvrage était si explosif que trois éditeurs respectables de Londres l'avaient refusé, et Robyn Saint John avait fini par le publier à compte d'auteur. Le livre avait immédiatement fait sensation. En six mois, il s'était vendu à près de deux cent mille exemplaires et avait fait l'objet de longues critiques dans presque tous les grands quotidiens, tant en Angleterre que dans les colonies.

Le frontispice annonçait et donnait le ton du contenu de l'ouvrage. C'était une photo montrant une douzaine de Blancs en uniforme de la BSA Company qui, sous le large dôme d'un grand teck, regardaient les cadavres de quatre Matabélé pendus aux branches hautes de l'arbre. Aucune légende n'accompagnait la photo et les visages des hommes étaient trop flous pour être identifiables.

M. Rhodes prit le livre et l'ouvrit sur la révoltante illustration.

— Ce sont quatre indunas matabélé qui ont été blessés à la bataille du Bambesi et ont préféré se suicider en se pendant plutôt que de se rendre, et non pas les victimes de quelque atrocité, comme le laisse entendre ce torchon calomnieux, grogna-t-il en refermant le livre d'un coup sec.

— Oh, monsieur Rhodes, maman sera très déçue que vous n'ayez pas apprécié sa petite histoire, s'exclama Elizabeth d'une voix douce.

Le livre racontait les aventures romancées du soldat Hackett de la force expéditionnaire de la BSA Company, et sa participation sans réserve au meurtre des Matabélé sous le feu des mitrailleuses, à la poursuite et à l'extermination des survivants en fuite, à l'incendie des kraals, au pillage du bétail de Lobengula et au viol des jeunes filles matabélé. Le soldat Hackett se trouve ensuite séparé de son escadron et passe la nuit seul sur un kopje. Tandis qu'il est blotti près de son feu de bivouac, un mystérieux inconnu, un Blanc, émerge de la nuit et vient le rejoindre près du feu. « Ah, je vois que tu fais la guerre toi aussi, remarque Hackett en se penchant pour examiner les pieds de l'inconnu. Bon sang ! Tous les deux, percés de part en part... tu as dû en baver ! — Ça s'est passé il y a très longtemps », répond l'homme. Le lecteur n'avait alors plus de doute sur son identité, d'autant plus que l'auteur décrivait son beau et doux visage et ses yeux bleus qui voient tout.

L'inconnu se lance soudain dans une injonction fleurie au jeune Hackett : « Porte un message en Angleterre. Va voir ce grand peuple et demande-lui : "Où est l'épée qui a été remise entre vos mains afin que vous puissiez faire régner la justice et répandre la miséricorde ? Comment en êtes-vous arrivés à l'abandonner aux mains d'hommes dont l'unique quête est celle de l'or, assoiffés de richesse, pour qui l'âme et le corps de leurs semblables sont des pions sur un échiquier, des hommes qui ont transformé l'épée d'un grand peuple en un outil pour chercher de l'or, pareil au groin du cochon pour déterrer les truffes ?" »

Il n'est pas étonnant, songea Ralph en souriant intérieurement, que M. Rhodes ait repoussé le livre et se soit essuyé la main qui l'a touché sur le revers de sa veste.

— Oh, monsieur Rhodes, murmura Vicky, visage angélique et yeux candides. Lisez au moins la dédicace que maman vous a faite. (Elle prit le livre, l'ouvrit à la page de garde et lut à haute voix :) « À Cecil John Rhodes, sans les entreprises de qui ce petit volume n'aurait jamais été écrit. »

M. Rhodes se leva de son siège avec une pesante dignité.

— Ralph, dit-il à voix basse. Merci pour votre hospitalité. Le Docteur Jim et moi allons vraisemblablement partir pour Bulawayo. Nous sommes restés trop longtemps ici. (Puis s'adressant à Jordan :) Les mules sont bien reposées. Y aura-t-il de la lune ce soir ?

— Oui, c'est presque la pleine lune, répondit Jordan promptement, et il n'y a pas de nuages. Nous aurons donc une bonne lumière pour prendre la route.

— En ce cas, pouvons-nous être prêts à partir ce soir même ?

C'était un ordre. M. Rhodes n'attendit pas la réponse et sortit à grandes enjambées de la palissade pour regagner sa tente, suivi avec raideur par le petit docteur. Dès qu'ils furent partis, les jumelles éclatèrent d'un rire cristallin et s'embrassèrent de joie.

— Maman aurait été fière de toi, Victoria Isabel...

— Moi, je ne le suis pas.

La voix de Jordan coupa court à leur hilarité. Il était tout pâle et tremblait de fureur.

— Vous êtes des gamines mal élevées et stupides.

— Oh, Jordan, gémit Vicky en lui prenant les mains. Ne vous mettez pas en colère. Nous vous aimons tant !

— Vous n'avez pas idée dans vos petites têtes d'écervelées à quel point vous jouez un jeu dangereux, et pas seulement pour vous-mêmes. (Il s'éloigna d'elles à grands pas, mais s'arrêta devant son frère.) Toi non plus, Ralph. (Il s'était radouci et posa une main sur l'épaule de son aîné.) Je t'en prie, fais davantage attention... pour mon bien, si ce n'est pour le tien.

Puis il suivit son maître hors de la palissade.

Ralph tira sa montre de son gilet et la regarda ostensiblement.

— Eh bien, annonça-t-il aux jumelles, il leur reste seize minutes pour quitter le camp. Même pour vous, c'est un record. (Il remit sa montre à sa place et passa un bras autour des épaules de Cathy.) Ça y est, ma chérie, vous allez enfin vous retrouver chez vous sans plus être importunée par un seul étranger.

— Ce n'est pas tout à fait exact, murmura une voix avec l'accent mélodieux du Kentucky.

Harry Mellow se leva de la bille de bois sur laquelle il était assis et retira son chapeau à large bord. Les jumelles le regardèrent interdites, puis se lancèrent un regard de connivence et une transformation radicale s'opéra en elles. Elizabeth lissa ses jupes et Vicky repoussa en arrière sa lourde chevelure ; elles prirent l'air grave et adoptèrent des manières distinguées.

— Vous pourriez nous présenter ce jeune homme, cousin Ralph, dit Vicky avec des accents si raffinés que Ralph la regarda pour s'assurer que c'était bien elle qui parlait.

Lorsque la voiture tirée par les mules franchit les portes de la palissade, un membre de l'équipe de M. Rhodes n'était pas à bord.

— Qu'avez-vous dit à M. Rhodes ? demanda Cathy au bras de Ralph, tandis qu'ils regardaient le véhicule s'éloigner, ombre noire sur la piste argentée par la lune.

— Je lui ai dit que j'avais besoin de Harry pendant un jour ou deux encore pour m'aider à démarrer l'exploitation de la mine Harkness.

Ralph alluma son dernier cigarillo de la journée et ils entamèrent leur promenade autour du camp, petit rituel de leur vie commune. C'était leur plaisir quotidien : ils parlaient des événements de la journée écoulée et préparaient celle du lendemain. Ralph donnait le bras à Cathy, leurs hanches s'effleuraient, et cette proximité ne tardait pas à les conduire naturellement et doucement vers leur double lit de camp dans la tente circulaire.

— C'était vrai ? demanda Cathy.

— À moitié, admit-il. J'ai besoin de lui pendant plus d'un jour ou deux ; ce serait plutôt dix ou vingt ans.

— Si vous réussissez, vous serez un des rares à triompher de M. Rhodes, et ce ne sera pas pour lui plaire.

— Écoutez ! coupa Ralph.

De derrière la palissade intérieure s'échappaient la lueur orangée d'un feu et le son d'un banjo joué avec une maîtrise si rare que les notes limpides se fondaient en de chatoyantes harmonies ; comme quelque oiseau exotique, la musique montait en un invraisemblable crescendo, puis s'arrêtait si brusquement que le silence total vibrait dans l'air pendant de longues secondes avant que le chœur nocturne des cigales, réduites au silence par l'instrument crâneur, reprenne en hésitant. À lui se mêlaient les applaudissements et les exclamations sincères de plaisir des jumelles.

— Il a de nombreux talents, votre Harry Mellow.

— Son principal est de pouvoir détecter de l'or dans une dent creuse à l'autre bout d'un terrain de polo. Je suis persuadé, cependant, que vos petites sœurs apprécieront chez lui d'autres qualités.

— Je devrais les envoyer se coucher, murmura Cathy.

— Ne faites pas la méchante sœur aînée, admonesta Ralph.

La musique recommença, mais cette fois-ci le puissant baryton de Harry Mellow l'accompagnait et les jumelles reprenaient le refrain de leurs voix claires et justes.

— Laissez ces malheureuses filles tranquilles, ajouta Ralph en entraînant sa femme. Elles ont leur dose de discipline à la maison.

— C'est mon devoir, protesta Cathy sans conviction.

— Si vous tenez absolument à accomplir votre devoir, gloussa Ralph, alors, femme, vous en avez un autre plus pressant qui vous attend !

Allongé sur le lit de camp, il la regardait se préparer à se coucher à la lumière de la lampe. Il lui avait fallu longtemps pour oublier son éducation de fille de missionnaires chrétiens et lui permettre de la regarder, mais à présent, elle en était arrivée à aimer cela. Elle posa un peu devant lui, jusqu'au moment où il sourit, se pencha du lit pour écraser son cigarillo et leva les deux mains vers elle.

— Venez ici, Cathy ! ordonna-t-il.

Mais elle resta en arrière, prenant un air aguichant.

— Savez-vous ce qui me ferait plaisir ?

— Non, mais je sais ce qui me ferait plaisir.

— Je voudrais une maison...

— Vous en avez une.

— Avec un toit de chaume, des murs en brique et un vrai jardin.

— Vous avez un jardin, le plus beau jardin du monde, et il s'étend du Limpopo au Zambèze.

— Un jardin avec des roses et des géraniums. (Elle vint à lui et il souleva le drap.) Allez-vous me construire une maison, Ralph ?

— Oui.

— Quand ?

— Quand la voie ferrée sera achevée.

Elle soupira doucement. Il lui avait fait la même promesse pendant l'installation de la ligne télégraphique, et c'était avant la naissance de Jonathan, mais elle avait mieux à faire que de le lui rappeler. Elle se glissa sous le drap, et, en guise de demeure, ses bras se refermèrent autour d'elle.

Au printemps austral, sur les rives de l'un des grands lacs au fond de la vallée du Rift, cette puissante faille géologique qui fend le bouclier continental africain tel un gigantesque coup de hache, eut lieu une étrange éclosion.

Les multitudes d'œufs de *Schistocerca gregaria*, la sauterelle du désert, qui étaient enfouies dans la terre meuble au bord du lac, libérèrent leurs nymphes. Les œufs avaient été pondus dans des conditions exceptionnellement propices de temps et de milieu. Les essaims d'insectes en cours de reproduction avaient été concentrés par des vents hors de saison sur les bancs de papyrus du lac, source de nourriture importante qui accroissait leur fécondité. Lorsque vint le temps de la ponte, un autre vent inattendu les poussa en masse sur un terrain sec et friable, possédant le degré d'acidité requis pour protéger les masses d'œufs des infections par les champignons, tandis que la légère humidité qui s'élevait du lac garantissait la parfaite élasticité des coquilles d'œufs d'où les couvées de nymphes pouvaient s'extraire aisément.

En temps normal, lorsque toutes ces conditions ne sont pas réunies, les pertes peuvent atteindre quatre-vingt-dix-neuf pour cent, mais cette année-là, la terre libéra une telle quantité de nymphes qu'elle était incapable de les contenir. Bien que la superficie du lieu de ponte ait largement dépassé les cinquante miles carrés, les insectes étaient forcés de se marcher les uns sur les autres en une dizaine ou une vingtaine de couches, si bien que la surface du désert faisait songer à un unique organisme en effervescence, monstrueux et terrifiant.

La constante agitation et la stimulation provoquée par le contact avec leurs pareilles provoquèrent une transformation miraculeuse dans cette marée grouillante de nymphes. Leur couleur, du marron terne propre à leur espèce, vira à l'orange vif et au noir métallique. Leur métabolisme s'accéléra, elles devinrent hyperactives et nerveuses. Leurs pattes de derrière gagnèrent en longueur et en puissance, leurs ailes se développèrent avec une rapidité stupéfiante, et elles entrèrent dans la phase grégaire. Lorsqu'elles eurent mué pour la dernière fois et que leurs ailes toutes neuves eurent séché, eut lieu le dernier caprice climatique. Les nuages tropicaux qui bordaient les flancs de la vallée furent emportés par le vent, et un soleil de plomb tomba sur la masse pullulante d'insectes. La vallée devint une fournaise et l'essaim tout entier de sauterelles parvenues à maturité prit spontanément son essor.

Au cours de ce baptême de l'air, la chaleur que leur corps avait absorbée de la terre brûlée de la vallée fut encore augmentée par leur activité musculaire. Elles ne pouvaient s'arrêter et volaient vers le sud en un nuage qui éclipsait le soleil et s'étendait d'une extrémité de l'horizon à l'autre.

Dans la fraîcheur du soir, cet énorme nuage s'abattait sur la terre. Les arbres de la forêt ne pouvaient supporter le poids des insectes. Des branches grosses comme la taille d'un homme se cassaient net sous les masses accrochées à elles. Le lendemain matin, la chaleur poussait les sauterelles à repartir, et elles s'élevaient de nouveau jusqu'à obscurcir le ciel après avoir dépouillé la forêt de son feuillage printanier, branches dénudées et tordues pareilles à des membres d'infirmes dans un paysage de désolation.

Les vols interminables se déversèrent à travers le ciel, jusqu'à ce que le ruban argenté des eaux du Zambèze se mette à luire sombrement sous leur passage.

Les murs blanchis à la chaux de la mission de Khami brillaient d'un éclat aveuglant dans le soleil de midi. La maison familiale, entourée par de larges vérandas ombragées et couverte d'un épais toit de chaume sombre, se dressait un peu à l'écart de l'église et de ses constructions annexes, mais tous les bâtiments semblaient tapis au pied des collines boisées, à la façon dont les poussins se blottissent sous la poule quand un faucon tournoie dans le ciel.

Au pied des marches, sur le devant, les jardins s'étendaient au-delà du puits jusqu'à un petit ruisseau. En partant de la maison, il y avait d'abord des roses et des bougainvilliers, des poinsettias et des parterres de phlox, taches de couleur vives sur le fond du veld, encore brunâtre après la longue sécheresse de l'hiver juste écoulé. Plus près du ruisseau se déployaient les champs de maïs cultivés par les convalescents sortis du dispensaire de la mission, et sur les hautes tiges vertes, les épis n'allaient pas tarder à croître. Au pied des rangs de maïs, la terre disparaissait sous les grandes feuilles vert sombre des jeunes plants de potiron. Ces champs nourrissaient des centaines de bouches : la famille, les serviteurs, ainsi que les malades et les convertis qui venaient de tout le Matabeleland vers cette minuscule oasis d'espoir et de secours.

Sur la véranda de la maison principale, autour d'une table en lourd bois de mukwa raboté à la main, la famille était assise pour le repas de midi. Il se composait de pain de maïs cuit dans les feuilles, que l'on faisait descendre avec du *maas*, le lait fermenté épais et frais, servi dans une cruche de pierre, et les jumelles estimaient que l'action de grâce qui le précédait était d'une longueur disproportionnée pour un repas si frugal. Vicky donnait des signes d'impatience et Elizabeth émit un soupir d'une ampleur soigneusement calculée afin de ne pas dépasser la mesure au-delà de laquelle il lui attirerait la colère maternelle.

Le docteur Robyn Saint John, doyenne de la mission de Khami, avait consciencieusement remercié le Tout-Puissant pour Sa générosité, mais elle continuait sur le ton de la conversation en lui faisant remarquer qu'un peu de pluie favoriserait la pollinisation des épis immatures et garantirait ainsi la perpétuation de cette générosité. Robyn avait les yeux clos, les traits détendus et sereins, la peau presque aussi lisse que celle de Victoria. Ses cheveux sombres étaient rehaussés de brun-roux comme ceux d'Elizabeth ; seul un léger reflet argenté sur ses tempes trahissait son âge.

— Seigneur, disait-elle, dans Votre sagesse, Vous avez permis à Bouton d'Or, notre meilleure vache, de perdre son lait. Nous nous soumettons à Votre volonté qui dépasse l'entendement, mais nous avons vraiment besoin de lait pour que cette petite mission continue à travailler à Votre gloire...

Robyn marqua une pause pour laisser ces paroles produire leur effet.

— Amen ! dit Jouba à l'autre bout de la table.

Depuis sa conversion au christianisme, Jouba s'était mise à couvrir son énorme poitrine avec un maillot de corps d'homme boutonné haut, et au milieu de ses colliers de morceaux d'œufs d'autruche et de perles en céramique un simple crucifix en plaqué or était suspendu à une petite chaîne. En dehors de cela, elle était toujours vêtue du costume traditionnel d'une matrone matabélé de haut rang.

Robyn rouvrit les yeux et lui sourit. Elles étaient amies depuis de longues années, depuis que Robyn l'avait tirée des cales d'un négrier arabe dans le canal du Mozambique, longtemps avant la naissance des enfants, quand toutes deux étaient jeunes et célibataires ; mais ce n'était que peu avant sa déroute devant les forces armées de la BSA Company que le roi Lobengula avait enfin permis la conversion de Jouba à la foi chrétienne.

Jouba, la Petite Colombe — ô combien elle avait changé depuis ces jours lointains. Elle était la première épouse de Gandang, l'un des principaux indunas du peuple matabélé, frère de Lobengula en personne, et elle lui avait donné douze fils, dont Bazo, la Hache, lui-même induna, était l'aîné. Quatre de ses plus jeunes fils avaient péri devant les mitrailleuses Maxim sur les rives de la Shangani et au gué de la Bambesi. Néanmoins, dès que cette guerre brève et cruelle avait pris fin, Jouba était retournée à la mission, auprès de Robyn.

Elle lui rendit son sourire. Elle avait un visage rond et brillant comme la pleine lune, la peau noire satinée, ferme et potelée. Ses yeux noirs pétillaient d'intelligence, et ses dents étaient d'une blancheur immaculée. Dans ses bras, épais comme des cuisses d'homme, elle tenait le fils de Robyn Saint John sur son imposant giron.

Robert, qui allait avoir deux ans, était un enfant menu ; il n'avait pas la forte charpente de son père mais les mêmes yeux étranges pailletés de jaune. Sa peau était cireuse, à cause des doses régulières de quinine, traitement préventif du paludisme. Comme beaucoup d'enfants nés de mères approchant de la ménopause, il y avait en lui la gravité un peu désuète d'un gnome plusieurs fois centenaire. Il regardait le visage de sa mère comme s'il avait compris chacune de ses paroles.

Robyn ferma de nouveau les yeux, et les jumelles, ragaillardies à la perspective de l'amen final, se regardèrent et s'affaissèrent avec résignation.

— Seigneur, Vous savez dans quelle grande expérience Votre humble servante va se lancer avant la fin de la journée, et nous

89

avons la certitude que Vous nous accorderez Votre compréhension et Votre protection au cours des jours périlleux à venir.

Jouba comprenait tout juste assez la langue anglaise pour suivre cette invocation, et son sourire s'effaça de son visage. Même les jumelles relevèrent les yeux, si troublées et si contrariées que lorsque Robyn prononça l'amen tant attendu, aucune des deux ne tendit la main vers les plats ou les cruches.

— Victoria, Elizabeth, vous pouvez commencer, dut les encourager Robyn, et elles mastiquèrent lugubrement pendant un moment.

— Vous ne nous aviez pas dit que ce devait être aujourd'hui, dit enfin Vicky.

— La jeune fille du kraal de Zama est un sujet idéal ; elle a commencé à avoir des frissons il y a une heure et je m'attends à voir sa température monter en flèche avant la fin de la journée.

— Je vous en prie, maman, lança Elizabeth en se levant tout à coup et en s'agenouillant près de Robyn, les deux bras passés autour de la taille de sa mère, le visage défait. Je vous en prie, renoncez.

— Ne fais pas l'idiote, Elizabeth, lui répondit Robyn avec fermeté. Retourne à ta place et mange.

— Lizzie a raison, intervint Vicky, les larmes aux yeux. Nous ne voulons pas que vous fassiez cela. C'est si dangereux, si horrible !

L'expression de Robyn s'adoucit un peu, et elle posa une main fine mais ferme sur la tête d'Elizabeth.

— Nous sommes parfois obligés de faire des choses qui nous effraient. C'est pour Dieu le moyen de mettre à l'épreuve notre force de caractère et notre foi, dit-elle en écartant d'un geste caressant les cheveux châtains brillants du front de sa fille. Votre grand-père, Fuller Ballantyne...

— Grand-père était timbré, coupa Vicky. Il était fou.

Robyn secoua la tête.

— Fuller Ballantyne était un homme de Dieu, un grand visionnaire, son courage était sans bornes. Seuls les médiocres et les mesquins taxent ce genre d'hommes de fous. Ils doutaient de lui, comme ils doutent de moi à présent, mais comme il l'a fait, je saurai prouver la vérité, dit-elle d'un ton ferme.

L'année précédente, en sa qualité de médecin-chef de la mission, Robyn avait proposé à l'Association médicale britannique un article dans lequel elle exposait les conclusions de vingt ans d'étude du paludisme.

En introduction, elle avait scrupuleusement rendu hommage aux travaux de Charles Louis Alphonse Laveran, qui avait été le premier à isoler sous le microscope le parasite vecteur de la malaria. Elle poursuivait en postulant que les paroxysmes périodiques de fièvre et de frissons qui caractérisaient la maladie coïncidaient avec la segmentation de ce parasite dans le sang du patient.

Les augustes membres de l'Association médicale étaient parfaitement au fait de la réputation de Robyn de fauteuse de troubles politiques, de radicale défiant leurs convictions conservatrices. Ils n'avaient ni pardonné ni oublié le stratagème — elle s'était fait passer pour un homme — auquel elle avait recouru pour suivre les cours de la faculté, profanant une chasse gardée masculine en obtenant son diplôme sous un déguisement. Ils se souvenaient avec affliction du scandale qu'elle avait provoqué lorsque les administrateurs de l'hôpital St. Matthew de Londres, où elle avait étudié, avaient tenté, à juste titre, de lui retirer son doctorat. Ils l'avaient vue avec aigreur publier une série de livres à succès, culminant avec l'infâme *Soldat Hackett au Matabeleland*, une attaque malveillante contre la BSA Company, dans laquelle une partie importante des fonds de l'Association était investie.

Il va de soi que les membres honorables d'une institution aussi respectable étaient au-dessus de sentiments aussi ordinaires que l'envie et la malice : aucun ne lui avait donc reproché les droits d'auteur princiers perçus sur ces publications ; tous retirèrent même magnanimement leurs précédentes réfutations, après qu'ils eurent été mis sous pression par Oliver Wicks, le champion de Robyn et l'éditeur du *Standard*. Néanmoins, si Robyn Saint John, ex-épouse Codrington, née Ballantyne, succombait un jour à son audace et à sa présomption, les membres de l'Association médicale britannique ne se bousculeraient pas à son enterrement.

C'est donc un peu alarmés qu'ils lurent la première partie de l'article de Robyn sur le paludisme : sa théorie de la coïncidence des variations de la température du patient et de la segmentation du parasite ne pouvait qu'augmenter sa réputation. Puis, avec une joie croissante, ils en arrivèrent à la seconde partie et se rendirent compte qu'une fois de plus elle prenait des risques. Depuis qu'Hippocrate avait le premier décrit la maladie au Ier siècle av. J.-C., c'était un fait incontesté que la malaria, comme son nom l'indiquait, était transmise par l'air vicié des marais et des nuits tropicales. Robyn Saint John estimait que c'était une erreur et qu'elle se transmettait d'un sujet contaminé à un sujet sain par l'intermédiaire du sang. Puis, chose inouïe, elle suggérait que le vecteur était les moustiques qui infestaient d'ordinaire les régions marécageuses où la maladie sévissait. À titre de preuve, elle faisait part de sa découverte au microscope du parasite malarien dans le contenu de l'estomac de ces insectes.

Ses pairs de l'Association médicale britannique furent incapables de résister à la tentation et sautèrent sur l'occasion de se laisser aller à la dérision. « Le Dr Saint John ne devrait pas permettre à son penchant pour les romans d'horreur de faire intrusion sur le terrain sacré de la recherche médicale », avait écrit l'un de ses critiques les plus charitables. « Il n'existe pas la moindre présomption permettant de penser qu'une quelconque maladie puisse être transmise par le sang, et faire appel à des insectes volants pour servir d'agents afin d'étayer cette sottise, c'est ne pas être loin de croire aux vampires et aux loups-garous. »

— Ils se moquaient aussi de votre grand-père, reprit Robyn, le menton levé, ses traits empreints d'une fermeté et d'une détermination impressionnantes. Quand il réfuta leur conviction que la fièvre jaune était une maladie infectieuse ou contagieuse, ils le mirent au défi de le prouver.

Les jumelles avaient déjà entendu une douzaine de fois cet épisode de l'histoire familiale, et toutes deux pâlirent, prises par avance de nausée.

— Il se rendit à l'hôpital où étaient réunis tous ces mandarins, recueillit dans un verre de cristal le vomi d'un des patients qui mourait de la maladie ; il porta un toast en l'honneur de ses collègues médecins puis vida le verre d'un trait devant eux tous.

Vicky porta une main à sa bouche, Elizabeth eut un haut-le-cœur et devint toute blanche.

— Votre grand-père était un homme courageux, et je suis sa fille, ajouta simplement Robyn. Maintenant, mangez. J'entends que vous m'assistiez toutes les deux cet après-midi.

Derrière l'église se dressait le nouveau dispensaire que Robyn avait construit depuis la mort de son premier mari pendant la guerre contre les Matabélé. C'était une construction ouverte sur les côtés, avec des murs d'un mètre de haut seulement et un toit de chaume soutenu par des piliers en mopani. Par temps chaud, la brise y circulait librement, mais en cas de pluie ou de froid, des nattes en herbe tressée pouvaient être déroulées pour fermer les côtés.

Les nattes qui tenaient lieu de lits d'hôpital étaient alignées à même le sol en terre battue, et les personnes en bonne santé campaient avec leurs parents malades sans qu'on ait tenté de les séparer. Robyn avait jugé préférable de transformer le dispensaire en une communauté pleine d'animation plutôt que de voir ses patients languir après la mort. Cependant, cet aménagement était si sympathique, et la nourriture si bonne, qu'il avait été difficile de persuader les patients de s'en aller une fois guéris, jusqu'à ce que Robyn ait eu l'idée d'envoyer tous les convalescents et les membres de leur famille travailler dans les champs ou construire de nouvelles salles. La population de la clinique en avait été spectaculairement réduite et elle était devenue gérable.

Le laboratoire de Robyn se trouvait entre l'église et le dispensaire. C'était un petit bâtiment circulaire au mur de pisé et avec une unique fenêtre. Des étagères et une « paillasse » occupaient tout le pourtour. Le nouveau microscope de Robyn, acheté avec les droits d'auteur du *Soldat Hackett*, trônait en bonne place, à côté de son journal de travail, un épais volume à jaquette de cuir dans lequel elle notait toutes ses observations préliminaires.

« Sujet : femme blanche actuellement en bonne santé... », écrivit-elle d'une main ferme, mais elle leva les yeux avec irritation et resta la plume levée en voyant la mine d'enterrement que faisait Jouba et en entendant le ton tragique qu'elle prenait.

— Tu as fait le serment au grand roi Lobengula de veiller sur son peuple après sa disparition. Comment pourras-tu honorer ta promesse si tu meurs, Nomousa ? demanda celle-ci en ndébélé, appelant Robyn par son nom de louange matabélé : Nomousa, Fille de Miséricorde.

— Je ne mourrai pas, Jouba, rétorqua Robyn, agacée. Et pour l'amour du ciel, cesse de prendre cet air éploré.

— Il n'est jamais sage de provoquer les esprits des ténèbres, Nomousa.

— Jouba a raison, maman, renchérit Vicky. Vous avez délibérément arrêté de prendre de la quinine — pas une seule pilule en six semaines —, et vos propres observations ont montré que les risques d'hématurie ont augmenté...

— Assez ! coupa Robyn en tapant sur la table du plat de la main. Je ne veux pas en entendre davantage.

— Très bien, acquiesça Elizabeth. Nous n'essaierons plus de vous en empêcher, mais si vous tombez gravement malade, devrons-nous chevaucher jusqu'à Bulawayo pour aller chercher le général Saint John ?

Robyn jeta son stylo sur la page ouverte, l'éclaboussant d'encre, et se leva d'un bond.

— Vous n'en ferez rien, vous m'entendez ? Vous ne vous approcherez pas de cet homme.

— Maman, c'est votre mari, fit remarquer Vicky avec raison.

— C'est le père de Bobby, ajouta Elizabeth avec empressement.

— Et il vous aime, bafouilla Vicky avant que sa mère ait pu l'interrompre.

Toute pâle, Robyn tremblait de colère et sous l'effet d'une

autre émotion qui l'empêcha de parler pendant quelques instants.

Elizabeth profita de ce silence inattendu.

— Il est si fort...

— Elizabeth ! coupa Robyn, sa voix retrouvée dure comme l'acier tiré du fourreau. Tu sais que j'ai interdit qu'on parle de lui. (Elle se rassit à son bureau, reprit son stylo, et pendant une longue minute, le grattement de la plume fut le seul bruit dans la pièce. C'est sur une question pratique qu'elle reprit la parole :) Quand je serai incapable de le faire, Elizabeth se chargera de rédiger le journal... c'est elle qui écrit le mieux. Je veux un compte rendu heure par heure quelle que soit la gravité de la situation.

— Très bien, maman.

— Vicky, tu m'administreras le traitement, mais pas avant que le cycle ait été établi de manière irréfutable. J'ai préparé une liste écrite des instructions qu'il te faudra suivre si je sombrais dans l'inconscience.

— Très bien, maman.

— Et moi, Nomousa ? demanda Jouba à voix basse. Que dois-je faire ?

L'expression de Robyn s'adoucit, et elle posa la main sur le bras de la femme.

— Jouba, comprends bien que je ne manque pas à la promesse que j'ai faite de veiller sur ton peuple. Le but de cette expérience est d'expliquer le processus d'une maladie qui a ravagé ton peuple et tous les peuples de l'Afrique depuis la nuit des temps. Aie confiance en moi, chère amie, il s'agit d'un grand pas vers l'affranchissement de ton peuple et du mien de ce terrible fléau.

— J'aurais préféré qu'il y ait un autre moyen, Nomousa.

— Il n'y en a pas, répondit Robyn en secouant la tête. Tu me demandais ce que tu pourrais faire pour aider : veux-tu rester auprès de moi, pour me réconforter ?

— Tu sais bien que oui, murmura Jouba, et elle embrassa Robyn, qui faisait l'effet d'être une frêle enfant entre ses bras tandis que les sanglots de Jouba les secouaient toutes les deux.

La jeune Noire était allongée sur sa natte contre le muret du dispensaire. Elle était en âge de se marier, car son corps nu apparaissait dans toute sa maturité — hanches pleines, bouts de seins durs qui pointaient — lorsque, dans son délire, elle poussait des cris et rejetait sa couverture en fourrure. Mais la fièvre la consumait, faisant briller ses yeux d'un éclat anormal. Sa peau semblait aussi cassante que du parchemin, ses lèvres étaient grises et craquelées.

Robyn appuya sa main sur l'aisselle de la fille et s'exclama :

— La pauvre enfant est brûlante ; la fièvre est à son maximum. (Elle retira sa main et rabattit sur elle l'épaisse couverture.) Je crois que c'est le moment. Jouba, maintiens-la par les épaules. Vicky, tiens son bras, et toi, Elizabeth, apporte la bassine.

Le bras nu de la fille émergeait de la couverture. Vicky tint la jeune Matabélé par le coude pendant que Robyn glissait un garrot autour de son avant-bras et le serrait jusqu'à ce que les vaisseaux sanguins se mettent à saillir au poignet, violacés et durs.

— Dépêche-toi, fit-elle d'un ton sec à sa fille.

Elizabeth présenta la bassine en émail blanc et écarta d'une main tremblante le linge qui la recouvrait. Robyn prit la seringue, dans le canon de laquelle une étroite vitre était sertie sur toute la longueur. Elle détacha l'aiguille creuse et en même temps, en massant avec le pouce de sa main libre, fit ressortir les veines du poignet de la fille. Puis elle planta l'épaisse aiguille d'un coup sec. Elle trouva la veine presque tout de suite, et un jet de sang rouge sombre jaillit de l'extrémité ouverte de la seringue et tomba sur le sol argileux. Robyn remit en place le canon sur l'aiguille et tira lentement le piston, observant attentivement le sang enfiévré remplir le cylindre de cuivre et apparaître à travers le verre.

— J'en prélève deux centimètres cubes, murmura-t-elle tandis que la colonne rouge atteignait la graduation correspondante.

Elle retira vivement l'aiguille, empêcha le sang de couler avec une pression du pouce, remit la seringue dans le récipient et desserra le garrot.

— Jouba, dit-elle, donne-lui sa dose de quinine et reste avec elle jusqu'à ce qu'elle commence à transpirer.

Robyn se leva dans un tourbillon de jupe, et les jumelles durent courir pour la suivre jusqu'au laboratoire. Dès qu'elles eurent pénétré dans la pièce circulaire, Robyn claqua la porte derrière elles.

— Nous devons faire vite, dit-elle en déboutonnant le poignet de son chemisier qu'elle retroussa. Nous ne devons pas laisser aux micro-organismes présents dans le sang le temps de s'altérer.

Elle présenta son bras à Vicky, qui passa le garrot autour et commença à le serrer fort.

— Note l'heure exacte, ordonna-t-elle.

— Six heures dix-sept, dit Elizabeth, qui, debout à son côté, tenait la bassine émaillée tout en regardant avec une horreur contenue les veines bleues sous la peau blanche du bras de sa mère.

— Nous utiliserons la veine basilique, reprit Robyn d'un ton neutre en prenant une aiguille propre dans la boîte posée sur son bureau.

Elle se pinça la lèvre sous l'effet de la piqûre, mais continua à sonder doucement en direction de sa veine jusqu'à ce que le sang jaillisse soudain par l'extrémité libre de l'aiguille. Elle poussa un grognement de satisfaction et saisit la seringue pleine.

— Oh ! maman ! s'écria Vicky, incapable de se maîtriser plus longtemps.

— Tais-toi, Victoria.

Robyn adapta la seringue sur l'aiguille et, sans faire de mise en scène ni pontifier, s'injecta dans le bras le sang infecté de la Matabélé.

Elle retira l'aiguille puis déroula méthodiquement sa manche.

— Parfait, dit-elle. Si j'ai raison — et c'est le cas —, nous pouvons nous attendre au premier paroxysme dans quarante-huit heures.

En Afrique, seuls le club Kimberley, au nord, et l'hôtel Shepheard, au sud du Caire, disposaient d'un billard. Il avait été transporté par morceaux sur près de cinq cents kilomètres à partir de la voie ferrée, et Ralph Ballantyne avait facturé cent douze livres pour le transport. Le propriétaire du Grand Hôtel avait couvert ses frais une douzaine de fois depuis qu'il l'avait fait remonter au milieu du bar.

Le billard était une source de fierté pour tous les habitants de Bulawayo. Il symbolisait en quelque sorte le passage de la barbarie à la civilisation : des sujets de la reine Victoria pouvaient taper dans les boules d'ivoire sur le tapis vert là même où quelques années plus tôt un roi nègre présidait aux sinistres cérémonies du « reniflement », préludes aux horribles exécutions.

Les spectateurs, alignés tout autour de la salle ou même debout sur le bar pour mieux voir, étaient presque tous des hommes riches. Ils avaient obtenu leurs concessions foncières ou aurifères en entrant dans ce pays avec la colonne conquérante du Docteur Jim. Chacun possédait plus de mille hectares de bon pâturage dans le veld, sur lesquels paissait la part des troupeaux de Lobengula qui leur était revenue. Nombre d'entre eux avaient d'ores et déjà piqueté leur concession sur les riches filons de surface où l'or scintillait au soleil du Matabeleland.

Tous les filons n'étaient certes pas rentables, mais Ed Pearson avait délimité une concession sur une ancienne mine entre les rivières HweHwe et Tshibgiwe où l'on avait lavé des échantillons à cinq onces de métal précieux la tonne. Il l'avait appelée « Globe et Phénix », et Harry Mellow, sur les instructions de M. Rhodes, avait examiné le filon et estimé qu'il représentait deux millions de tonnes de réserves d'or, ce qui en faisait la mine connue la plus riche, à l'exception peut-être de la mine Harkness de Ralph Ballantyne, plus au sud, avec ses réserves évaluées à cinq millions de tonnes, à la teneur incroyable de trente onces la tonne.

Il y avait de l'or rouge et seul Dieu savait quels autres trésors étaient enfouis dans cette terre ; l'humeur était donc à l'optimisme et à l'exubérance. Bulawayo était une ville prospère et les spectateurs encourageaient les deux joueurs par des plaisanteries, des braillements et des paris extravagants.

Le général Mungo Saint John mit soigneusement du bleu sur l'extrémité de sa queue puis essuya la poussière de craie de ses doigts avec un mouchoir en soie. C'était un homme de haute stature, les épaules larges et les hanches étroites, mais quand il se déplaçait autour du billard, il ménageait une de ses jambes — une vieille blessure par balle dont personne n'osait parler en sa présence.

Il avait enlevé sa veste et portait un gilet brodé de fils d'argent et d'or ; les manches de sa chemise blanche en lin étaient retenues au-dessus des coudes par des extenseurs en or. Sur un homme ordinaire une mise aussi théâtrale eût semblé prétentieuse, mais sur Mungo Saint John elle était aussi naturelle que l'hermine et la pourpre d'un empereur.

Il s'arrêta à un angle du billard et examina la disposition des boules d'ivoire. Une lueur prédatrice brillait dans son œil unique, prunelle fauve et étrangement pailletée comme celle d'un aigle. Son autre œil était recouvert d'un cache en tissu noir, ce qui lui donnait l'air d'un pirate distingué tandis qu'il souriait à son adversaire de l'autre côté de la table.

— Carambolage et blouser la rouge, annonça calmement Mungo Saint John.

Il y eut un concert de commentaires, une douzaine de spectateurs parièrent à cinq contre un, voire davantage, contre le coup ; Harry Mellow eut un sourire de gamin et inclina la tête en un geste d'admiration pour l'audace de son adversaire.

Ils jouaient à ce qu'on appelait le « jeu à trois bandes du Zambèze, avec annonce préalable », aussi éloigné du billard ordinaire que les petits lézards représentés sur les chevrons de la salle de bar l'étaient des monstrueux crocodiles de six mètres rencontrés sur les rives du fleuve. C'était une variante locale du jeu, qui combinait les éléments les plus difficiles des billards anglais et français. Le joueur devait toucher trois bandes avant de marquer un point, mais, outre cette condition draconienne, il lui fallait annoncer au préalable avec exactitude comment il avait l'intention de faire son point. Cela empêchait les coups de chance ; s'il faisait un point qu'il n'avait pas annoncé et donc pas voulu, il était pénalisé d'autant. C'était un jeu difficile, à cinq livres le point, mais naturellement les joueurs et les spectateurs avaient la liberté de parier à chaque coup annoncé. Avec des joueurs de la force de Harry Mellow et de Mungo Saint John, un millier de livres au moins était mis en jeu à chaque coup ; les spectateurs criaient les enjeux ou les acceptaient d'une voix rauque tant la tension était grande.

Mungo Saint John remit son cigarillo entre ses lèvres, fit un petit trépied avec les doigts de sa main gauche avant de glisser la queue en bois d'érable entre le pouce et l'index. Il y eut une dernière volée de paris, puis le silence tomba sur la salle bondée et enfumée, où les visages étaient congestionnés et couverts de sueur. Mungo Saint John visa sa boule blanche de son œil unique et, de l'autre côté du billard, Harry Mellow retint son souffle. Si Saint John réussissait son carambolage, il marquait deux points, plus trois pour la rouge blousée, mais ce n'était pas tout l'enjeu, car Harry avait en outre parié cinquante livres. Il pouvait gagner ou perdre plus de cent guinées sur ce coup.

Tandis qu'il manœuvrait sa queue à titre d'essai, l'extrémité touchant presque la boule d'ivoire, Mungo Saint John avait le visage grave d'un professeur de philosophie méditant sur le mystère de l'univers. Il tira ensuite sa queue en arrière. Au moment où il portait son coup, la voix d'une jeune femme rompit le silence.

— Général Saint John, il faut que vous veniez d'urgence.

Dans la vaste région qui s'étend au nord de la Shashi et au sud du Zambèze, il n'y avait qu'une centaine de femmes blanches, dont quatre-vingt-dix étaient déjà mariées et la plupart des autres sur le point de l'être. Une voix aux accents si charmants eût fait tourner la tête à tous les hommes des deux côtés des Champs-Élysées, mais dans la salle de billard du Grand Hôtel de Bulawayo, ville où le manque de femmes se faisait cruellement sentir, elle eut l'effet d'une salve de mitraille tirée à bout portant. Un garçon laissa choir un plateau couvert de chopes de bière, un lourd banc de bois bascula en arrière avec fracas au moment où les six hommes qui y étaient assis se dressèrent d'un bond au garde-à-vous, un transporteur en état d'ébriété debout sur le zinc tomba sur le barman, qui lui décocha instinctivement un coup droit, le manqua et balaya une rangée de bouteilles de whisky sur l'étagère.

Le tumulte soudain après le profond silence eût troublé la statue en marbre de Zeus lui-même, mais Mungo Saint John acheva de porter son coup d'un mouvement fluide, puis, le visage imperturbable et sans ciller de son unique œil d'or, il suivit le trajet de sa boule. Elle rebondit avec un bruit mat contre la bande opposée et retraversa la table en sens inverse ; l'effet la dévia vers un coin, où elle heurta la bande avec un angle tel qu'elle perdit son élan. Elle revint en arrière lentement et Mungo Saint John leva sa main gauche pour la laisser passer sous son nez ; elle toucha l'autre boule blanche avec juste assez de force pour aller effleurer la rouge. Ce dernier contact lui enleva ce qui lui restait d'élan ; elle hésita un instant au bord du trou puis tomba sans bruit dans le filet.

Le coup annoncé avait été exécuté à la perfection ; un millier de livres avait été gagné et perdu en quelques secondes, mais, à l'exception de Mungo Saint John, tous les hommes présents dans la salle fixaient l'entrée du regard en une sorte de transe hypnotique. Saint John retira sa boule du filet et la remit en place, puis il passa du bleu sur sa queue et murmura :

— Victoria, ma chère, il est des moments où même une jolie fille doit savoir se taire. (Il se pencha de nouveau sur le billard et annonça :) La rouge.

Les opposants étaient si enivrés par la présence de la jeune fille aux cheveux cuivrés qu'aucun ne parla, mais lorsque Saint John tira sa queue en arrière pour jouer son coup, Victoria parla de nouveau :

— Général Saint John, ma mère est mourante.

Cette fois-ci, l'Américain fit une fausse queue, releva la tête brusquement et regarda Vicky, l'œil écarquillé sous l'effet du choc. Il laissa tomber par terre la queue avec fracas et sortit de la salle en trombe.

Vicky resta encore quelques secondes dans l'entrée du bar. Ses cheveux emmêlés par le vent lui tombaient sur les épaules, et sa poitrine, alors qu'elle était encore essoufflée par sa course, se soulevait d'une façon cruellement tentante sous son chemisier de coton léger. Son regard parcourut la multitude de visages souriants et patelins, puis s'arrêta sur la haute silhouette de Harry Mellow, qui portait des bottes et des culottes de cheval sombres et une chemise bleu délavé, ouverte sur la toison de son poitrail. Vicky rougit, tourna les talons et se précipita dehors.

Harry Mellow lança sa queue de billard au barman, et se fraya un chemin à travers la foule déçue. Au moment où il arrivait dans la rue, Mungo Saint John, monté sur une grande jument baie, toujours tête nue et en manches de chemise, se penchait sur sa selle pour parler, l'air alarmé, avec Vicky debout près de son étrier.

Saint John leva les yeux et vit Harry.

— Monsieur Mellow, lança-t-il, je vous serais obligé de bien vouloir veiller à ce que ma belle-fille sorte de la ville sans encombre. On a besoin de moi à Khami.

Sur quoi il enfonça ses talons dans les flancs de la jument, qui partit au grand galop dans la rue poussiéreuse.

Vicky remonta sur la banquette d'une petite charrette branlante tirée par deux ânes minuscules dont les oreilles pendaient mélancoliquement. Sur le siège près d'elle était assise une énorme femme matabélé.

— Mademoiselle Codrington, lança Harry d'un ton pressant. Attendez, je vous prie.

Il arriva près de la roue de la charrette en quelques enjambées et leva les yeux vers Vicky.

— J'espérais tant vous revoir...

— Monsieur Mellow, répondit Vicky en levant le menton avec hauteur, la route qui mène à la mission de Khami est clairement signalisée, vous ne pouvez pas vous perdre.

— Votre mère m'a interdit d'entrer à la mission... vous le savez bougrement bien.

— Je vous prie de ne pas user d'un langage grossier en ma présence, monsieur, dit Vicky d'un petit air sage.

— Excusez-moi, mais votre mère a une sacrée réputation. On dit qu'elle a tiré avec un fusil à canon double sur un visiteur importun.

— C'est vrai, admit Vicky, mais c'était un des larbins de M. Rhodes et du petit plomb pour tirer les oiseaux. Et en plus, elle a manqué l'un des deux coups.

— Peut-être, mais je suis moi aussi un des larbins de M. Rhodes et elle pourrait fort bien passer au calibre supérieur et améliorer son tir.

— J'aime les hommes déterminés, ceux qui prennent ce qu'ils veulent... et au diable les conséquences.

— Voilà aussi un langage vigoureux, mademoiselle Codrington.

— Je vous souhaite le bonjour, monsieur Mellow.

Vicky secoua les ânes, qui partirent en trébuchant dans un trot languissant.

La petite charrette atteignit les faubourgs de la ville nouvelle, où la douzaine de bâtiments en brique faisaient place à des cases en herbe et à des abris en toile poussiéreuse et toute déchirée, où les chariots des transporteurs étaient garés roue contre roue des deux côtés de la piste, encore chargés des sacs, caisses et ballots qu'ils avaient acheminés depuis la tête de ligne ferroviaire. Vicky était assise bien droite sur la banquette de la charrette mais, d'un ton anxieux, elle dit à Jouba du coin des lèvres :

— Dis-moi si tu le vois arriver, mais ne lui laisse pas voir que tu le regardes.

— Il arrive, annonça tranquillement Jouba. Il arrive tel un guépard qui court après une gazelle.

Vicky entendit un bruit de galop se rapprocher par-derrière, mais elle se borna à se redresser encore un peu sur son siège.

— Hau ! fit Jouba avec un sourire empreint de nostalgie. Quand un homme est amoureux... Mon mari a couru cinquante miles sans s'arrêter pour se reposer ou boire, car à cette époque ma beauté rendait fous tous les hommes.

— Ne le regarde pas, Jouba.

— Il est plein de force et d'impétuosité, il engendrera de beaux fils dans ton ventre.

— Jouba ! siffla Vicky, écarlate. Voilà une vilaine chose à laquelle une dame chrétienne ne devrait même pas penser. De toute façon, je vais probablement le renvoyer.

Jouba haussa les épaules et gloussa.

— Ah ! En ce cas, il ira pondre ces beaux fils ailleurs. Je l'ai vu regarder Elizabeth lorsqu'il est venu à Khami.

La rougeur de Vicky prit une nuance plus profonde, signe de colère.

— Tu es une mauvaise femme, Jouba...

Avant qu'elle ait pu poursuivre, Harry Mellow ramenait au pas sa monture, un grand hongre, près de la charrette.

— Votre beau-père m'a chargé de veiller sur vous, mademoiselle Codrington, et il est donc de mon devoir de veiller à ce que vous soyez de retour chez vous aussi vite que possible.

Il tendit la main vers la banquette. Avant qu'elle ait pu comprendre ses intentions, il avait passé un long bras vigoureux autour de sa taille et, tandis qu'elle donnait des coups de pied dans le vide et poussait des cris de surprise, il la déposait sur la croupe de son cheval, derrière la selle.

— Tenez-vous bien ! ordonna-t-il.

Instinctivement, elle lança ses deux bras autour du corps mince et musclé du cavalier. L'effet que cela lui fit la bouleversa à tel point qu'elle relâcha son étreinte et se pencha en arrière au moment où Harry aiguillonnait le cheval. Vicky fut si près de tomber sur la piste en terre battue qu'elle s'agrippa brusquement à Harry avec une ferveur renouvelée, et tenta de fermer son esprit et son corps à ces sensations inconnues. Son éducation l'avertissait que ce qui pouvait provoquer une telle impression de chaleur sous l'estomac, lui donner la chair de poule, lui couper le souffle et l'étourdir jusqu'au délire devait nécessairement être mauvais et impie.

Pour penser à autre chose, elle examina les cheveux fins qui poussaient sur la nuque de Harry, la peau douce et soyeuse derrière ses oreilles, et elle s'aperçut qu'une autre sensation montait dans sa gorge, une espèce de tendresse qui l'étouffait. Elle éprouvait une envie presque insupportable d'appuyer son visage contre la chemise bleu délavé et de respirer l'odeur virile du corps de Harry. C'était celle de l'acier frappé contre le silex, avec par-derrière un parfum plus chaud, comme celui de la terre brûlée par le soleil recevant les premières gouttes de pluie.

Son trouble fut chassé brusquement lorsqu'elle se rendit compte que le cheval était toujours lancé au grand galop et qu'à ce train-là, le voyage de retour vers Khami allait être bien bref.

— Vous êtes en train d'éreinter votre monture, monsieur, dit-elle, mais sa voix la trahit et chevrota, si bien que Harry tourna la tête.

— Je ne vous entends pas.

Vicky se pencha plus près que nécessaire, ses cheveux balayèrent la joue du cavalier et ses lèvres lui effleurèrent l'oreille.

— Pas si vite, répéta-t-elle.

— Votre mère...

— ... n'est pas malade à ce point.

— Mais vous avez dit au général Saint John...

— Croyez-vous que Jouba et moi aurions quitté Khami s'il y avait eu le moindre danger ?

— Saint John ?

— C'était un prétexte pour les rapprocher. Si romantique. Nous les laisserons seuls un moment.

Harry serra la bride à sa monture pour la ramener à une allure plus tranquille, mais au lieu de desserrer son étreinte, Vicky se tortilla pour se rapprocher encore un peu.

— Ma mère est incapable de reconnaître ses propres sentiments, expliqua-t-elle. Lizzie et moi devons parfois prendre les choses en main.

Vicky regretta immédiatement d'avoir mentionné le nom de sa sœur jumelle. Elle aussi avait remarqué que Harry Mellow regardait Elizabeth lors de sa visite à Khami, et elle avait vu Elizabeth lui rendre ses regards. Les adieux définitifs de sa mère à Harry résonnant encore à ses oreilles, Vicky, après qu'il eut quitté la mission avec une certaine hâte, avait tenté de négocier avec sa sœur un accord suivant lequel Elizabeth n'encouragerait pas M. Mellow à lui décocher de nouveaux regards incendiaires.

En réponse, Elizabeth avait souri de cette façon exaspérante bien à elle.

— Ne crois-tu pas que nous devrions laisser M. Mellow prendre ses décisions lui-même sur ce chapitre ?

Si Vicky avait trouvé Harry Mellow séduisant auparavant, la ténacité déraisonnable d'Elizabeth le rendait à présent irrésistible à ses yeux, et instinctivement elle le serra plus fort. Au même moment elle aperçut les kopjes boisés qui signalaient la mission de Khami se dresser au loin au-dessus de la brousse couverte de broussailles, et elle sentit la terreur l'envahir. Harry Mellow n'allait pas tarder à revoir les yeux couleur miel foncé d'Elizabeth et sa masse de cheveux châtains semés d'étoiles auburn.

Vicky ne se souvenait pas avoir été sans surveillance une seule fois de toute sa vie, sans que sa mère, Jouba ou tout particulièrement sa sœur jumelle se trouve à portée de voix ou de main. C'était là une sensation grisante qui s'ajoutait à toutes les autres, nouvelles et impérieuses, qui l'assaillaient, et la dernière retenue inspirée par sa stricte éducation religieuse fut balayée par cette soudaine humeur rebelle et insouciante. Elle se rendit compte avec un sûr instinct féminin qu'elle pouvait obtenir ce qu'elle désirait tant, mais uniquement si elle passait audacieusement à l'action, ce qu'elle fit sur le champ.

— Il est attristant qu'une femme reste seule lorsqu'elle aime ainsi quelqu'un.

Sa voix n'était plus qu'un ronronnement, et elle toucha Harry à tel point qu'il ramena son cheval au pas.

— Dieu n'a pas voulu que les femmes restent seules, murmura-t-elle, et elle vit le sang monter sous la peau tendre derrière les oreilles de Harry. Et les hommes non plus d'ailleurs, poursuivit-elle.

Harry tourna lentement la tête et la regarda dans les yeux.

— Il fait si chaud au soleil, fit-elle tout bas en soutenant son regard. J'aimerais bien me reposer quelques minutes à l'ombre.

Il la souleva de selle et la déposa par terre. Elle resta cependant près de lui, sans détourner les yeux de son visage.

— La poussière des chariots a tout recouvert et il n'y a pas un seul endroit propre où s'asseoir, dit-elle. Nous devrions peut-être essayer un peu plus à l'écart de la route ?

Elle le prit par la main et le conduisit de la manière la plus naturelle au milieu de l'herbe haute jusqu'à un mimosa. Sous ses branches pelucheuses déployées, ils seraient invisibles de la route.

La jument de Mungo Saint John avait les épaules zébrées de bandes sombres laissées par la sueur et les bottes de son cavalier étaient éclaboussées par l'écume de sa bouche tandis qu'il la poussait au sommet du col entre les kopjes. Sans marquer de pause, il la dirigea en contrebas vers les bâtiments blancs de la mission. Les battements des sabots se répercutèrent contre les collines et les murs des constructions, et la fine silhouette d'Elizabeth apparut sur la large véranda de la maison familiale. Elle se protégea les yeux pour regarder Mungo en haut de la pente, et quand elle le reconnut, elle descendit les marches précipitamment.

— Général Saint John, oh, grâce à Dieu, vous êtes venu, dit-elle en courant pour prendre la jument par le harnais.

— Comment va-t-elle ?

Une expression hagarde marquait le visage taillé à coups de serpe et creusé de Saint John. Il se débarrassa de ses étriers d'une secousse, sauta à terre pour saisir Elizabeth par les épaules et la secouer anxieusement.

— Cela avait commencé comme un jeu, Vicky et moi voulions que vous veniez auprès de maman parce qu'elle avait besoin de vous... elle n'était pas mal en point, juste une petite poussée de fièvre.

— Allez au diable, jeune fille, lui cria Saint John, que s'est-il passé ?

En l'entendant parler sur ce ton, les sanglots qu'Elizabeth retenait jaillirent d'un seul coup et coulèrent le long de ses joues.

— Son état a changé... ce doit être le sang de la fille... elle est brûlante à cause du sang de la fille.

— Ressaisissez-vous, lui intima Saint John en la secouant de nouveau. Allons, Lizzie, cela ne vous ressemble pas.

Elizabeth ravala ses sanglots, puis sa voix s'apaisa.

— Elle s'est injectée le sang d'une malade dans les veines.

— D'une Noire ? Au nom du ciel, pourquoi a-t-elle fait ça ? demanda Saint John.

Puis sans attendre la réponse, il grimpa quatre à quatre les marches de la véranda et entra en trombe dans la chambre de Robyn.

Il s'arrêta avant d'atteindre le lit. Dans la petite pièce fermée, l'odeur de la maladie était aussi fétide que celle d'une porcherie, et la chaleur dégagée par le corps étendu sur l'étroit lit de camp s'était condensée sur les carreaux de l'unique fenêtre comme la vapeur produite par une bouilloire. Accroupi près du lit comme un petit chien aux pieds de son maître, se trouvait le fils de Mungo. Robert leva d'immenses yeux solennels vers son père, la bouche tordue sur son fin visage pâle.

— Mon fils !

Saint John fit encore un pas vers le lit, mais l'enfant se leva d'un bond et se précipita sans bruit vers la porte en se baissant prestement pour passer sous les mains tendues de son père, puis ses pieds nus martelèrent la véranda tandis qu'il partait en courant. Pendant quelques instants, Saint John languit après lui, puis il secoua la tête et se dirigea vers le lit. Il regarda la silhouette immobile qui s'y trouvait allongée.

Robyn était décharnée au point que les os semblaient sur le point de transpercer la peau pâle de ses joues et de son front. Ses yeux étaient clos et enfoncés dans des orbites creusées gris violacé. Ses cheveux, poivre et sel sur les tempes, semblaient secs et cassants comme l'herbe hivernale sur le veld, et lorsqu'il se pencha pour lui toucher le front, elle fut prise d'un tremblement paroxystique qui secoua le châlit métallique. Elle claqua des dents si violemment que celles-ci donnèrent l'impression de devoir se briser. Sous les doigts de Saint John, sa peau était brûlante, presque à faire mal, et il leva brusquement les yeux vers Elizabeth qui se tenait près de lui l'air accablé.

— Elle a eu de la quinine ?

— Je lui en ai donné plus que je n'aurais dû, cent grains depuis ce matin, mais il n'y a aucune réaction.

Elizabeth s'interrompit, répugnant à lui annoncer le pire.

— Oui, qu'y a-t-il ?

— Avant cela, maman n'avait pas pris de quinine pendant six semaines. Elle voulait laisser le champ libre à la maladie et prouver sa théorie.

Saint John la regarda, atterré.

— Mais, ses propres études... (Il secoua la tête, incrédule.) Elle a elle-même montré que l'abstinence suivie par des doses massives...

Il ne put poursuivre, comme si les mots risquaient de faire apparaître le spectre tant redouté. Elizabeth avait anticipé ses craintes.

— Sa pâleur, murmura-t-elle, l'absence totale de réaction à la quinine... j'ai si peur...

Instinctivement, Saint John passa son bras autour des épaules d'Elizabeth, et pendant quelques secondes elle se blottit contre lui. Depuis le jour de son arrivée à la mission de Khami, presque agonisant, une blessure par balles suppurante à la jambe, il avait toujours entretenu une relation privilégiée avec les jumelles, elles avaient toujours été ses complices et ses alliées secrètes. Bien qu'elles aient été à peine adolescentes à cette époque, les jumelles n'avaient pas démenti l'étrange effet hypnotique qu'il exerçait sur les femmes de tous âges.

— Vicky et moi avons provoqué le destin en vous disant que maman était mourante.

— Ça suffit, fit-il en la secouant doucement. A-t-elle eu des mictions ? (Puis, avec brusquerie pour dissimuler leur embarras à tous les deux :) A-t-elle uriné ?

— Pas depuis la nuit dernière, répondit Elizabeth en secouant la tête pitoyablement.

— Nous devons l'obliger à boire, dit-il en la poussant vers la porte. Il y a une bouteille de cognac dans ma sacoche de selle. Allez chercher des citrons dans le jardin, une tasse de sucre et une grande cruche d'eau bouillante.

Saint John tint la tête de Robyn pendant qu'Elizabeth faisait pénétrer de force des petites gorgées de liquide fumant entre ses lèvres blanches et, dans son délire, Robyn se débattit, hantée et mue par les terribles fantômes de la fièvre malarienne.

Puis, pendant qu'ils œuvraient, les frissons qui avaient agité le corps de Robyn firent brusquement place à la chaleur brûlante qui la déshydratait, et bien qu'elle ne reconnût ni Saint John ni sa fille, elle but avidement, avalant à pleine gorge et s'étranglant dans sa hâte. Elle était cependant si faible que lorsqu'elle essaya de lever la tête, celle-ci resta pendante et roula sur le côté, si bien que Saint John dut l'aider à la maintenir droite. Les mains de l'Américain, puissantes et rudes, étaient étrangement tendres et douces lorsqu'il lui prit le menton et essuya les gouttes qui dégoulinaient de ses lèvres.

— Quelle quantité a-t-elle bue ? demanda-t-il.

— Plus de cinq pintes, répondit Elizabeth en vérifiant le niveau de la cruche.

La lumière déclinait dans la pièce tandis que le soir commençait à tomber ; Elizabeth se releva et, en se tenant les reins, se dirigea vers la porte pour regarder au-delà de la véranda la route qui descendait du col.

— Vicky et Jouba devraient déjà être de retour, dit-elle.

Mais en entendant sa mère crier de nouveau, elle ferma la porte et se précipita vers le lit de camp.

Soudain, tandis qu'elle était agenouillée près de Saint John, elle prit conscience de la forte odeur d'ammoniaque qui envahissait la chambre. Elle détourna les yeux et dit à voix basse :

— Il faut que je la change.

Mais Saint John ne se leva pas.

— Elle est ma femme, dit-il. Ni Vicky ni Jouba ne sont là pour vous aider, et vous allez avoir besoin d'aide.

Elizabeth hocha la tête et écarta les draps.

— Oh, doux Jésus, murmura-t-elle d'une voix rauque.

La chemise de nuit de Robyn était remontée haut sur ses

106

cuisses pâles de jeune fille. Elle était trempée, comme l'était le mince matelas, mais ce n'était pas par la tache d'urine jaunâtre qu'ils avaient espéré voir. Les yeux fixés sombrement sur les draps souillés, Saint John se remémora les vers de mirliton chantés par les soldats de la colonne de Jameson :

> *Noires comme l'ange*
> *Noires comme l'as*
> *Coulent les eaux de la fièvre,*
> *Aussi noires que la disgrâce.*
> *Nous allons bientôt le laisser là*
> *Et jeter de la terre sur son visage.*

La tache nauséabonde était noire, noire comme du sang coagulé depuis longtemps. Les reins s'efforçaient de purger le sang des déchets produits par l'anémie. Le résultat de la destruction des globules rouges était à l'origine de son effroyable pâleur. La malaria s'était transmuée en quelque chose d'infiniment plus grave et mortel.

Tandis que tous deux regardaient, frappés d'impuissance, il y eut du vacarme sur la véranda et la porte s'ouvrit brusquement Victoria apparut sur le seuil. Elle n'était plus la même, irradiant de l'intérieur, empreinte de la beauté étrange et fragile d'une jeune femme éveillée au mystère et au miracle de l'amour.

— Où étais-tu, Vicky ? demanda Elizabeth, qui vit alors le grand jeune homme dans l'embrasure de la porte derrière sa sœur.

Elle comprit ce que signifiait l'expression de trouble et en même temps de fierté de Harry Mellow. Elle n'éprouva aucun ressentiment, aucune jalousie, seulement un bref sentiment de plaisir pour Vicky. Elizabeth n'avait jamais voulu Harry Mellow ; elle avait taquiné sa sœur en simulant de l'intérêt pour le jeune ingénieur, mais son amour était pour un homme qu'elle ne pourrait jamais avoir, elle s'y était depuis longtemps résignée. Elle était heureuse pour Vicky, mais triste pour elle-même, et Vicky se méprit sur son air.

— Que se passe-t-il ? demanda cette dernière, les couleurs s'estompant sur son joli visage, puis elle leva une main vers sa poitrine comme pour contenir la panique qui montait en elle. Que se passe-t-il, Lizzie ? Qu'est-ce qu'elle a ?

— Hématurie, répondit tout net Elizabeth. Maman a de l'hématurie.

Elle n'avait pas besoin d'en dire davantage. Les jumelles avaient passé toute leur vie près du dispensaire de la mission. Elles savaient que la maladie était particulièrement sélective :

elle n'attaquait que les sujets de race blanche, et les recherches de Robyn avaient permis de faire le lien entre cette particularité et l'usage de la quinine, qui était limité presque exclusivement aux Blancs. Au fil des années, Robyn avait traité à la mission au moins une cinquantaine de cas de ce genre. Au début, il s'agissait de vieux chasseurs d'éléphants et de marchands itinérants, puis plus récemment des soldats de la colonne de Jameson, des nouveaux colons et des prospecteurs qui affluaient de ce côté-ci du Limpopo.

Les jumelles n'ignoraient pas que sur ces cinquante cas d'hématurie, seuls trois patients avaient survécu. Les autres se trouvaient dans le petit cimetière de l'autre côté de la rivière. Leur mère était virtuellement condamnée à mort. Vicky se précipita à son chevet et s'agenouilla à côté du lit.

— Oh, maman, murmura-t-elle, rongée par un sentiment de culpabilité. J'aurais dû être ici.

Jouba fit chauffer dans le feu des pierres polies de la rivière puis elle les enveloppa dans des couvertures. Ils les placèrent autour du corps de Robyn, puis étalèrent sur elle quatre plaids de fourrure. Elle se débattit faiblement pour rejeter les couvertures, mais Saint John la fit tenir tranquille. Malgré la chaleur interne due à la fièvre et celle, externe, dégagée par les pierres chauffées et emprisonnées sous les couvertures, sa peau restait sèche et ses yeux avaient l'éclat aveugle d'un cristal de roche usé par l'érosion.

Puis lorsque le soleil atteignit la cime des arbres et que la lumière dans la chambre vira à l'orange foncé, la fièvre éclata et la sueur suinta par tous les pores de la peau pâle de Robyn comme du jus de canne à sucre pressée. Elle perlait sur son front et son menton, chaque grosse goutte brillante se joignant aux autres jusqu'à ce qu'elles ruissellent en traînées grasses, trempant ses cheveux comme si elle avait pris une douche. Elle lui coulait dans les yeux, plus vite que Saint John ne pouvait l'éponger, coulait le long de son cou, inondait la couverture de fourrure, passait à travers le mince matelas et dégoulinait par terre.

Sa température corporelle chuta spectaculairement, et quand Robyn cessa de transpirer, Jouba et les jumelles lui essuyèrent le corps. Il était déshydraté et décharné, si bien qu'on lui voyait les côtes et qu'elle avait le ventre creusé. Elles œuvraient avec de grandes précautions car un mouvement brusque aurait pu provoquer une rupture des vaisseaux sanguins rénaux endommagés et une grave hémorragie à laquelle aboutissait souvent la maladie.

108

Lorsqu'elles eurent fini, elles rappelèrent Saint John, qui était assis avec Harry Mellow sur la véranda. Robyn était dans un état comateux. Saint John installa la lanterne à même le sol afin que sa faible lumière ne la gêne pas.

— Je vous appellerai s'il y a un changement.

Il renvoya les femmes et s'assit sur le tabouret à côté du lit de camp. L'état de Robyn empira lentement au cours de la nuit à mesure que la maladie détruisait son sang, et dans les premières lueurs de l'aube, elle donnait l'impression d'avoir été la proie de quelque monstrueux vampire. Il savait qu'elle était agonisante et lui prit la main, mais elle ne réagit pas.

Un bruissement léger fit tourner la tête à Saint John. Robert, son fils, se trouvait à la porte. Sa chemise de nuit était élimée et rapiécée, trop juste sous les bras et trop courte. Ses cheveux emmêlés tombaient sur son large front pâle, et il fixait son père sans ciller, les yeux encore pleins de sommeil.

Saint John était assis parfaitement immobile, car il savait que le moindre mouvement risquait de mettre l'enfant en fuite comme un animal effrayé. Il attendit une minute, et le garçonnet tourna finalement son regard vers le visage de sa mère ; pour la première fois, une expression apparut dans ses yeux. Lentement, un pas à la fois, il s'approcha du lit et tendit une main hésitante pour toucher sa joue. Robyn ouvrit les yeux. Ils étaient déjà vitreux et éteints, regardant au-delà des sombres confins qu'elle avait atteints.

— Maman, dit Robert. S'il te plaît, ne meurs pas.

Les yeux de Robyn papillonnaient d'un côté et de l'autre puis, miraculeusement, ils se fixèrent sur le visage de Robert. Elle essaya de lever la main, mais celle-ci eut seulement un mouvement convulsif avant de se détendre de nouveau.

— Ecoutez-moi. Si vous mourez, fit Saint John d'une voix dure, si vous mourez, l'enfant sera mien.

Pour la première fois, elle le reconnut. Il le voyait, ses paroles avaient été entendues. La colère apparut dans les yeux de Robyn et elle fit un immense effort pour parler, mais elle ne put proférer aucun son et seules ses lèvres formèrent un seul mot.

— Jamais !

— Alors, vivez, la défia-t-il. Vivez, bon sang !

Il vit qu'elle recommençait à lutter.

Les forces vitales de Robyn augmentaient puis diminuaient au gré des effroyables offensives de la maladie : une fièvre terrible succédait à de terribles frissons, un long coma suivait les accès de transpiration. À certains moments, elle se mettait à délirer, assaillie par des fantasmes et des démons du passé. Parfois elle regardait Mungo Saint John et elle le voyait tel qu'il avait été jadis, sur le gaillard d'arrière du *Huron*, le superbe clipper de Baltimore, lorsqu'elle avait à peine plus de vingt ans.

— Si beau, murmurait-elle. Si diablement beau.

Puis elle redevenait lucide pendant de courtes périodes, et la fièvre donnait de la force à sa colère.

— Vous l'avez tué... vous l'avez tué, et c'était un saint, murmurait-elle d'une voix claire mais tremblante de fureur, et Saint John n'arrivait pas à la calmer. C'était mon mari, et vous l'avez envoyé de l'autre côté de la rivière, où vous saviez que les sagaies des Matabélé l'attendaient. Vous avez tué mon mari aussi sûrement que si vous lui aviez percé le cœur de votre propre main.

Son humeur changeait ensuite de nouveau.

— Je vous en prie, ne me laisserez-vous donc jamais en paix ? suppliait-elle, d'une voix si faible qu'il devait se pencher pour saisir ses paroles. Vous savez que je suis incapable de vous résister, et pourtant tout ce que vous représentez est une offense à moi-même et à mon Dieu, à moi et au peuple égaré confié à mes soins.

— Buvez, ordonnait-il. Il faut que vous buviez.

Elle se débattait faiblement tandis qu'il portait la cruche à ses lèvres.

Puis la maladie resserrait son emprise et l'emportait dans les brumes brûlantes de la fièvre, où n'existait plus aucune réalité. Les jours et les nuits défilaient en se confondant. Saint John se réveillait quelquefois en sursaut et s'apercevait qu'il était minuit ; une des jumelles était endormie sur la chaise de l'autre côté du lit. Engourdi par la fatigue, il se levait pour forcer Robyn à boire encore.

— Buvez, lui chuchotait-il. Buvez, ou vous mourrez.

Puis il retombait sur sa chaise, et lorsqu'il se réveillait de nouveau, il faisait déjà jour ; son fils se tenait près de lui et le regardait. Quand il ouvrait les yeux, l'enfant filait comme une flèche, et quand il l'appelait, Robyn murmurait d'un ton féroce depuis son lit :

— Vous ne l'aurez jamais... jamais !

Parfois, durant la journée, quand Robyn était étendue, pâle et silencieuse, Saint John pouvait dormir quelques heures sur le grabat installé à l'autre bout de la véranda, jusqu'à ce que Jouba ou l'une des jumelles l'appelle. « Ça recommence. » Et il se précipitait vers le lit de camp, aiguillonnait Robyn, la câlinait pour qu'elle sorte de sa léthargie, la forçait à continuer à lutter.

Assis, le visage creux et défait, au chevet de la malade, il lui arrivait de s'étonner lui-même. Il avait possédé cent femmes plus belles que celle-là au cours de sa vie. Toujours conscient de l'étrange attraction qu'il exerçait sur elles, il avait pourtant jeté son dévolu sur celle-ci, celle-ci qu'il ne posséderait jamais réellement. Celle qui le haïssait aussi farouchement qu'elle l'aimait, qui avait conçu son fils dans un moment de passion dévorante et le tenait à l'écart de celui-ci avec toute sa détermination. C'était elle qui lui avait demandé de l'épouser tout en refusant avec véhémence d'accomplir son devoir d'épouse, qui ne lui permettait pas de rester en sa présence, si ce n'était alors, parce qu'elle était trop faible, ou en de rares occasions, lorsque le désir triomphait de sa conscience et de sa répulsion.

Il se souvenait d'un de ces moments, un mois plus tôt. Il s'était réveillé dans sa chambre, sur l'arrière de sa case en brique et argile, dans les faubourgs de Bulawayo. Une chandelle était allumée, et Robyn était debout près de son lit de camp, le seul meuble de la pièce. Il lui avait fallu chevaucher dans l'obscurité à travers une contrée sauvage pour arriver jusqu'à lui.

— Que Dieu me pardonne ! avait-elle murmuré.

Et elle s'était laissée tomber sur lui, animée d'un désir frénétique.

Aux premières lueurs de l'aube, elle l'avait quitté épuisé et abasourdi, et quand il l'avait suivie le lendemain pour la retrouver à la mission, elle l'avait accueilli sur la véranda, armée d'un fusil de chasse. Il avait su d'instinct que s'il avait tenté de monter les marches pour s'approcher d'elle, elle l'aurait tué. Il n'avait jamais vu autant de mépris que dans ses yeux, pour elle-même autant que pour lui.

Elle avait écrit sans relâche aux journaux d'Angleterre et du Cap pour dénoncer presque toutes les proclamations qu'il avait faites en tant que commissaire aux Affaires indigènes du Matabeleland. Elle avait attaqué sa politique du travail obligatoire qui approvisionnait les éleveurs et les prospecteurs en main-d'œuvre indigène, dont ils avaient un besoin pressant pour assurer la pérennité et la prospérité de ce pays neuf. Elle avait condamné le recrutement de sa force de police indigène, utilisée pour maintenir l'ordre chez les Matabélé. Un jour, elle avait même fait irruption dans une *indaba* qu'il tenait avec les indunas et en sa présence avait harangué ceux-ci en bon ndébélé, les traitant de « vieilles femmes » et de « poltrons », parce qu'ils se soumettaient à l'autorité de Saint John et de la British South Africa Company. Puis, à peine une heure plus tard, elle l'avait attendu près de la piste et l'avait arrêté au passage, tandis qu'il revenait à cheval de la réunion. Nus dans le veld comme des animaux sauvages, ils avaient fait l'amour sur le tapis de selle, avec une telle fureur, si proche de l'anéantissement mutuel, qu'elle l'avait laissé ébranlé et épouvanté.

— Je vous hais. Dieu, ô combien je vous hais, avait-elle murmuré les yeux pleins de larmes en remontant en selle et en partant au galop sans se soucier des épineux qui déchiraient sa jupe.

Ses exhortations aux indunas étaient une incitation manifeste à la rébellion et à la révolution sanglante, tandis que dans *Le Soldat Hackett au Matabeleland*, où elle mentionnait nommément Saint John, les paroles qu'elle lui mettait dans la bouche et les actions qu'elle lui attribuait étaient de la dernière calomnie. M. Rhodes et les autres directeurs de la BSA Company avaient poussé Saint John à intenter une action en diffamation.

— Contre ma propre femme, monsieur ? (Saint John avait fermé à demi son unique œil et souri d'un air piteux.) Je passerais pour le dernier des imbéciles.

Elle était l'adversaire le plus implacable et le plus cruel qu'il avait jamais eu, et pourtant la pensée qu'elle pouvait mourir le désolait. Chaque fois qu'elle retombait dans les abysses, il sombrait avec elle, et chaque fois que son état s'améliorait, son moral remontait.

Ce jeu des émotions et la façon dont il prenait sur ses propres réserves pour la soutenir l'épuisaient au plus profond de son être, et cela continuait sans répit, jour après jour. Jusqu'au moment où Elizabeth fit irruption pendant les quelques heures de sommeil comateux qu'il s'octroyait. Il perçut l'émotion qui faisait trembler sa voix et vit les larmes dans ses yeux.

— C'est fini, général Saint John, dit-elle.

Il tressaillit comme si elle l'avait frappé au visage et se leva en titubant, sentant ses yeux se mouiller.

— Je ne peux pas le croire.

Il se rendit alors compte qu'Elizabeth souriait à travers ses larmes, puis elle montra le vase émaillé qu'elle avait à la main. Il sentait l'ammoniaque et l'odeur de putréfaction particulière à la maladie, mais la couleur du liquide avait changé : de noir mortel elle était redevenue dorée.

— C'est fini, répéta Elizabeth. Son urine s'est éclaircie. Elle est tirée d'affaire. Grâce à Dieu, elle est sauvée.

Mais cet après-midi-là, Robyn se sentit assez bien pour ordonner à Mungo Saint John de quitter la mission, et le lendemain matin, elle essaya de se lever pour mettre son ordre à exécution.

— Je ne peux souffrir que mon fils reste sous votre influence un jour de plus.

— Madame..., commença-t-il, mais elle lui intima le silence d'un geste de la main.

— Jusqu'ici, j'ai résolu de ne pas parler de vous à l'enfant. Il ne sait pas que son père a jadis commandé le négrier le plus tristement célèbre qui ait jamais traversé l'Atlantique. Il ne sait rien des milliers d'âmes damnées, d'enfants innocents d'Afrique, que vous avez transportés vers un continent lointain. Il ne comprend pas encore que c'est vous et d'autres de votre espèce qui avez délibérément mené une guerre sanglante contre Lobengula et le peuple matabélé, ni que vous êtes l'instrument de la cruelle oppression dont ils sont l'objet... mais, à moins que vous partiez, je changerai d'avis. (Sa voix claquait avec un peu de son ancienne vigueur, et Jouba dut la retenir par les épaules.) Je vous ordonne de quitter Khami sur-le-champ.

L'effort laissa Robyn toute blanche et haletante, et sous les mains douces et potelées de Jouba, elle retomba contre le traversin.

— Elle pourrait avoir une rechute. Peut-être cela vaut-il mieux, chuchota Elizabeth à Saint John.

Les coins de la bouche de l'Américain se relevèrent en ce sourire moqueur dont elle se souvenait si bien, mais dans les profondeurs dorées de son œil, il y avait une ombre, un regret ou une terrible solitude.

— Votre serviteur, madame, dit-il en s'inclinant exagérément, puis il sortit de la chambre à grandes enjambées.

Robyn écouta le bruit de ses pas tandis qu'il traversait la véranda et descendait les marches. Alors seulement elle repoussa les mains de Jouba et se tourna sur le côté, face au mur nu blanchi à la chaux.

Sur la crête, là où la piste franchissait un col entre des collines densément boisées, Mungo Saint John ramena sa jument au pas et regarda en arrière. La véranda était déserte ; il soupira, reprit les rênes et fit face à la route qui descendait devant lui en direction du nord, mais ne lança pas la jument. Il fronça les sourcils et leva le menton vers les cieux.

Au septentrion, le ciel était sombre. C'était comme si un lourd rideau était tombé du firmament sur la terre. Ce n'était pas un nuage, car il possédait une densité et un corps particuliers, comme le plancton vénéneux de la mystérieuse marée rouge qu'il avait vue balayer la surface de l'Atlantique sud, répandant la mort et la désolation sur tout ce qu'elle touchait.

Saint John n'avait cependant jamais rien vu de pareil. L'ampleur du phénomène défiait l'imagination. La masse couvrait la moitié de l'horizon et, tandis qu'il regardait, elle se dirigeait vers le soleil, proche de son zénith.

Loin au nord, Saint John avait vu le khamsin, le vent du désert, soulever de terribles tempêtes de sable à travers le Sahara, mais il savait qu'il n'y avait pas de désert de sable dans un rayon de mille miles qui pût provoquer un tel phénomène. Cela dépassait son entendement, et sa perplexité se mua en inquiétude quand il se rendit compte de la vitesse à laquelle cette chose s'avançait vers lui.

Les franges du voile sombre atteignirent le disque solaire et la lumière crue du midi changea. Saint John sentit la jument broncher sous lui, mal à l'aise, et des pintades, qui pépiaient dans l'herbe près de la piste, se turent. L'obscure marée emplit le ciel ; tel un disque de métal chauffé sorti de la forge, le soleil prit une morne couleur orangée et une ombre immense tomba sur la terre.

Le silence s'était abattu sur le monde. Le chœur des insectes dans la forêt s'était tu, les petits oiseaux avaient cessé de babiller dans les broussailles ; tous ces sons, qui formaient le bourdon de l'Afrique, étaient passés inaperçus jusqu'à leur disparition.

Le silence était devenu oppressant. La jument agitait la tête et le tintement de sa chaîne de gourmette semblait étonnamment fort. Le rideau s'étendait, s'épaississait et cachait le ciel, l'ombre devenait plus épaisse.

On entendait un son à présent, un sifflement faible et distant semblable à celui du vent balayant les sables blancs des dunes de sable. Le soleil rougeoyait sombrement comme les cendres d'un feu de camp en train de mourir.

Le lointain sifflement devenait plus fort, évoquant l'écho dans un coquillage que l'on tient contre l'oreille, et la lumière filtrée du soleil prenait une bizarre nuance pourpre. Saisi par une sorte de crainte religieuse, Saint John frissonna, bien que la chaleur semblât encore plus étouffante dans la semi-obscurité.

L'étrange bruissement augmentait rapidement en intensité, devenait pareil à une palpitation bourdonnante et basse, puis au souffle précipité du vent. Le soleil avait disparu, complètement occulté. Dans la faible lumière, Saint John vit la masse des colonnes tourbillonnantes se diriger vers lui à toute vitesse à travers la forêt, comme une monstrueuse nappe de brouillard.

Avec le vrombissement de ses millions et millions d'ailes, elle arriva sur lui. Elle le frappa comme une salve de mitraille, flagellant son visage, l'impact de chaque aile cornée provoquant un choc qui l'engourdissait, déchirait sa peau et faisait couler le sang.

Il leva précipitamment les mains pour se protéger le visage, la jument effrayée se cabra, et c'est grâce à ses exceptionnels talents de cavalier qu'il ne fut pas désarçonné. Il était à demi aveuglé et étourdi par le torrent d'ailes qui se précipitait autour de sa tête ; il essaya de saisir un des insectes volants d'un geste brusque ; il y en avait tant qu'il en attrapa un.

Il était presque deux fois plus long que son index, ses ailes d'une teinte orangée éclatante parcourue par de complexes dessins noirs. Une carapace cornée couvrait le thorax et des piquants à pointe rouge garnissaient les longues pattes de derrière. Dans sa main, l'insecte, dont les multiples yeux globuleux de la tête casquée regardaient fixement, jaunes comme des topazes polies, donnait des coups de patte convulsifs qui lui perçaient la peau et y laissaient une fine rangée de gouttelettes de sang.

Saint John l'écrasa ; la carapace craqua dans un jaillissement de fluide jaunâtre. « Les sauterelles ! » Il leva de nouveau les yeux, s'étonnant de leur multitude. « Le troisième fléau d'Égypte », pensa-t-il tout haut. Il fit pirouetter la jument pour qu'elle tourne le dos au flot de corps volants, lui planta ses talons dans les flancs et la lança au galop vers le bas de la colline en direction de la mission. Le nuage de sauterelles volait plus vite que la jument ne pouvait aller, même au grand galop ; il chevauchait donc dans une semi-obscurité, entouré par le vrombissement assourdissant des ailes.

Il faillit perdre la piste une douzaine de fois, si dense était la nuée qui l'entourait. Les sauterelles se posaient sur son dos, grouillaient sur lui, leurs pattes acérées lui piquaient la peau là où elle était découverte. Dès qu'il en chassait quelques-unes, d'autres les remplaçaient, et il éprouvait l'horrible sensation d'être submergé, de se noyer dans un chaudron bouillonnant d'organismes vivants.

Devant lui, les bâtiments de la mission se dessinèrent dans le demi-jour. Les jumelles et les domestiques étaient rassemblés sur la véranda, paralysés d'étonnement. Il sauta à terre et courut vers elles.

— Amenez toutes les personnes en état de marcher dans les champs. Prenez des casseroles, des tambours... tout ce sur quoi on peut taper pour faire du bruit, des couvertures pour les agiter...

Les jumelles reprirent rapidement leurs esprits. Elizabeth passa un châle par-dessus sa tête pour se protéger et courut à travers le nuage tourbillonnant de sauterelles en direction de l'église et du dispensaire pendant que Vicky disparaissait dans la cuisine et en ressortait avec une batterie de casseroles en fer.

— Bien joué, la félicita Saint John en la serrant rapidement dans ses bras. Quand ce sera fini, je veux que vous me parliez de vous et de Harry. Venez ! cria-t-il en lui arrachant des mains la plus grosse casserole.

Avec une soudaineté qui les arrêta dans leur course, l'air redevint transparent et le soleil réapparut, si blanc et aveuglant qu'ils durent se protéger les yeux.

Mais ce n'était pas fini, car le nuage entier de sauterelles, qui quelques secondes plus tôt emplissait les cieux jusqu'au firmament, s'était abattu sur la terre, et si le ciel était redevenu bleu et dégagé, les champs et la forêt s'étaient transformés. Les arbres les plus hauts ressemblaient à des meules de foin grotesquement colorées, masses orange et noir en effervescence. Les branches se balançaient et ployaient sous le poids des innombrables petits corps et, de temps à autre, on en entendait une se casser net et tomber avec fracas. Devant leurs yeux, les épis de maïs se couchaient sous l'assaut, et la terre elle-même grouillait d'une myriade de corps bruissant et cliquetant.

Ils furent une centaine à entrer en courant dans les champs, tapant sur leurs casseroles métalliques et agitant les couvertures de l'hôpital en grossière laine grise. Devant chacun d'eux, les insectes s'envolaient brièvement en un petit nuage d'ailes puis se reposaient après leur passage.

L'air résonnait à présent d'un nouveau son : les cris d'excitation de milliers d'oiseaux qui se gorgeaient d'insectes. Il y avait des escadres de drongos noir de jais à la longue queue fourchue, des étourneaux vert iridescent comme la malachite, des pigeons culbutants et des guêpiers turquoise et jaune comme le soleil, carmin et violet, qui zigzaguaient et tournoyaient en plein vol, pris d'une gloutonnerie extatique. Les cigognes avançaient à grandes enjambées, enfoncées jusqu'à mi-pattes dans ce tapis vivant ; marabouts à l'horrible tête squameuse, cigognes au cou laineux et à l'écharpe blanche duveteuse, jabirus au long bec rouge et noir décoré d'un médaillon jaune, tous participaient avec appétit au banquet.

Cela ne dura pas longtemps, moins d'une heure. Puis, aussi soudainement qu'il s'était posé, le grand essaim s'éleva spontanément dans les airs en grondant, comme s'il avait été une seule et unique créature. De nouveau, une obscurité anormale tomba sur la terre tandis que le soleil était oblitéré, puis vint une fausse aube lorsque le nuage se dissipa et s'éloigna vers le sud. Dans les champs vides, les humains, qui regardaient autour d'eux avec horreur, semblaient minuscules et insignifiants. Ils ne reconnurent pas leur domaine.

Les champs de maïs n'étaient plus que des étendues de terre brune dénudée, même les tiges vigoureuses et rudes avaient été dévorées. À la place des massifs de roses autour de la maison, il ne restait que des tiges marron. Dans les vergers, les fleurs des pêchers et des pommiers avaient disparu, et les branches nues et tordues rappelaient l'hiver ; même la forêt indigène et les épaisses broussailles le long des rives de la Khami avaient été dévastées.

Il n'y avait plus trace de vert, pas la moindre feuille, le moindre brin d'herbe intact dans la vaste aire de terre brune où l'essaim avait semé la destruction au cœur du Matabeleland.

Jouba voyageait avec deux servantes. C'était un symptôme du déclin qui frappait le Matabeleland. Il y avait eu un temps, avant l'occupation par la BSA Company, où la première épouse d'un des grands indunas de la maison des Kumalo avait un entourage de quarante femmes attachées à son service, et une escorte d'une cinquantaine d'amadoda emplumés et armés pour veiller à sa sécurité lorsqu'elle se rendait au kraal de son mari. Jouba portait désormais elle-même sa natte en équilibre sur sa tête, et en dépit de sa chair abondante, elle se déplaçait avec une légèreté et une grâce extraordinaires, le dos bien droit, la tête haute.

À présent qu'elle était loin de la mission, elle s'était débarrassée de son sous-vêtement d'homme en laine, mais elle continuait à porter le crucifix autour du cou. Ses énormes mamelles se balançaient et tressautaient avec une élasticité pleine de jeunesse. Elle avait été ointe de graisse et brillait au soleil. Elle progressait au trot glissé des Africains, qui lui permettait de parcourir la piste poussiéreuse à une vitesse surprenante, les jambes luisantes sous son court pagne en peau de vache.

Les deux servantes, jeunes mariées du kraal de Jouba, la suivaient de près, mais ne chantaient ni ne riaient, elles se taisaient. Saisies d'une crainte superstitieuse, elles tournaient la tête d'un côté et de l'autre sous leur fardeau pour regarder la terre désolée et dénudée qui les entourait. Les essaims de sauterelles étaient passés par là aussi. Les arbres aux branches nues et estropiées étaient dépourvus de toute vie animale — oiseaux ou insectes. Le soleil avait déjà brûlé la terre sans protection, et elle s'effritait en poussière, emportée par de petits tourbillons de vent.

Elles arrivèrent sur une éminence, s'arrêtèrent malgré elles et se regroupèrent, sans même poser leur paquetage, tant elles étaient fascinées et horrifiées par le spectacle qui s'offrait à leurs yeux. Là se dressait naguère le grand kraal du régiment des Inyati, commandé par Gandang. Puis, par décret du commissaire aux Affaires indigènes de Bulawayo, le régiment avait été dispersé et le kraal détruit par le feu. Pourtant, la dernière fois que les femmes l'avaient vu, l'herbe avait commencé à repousser, dissimulant les cicatrices. À présent les tas de cendre circulaires étaient redevenus visibles, la couverture végétale renaissante ayant été dévorée par les essaims de sauterelles. Des souvenirs de la grandeur passée leur revinrent ; le nouveau kraal, construit pour héberger Gandang et sa famille proche, était minuscule en comparaison de l'ancien.

Il se trouvait à un mile des berges de l'Inyati, et les pâturages avaient été détruits entre les deux. Les pluies de printemps n'avaient pas encore rempli la rivière et les bancs de sable étaient blanc argenté ; les rochers érodés par les eaux brillaient au soleil comme des écailles de reptile. Le nouveau kraal semblait désert et les enclos à bétail étaient vides.

— Ils ont encore pris le bétail, dit Ruth, la jolie jeune femme qui se tenait aux côtés de Jouba.

Elle n'avait pas encore vingt ans, et bien qu'elle portât déjà depuis deux ans la coiffure des femmes mariées, elle n'avait toujours pas d'enfants. C'était sa crainte secrète d'être stérile qui l'avait poussée à se convertir au christianisme — trois dieux aussi omnipotents que ceux décrits à elle par Jouba ne permettraient certainement pas qu'une de leurs fidèles servantes reste sans descendance. Elle avait été baptisée par Nomousa aux alentours de la précédente pleine lune, et son nom avait été changé par ses nouveaux dieux et Nomousa : elle ne s'appelait plus Kampu, mais Ruth. Elle brûlait d'impatience de retrouver son mari, l'un des neveux de Gandang, et de vérifier l'efficacité de sa nouvelle religion.

— Non, lui répondit Jouba. Gandang aura envoyé les troupeaux vers l'est pour trouver de nouveaux pâturages.

— Les *amadoda*... où sont les hommes ?

— Peut-être sont-ils partis avec les bêtes.

— C'est le travail des gamins, pas des hommes.

Jouba grogna.

— Depuis qu'Œil Brillant leur a pris leurs boucliers, nos hommes ne sont plus que des *mujiba*.

Les *mujiba* étaient les petits bouviers, non encore initiés et intégrés à leur régiment, et les compagnes de Jouba furent humiliées par la vérité de ses paroles. Il était vrai que leurs hommes avaient été désarmés, et que les raids destinés à rapporter du bétail et des esclaves, qui avaient été l'activité et la distraction principales des *amadoda*, étaient à présent interdits. Du moins leurs maris étaient-ils des guerriers éprouvés, qui avaient trempé leurs lances dans le sang des soldats de Wilson sur les berges de la Shangani — la seule petite victoire des Matabélé au cours de cette guerre —, mais qu'allaient devenir les hommes plus jeunes, désormais privés de leur mode de vie traditionnel ? Seraient-ils un jour capables de gagner sur le champ de bataille le droit d'aller chez les femmes et de prendre une épouse ? Ou bien les Matabélé devraient-ils passer outre les lois et coutumes sous

118

lesquelles ils avaient vécu jusqu'ici, celles-ci allaient-elles tomber en désuétude ? Et si cela advenait, qu'allait devenir la nation ?

— Les femmes sont toujours là, fit remarquer Jouba en montrant dans les champs de maïs dénudés les rangées de travailleuses qui se balançaient au rythme du mouvement de leur houe.

— Elles sont en train de replanter les champs, dit Ruth.

— C'est trop tard, murmura Jouba. Cette année, il n'y aura pas de moisson à célébrer à la fête des premiers fruits... Allons-y, ajouta-t-elle en sortant de sa torpeur.

En arrivant à l'un des plans d'eau entre les bancs de sable, elles déposèrent leurs fardeaux et se débarrassèrent de leurs pagnes. Couvertes de poussière et de sueur, elles se lavèrent dans l'eau verte et fraîche. Ruth trouva un plant de *buffalo-creeper* qui avait échappé aux sauterelles, et elle en cueillit les fleurs jaunes afin de tresser des couronnes pour toutes les trois.

Les femmes qui travaillaient dans les champs les virent remonter sur la berge et arrivèrent en courant pour les accueillir par des cris de joie, se bousculant dans leur impatience de saluer Jouba. Elles l'appelaient « *Mamewethu* » en s'inclinant et frappant dans leurs mains en signe de profond respect.

Elles les soulagèrent de leurs fardeaux. Les petits-enfants de Jouba s'approchèrent timidement pour la prendre par la main. Puis, tout en entonnant des chants de bienvenue, la petite procession se dirigea en file indienne vers le kraal.

Tous les hommes n'étaient pas partis. Gandang était assis sous les branches nues du caprifiguier sur son tabouret sculpté de chef, et Jouba pressa le pas pour aller s'agenouiller devant lui.

Il lui sourit affectueusement, hochant la tête à ses protestations de dévouement et de fidélité. Puis, marque extraordinaire de son attachement pour elle, il lui tendit la main pour l'aider à se relever et la fit asseoir sur la natte qu'une de ses épouses plus jeunes avait étalée devant lui. Il attendit qu'elle se soit rafraîchie au grand pichet de bière en argile qu'une autre femme agenouillée lui tendait.

Puis il fit signe aux femmes et aux enfants de s'éloigner, et enfin seuls, la tête penchée l'un vers l'autre, ils devisèrent comme les deux vieux amants qu'ils étaient.

— Nomousa va bien ? demanda Gandang.

Il ne partageait pas la profonde affection de Jouba pour la femme médecin de la mission de Khami, et considérait en fait avec une grande suspicion cette religion étrangère que sa première épouse avait embrassée. C'était le corps de guerriers de Gandang qui, pendant la guerre, avait attaqué la petite patrouille de Wilson sur les rives de la Shangani et en avait abattu tous les hommes sans exception. Parmi les cadavres, dépouillés de leurs vêtements par les guerriers, les terribles blessures provoquées par les sagaies ressortant sur la chair blanche, se trouvait le corps du premier mari de la femme missionnaire. Il ne pouvait y avoir d'amour lorsque le sang avait coulé. Gandang respectait cependant la femme blanche. Il l'avait connue en même temps que Jouba et avait été témoin de ses efforts inlassables pour prendre fait et cause pour le peuple matabélé et le protéger. Elle avait été l'amie et la conseillère du vieux roi Lobengula, et elle avait apporté un réconfort à des milliers de Matabélé malades ou mourants. L'intérêt de Gandang était donc sincère.

— A-t-elle écarté les esprits mauvais qu'elle a attirés sur elle en buvant le sang de cette fille ?

Il était inévitable que les comptes rendus des expériences de Robyn sur la transmission du paludisme aient été altérés et aient pris un parfum de sorcellerie.

— Elle n'a pas bu le sang de la fille.

Jouba tenta d'expliquer à Gandang que Robyn s'était transfusée ce sang, et que c'était pour le bien du peuple matabélé, mais comme tout cela lui échappait quelque peu, ses explications n'étaient guère convaincantes. Elle lut le doute dans ses yeux, et abandonna.

— Et Bazo, la Hache ? demanda-t-elle. Où est-il ?

Son premier-né était aussi son préféré.

— Dans les collines avec les autres jeunes, répondit Gandang.

Les collines des Matopos avaient toujours été le refuge des Matabélé en cas de danger et dans les périodes de troubles, et, inquiète, Jouba se pencha en avant pour demander :

— Il y a eu des problèmes ?

— En ces temps nouveaux, il y a toujours des problèmes, répondit Gandang avec un haussement d'épaules.

— Que s'est-il passé ?

— Œil Brillant a fait savoir par ses *kanka* — ses chacals — que nous devions fournir deux cents hommes jeunes pour travailler dans la nouvelle mine d'or, là-bas dans le sud, qui appartient à Henshaw, le Faucon.

— Tu n'as pas envoyé les hommes ?

— J'ai dit à ses *kanka* — le surnom désobligeant donné aux membres de la police indigène de la Compagnie, en les assimilant aux petits charognards qui suivent les lions, exprimait la haine que les Matabélé éprouvaient pour ces traîtres —, je leur ai dit que les Blancs m'avaient privé de mon bouclier, de ma sagaie et de mon honneur d'induna, et que par conséquent, j'avais perdu le droit d'ordonner à mes hommes de creuser des trous ou de construire des routes pour les hommes blancs.

— Et maintenant Œil Brillant va venir ?

Jouba parlait sur un ton résigné. Elle savait comment cela se passait : ordres, défi, affrontement. Elle en avait déjà été témoin, et à présent elle en avait par-dessus la tête de la fierté des hommes, des guerres provoquées par les hommes, des morts, des estropiés, de la famine et des souffrances.

— Oui, admit Gandang. Tous les *kanka* ne sont pas des traîtres, et l'un a fait savoir qu'Œil Brillant était en route pour le kraal avec une cinquantaine d'hommes... c'est pourquoi nos jeunes guerriers sont partis dans les collines.

— Tu es resté là pour les attendre ? demanda Jouba. Sans armes et seul, tu attends Œil Brillant et cinquante hommes armés ?

— Je n'ai jamais fui devant personne, répondit simplement Gandang. Pas une seule fois de ma vie.

Jouba sentit sa fierté et son amour l'étouffer en contemplant le beau visage grave de son époux, et regarda comme si elle les voyait pour la première fois les cheveux blancs étinceler sur la toison sombre, au-dessus de son anneau d'induna.

— Gandang, mon Seigneur, l'ancien temps est terminé. Les choses évoluent. Les fils de Lobengula travaillent comme boys dans le kraal de Lodzi loin dans le sud, près de la grande eau. Les corps de guerriers sont dispersés. Il y a un dieu nouveau et gentil dans le pays, le dieu Jésus. Tout a changé, et nous devons changer nous aussi.

Gandang resta silencieux un bon moment, le regard perdu vers la rivière comme s'il n'avait pas entendu. Puis il soupira et prisa un peu de poudre rouge contenue dans la corne suspendue à son cou par un lacet. Il éternua, s'essuya les yeux et regarda Jouba.

— Ton corps fait partie du mien, dit-il. Ton premier-né est mon fils. Si je n'ai pas confiance en toi, je ne peux avoir confiance en moi-même. Alors, je te le dis, l'ancien temps reviendra.

— Que dis-tu là, Seigneur ? Quelles étranges paroles est-ce là ?

— Ce sont celles de l'Umlimo. Elle a prononcé un oracle. Le peuple sera de nouveau libre et grand...

— L'Umlimo a envoyé les guerriers à l'assaut des fusils sur la Shangani et la Bambesi, murmura Jouba avec amertume. L'Umlimo prêche la guerre, la mort et la peste. Il y a maintenant un nouveau dieu : Jésus, le dieu de la paix.

— De la paix ? fit Gandang amèrement. Si ce dieu parle de paix, alors les Blancs ne l'écoutent pas avec beaucoup d'attention. Demande aux Zoulous quelle paix ils ont trouvée à Ulundi, demande au fantôme de Lobengula quelle paix les Blancs ont amenée dans le Matabeleland.

Jouba n'eut rien à répondre, car là encore elle n'avait pas pleinement compris ce que Nomousa avait expliqué, et elle inclina la tête avec résignation. Après un moment, lorsqu'il fut certain qu'elle admettait ce qu'il avait dit, Gandang reprit :

— L'oracle de l'Umlimo comporte trois parties... et la première s'est déjà accomplie. L'obscurité à midi, les ailes des sauterelles et les arbres dépouillés de leurs feuilles au printemps. C'est ce qui s'est produit, et nous devons fourbir les lames de nos sagaies.

— Les Blancs les ont brisées.

— Il a été de nouveau donné naissance à de l'acier dans les collines, annonça Gandang en baissant instinctivement la voix. Les forges des Rozwi brûlent jour et nuit, et le métal fondu coule aussi abondamment que les eaux du Zambèze.

Jouba le regardait fixement.

— Qui a fait cela ?

— Bazo, ton fils.

— Les blessures des armes à feu sont encore fraîches et luisantes sur son corps.

— Oui, mais c'est un induna des Kumalo, murmura Gandang avec fierté, et c'est un homme.

— Un homme, rétorqua Jouba, un homme seulement. Où sont les régiments ?

— Ils se préparent en secret, en des lieux écartés ; les hommes réapprennent les techniques et les arts qu'ils n'ont pas encore oubliés.

— Gandang, mon Seigneur, je sens mon cœur prêt à se briser de nouveau, je sens les larmes se rassembler comme les pluies estivales. Faut-il donc qu'il y ait toujours la guerre ?

— Tu es fille de Matabélé, de pur sang zanzi. Le père de ton père a suivi Mosélékatsé, ton père a donné son sang pour lui, comme ton propre fils l'a fait pour Lobengula... As-tu des questions à poser ?

Elle se tut, sachant qu'il était vain de discuter avec lui lorsqu'il y avait cette lueur dans ses yeux. Lorsque la folie du combat l'envahissait, il n'y avait plus de place pour la raison.

— Jouba, ma Petite Colombe, il y aura du travail pour toi lorsque la prophétie de l'Umlimo sera pleinement réalisée.

— Lequel, Seigneur ?

— Il faut que les femmes portent les sagaies. Elles seront enveloppées dans les rouleaux de nattes et dans des bottes de foin, et transportées par les femmes jusqu'à l'endroit où les attendront les régiments de guerriers.

— Seigneur, dit-elle d'une voix neutre en baissant les yeux devant son regard où brillait un éclat dur.

— Les Blancs et leurs *kanka* ne soupçonneront pas les femmes, ils les laisseront passer sans les arrêter, poursuivit Gandang. Tu es la mère du peuple maintenant que les épouses du roi sont mortes ou dispersées. Il sera de ton devoir d'assembler les jeunes femmes, de les former à leur tâche et de veiller à ce qu'elles déposent les sagaies entre les mains des guerriers lorsque le temps prévu par l'Umlimo sera venu, lorsque le bétail sans cornes sera mangé par la croix.

Jouba hésitait à répondre, craignant de provoquer sa colère. Il dut appeler sa réponse.

— Tu m'as entendu, femme, et tu connais ton devoir envers ton époux et envers ton peuple.

Seulement alors, Jouba releva la tête et regarda dans ses sombres yeux féroces.

— Pardonne-moi, Seigneur. Cette fois-ci, je ne peux t'obéir. Je ne peux aider à amener le chagrin sur ce pays. Je ne supporte pas l'idée d'entendre de nouveau les sanglots des veuves et des orphelins. Tu devras en trouver une autre pour transporter l'acier sanglant.

Elle s'était attendue à sa colère. Elle aurait pu l'affronter comme elle l'avait déjà fait cent fois, mais elle vit dans ses yeux quelque chose qu'elle n'y avait jamais vu. C'était du mépris, et elle ne savait pas si elle le supporterait. Lorsque Gandang se leva sans un mot de plus et s'éloigna à grands pas vers la rivière, elle eut envie de courir après lui et de se jeter à ses pieds, mais elle se souvint alors des paroles de Nomousa.

« C'est un dieu bon, mais le chemin qu'il nous a tracé est difficile au-delà de toute expression. »

Et Jouba s'aperçut qu'elle ne pouvait bouger. Elle était tiraillée entre deux mondes et deux devoirs, et elle eut l'impression que son âme se déchirait.

Jouba resta assise toute seule sous le caprifiguier dénudé le reste de la journée. Elle avait les bras croisés sur son opulente poitrine et se balançait en silence, comme si le mouvement pouvait la réconforter tel un enfant agité, mais elle ne trouvait d'apaisement ni dans le mouvement ni dans la pensée. C'est donc avec soulagement qu'elle leva finalement les yeux et vit ses deux servantes agenouillées devant elle. Elle ne savait pas depuis combien de temps elles étaient là et ne les avait pas entendues arriver tant elle était absorbée par son chagrin et son trouble.

— Je te vois, Ruth, et toi aussi, Imbali, ma petite Fleur, dit-elle en faisant un signe de tête à la jeune convertie et à sa compagne. Qu'est-ce qui vous donne l'air si triste ?

— Les hommes sont partis dans les collines, murmura Ruth.

— Et vos cœurs sont partis avec eux, ajouta Jouba en souriant aux deux jeunes femmes.

Son sourire était affectueux et triste, comme si elle s'était souvenue des élans passionnés de sa jeunesse et regrettait que le feu ne brûle plus avec autant d'ardeur.

— Je n'ai rêvé que d'une chose pendant toutes les nuits où nous avons été parties, c'est à mon bel époux.

— Et au beau garçon qu'il va te donner, gloussa Jouba. (Elle savait combien la fille avait envie d'avoir un enfant, et elle la taquinait gentiment.) Ton mari Lelesa, la Foudre, est bien nommé.

Ruth laissa sa tête s'affaisser.

— Ne te moque pas de moi, *Mamewethu*, murmura-t-elle d'un ton pitoyable.

Jouba se tourna vers Imbali.

— Et toi, petite Fleur, il n'y a donc pas d'abeille non plus pour chatouiller tes pétales ?

La fille eut un petit rire, se couvrit la bouche et se tortilla, gênée.

— Si tu as besoin de nous, *Mamewethu*, dit Ruth avec conviction, nous resterons près de toi.

Jouba les laissa dans une cruelle incertitude pendant un petit moment. Elle admira la fermeté de leur chair, les formes douces de leurs jeunes corps, l'ardeur qui brûlait dans leurs yeux, leur appétit pour tout ce que la vie avait à offrir. Elle sourit de nouveau et frappa dans ses mains.

— Allez-vous-en, toutes les deux, dit-elle. D'autres ont davantage besoin de vous que moi. Allez-vous-en, suivez vos époux dans les collines.

Les filles poussèrent des cris de joie et, faisant fi de toute cérémonie, embrassèrent Jouba.

— Tu es le soleil et la lune, lui dirent-elles avant de filer vers leurs cases afin de se préparer pour le voyage.

Un instant le chagrin de Jouba en fut allégé. Mais à la tombée de la nuit, quand aucune jeune épouse ne vint la chercher pour qu'elle se rende dans la case de Gandang, il revint dans toute sa force. Elle sanglota seule sur sa natte jusqu'à ce que le sommeil vienne. Alors elle rêva — des rêves pleins de flammes et de l'odeur de la chair en décomposition —, et elle cria dans son sommeil, mais il n'y avait personne pour l'entendre et la réveiller.

Le général Mungo Saint John ramena sa monture au pas et regarda autour de lui les forêts dévastées. Il n'y avait plus aucun couvert végétal, les sauterelles y avaient veillé, et cela rendait sa tâche plus difficile.

Il souleva son chapeau à large bord et s'épongea le front. Se déplacer à cette époque de l'année était suicidaire. De grandes masses de cumulus pointaient à l'horizon, l'air surchauffé tremblait et formait des mirages au-dessus de la terre nue brûlée par le soleil. Saint John rajusta soigneusement le bandeau sur son orbite vide, et se tourna sur sa selle pour regarder la file des hommes qui le suivaient.

Ils étaient cinquante, tous Matabélé, mais arborant une tenue hétéroclite, bizarre mélange de vêtements traditionnels et européens. Certains portaient des pantalons de moleskine rapiécés, d'autres des pagnes de fourrure ornés de pompons. Certains étaient pieds nus, d'autres avaient des sandales de cuir vert ; d'autres encore, sans chaussettes ni bandes molletières, portaient des bottes ferrées. La plupart étaient torse nu, bien que quelques-uns fussent vêtus de tuniques de récupération ou de chemises en lambeaux. Tous avaient cependant en commun un élément d'uniforme : une plaque circulaire en cuivre, tenue par une chaînette sur le bras gauche, au-dessus du coude, où étaient gravés les mots « BSA Co. Police ».

Tous étaient armés d'une Winchester à répétition dernier modèle et d'une cartouchière. Leurs jambes étaient couvertes de poussière jusqu'aux genoux car ils avaient effectué une longue marche vers le sud en suivant le trot de la monture de Saint John. Celui-ci les passa rapidement en revue avec une sombre satisfaction. Malgré l'absence de couvert, il pensait que la vitesse à laquelle ils avaient progressé leur permettrait de prendre les kraals par surprise.

Cela lui rappelait les expéditions sur la côte ouest, quand, il y avait bien longtemps, il allait chercher des esclaves, avant que ce satané Lincoln et la Royal Navy aient mis fin à ce lucratif commerce. Par Dieu, c'était une époque bénie : la marche d'approche rapide, l'encerclement du village et, à l'aube, l'assaut des négriers qui tapaient avec leur gourdin sur les crânes des Noirs. Saint John se secoua. Était-ce un signe de l'âge que de revenir si souvent sur un passé révolu ? se demanda-t-il.

— Ezra !

Il appela son sergent auprès de lui. C'était le seul autre cavalier de la colonne. Il montait un cheval gris à la robe rude. Ezra était un Matabélé lourdaud à la joue couturée, souvenir d'un accident dans la mine de diamants de Kimberley, mille kilomètres plus au sud. C'était là-bas qu'il avait adopté son nouveau nom et appris l'anglais.

— À quelle distance est encore le kraal de Gandang ?

Ezra indiqua de la main un arc dans le ciel, qui représentait à peu près deux heures de trajet du soleil.

— Très bien, fit Saint John en hochant la tête. Envoie les éclaireurs. Je ne veux aucune faute. Explique-leur encore une fois qu'ils doivent traverser l'Inyati en amont du kraal et effectuer un mouvement tournant pour attendre au pied des collines.

— Nkosi, acquiesça Ezra.

— Dis-leur qu'ils doivent s'emparer de toute personne qui s'enfuirait du kraal et la ramener.

La traduction de chaque ordre ennuyait Saint John, et pour la énième fois depuis qu'il avait franchi le Limpopo, il se promit d'apprendre le ndébélé.

Ezra le salua avec excès, imitant les soldats britanniques qu'il avait observés par la fenêtre de sa cellule pendant qu'il purgeait une peine de prison pour vol de diamants, puis il se tourna sur sa selle et cria les ordres aux hommes qui suivaient les deux cavaliers.

— Avertis-les qu'ils doivent être en position avant l'aube. C'est à ce moment-là que nous entrerons dans le kraal.

Saint John défit la gourde accrochée au pommeau de sa selle et en dévissa le bouchon.

— Ils sont prêts, Nkosi, prévint Ezra.

— Très bien, sergent, donne-leur l'ordre de marche, dit Saint John en portant la gourde à ses lèvres.

Pendant les longues secondes qui suivirent son réveil, Jouba crut que les cris des femmes et les gémissements des enfants faisaient partie de ses cauchemars, et elle tira la couverture de fourrure par-dessus sa tête.

Puis il y eut un grand fracas et la porte de sa case fut enfoncée, des corps se précipitèrent à l'intérieur. Jouba se réveilla complètement et rejeta la couverture. Des mains rudes l'empoignèrent et, bien qu'elle criât et se débattît, elle fut traînée toute nue à l'extérieur. L'aube pâlissait déjà le ciel et les policiers avaient entassé de grosses bûches sur le feu, de sorte que Jouba reconnut immédiatement l'homme blanc. Elle se replia alors dans la foule des femmes qui gémissaient et pleuraient avant qu'il ne l'ait repérée.

Mungo Saint John était furieux, il vociférait à l'intention de son sergent et faisait des allées et venues à grandes enjambées devant le feu, tapant sur sa botte vernie avec sa cravache. Il avait le visage cramoisi comme les caroncules des *singisi* noires, ces grotesques urubus qui se dandinaient sur le veld comme des dindons, et son œil unique flamboyait à la lumière du foyer.

— Où sont les hommes ? Je veux absolument le savoir, où sont passés les hommes ?

Le sergent Ezra parcourait précipitamment les rangs des femmes apeurées et scrutait leurs visages du regard. Il s'arrêta devant Jouba et la reconnut instantanément, l'une des *grandes dames* de la tribu, tandis que celle-ci se redressait de toute sa taille, digne et majestueuse malgré sa totale nudité et sa corpulence. Elle s'attendait à quelque marque de respect, mais au lieu de cela, le sergent lui saisit le poignet et lui tordit le bras si brutalement qu'elle tomba à genoux.

— Où sont les *amadoda* ? fit-il d'une voix sifflante. Où sont partis les hommes ?

Jouba ravala le sanglot de douleur qui lui montait à la gorge et répondit d'une voix rauque :

— Il est vrai qu'il n'y a pas d'hommes ici, car ceux qui portent les petits bracelets en cuivre de Lodzi n'en sont certainement pas...

— Espèce de grosse vache, lâcha le sergent, et il tira brusquement le bras de Jouba vers le haut, l'obligeant à se jeter face contre terre.

— Assez, *kanka* ! lança une voix par-dessus le brouhaha, dont le ton et la puissance imposèrent immédiatement le silence. Laisse cette femme tranquille.

Malgré lui le sergent lâcha Jouba et même Mungo Saint John interrompit sa furieuse déambulation.

Gandang entra à grandes enjambées dans le cercle de lumière du feu ; bien qu'il ne portât que son bandeau d'induna et un court pagne, il était aussi menaçant qu'un lion en chasse et le sergent recula devant lui. Jouba se releva avec difficulté en se frottant le poignet, mais Gandang ne la regarda même pas. Il se dirigea rapidement vers Saint John et demanda :

— Que cherches-tu, homme blanc, en pénétrant de nuit dans mon kraal comme un voleur ?

Saint John regarda son sergent pour qu'il lui traduise ces paroles.

— Il dit que vous êtes un voleur, rapporta Ezra.

Saint John releva le menton et lança un regard furieux à Gandang.

— Dis-lui qu'il sait très bien pour quoi je suis venu, dis-lui que je veux deux cents hommes jeunes.

Gandang affecta immédiatement la stupidité étudiée qui sert de défense aux Africains, stratégie que peu d'Européens savent contrer et qui met en rage des hommes comme Saint John, incapables de comprendre la langue et obligés de se soumettre au processus laborieux de la traduction.

— Pour quelle raison veut-il que mes hommes aillent avec lui ? Ils sont très bien ici.

Les poings serrés de Saint John se mirent à trembler sous l'effort qu'il faisait pour se contenir.

— Tous les hommes doivent travailler, traduisit le sergent. C'est la loi des Blancs.

— Dis-lui, rétorqua Gandang, que ce n'est pas ainsi que vivent les Matabélé. Les *amadoda* ne voient aucune dignité ni aucun mérite dans le fait de creuser la terre. C'est une tâche pour les femmes et les *amaholi*.

— L'induna dit que ses hommes ne travailleront pas, traduisit le sergent avec malveillance.

Mungo Saint John ne put en entendre davantage. Il avança d'un pas rapide et frappa le visage de l'induna d'un coup de cravache.

Gandang cligna des yeux mais ne broncha pas ni ne leva la main pour toucher la zébrure tumescente et brillante apparue sur sa joue. Il ne fit rien pour éponger le filet de sang qui dégoulinait de sa lèvre ouverte sur son menton, puis tombait goutte à goutte sur sa poitrine nue.

— Mes mains sont vides pour l'instant, homme blanc, dit-il dans un murmure plus pénétrant qu'un cri. Mais il n'en sera pas toujours ainsi.

Et il tourna les talons pour regagner sa case.

— Gandang, hurla Saint John après lui. Tes hommes travailleront, même si je dois les pourchasser et les enchaîner comme des animaux.

Les deux filles suivaient la piste au trot, à cette allure souple et balancée qui ne perturbait pas l'équilibre des gros paquetages qu'elles portaient sur la tête. Ces paquetages contenaient des cadeaux pour leurs maris, sel et maïs foulé au pied, tabac à priser, perles de céramique et calicot pour les pagnes qu'elles avaient obtenu de Nomousa à force de cajoleries. Toutes deux avaient retrouvé bon moral, car elles étaient sorties de la zone détruite par les essaims de sauterelles, et les fleurs printanières des forêts d'acacias formaient une sorte de brume légère jaune d'or bruissante du vol des abeilles.

Devant elles se dressaient les premiers dômes granitiques nacrés, et c'était là qu'elles allaient retrouver les hommes, aussi badinaient-elles gaiement et échangeaient-elles des plaisanteries puériles ; leurs rires étaient doux comme des tintements de cloches et portaient au loin. Elles longèrent le pied d'une haute falaise et, sans marquer de pause, gravirent des marches naturelles de pierre grise. Celles-ci les conduisirent jusqu'à un profond ravin qui les mènerait au sommet.

Imbali marchait en tête au fond du ravin, ses fesses rondes et fermes se balançant sous son court pagne tandis qu'elle avançait en sautillant sur le sol irrégulier. Tout aussi pleine d'ardeur, Ruth la suivait de près à l'intérieur du coude que formait la piste entre deux énormes rochers ronds.

Imbali s'arrêta si brusquement en émettant un sifflement alarmé que Ruth faillit la heurter.

Un homme se tenait au milieu du sentier. C'était sans le moindre doute un Matabélé, mais les filles ne l'avaient jamais vu. L'inconnu portait une chemise bleue, et sur son bras étincelait un disque de cuivre. À la main, il tenait un fusil. Ruth jeta un bref coup d'œil derrière elle et siffla à son tour. Un autre homme armé était sorti de l'ombre du rocher et leur coupait la retraite. Il souriait, mais il n'y avait rien dans son sourire pour rassurer les filles. Elles déposèrent leurs fardeaux et se blottirent l'une contre l'autre.

— Où allez-vous, jolies petites chattes ? demanda le *kanka* souriant. Êtes-vous à la recherche d'un gros matou ?

Aucune des deux filles ne répondit. Elles le regardaient en ouvrant de grands yeux effrayés.

— Nous allons vous accompagner.

Le *kanka* avait la poitrine si large, ses jambes étaient si musclées qu'il en était difforme. Il avait les dents très blanches et grandes comme celles d'un cheval, mais son sourire n'atteignait jamais ses yeux, des yeux petits, froids et morts.

— Reprenez vos ballots, petites chattes, et conduisez-nous jusqu'aux chats.

Ruth secoua la tête.

— Nous sommes seulement à la recherche de racines médicinales. Nous ne comprenons pas ce que vous voulez de nous.

Le *kanka* s'approcha. Ses jambes torses lui donnaient une démarche singulière. Brusquement, il éventra le paquet de Ruth d'un coup de pied.

— Ah ! fit-il avec un sourire froid. Pourquoi portez-vous tous ces cadeaux si vous êtes à la recherche de *muti* ?

Ruth s'agenouilla et chercha parmi les rochers le maïs et les perles éparpillés. Le *kanka* en profita pour lui caresser le dos.

— Ronronne, petite chatte, fit-il toujours souriant.

Ruth se figea, accroupie à ses pieds, les mains pleines de maïs. Le *kanka* fit glisser légèrement ses doigts jusqu'à la nuque de la jeune femme. Sa main était énorme. Ruth commença à trembler tandis que ses doigts épais et puissants se refermaient autour de son cou.

Le *kanka* leva les yeux vers son compagnon, qui gardait toujours le sentier, et les deux hommes échangèrent un regard. Imbali le vit et comprit.

— C'est une jeune mariée, murmura-t-elle. Son mari est le neveu de Gandang. Prends garde, *kanka*.

L'homme l'ignora. Il releva Ruth en la tenant par le cou et lui tourna le visage vers lui.

— Conduis-nous à l'endroit où les hommes sont cachés.

Ruth le regarda sans mot dire pendant quelques instants, puis soudain, lui cracha au visage. La salive écumante lui éclaboussa les joues et dégoulina sur son menton.

— *Kanka !* lança-t-elle d'une voix sifflante. Traître de chacal !

L'homme ne cessa pas de sourire.

— C'est exactement ce que je voulais que tu fasses, dit-il en passant un doigt dans le lacet du pagne de Ruth.

Il tira d'un coup sec et le pagne tomba aux chevilles de la fille. Il la tenait toujours par la peau du cou, elle se débattait et se couvrait l'aine des deux mains. Le *kanka* regarda son corps nu et sa respiration s'accéléra.

— Tiens l'autre à l'œil, dit-il à son compagnon en lui lançant sa Winchester.

Celui-ci l'attrapa par la crosse et poussa Imbali avec le canon pour la faire reculer jusqu'au gros bloc de granit.

— Ce sera bientôt à notre tour, lui assura-t-il, et tout en tenant Imbali clouée au rocher, il tourna la tête pour regarder l'autre couple.

Le *kanka* tira Ruth hors du sentier, mais de quelques pas seulement, et les broussailles qui les cachaient étaient minces et sans feuilles.

— Mon mari te tuera, cria Ruth.

Depuis le sentier les autres entendaient tout, même le souffle rauque du *kanka*.

— Si je dois le payer de ma vie, donne-moi mon content, gloussa l'homme avant de pousser un cri de douleur. C'est que tu as les griffes acérées, petite chatte.

Il y eut ensuite un bruit de coup, les échos d'une lutte ; les buissons s'agitaient et des cailloux roulaient jusque sur le sentier. L'homme qui gardait Imbali s'efforçait de voir ce qui se passait. Il avait la bouche entrouverte et se léchait les lèvres, apercevant un mouvement à travers les broussailles. Puis il y eut le bruit d'un corps tombant lourdement au sol et on entendit l'air chassé violemment de la poitrine de Ruth par un poids écrasant.

— Tiens-toi tranquille, haletait le *kanka*. Tu vas finir par me mettre en colère. Reste tranquille. (Brusquement, Ruth poussa un hurlement, celui d'un animal à la torture, répété encore et encore.) Oui. Nous y sommes, oui, grogna le *kanka* avant de se mettre à souffler comme un porc.

Il y eut ensuite un bruit de claquement rythmique et Ruth continua de crier.

L'homme qui gardait Imbali posa le second fusil contre le rocher, fit un pas hors du sentier, écarta les branches avec le canon de sa Winchester et regarda. Son visage parut enfler et s'empourpra sous l'effet de l'excitation, toute son attention rivée sur ce qu'il voyait.

Imbali en profita pour se glisser furtivement le long du rocher, puis elle s'arrêta un instant pour rassembler ses forces et partit comme une flèche. Elle avait dépassé le coude du sentier avant que l'homme ne se soit retourné et l'ait vue.

— Reviens immédiatement ! cria-t-il.

— Que se passe-t-il ? demanda d'une voix épaisse le *kanka* derrière les buissons.

— L'autre fille est en train de s'enfuir.

— Rattrape-la, beugla le *kanka*, et son compagnon partit en courant à la poursuite d'Imbali.

Celle-ci avait déjà parcouru une cinquantaine de pas vers le bas de la colline et, prise de terreur, filait comme une gazelle sur le terrain accidenté. L'homme dégagea le chien de sa Winchester, épaula et tira précipitamment sans prendre le temps de viser. Il atteignit la fille par extraordinaire, au creux des reins. La balle traversa le ventre. Imbali s'écroula et dégringola le long du sentier abrupt.

Le policier abaissa son arme. L'air hébété, incrédule, il descendit lentement, en hésitant, jusqu'à l'endroit où était étendue la fille. Elle était sur le dos, les yeux grands ouverts. Ses entrailles dépassaient par l'ouverture.que la balle avait faite dans son jeune abdomen plat en ressortant. Les yeux d'Imbali se tournèrent vers le visage de son meurtrier, un instant envahis de terreur, puis ils s'éteignirent doucement et devinrent vides.

— Elle est morte.

Le *kanka* avait laissé Ruth et était descendu à son tour le long du sentier. Il n'avait pas pris le temps de remettre son pagne et les pans de sa chemise battaient contre ses jambes nues. Les deux hommes regardaient la morte.

— Je ne voulais pas faire ça, dit l'homme avec le fusil encore chaud entre les mains.

— Nous ne pouvons laisser l'autre rentrer chez elle et raconter ce qui s'est passé, répondit son compagnon en remontant le sentier.

En passant, il récupéra son fusil appuyé contre le rocher et quitta la piste pour retourner derrière l'écran de broussailles. L'autre était toujours en train de regarder les yeux vides d'Imbali lorsque éclata le second coup de feu. Il sursauta et leva la tête. Tandis que l'écho se perdait au milieu des falaises de granit, le *kanka* réapparut sur le sentier. Il éjecta la cartouche vide de la culasse et elle tomba sur la roche avec un bruit métallique.

— Il faut maintenant qu'on trouve une histoire à raconter à Œil Brillant et aux indunas, dit-il tranquillement en renouant son pagne de fourrure autour de sa taille.

Ils ramenèrent les deux filles au kraal de Gandang sur le dos du cheval gris du sergent. Leurs jambes pendaient d'un côté, leurs bras de l'autre. Ils avaient enveloppé d'une couverture grise leurs corps nus, comme s'ils avaient eu honte des blessures qu'on y voyait, mais le sang était passé à travers la laine, y avait séché, et de grosses mouches vertes s'agglutinaient avidement autour des taches.

Au centre du kraal, le sergent fit signe au *kanka* qui conduisait le cheval ; celui-ci se retourna et coupa la corde attachée autour des chevilles des filles. Déséquilibrés, les cadavres glissèrent tête la première sur la terre battue. Ils tombèrent sans dignité en un enchevêtrement de membres nus, comme du gibier rapporté d'une chasse dans le veld pour être dépecé et apprêté.

Les femmes, restées jusque-là silencieuses, commencèrent à entonner l'hululement obsédant du deuil. L'une d'elles ramassa une poignée de terre et se la répandit sur la tête. Les autres suivirent son exemple, et leurs cris donnèrent la chair de poule au sergent, bien qu'il restât impassible et s'adressât d'une voix assurée à Gandang.

— C'est toi qui as apporté cette tristesse à ton peuple. Si tu avais satisfait aux désirs de Lodzi et lui avais envoyé les hommes qu'il réclamait, comme il était de ton devoir, ces femmes auraient vécu pour porter des fils.

— Quel crime ont-elles commis ? demanda Gandang en regardant sa première épouse s'avancer et s'agenouiller près des corps sanglants maculés de poussière.

— Elles ont essayé de tuer deux de mes hommes.

— Hau ! s'exclama Gandang pour exprimer son incrédulité mêlée de mépris.

— Ils les avaient attrapées et voulaient les obliger à les conduire à l'endroit où se cachent les *amadoda*, rétorqua le ser-

132

gent d'une voix furieuse. Au camp la nuit dernière, pendant que mes hommes dormaient, elles s'apprêtaient à leur enfoncer des bâtons pointus dans les oreilles pour leur transpercer la cervelle, mais mes gars ont le sommeil léger, et lorsqu'ils se sont réveillés, les femmes se sont enfuies dans la nuit, et ils ont dû les arrêter.

Gandang resta longtemps les yeux fixés sur le sergent. Son regard était si terrible qu'Ezra se détourna pour observer Jouba. Agenouillée près de Ruth, elle lui referma les mâchoires, puis essuya délicatement le sang coagulé sur ses lèvres et ses narines.

— Fais attention à toi, chacal de l'homme blanc, avertit Gandang. Souviens-t'en chaque jour qu'il te reste à vivre.

— Tu oses me menacer, le vieux ? fanfaronna le sergent.

— Nous sommes tous appelés à mourir, mais certains meurent plus tôt et plus douloureusement que d'autres, répondit Gandang avec un haussement d'épaules avant de tourner les talons et de repartir vers sa case.

Gandang était assis tout seul près du petit feu fumant au milieu de sa case. Il n'avait touché ni au bœuf bouilli ni aux galettes de maïs blanc disposées sur un plat à côté de lui. Il regardait fixement les flammes et écoutait les lamentations des femmes et le battement des tam-tams.

Il savait que Jouba allait venir pour le prévenir lorsque les corps des deux filles auraient été lavés et enveloppés dans la peau d'un bœuf fraîchement abattu. Dès que le jour serait levé, il lui appartiendrait de superviser le creusement des tombes au centre de l'enclos à bestiaux. Il ne fut donc pas surpris d'entendre gratter à la porte et dit doucement à Jouba d'entrer.

Elle vint s'agenouiller à son côté.

— Tout est prêt, mon mari.

Il hocha la tête et tous deux restèrent silencieux un moment, puis Jouba dit :

— Je voudrais chanter l'hymne chrétien que Nomousa m'a appris lorsque les filles seront mises en terre.

Il inclina la tête en signe d'acquiescement, et Jouba continua.

— Je souhaite aussi que tu creuses leurs tombes dans la forêt pour que je puisse y placer des croix.

— Si c'est ce que demande ton nouveau dieu, eh bien, soit, approuva-t-il derechef avant de se lever et de se diriger vers sa natte à l'autre bout de la case.

— *Nkosi*, Seigneur, quelque chose encore, dit Jouba toujours agenouillée.

— Quoi donc ? demanda Gandang en se retournant, froid et distant.

133

— Mes femmes et moi porterons les sagaies comme tu me l'as demandé, murmura-t-elle. J'en ai fait le serment en plaçant mon doigt dans la plaie de Ruth. Je porterai l'acier aux *amadoda*.

Gandang ne sourit pas mais ses yeux perdirent leur froideur, et il lui tendit la main. Jouba se releva, vint à lui, il la prit par la main et l'entraîna vers la natte.

Bazo arriva des collines trois jours après qu'on eut enterré les deux filles sous les branches déployées d'un mimosa géant qui surplombait la rivière. Deux de ses hommes l'accompagnaient, et tous trois se rendirent directement sur les tombes, guidés par Jouba. Après un moment, Bazo laissa les deux jeunes mariés pleurer leurs épouses et alla auprès de son père qui l'attendait sous le caprifiguier.

Après qu'il eut fait les salutations de rigueur, ils burent à la même chope de bière qu'ils se passaient en silence. Lorsqu'elle fut vide, Gandang soupira.

— C'est terrible, dit-il.

Bazo leva soudain les yeux vers lui.

— Réjouis-toi, mon père. Remercie les esprits de tes ancêtres, car ils nous ont offert un marché plus avantageux que nous n'aurions jamais pu l'espérer.

— Je ne comprends pas, dit Gandang en dévisageant son fils.

— En échange de deux vies — des vies sans importance, qui auraient été perdues en vaines frivolités —, pour ce prix insignifiant, nous avons allumé un feu dans le cœur de notre peuple. Nous avons armé de courage jusqu'au plus faible et au plus poltron de nos *amadoda*. Nous savons maintenant qu'ils n'hésiteront pas lorsque le temps sera venu. Réjouis-toi, mon père, de cette chance qui nous a été donnée.

— Tu es devenu un homme impitoyable, murmura finalement Gandang.

— Je suis fier que tu me juges ainsi, répondit Bazo. Et si je ne suis pas assez impitoyable pour la tâche qui m'attend, alors mon fils ou son fils le sera en son temps.

— Tu n'accordes pas foi à l'oracle de l'Umlimo ? demanda Gandang. Elle nous a promis le succès.

— Non, mon père, fit Bazo en secouant la tête. Réfléchis bien à ses paroles. Elle nous a seulement dit d'essayer. Elle ne nous a rien promis. La réussite ou l'échec ne dépendent que de nous. C'est pourquoi nous devons être durs, sans pitié, ne faire confiance à personne, à l'affût de tout avantage possible et l'utilisant pleinement.

Gandang songea à tout cela pendant un moment, puis soupira de nouveau.

— Ce n'était pas comme cela avant.

— Et ça ne le sera jamais plus. Les choses ont changé, Baba, et nous devons changer avec elles.

— Dis-moi ce qui doit encore être fait, invita Gandang. De quelle façon puis-je aider à amener le succès ?

— Tu dois ordonner aux jeunes de redescendre des collines et d'aller travailler pour les Blancs comme ceux-ci l'ont demandé.

Gandang considéra la question en silence.

— À partir de maintenant, nous devons nous comporter comme des mouches. Nous devons vivre au rythme de l'homme blanc, si près de sa peau qu'il ne nous verra pas, si près qu'il en viendra à oublier que nous sommes là à attendre le moment de le piquer.

Gandang hocha la tête à ces paroles sensées, mais il y avait un regret insondable dans ses yeux.

— Je préférais quand nous adoptions la formation du buffle, les cornes déployées pour encercler l'ennemi, les vétérans massés au centre pour l'écraser. J'aimais le moment de l'assaut, lorsque nous marchions en entonnant le chant de louange du régiment, lorsque nous frappions l'adversaire en pleine lumière, plumes au vent.

— Il n'en sera jamais plus ainsi, lui dit Bazo. Plus jamais. À l'avenir, nous attendrons dans l'herbe comme une vipère lovée. Peut-être nous faudra-t-il attendre un an ou dix, une vie entière ou davantage... peut-être ne le verrons-nous jamais, mon père. Il se peut que ce soit nos enfants qui frappent l'ennemi depuis l'ombre avec d'autres armes que la lame d'acier étincelante que toi et moi aimons tant, mais c'est toi et moi qui allons ouvrir la route qu'il leur faudra suivre, le chemin du retour vers la grandeur.

Gandang acquiesça. Il y avait un éclat nouveau dans ses yeux, comme la première lueur de l'aube.

— Tu as une vision très claire, Bazo. Tu les connais si bien... et tu es dans le vrai. L'homme blanc est fort à tous égards, si ce n'est sur le chapitre de la patience. Il veut tout, tout de suite, alors que nous autres savons attendre.

Ils se turent de nouveau, assis épaule contre épaule. Quand Bazo bougea, le feu s'était à moitié éteint.

— Je vais partir avant l'aube.

— Où ça ? demanda Gandang.

— Vers l'est, chez les Mashona.

— Pour quoi faire ?

— Eux aussi doivent être prêts pour le grand jour.

135

— Tu vas chercher de l'aide auprès de ces chiens de Mashona, de ces mangeurs de terre ?

— Je vais chercher de l'aide partout où je peux en trouver, répondit simplement Bazo. Tanase dit que nous trouverons des alliés par-delà nos frontières, de l'autre côté du grand fleuve. Elle parle même d'alliés qui vivent dans un pays si froid que les eaux y deviennent dures et blanches comme du sel.

— Il existe un tel pays ?

— Je n'en sais rien. Je sais seulement que nous devons accepter volontiers tout allié, d'où qu'il vienne. Car les hommes de Lodzi sont de durs et féroces combattants. Nous l'avons appris tous deux à nos dépens.

Toutes les fenêtres de la voiture étaient ouvertes et les volets abaissés, de sorte que M. Rhodes pouvait converser librement avec les cavaliers qui l'escortaient. Ils formaient l'aristocratie de ce pays neuf, une douzaine d'hommes seulement, mais à eux tous, ils possédaient d'énormes étendues de terre fertile et vierge, d'immenses troupeaux de bétail indigène, des ensembles de concessions minières sur lesquelles reposaient des rêves de richesse incalculable.

L'homme assis dans ce luxueux équipage, tiré par un attelage de cinq mulets blancs, était leur chef. Bien que simple citoyen, il jouissait d'une richesse et d'un pouvoir que seuls les rois possédaient d'ordinaire. Sa British South Africa Company était à la tête d'un territoire plus vaste que le Royaume-Uni et l'Irlande réunis, qu'il administrait comme une propriété privée. Il contrôlait la production mondiale de diamants par l'intermédiaire d'un cartel qu'il avait rendu aussi puissant qu'un gouvernement élu. Il possédait directement les mines qui produisaient quatre-vingt-quinze pour cent des diamants de la planète. Sur les fabuleux champs aurifères du Witwatersrand, son influence n'était pas aussi grande qu'elle aurait pu l'être. Il avait laissé passer de nombreuses occasions d'acquérir des concessions le long du gisement, là où le riche conglomérat aurifère émergeait naguère au-dessus du niveau de la prairie, mince et noir comme un aileron de requin, avant que les mineurs ne l'aient rogné.

« Je ne sens pas la richesse dans ce filon, avait-il dit un jour d'un ton maussade tandis qu'il le contemplait de ses yeux bleu pâle de visionnaire, debout à la lisière. Lorsque je suis assis au bord du grand puits de Kimberley, je sais exactement combien de carats sont remontés par chaque benne, mais ce... » Il avait secoué la tête et était retourné à son cheval, abandonnant ainsi cent millions de livres d'or pur.

136

Lorsque, après avoir reconnu finalement le potentiel représenté par la « Crête des Eaux Blanches », il avait été sur le point de rattraper le temps perdu en acquérant les quelques terres encore disponibles, un tragique accident l'en avait empêché. Son ami le plus cher, un jeune homme beau et fin nommé Neville Pickering, son compagnon et associé depuis de longues années, avait été désarçonné et traîné par son cheval.

Rhodes était resté à Kimberley pour s'occuper de lui, puis, après la mort de Pickering, pour pleurer sa perte. Au cours de ces semaines tragiques, il avait laissé passer les occasions qui lui étaient offertes. Il avait néanmoins fini par créer sa Consolidated Goldfields Company, et bien qu'elle ne fût pas comparable à sa De Beers Consolidated Mines Company, ni à l'empire que son vieux rival J.B. Robinson avait bâti sur l'or, à la fin du précédent exercice, elle avait cependant permis de dégager un dividende de cent vingt-cinq pour cent.

Sa fortune était telle que, sur un coup de tête, il avait décidé d'être le premier à cultiver des fruitiers à feuilles caduques en Afrique australe et demandé à l'un de ses directeurs d'acheter l'ensemble de la vallée de Franschhoek.

— Cela va coûter un million de livres, monsieur Rhodes, avait fait remarquer le directeur.

— Je ne vous ai pas demandé de faire une estimation, rétorqua Rhodes d'un ton irrité. Je vous ai simplement donné un ordre : achetez !

Il s'agissait là de sa vie privée, mais sa vie publique n'était pas moins spectaculaire.

Il était conseiller privé de la reine, et il pouvait donc s'adresser directement aux hommes qui gouvernaient le plus grand empire que le monde ait jamais connu. En vérité, tous n'étaient pas favorablement disposés à son égard. Gladstone avait fait un jour cette remarque : « Je connais une seule chose à propos de M. Rhodes : il a gagné beaucoup d'argent en très peu de temps, et ce n'est pas pour m'inspirer une confiance inconditionnelle. »

Le reste de l'aristocratie anglaise se montrait moins critique, et chaque fois qu'il allait à Londres, il était la coqueluche de la bonne société. Lords, comtes et ducs se pressaient autour de lui, car des sièges restaient vacants au conseil d'administration de la BSA Company, avec jetons de présence à la clé, et sur un simple mot de M. Rhodes, on pouvait aller jusqu'à s'entretuer à la Bourse.

M. Rhodes était en outre le Premier ministre élu de la colonie du Cap. Il était assuré de recevoir les voix de tous les citoyens de langue anglaise et également, grâce aux bons offices de son

137

vieil ami Hofmeyr et de son Afrikander Bond, celles de la plupart des citoyens de langue hollandaise.

Ainsi, tandis qu'il se prélassait sur la banquette en cuir vert de sa voiture, vêtu avec négligence d'un costume froissé, le nœud de sa cravate de l'Oriel College à moitié défait, Cecil Rhodes était au faîte de sa puissance, de sa richesse et de son influence.

Jordan Ballantyne, assis face à M. Rhodes, faisait semblant d'examiner les notes en sténo que celui-ci venait de lui dicter, mais par-dessus son bloc, il regardait son maître avec inquiétude. Le large bord du chapeau de M. Rhodes ne permettait pas de distinguer ses yeux et empêchait Jordan d'y déceler toute trace de souffrance, mais il avait le teint congestionné, et bien qu'il parlât avec sa force d'antan, il transpirait plus que la température déjà élevée ne l'expliquait.

— Ballantyne, appela-t-il en élevant la voix, de ce ton haut perché, presque irrité.

Zouga Ballantyne éperonna son cheval pour venir à côté de la fenêtre de la voiture et se pencha sur sa selle avec prévenance.

— Dites-moi, mon cher, quel va être ce nouveau bâtiment ? demanda Rhodes en montrant les fondations toutes récentes et les tas de briques rouge foncé que l'on voyait à l'intersection de deux larges rues en terre battue de Bulawayo.

— C'est la nouvelle synagogue, répondit Zouga.

— Mes juifs ont donc décidé de rester ! s'exclama M. Rhodes avec un sourire, et Zouga le soupçonna d'avoir su avec précision quelle était la destination de la construction en cours et d'avoir posé la question uniquement pour placer un bon mot. C'est donc que tout ira bien dans mon pays neuf, Ballantyne. Ce sont des oiseaux de bon augure qui ne se percheraient jamais sur un arbre marqué pour l'abattage.

Zouga rit consciencieusement, et ils continuèrent à bavarder pendant que Ralph Ballantyne, au milieu des autres cavaliers, les observait. Son intérêt était tel qu'il négligeait la dame qui chevauchait à son côté, aussi elle lui donna une tape sur le bras avec sa cravache.

— J'ai dit qu'il allait être intéressant de voir ce qui va se passer lorsque nous arriverons à Khami, répéta Louise, et Ralph reporta toute son attention sur sa belle-mère.

Elle chevauchait à califourchon, et c'était la seule femme qu'il connaissait à monter ainsi. Bien qu'elle portât des jupes-culottes descendant jusqu'à la cheville, elle se tenait en selle avec élégance et assurance. Ralph l'avait vue battre de vitesse son propre père à l'occasion d'une course épuisante avec parcours libre sur terrain accidenté. Cela se passait à Kimberley, avant leur arrivée dans ce pays, plus au nord, mais les années avaient été clémentes pour Louise. Ralph sourit intérieurement en se souvenant du béguin qu'il avait eu pour elle lorsqu'il l'avait vue pour la première fois conduisant son phaéton tiré par deux palominos dans la rue principale bondée de Kimberley. Le temps avait passé et, bien qu'elle ait épousé son père, depuis, il éprouvait toujours pour elle une affection particulière qui n'était certainement ni filiale ni dictée par le devoir. Elle n'avait que quelques années de plus que lui, et le sang des Indiens Blackfoot qui coulait dans ses veines conférait à sa beauté un certain caractère intemporel.

— Je n'arrive pas à croire que même Robyn, mon honorée tante et belle-mère, ne mette pas à profit le mariage de sa plus jeune fille pour en tirer quelque avantage politique, dit Ralph.

— En êtes-vous assez sûr pour parier, disons, une guinée ? demanda Louise avec un sourire qui découvrit ses dents blanches et régulières, mais Ralph éclata de rire en renversant la tête en arrière.

— J'ai bien appris la leçon... je ne parierai plus jamais de ma vie contre vous, dit-il, puis en baissant le ton : Qui plus est, je ne crois guère en réalité à la capacité de ma belle-mère de se contenir.

— Alors pourquoi diable M. Rhodes invite-t-il tant pour eux à la noce ? Il doit savoir à quoi s'attendre.

— Eh bien, primo, il est propriétaire du terrain sur lequel est construite la mission, secundo, il a probablement l'impression que les dames de la mission le frustrent d'un bien précieux, répondit Ralph en levant le menton pour désigner le futur marié. Harry Mellow, qui chevauchait un peu en avant du groupe, avait une fleur à la boutonnière, un sourire aux lèvres et du vernis sur ses bottes.

— Il ne l'a pas perdu, fit remarquer Louise.

— Il l'a flanqué à la porte dès qu'il a compris qu'il lui serait impossible de décider Harry à changer d'avis.

— C'est pourtant un géologue de grand talent ; on dit qu'il peut flairer la présence de l'or à un mile de distance.

— M. Rhodes n'apprécie pas que ses collaborateurs convolent en justes noces, aussi grand soit leur talent.

— Pauvre Harry, pauvre Vicky, que vont-ils faire ?

— Oh, tout cela est déjà arrangé, dit Ralph, rayonnant.

— Vous ? hasarda Louise.

— Qui d'autre ?

— J'aurais dû m'en douter. En fait, ça ne me surprendrait pas d'apprendre que vous avez manigancé toute l'affaire, accusa Louise, et Ralph prit l'air contrit.

— Vous me faites une grande injustice, mama.

Il savait qu'elle n'aimait pas ce titre et il l'utilisa délibérément pour la taquiner. Puis Ralph regarda en avant et il changea d'expression comme un chien de chasse sentant la présence du faisan.

La petite troupe avait dépassé les dernières constructions neuves et baraques de la ville, et s'était engagée sur la large piste défoncée par les chars à bœufs. Venant du sud, un convoi d'une dizaine de chariots de transport arrivait dans leur direction, si étiré que seules les colonnes de poussière blanche qui s'élevaient au-dessus des acacias en forme de parasol signalaient la présence du plus éloigné. Sur la bâche du plus proche, Louise pouvait lire le nom de la compagnie, RHOLANDS, la forme abrégée de « Rhodesian Lands and Mining Co. », que Ralph avait choisi pour recouvrir ses multiples activités.

— Bon sang, s'exclama-t-il joyeusement, ce bon vieux Isazi a cinq jours d'avance sur la date prévue. Ce petit diable noir est un miracle. (Il inclina son chapeau pour prendre congé de Louise.) Le devoir m'appelle, je vous prie de m'excuser, mama.

Il partit au galop, sauta de son cheval à hauteur du chariot de tête et embrassa le petit personnage en tunique militaire de récupération qui marchait en sautillant sur le flanc de l'attelage et brandissait un fouet de trente pieds de long.

— Qu'est-ce qui vous a retenu si longtemps, Isazi ? s'enquit Ralph. Auriez-vous par hasard rencontré une jolie Matabélé en chemin ?

Le petit conducteur zoulou fit effort pour ne pas sourire, mais son visage ridé se plissa et une étincelle malicieuse brilla dans ses yeux.

— Je suis encore capable de faire leur affaire à une Matabélé, à sa mère et à toutes ses sœurs pendant le temps qu'il vous faut pour atteler un seul bœuf.

Ce n'était pas une affirmation de virilité de sa part mais une allusion oblique aux compétences de conducteur d'attelage de Ralph. Isazi lui avait appris tout ce qu'il savait de la route, mais il continuait de le traiter avec la condescendance indulgente d'ordinaire réservée aux petits garçons.

— Non, petit Faucon, je ne voulais pas vous frustrer de votre prime en les amenant ici en retard sur le temps prévu.

Ce qui était pour Isazi le moyen de rappeler gentiment à son employeur ce qu'il attendait lors de la prochaine paye. Toujours coiffé de l'anneau d'induna que lui avait accordé le roi Cetewayo avant la bataille d'Ulundi, le petit Zoulou se recula et regarda Ralph avec l'œil critique qu'il réservait d'habitude aux bœufs.

— Hau, Henshaw, quels sont ces beaux atours ? (Il examina le costume de Ralph, ses bottes anglaises et le brin de mimosa passé à sa boutonnière.) Même des fleurs, comme une jeune fille minaudière à sa première danse. Et qu'est-ce que c'est que ça sous votre veste ? C'est apparemment le Nkosikazi qui porte les bébés dans votre famille.

Ralph baissa les yeux vers sa taille. Isazi exagérait : il était difficile d'y trouver un atome de graisse superflue, rien en tout cas qu'une semaine de chasse ne soit à même d'éliminer, mais Ralph continua de plaisanter comme tous deux aimaient à le faire.

— C'est le privilège des grands hommes de porter de beaux vêtements et de manger une bonne nourriture, dit-il.

— En ce cas, il faut vous y mettre, petit Faucon aux belles plumes, rétorqua Isazi en secouant la tête d'un air désapprobateur. Mangez votre content. Pendant que d'autres plus avisés accomplissent la véritable besogne, allez vous amuser comme un gamin.

La chaleur de son sourire faisait mentir le ton de sa voix et Ralph lui tapa sur l'épaule.

— Il n'y a probablement jamais eu de conducteur comme vous, Isazi, et il n'y en aura probablement jamais plus.

— Hau, Henshaw, je vous ai donc appris quelque chose, même si c'est seulement à reconnaître la véritable grandeur quand vous la voyez, gloussa finalement Isazi en levant son fouet avec un claquement pareil à un coup de fusil avant d'appeler ses bœufs. Allez, Fransman, espèce de diable noir ! Allez, Satan, mon beau. *Pakamisa*, vas-y !

Ralph remonta en selle, fit reculer son cheval sur le bas-côté de la route et regarda passer bruyamment ses chariots chargés. Ce convoi à lui seul allait lui rapporter trois mille livres, et il avait deux cents chariots qui sillonnaient le subcontinent dans tous les sens. Ralph secoua la tête en se souvenant de la vieille guimbarde de dix-huit pieds avec laquelle Isazi et lui étaient partis de Kimberley pour leur premier voyage. Il l'avait achetée en empruntant et chargée de marchandises qui ne lui appartenaient pas.

— Une route longue et difficile, pensa-t-il tout haut en faisant pirouetter son cheval et en le poussant au galop à la poursuite de la voiture et de son escorte.

Il revint se placer à côté de Louise, qui sortit brusquement de sa rêverie comme si elle n'avait même pas remarqué son absence.

— En train de rêver, l'accusa Ralph, et elle étendit les doigts de sa jolie main en un geste qui reconnaissait sa culpabilité, puis elle la leva pour montrer quelque chose.

— Regardez, Ralph, comme il est beau !

Un oiseau voletait au-dessus de la piste en avant de la voiture. C'était une pie-grièche au bec noir brillant et au plastron cramoisi qui rougeoyait comme un rubis dans la lumière blanche du soleil.

— Comme tout est beau, exulta Louise tandis que l'oiseau disparaissait dans les broussailles, puis elle se tourna sur sa selle pour embrasser l'horizon d'un grand geste du bras qui fit danser les pompons de sa veste en daim blanche. Savez-vous, Ralph, que King's Lynn est la première vraie maison que j'aie jamais eue ?

C'est seulement alors que Ralph se rendit compte qu'ils étaient encore sur les terres de son père. Zouga Ballantyne avait affecté toute la fortune qu'il avait gagnée grâce au soubassement rocheux bleu de la mine de Kimberley à l'achat de concessions foncières. Elles avaient été accordées aux soldats de Jameson pour leur participation à la force expéditionnaire qui avait vaincu Lobengula, mais les instables et les jamais-contents s'en étaient débarrassés. Chacun avait eu droit à plus de mille cinq cents hectares de son choix, et certains les avaient cédés à Zouga à très bas prix.

Il aurait fallu trois jours à un cavalier pour faire le tour de King's Lynn. La maison que Zouga avait construite pour Louise se trouvait sur une colline éloignée qui dominait la vaste plaine couverte d'acacias et d'herbe grasse ; son chaume doré et ses briques brun-rouge se confondaient avec la frondaison ombreuse de grands arbres, comme si elle avait toujours été là.

— Ce pays magnifique nous sera très bénéfique, murmura-t-elle d'une voix rauque, les yeux débordant d'une joie presque religieuse. Vicky va se marier aujourd'hui, et ses enfants deviendront grands et forts. Peut-être...

Elle s'interrompit et un nuage passa derrière ses yeux. Elle n'avait pas encore abandonné tout espoir de porter un enfant de Zouga. Chaque nuit, après qu'il lui eut fait l'amour, elle restait étendue les mains sur le ventre, les cuisses serrées comme pour conserver en elle sa semence, et elle priait pendant que lui dormait tranquillement à ses côtés.

— Peut-être..., répéta-t-elle, mais ne serait-ce que d'en parler eût été de mauvais augure, et elle dit finalement : Peut-être que Jonathan ou l'un de vos futurs enfants sera un jour le maître de King's Lynn. (Elle lui posa la main sur le bras.) Ralph, j'ai cette étrange prémonition que nos descendants vivront ici pour toujours.

Ralph lui sourit affectueusement et couvrit sa main avec la sienne.

— M. Rhodes lui-même ne nous donne que quatre mille ans à rester ici, ma chère Louise. Ça ira quand même ?

— Oh, vous ! Vous ne serez jamais sérieux ! fit-elle en lui donnant une tape sur l'épaule.

Puis elle poussa une exclamation et lança son cheval hors de la procession.

Au bord de la piste, sous l'ombrelle d'un des acacias, se tenaient deux jeunes Matabélé, dont aucun n'avait plus de dix ans. Ils ne portaient qu'un petit pagne et baissèrent la tête timidement lorsque Louise les salua en excellent ndébélé. Une douzaine de ces *mujiba* étaient employés à King's Lynn pour garder les grands troupeaux de bétail indigène et les beaux taureaux reproducteurs que Zouga avait ramenés du sud. Louise connaissait cependant les deux gamins par leur nom et leur visage s'éclaira d'une authentique affection lorsqu'ils lui rendirent son salut.

— Je te vois aussi, Balela.

Le nom de louange que les serviteurs de King's Lynn avaient donné à Louise signifiait « celle qui amène un ciel clair et ensoleillé ». Jusqu'à ce que celle-ci fouille dans la poche de sa jupe et laisse tomber un morceau de sucre candi dans leurs paumes jointes, les deux enfants restèrent là, répondant consciencieusement à ses questions.

Ils retournèrent en gambadant à leurs troupeaux, les joues gonflées comme celles d'écureuils, les yeux agrandis de plaisir.

— Vous les gâtez, la réprimanda Ralph quand elle le rejoignit.

— Ce sont nos gens, répondit-elle simplement, puis presque à regret : Voilà la limite de la propriété. Je déteste sortir de nos terres.

La petite caravane dépassa le piquet planté au bord de la piste et s'engagea sur le territoire de la mission de Khami. C'est cependant près d'une heure plus tard que les mulets tirèrent la voiture le long d'une pente abrupte bordée d'une brousse épaisse et s'arrêtèrent pour souffler en haut du col qui dominait l'église blanchie à la chaux et les bâtiments annexes.

C'était comme si une armée avait dressé le camp dans la vallée.

Jordan sauta de la voiture, se débarrassa du cache-poussière en coton qui protégeait son beau costume gris et remit en ordre les boucles dorées de ses cheveux en se dirigeant vers son frère.

— Que diable se passe-t-il, Ralph ? demanda-t-il. Je ne m'attendais pas à une chose pareille.

— Robyn a invité la moitié de la population matabélé à la noce, et l'autre moitié s'est invitée elle-même, répondit Ralph avec un petit sourire. Certains ont parcouru une centaine de miles pour être ici. Tous ceux qu'elle a soignés ou convertis, tous les hommes, toutes les femmes et tous les enfants qui sont venus un jour ici lui demander une faveur ou un conseil, tous ceux qui l'appellent « Nomousa » — ils sont tous venus, et ils ont amené leurs parents et leurs amis. Ce seront les plus grandes réjouissances depuis que Lobengula a présidé à la dernière cérémonie de la *Chawala* en 93.

— Mais qui va nourrir tout ce monde ? demanda Jordan, en venant immédiatement aux questions d'intendance.

— Oh, Robyn peut se permettre de claquer une partie de ses droits d'auteur, et je lui ai fait cadeau de cinquante têtes de bétail. On dit que la femme de Gandang, la grosse Jouba, a brassé mille gallons de sa fameuse *twala*. Ils seront pleins comme des outres et débordants de bonne humeur. (Ralph tapa affectueusement sur le bras de son frère.) Ce qui me fait penser que j'ai moi-même une soif terrible. Allons-y, j'ai hâte d'arriver.

De chaque côté de la piste, des centaines de jeunes filles chantaient, parées de perles et de fleurs ; leur peau enduite de graisse et d'argile luisait au soleil comme du bronze. Leurs courts pagnes tournoyaient autour de leurs cuisses tandis qu'elles se balançaient et tapaient du pied pour marquer la cadence.

— Bon sang, Jordan, as-tu jamais vu une aussi jolie brochette ? lança Ralph pour taquiner son frère, connaissant sa réserve et sa pruderie avec les femmes. Ces deux-là te réchaufferaient même dans une tempête de neige !

Jordan rougit et repartit en vitesse auprès de son maître alors que les filles s'agglutinaient autour de la voiture, obligeant les mulets à marcher au pas. L'une des filles reconnut M. Rhodes.

— Lodzi ! s'écria-t-elle.

Son cri fut repris par les autres : « Lodzi ! Lodzi ! »

Puis elles virent Louise. « Balela, nous te voyons. Sois la bienvenue, Balela, se mirent-elles à chanter en frappant dans leurs mains et en se balançant. Bienvenue à Celle qui amène un ciel clair et ensoleillé. »

Enfin, elles reconnurent Zouga, et elles lancèrent : « Viens en paix, le Poing. » Puis à Ralph : « Nous te voyons, petit Faucon, et nos yeux sont blancs de joie. »

Zouga leva son chapeau et l'agita au-dessus de sa tête.

— Par Dieu, murmura-t-il à Louise, j'aimerais que Labouchère et ceux de cette damnée Société pour la protection des aborigènes soient là pour voir ça.

— Ils sont heureux et tranquilles comme ils ne l'ont jamais été sous le gouvernement sanguinaire de Lobengula, admit Louise. Ce pays nous sera bénéfique, je le sens au fond de mon cœur.

Monté sur son cheval, Ralph voyait par-dessus les têtes des filles. Il n'y avait que très peu d'hommes dans la foule, et ils restaient en lisière. Un visage attira cependant son attention, un visage grave au milieu de tous ces sourires.

— Bazo ! lança Ralph en faisant signe de la main, et le jeune induna le regarda longuement, toujours sans sourire. Nous nous verrons plus tard, cria le cavalier emporté par la cohue le long de l'allée de grands spathodéas vert sombre aux fleurs orange vif.

Lorsqu'ils arrivèrent aux pelouses, les jeunes Noires restèrent en retrait, car, par un accord tacite, celles-ci étaient réservées aux invités blancs. Ils étaient une centaine assemblés sous la large véranda en chaume. Cathy était là, arrivée trois jours plus tôt pour aider aux préparatifs. Elle était svelte et décontractée dans sa robe en mousseline jaune, son chapeau de paille aussi grand qu'une roue de charrette décoré de fleurs en soie de couleurs vives que Ralph avait commandées à Londres.

Jonathan poussa un cri en voyant son père, mais Cathy le tint fermement par la main pour l'empêcher d'être piétiné par la foule qui se précipitait pour entourer le marié dans une tempête d'acclamations et de paroles de bienvenue. Ralph laissa son cheval, fendit la foule et Cathy faillit perdre son chapeau dans la fougue de son étreinte. Elle le rattrapa in extremis, puis se figea et devint toute pâle.

La portière de la voiture venait de s'ouvrir, Jordan sauta à terre et mit en place le marchepied.

— Ralph ! bredouilla Cathy en serrant le bras de son mari. C'est lui ! Qu'est-ce qu'il vient faire là ?

La masse imposante de M. Rhodes était apparue dans l'encadrement de la portière, et tout le monde se tut sous le coup de la surprise.

— Oh, Ralph, que va dire maman ? Vous ne pouviez pas l'empêcher de venir ?

— Personne ne peut l'empêcher de faire quoi que ce soit, murmura Ralph sans la lâcher. Et puis ce sera plus excitant qu'un combat de coqs...

Tandis qu'il prononçait ces paroles, Robyn Saint John, attirée par l'agitation, apparut sur le pas de sa porte. Son visage, encore rougi par la chaleur du fourneau, rayonnait d'un sourire de bienvenue destiné aux derniers arrivants, mais il s'évanouit quand elle reconnut l'homme debout sur le marchepied de la voiture. Elle se raidit, et pâlit.

— M. Rhodes, je suis ravie que vous soyez venu à Khami, dit-elle d'une voix claire dans le silence. (Rhodes cligna des yeux comme si elle l'avait giflé. Il s'était attendu à tout, sauf à cet

accueil, et il salua de la tête en un geste galant mais mesuré.)
Parce que cela me donne l'occasion inespérée de vous intimer
de ne pas franchir mon seuil.

M. Rhodes s'inclina avec soulagement, n'aimant pas les situa-
tions ambiguës sur lesquelles il n'avait aucune prise.

— Accordons que votre juridiction s'étend jusque-là, admit-il.
Mais ce côté-là de votre seuil, le terrain sur lequel je me trouve,
appartient à la BSA Company, dont je suis le président...

— Non, monsieur, objecta Robyn avec feu. La Compagnie m'a
concédé l'usufruit...

— Voilà un subtil point de droit, coupa M. Rhodes en hochant
la tête gravement. Je demanderai à mon administrateur, le Dr
Leander Starr Jameson, de nous donner là-dessus un avis éclairé
et décisif. Mais en attendant, j'aimerais lever mon verre au bonheur des jeunes mariés.

— Je puis vous assurer, monsieur Rhodes, qu'on ne vous servira pas de rafraîchissement à Khami.

Sur un signe de tête de M. Rhodes, Jordan retourna précipitamment à la voiture. Dans un soudain accès d'activité, il dirigea
les domestiques en uniforme qui déballèrent les chaises et les
tables de camping et les disposèrent à l'ombre du jeune feuillage
dont les spathodéas s'étaient couverts depuis le passage des
sauterelles.

Pendant que M. Rhodes et son escorte s'installaient, Jordan
faisait sauter le bouchon de la première bouteille de champagne
et remplissait une coupe en cristal, et Robyn Saint John disparaissait brusquement à l'intérieur de la maison.

— Elle nous prépare quelque chose, dit Ralph en déposant
Jonathan dans les bras de Cathy avant de traverser la pelouse
en courant.

Il sauta par-dessus le muret de la véranda et fit irruption dans
la salle de séjour au moment où Robyn prenait un fusil de chasse
sur le râtelier accroché au manteau de la cheminée.

— Tante Robyn, que faites-vous là ?

— Je change les cartouches... remplace les petits plombs par
des cartouches pour gros gibier.

— Ma belle-mère bien-aimée, vous ne pouvez pas faire ça,
protesta Ralph en se rapprochant tout doucement.

— Utiliser des cartouches pour gros gibier ? demanda Robyn
en contournant Ralph prudemment afin de rester hors de portée, le fusil de chasse serré contre sa poitrine.

— Vous ne pouvez pas le tuer.

— Pourquoi pas ?

— Songez au scandale.

— Le scandale et moi faisons bon ménage aussi loin que remontent mes souvenirs.

— Pensez alors à la pagaille que cela va provoquer, insista Ralph.

— Je vais faire ça sur la pelouse, répondit Robyn.

Ralph savait qu'elle ne plaisantait pas ; il chercha désespérément l'inspiration et la trouva.

— Sixième commandement, cria-t-il. (Robyn s'immobilisa et le regarda.) Sixième commandement : tu ne tueras point.

— Dieu ne parlait pas de Cecil Rhodes, dit-elle, mais une ombre d'hésitation passa dans ses yeux.

— Si le Tout-Puissant avait permis qu'on chasse certain gibier, je suis sûr qu'il aurait ajouté une note en bas de page à cet effet, rétorqua Ralph en profitant de l'avantage.

Robyn soupira et retourna au sac à cartouches suspendu à son crochet.

— Que faites-vous ? demanda Ralph soupçonneux.

— Je remets les petits plombs, murmura Robyn. Dieu n'a rien dit à propos des simples blessures.

Mais Ralph saisit le fusil par la crosse et Robyn le lâcha sans grande résistance.

— Oh, Ralph, reprit-elle tout bas. Le toupet de cet homme ! J'aimerais avoir le droit de blasphémer.

— Dieu comprendra.

— Qu'il aille se faire fiche !

— Ça va mieux ?

— Pas vraiment.

— Tenez, dit-il en sortant la flasque en argent de sa poche.

Elle but une gorgée et cligna des yeux, envahis par des larmes de colère.

— Et maintenant, ça va mieux ?

— Un peu, admit-elle. Ralph, que dois-je faire ?

— Vous conduire avec une froide dignité.

— C'est juste.

Elle leva le menton avec détermination et retourna sur la véranda.

Sous les spathodéas, Jordan avait revêtu un tablier blanc et une toque de cuisinier, et il servait du champagne et d'énormes feuilletés dorés à qui en voulait. La véranda, qui avait grouillé d'invités avant l'arrivée de la voiture, était à présent déserte, et une foule joviale entourait M. Rhodes.

— Nous allons commencer à cuire les saucisses, annonça Robyn à Jouba. Mets tes filles à l'ouvrage.

— Ils ne sont même pas encore mariés, Nomousa, protesta Jouba. La noce n'a lieu qu'à cinq heures...

147

— Donne-leur à manger, ordonna Robyn. Je mise sur mes saucisses contre les feuilletés de Jordan Ballantyne pour les faire revenir.

— Et moi, je parie que le champagne de M. Rhodes les retiendra là-bas, lui dit Ralph. En avez-vous à leur offrir ?

— Pas une goutte, reconnut Robyn. J'ai de la bière et du cognac, mais pas de champagne.

Ralph accrocha le regard d'un des plus jeunes invités installés sur la pelouse. C'était le directeur de l'épicerie générale de Bulawayo, dont Ralph était le propriétaire. Il se précipita sur la véranda pour venir aux côtés de son patron, écouta attentivement ses instructions, puis courut à son cheval.

— Où l'avez-vous envoyé ? demanda Robyn.

— Un de mes convois est arrivé aujourd'hui. Il n'aura pas encore été déchargé. Nous allons avoir un chariot bourré de champagne dans quelques heures.

— Je n'arriverai jamais à vous rembourser, Ralph.

Robyn le regarda pendant quelques instants, puis, ce qu'elle n'avait jamais encore fait, se dressa sur la pointe des pieds et lui déposa un baiser sur les lèvres avant de retourner précipitamment à la cuisine.

Le chariot de Ralph franchit la colline à un moment crucial. Jordan en était à sa dernière bouteille de champagne, les bouteilles vides s'entassaient derrière sa table à tréteaux, et les invités avaient commencé à se déplacer vers les barbecues sur lesquels les saucisses de bœuf épicées de Robyn grésillaient dans des nuages de vapeur aromatique.

Isazi arrêta le chariot sous la véranda et, tel un prestidigitateur, écarta la bâche pour exposer aux regards son chargement. La foule vint voir, laissant M. Rhodes assis tout seul près de sa luxueuse voiture.

Peu après, Jordan s'approcha furtivement de son frère.

— Ralph, M. Rhodes aimerait acheter quelques caisses de ton meilleur champagne.

— Je ne vends pas au détail. Dis-lui que c'est le chariot entier ou rien. À vingt livres la bouteille, annonça Ralph avec un sourire cordial.

— C'est du vol manifeste, s'exclama Jordan.

— C'est aussi le seul champagne qu'on trouve dans le Matabeleland.

— M. Rhodes ne sera pas content.

— Je le serai assez pour deux. Et dis-lui que c'est payable comptant et à l'avance.

Pendant que Jordan repartait apporter ces mauvaises nouvelles à son maître, Ralph s'approchait d'un pas nonchalant du marié et lui passait un bras autour de l'épaule.

— Harry mon ami, vous me devez une fière chandelle. On parlera encore de vos noces dans cent ans. Mais avez-vous déjà annoncé à l'adorable Victoria où elle allait passer sa lune de miel ?

— Pas encore, reconnut Harry Mellow.

— Sage décision, mon vieux. Le pays de Wankie n'a pas le même attrait que la suite matrimoniale de l'hôtel Mont Nelson au Cap.

— Elle comprendra, affirma Harry, avec plus de force que de conviction.

— Bien sûr qu'elle comprendra, assura Ralph en repartant à la rencontre de Jordan. (Celui-ci revenait en brandissant le chèque que M. Rhodes avait griffonné sur une étiquette arrachée à une bouteille de champagne.) C'est charmant et tout à fait de circonstance, murmura Ralph en fourrant le papier dans sa poche. Je vais envoyer Isazi chercher un autre chariot.

La rumeur que le champagne était servi gratuitement à pleins chariots à la mission de Khami transforma Bulawayo en une ville fantôme. Incapable de faire face à cette concurrence, le barman du Grand Hôtel ferma son établissement dûment et se joignit à l'exode en direction du sud. Dès que la nouvelle leur parvint, les arbitres arrêtèrent le match de cricket qui se jouait sur le terrain de parade de la police, et les vingt-deux joueurs, encore vêtus de leur pantalon de flanelle, formèrent une garde d'honneur au chariot d'Isazi, tandis que derrière eux suivait à cheval, à bicyclette ou à pied ce qui restait de la population de la ville.

La petite église de la mission ne pouvait contenir qu'une partie des invités et de ceux qui ne l'étaient pas ; les autres envahirent les champs, bien que la plus forte concentration se trouvât toujours autour des deux chariots pourvoyeurs de boisson, bien séparés l'un de l'autre. De copieuses rasades de champagne tiède avaient rendu les hommes bruyants et bon nombre de femmes parlaient fort, d'une voix larmoyante, et c'est sous un tonnerre d'acclamations que la mariée fit enfin son apparition sur la véranda de la mission.

Au bras de son beau-frère et accompagnée de ses sœurs, Victoria parcourut l'allée que lui ouvrait la foule à travers la pelouse.

Avec ses grands yeux rayonnants de joie et la masse cuivrée de ses cheveux déployée sur le satin blanc de sa robe, elle était déjà jolie, mais quand elle effectua le chemin en sens inverse au bras de son époux, elle était franchement belle.

— Parfait, annonça Ralph. Le mariage est légalisé. La fête peut commencer.

Il fit signe à l'orchestre, un quartet réuni à la hâte conduit au violon par le seul entrepreneur des pompes funèbres du Matabeleland. Les musiciens se lancèrent dans une ritournelle d'opérette endiablée, seule partition disponible au nord du Limpopo. Chacun d'eux donna sa propre interprétation du *Mikado*, de sorte que, suivant leur penchant et au gré des effets du champagne, les danseurs purent valser ou danser la polka sur le morceau.

Le lendemain à l'aube, l'atmosphère commençant à s'échauffer, la première bagarre éclata derrière l'église. Ralph y mit fin cependant en déclarant aux protagonistes en manches de chemise : « Ça ne se fait pas, messieurs, c'est un jour de liesse où chacun doit faire preuve de bonne volonté à l'égard de tous. » Puis, avant qu'ils aient compris son intention, il les allongea successivement d'un droit et d'un gauche qu'aucun des deux ne vit venir. Il les aida ensuite avec sollicitude à se relever et les conduisit, encore chancelants, jusqu'au chariot le plus proche.

À l'aube du deuxième jour, la fête battait son plein. Les jeunes mariés, peu disposés à manquer les réjouissances, n'étaient pas encore partis en lune de miel et menaient la danse sous les spathodéas. M. Rhodes, qui s'était reposé pendant la nuit dans sa voiture, était réapparu et prenait un solide petit déjeuner composé d'œufs au bacon, préparé par Jordan. En verve, il monta sur le siège du conducteur de sa voiture et parla avec son éloquence et son charisme habituels, aiguisés par les circonstances et sa brûlante conviction en la matière.

« Mes Rhodésiens, lança-t-il à l'auditoire. (Tous virent dans ces paroles non pas une affirmation de propriété, mais de l'affection, et ils apprécièrent.) Nous avons, vous et moi, effectué un grand bond en avant et nous nous sommes grandement rapprochés du jour où la carte de l'Afrique sera coloriée en rose du Cap au Caire, où ce beau continent sera enchâssé à côté de l'Inde — un gros diamant à côté d'un splendide rubis — sur la couronne de notre reine bien-aimée... »

Ils l'acclamèrent, les Américains, les Grecs, les Italiens et les Irlandais aussi fort que les sujets de la « reine bien-aimée ».

Robyn Saint John supporta pendant une demi-heure d'entendre ces déclarations avant de perdre la froide dignité que Ralph lui avait conseillé d'adopter, et depuis la véranda de la maison, elle entreprit de lire un poème de son cru, non encore publié :

Avec calme et mélancolie,
Il garde les troupeaux d'autrui.
Elle appartenait naguère à son père

150

Cette terre où l'homme blanc
Élève maintenant sa demeure
Et lance ses ordres fièrement.
Ses yeux sombrés sont éteints à présent
Sa main mollement posée
Sur son bâton de berger
Ne manie plus l'acier brillant
Mais se soumet à l'oppresseur...

Sa voix claire et haute couvrait celle de M. Rhodes ; les têtes se tournaient d'un côté et de l'autre, comme à un match de tennis.

« Et ce n'est qu'un début, continua M. Rhodes en élevant la voix, un magnifique début, certes, mais néanmoins un début. Il y a des hommes arrogants et ignorants, et tous ne sont pas noirs (même le plus obtus des auditeurs reconnut l'allusion au vieux Kruger, le président boer de la République sud-africaine du Transvaal), à qui il convient d'offrir la possibilité de venir de leur plein gré se placer sous le bouclier de la *pax britannica*, au lieu d'y être conduits par la force des armes. »

L'auditoire fut de nouveau emporté par l'éloquence de M. Rhodes, jusqu'au moment où Robyn choisit une autre de ses œuvres d'inspiration tout aussi guerrière et partit dans une envolée lyrique :

Il méprise la souffrance
Comme les cicatrices
De ses récentes blessures
Et fourbit sa sagaie,
Prépare son bouclier.
Est-ce un rebelle ?
Oui, c'est une lutte entre le rapace
À la peau noire et le blanc.
Un sauvage ?
Oui, bien qu'il répugne
À attenter à la vie.
En rendant le mal pour le mal
Il se venge.
Est-ce un païen ?
Alors, enseigne-lui ton credo, chrétien !
Si tu mérites d'être appelé ainsi.

Le sens critique de l'auditoire avait été émoussé par deux jours et deux nuits de festivités, et il applaudit la déclamation passionnée de Robyn avec une ferveur égale, bien que, fort heureusement, le sens du poème lui échappât.

— Que Dieu nous sauve du chauvinisme émétique et de la scansion laxative ! grogna Ralph.

Une bouteille de champagne de M. Rhodes dans une main, Jonathan juché sur son épaule, il remonta la vallée d'un pas nonchalant pour se mettre hors de portée de voix des orateurs. Jonathan portait un costume de marin et un canotier dont le ruban lui pendait dans le dos ; il poussait des gloussements et aiguillonnait son père avec ses talons comme s'il avait chevauché un poney.

Il fallait faire honneur aux cinquante têtes de bétail abattues et aux mille gallons de bière brassés par Jouba, et les invités noirs s'y employaient de leur mieux. De ce côté-là de l'assistance, la danse était encore plus endiablée que sous les spathodéas, les jeunes gens sautaient, tournoyaient et martelaient le sol au point que la poussière tourbillonnait jusqu'à hauteur de leur taille et que la sueur dégoulinait le long de leur cou et de leur torse nu. Les filles se balançaient, traînaient des pieds et chantaient tandis que les batteurs marquaient un rythme frénétique jusqu'à tomber d'épuisement ; d'autres saisissaient alors les massues de bois pour taper sur les troncs d'arbres creusés. Pendant que Jonathan, sur le dos de son père, poussait des cris de joie, l'une des bêtes de boucherie, un grand bœuf à robe rousse et bosse sur le dos, était tirée hors du kraal. Un homme s'avança et lui transperça la carotide et la jugulaire d'un coup de sagaie. Avec un beuglement lugubre, l'animal s'effondra en battant spasmodiquement des sabots. Les bouchers s'affairèrent sur la carcasse, l'écorchèrent d'un seul geste, fouillant à la recherche des bons morceaux — les rognons, le foie et les tripes — qu'ils lançaient humides et luisants sur les charbons ardents, tranchant à travers les côtes, découpant d'épaisses tranches qu'ils empilaient sur des râteliers au-dessus du feu.

À moitié crue, dégoulinante de graisse et de jus, la viande était engloutie par des bouches affamées et les chopes de bière étaient brandies sur le fond bleu du ciel torride. L'un des cuisiniers lança à Ralph un morceau de tripe, roussi sur les flammes. Sans dégoût apparent, Ralph gratta le contenu qui adhérait encore à la paroi de l'estomac et mordit à pleines dents la chair blanche.

— *Mushle* ! Excellent ! dit-il au cuisinier en tendant un petit morceau à son fils toujours sur ses épaules. Mange, Jon-Jon, on ne sait pas qui te mangera.

Son fils obéit avec répugnance avant de confirmer le jugement de son père.

— *Mushle*, c'est vraiment *mush*, papa.

Les danseurs les entourèrent alors en se pavanant et tournoyant, défiant Ralph. Celui-ci assit Jonathan sur la palissade du kraal à bestiaux afin qu'il puisse voir. Puis il s'avança à grandes enjambées au milieu de l'enclos et prit la posture héroïque des danseurs ngoni. Bazo la lui avait apprise quand ils étaient adolescents : il leva le genou jusqu'à l'épaule et frappa avec fracas la terre dure de son pied botté, les autres danseurs fredonnèrent leur cri de guerre en guise d'approbation et d'encouragement :

« Djii ! Djii ! »

Ralph sautait, martelait le sol et plastronnait en prenant des poses ; les autres étaient pressés d'en faire autant, les femmes frappaient dans leurs mains et sur la palissade Jonathan poussait des cris d'excitation.

— Regardez mon papa !

Sa chemise trempée de sueur, haletant, riant à en perdre haleine, Ralph s'arrêta finalement et réinstalla Jonathan sur ses épaules. Tous deux continuèrent leur déambulation, saluant par leur nom ceux qu'ils reconnaissaient parmi la foule, acceptant un morceau de bœuf qu'on leur tendait ou une gorgée de bière épaisse et amère, jusqu'à ce qu'enfin sur l'éminence derrière le kraal, assis sur un tronc d'arbre, à l'écart des danseurs et des fêtards, Ralph trouvât celui qu'il cherchait.

— Je te vois, Bazo, la Hache, dit-il, et il s'assit sur le tronc à côté de lui, posa entre eux la bouteille de champagne et offrit à Bazo un de ces cigarillos auxquels il avait pris goût jadis sur les champs de diamants.

Ils fumèrent en silence, regardant les gens danser et banqueter. Au bout d'un moment, Jonathan s'impatienta et s'éloigna furtivement en quête d'une distraction plus excitante, qu'il trouva immédiatement.

Il tomba nez à nez avec un petit garçon. Tungata, fils de Bazo, petit-fils de Gandang, arrière-petit-fils du grand Mosélékatsé, d'un an plus jeune que lui, était tout nu à l'exception d'une guirlande de perles en céramique autour des hanches, et son nombril ressortait au milieu de son ventre rond. Il avait les membres solides, des fossettes aux genoux et respirait la santé avec ses petits bourrelets de graisse aux poignets. Son visage était rond, lisse et brillant. Fasciné, il examinait Jonathan de ses yeux immenses et solennels.

Jonathan lui rendait son regard inquisiteur et franc, et il ne chercha pas à se dérober lorsque Tungata tendit la main pour toucher son col de marin.

— Comment s'appelle ton fils ? demanda Bazo en observant les enfants avec une expression impénétrable.

— Jonathan.

— Qu'est-ce que ça veut dire ?

— Le cadeau de Dieu, répondit Ralph.

Jonathan retira soudain son chapeau de paille et le plaça sur la tête du principicule matabélé. Coiffé du chapeau enrubanné, le petit Noir tout nu, au ventre rond, dont le minuscule pénis non circoncis pointait avec désinvolture, formait un tableau si incongru que les deux hommes sourirent malgré eux. Tungata gloussa de joie, prit Jonathan par la main et l'entraîna dans la foule des danseurs sans qu'il émette la moindre protestation.

La chaleur de ce moment magique entre les deux enfants avait fait fondre la glace entre les deux hommes. Fugitivement, ils retrouvèrent l'intimité de leur jeunesse. Ils se passaient la bouteille de champagne, et quand elle fut vide, Bazo frappa dans ses mains et Tanase vint s'agenouiller avec soumission devant lui et offrit une grande chope de bière mousseuse. À aucun moment elle ne leva les yeux vers Ralph et se retira aussi silencieusement qu'elle était venue.

À midi, elle revint auprès des deux hommes, toujours en grande conversation. Elle tenait Jonathan d'une main et Tungata, toujours coiffé du canotier, de l'autre. Ralph, qui ne pensait plus à son fils, sursauta quand il le vit. Le sourire béat de l'enfant était presque masqué par des couches de crasse et de graisse de bœuf. Son costume de marin avait fait les frais des jeux merveilleux que son nouveau compagnon et lui avaient inventés. Le col ne tenait plus que par un fil, les genoux étaient troués et Ralph identifia des taches de sang de bœuf, de boue, de cendre et de bouse de vache, le doute planant quant à la nature des autres.

— Oh, mon Dieu, ta mère va nous étrangler tous les deux, gémit-il en prenant prestement son fils dans ses bras. Quand te reverrai-je, vieil ami ? demanda-t-il à Bazo.

— Plus tôt que tu ne le penses, répondit celui-ci à voix basse. Je t'ai dit que je travaillerai de nouveau pour toi lorsque je serai prêt.

— C'est exact, acquiesça Ralph.

— Je le suis maintenant.

Victoria accepta le changement de lieu de leur lune de miel avec une facilité déconcertante lorsque Harry Mellow lui expliqua tout penaud : « Ralph a eu une idée. Il veut remonter à la source d'une des légendes de l'Afrique en se rendant dans ce qu'on appelle le pays de Wankie, près des grandes chutes du Zambèze découvertes par le Dr Livingstone. Vicky, je sais combien vous aviez envie d'aller au Cap et de voir la mer pour la première fois, mais...

— J'ai vécu sans la voir pendant vingt ans, attendre un peu ne me tuera pas. (Elle prit la main de Harry.) Peu importe l'endroit

154

où nous allons, mon amour, le pays de Wankie, le Cap ou le pôle Nord, pourvu que nous soyons ensemble.

L'expédition fut conduite à la manière habituelle de Ralph Ballantyne : six chariots et quarante serviteurs convoyaient les deux familles vers le nord à travers les magnifiques forêts du Matabeleland en direction du majestueux Zambèze. Le temps était doux et l'allure tranquille. Le gibier abondait, et les jeunes mariés roucoulaient avec des œillades si langoureuses que c'en était contagieux.

— De qui est-ce la lune de miel ? murmura Cathy à l'oreille de Ralph un matin où ils paressaient au lit.

— Les actes d'abord, les questions ensuite, répondit Ralph. Cathy gloussa avec satisfaction et se pelotonna dans le matelas de plume.

Le soir et aux heures des repas, il fallait faire descendre de force Jonathan du dos du poney que son père lui avait offert pour ses cinq ans, et Cathy passait du baume sur ses fesses endolories.

Ils arrivèrent au village de Wankie le vingt-deuxième jour, et pour la première fois depuis le départ de Bulawayo, la caravane, où régnait une humeur idyllique, fut ramenée sur terre.

Wankie avait été un renégat et un hors-la-loi sous le règne de Lobengula. Celui-ci avait envoyé quatre détachements punitifs pour ramener sa tête à GuBulawayo, mais Wankie était aussi rusé qu'insolent, aussi insaisissable que menteur, et les quatre détachements étaient revenus bredouilles et avaient dû affronter la colère de Lobengula.

Après la défaite et la mort du roi, Wankie s'était impudemment érigé en chef de la région comprise entre le Zambèze et la Gwaai. Il faisait payer tribut à ceux qui venaient commercer ou chasser les troupes d'éléphants refoulées sur les mauvaises terres le long de l'escarpement de la vallée du Zambèze, région où les mouches tsé-tsé faisaient reculer les cavaliers et où seuls les plus robustes s'aventuraient pour traquer les grands pachydermes.

Wankie était bel homme, la cinquantaine, grand, le visage ouvert, avec l'air d'un chef comme il prétendait l'être. Il accepta avec une gratitude démonstrative les couvertures et les perles que lui offrit Ralph, s'enquit poliment de sa santé, de celle de son père, de ses frères et de ses fils, puis il attendit comme un crocodile près d'un point d'eau que Ralph en vienne à l'objet réel de sa visite.

« Les pierres qui brûlent ? » répéta-t-il évasivement, les yeux mi-clos tandis qu'il réfléchissait, semblant chercher dans sa mémoire ce qui pouvait ressembler à une chose aussi extraordinaire, puis tout à fait ingénument il déclara qu'il avait toujours rêvé de posséder un char. Lobengula en avait un, et Wankie pensait donc que tout grand chef se devait d'en posséder un. Il se tourna sur son tabouret et regarda d'une manière significative les six magnifiques chariots de dix-huit pieds que Ralph avait fait construire au Cap, dételés dans la clairière derrière le kraal.

— Ce gredin est aussi culotté qu'un Blanc, s'insurgea amèrement Ralph en s'adressant à Harry Mellow, assis de l'autre côté du feu de camp. Un chariot, rien que ça. Au bas mot trois cents livres.

— Mais, chéri, si Wankie est à même de vous guider, est-ce que ça n'est quand même pas une affaire ? demanda Cathy avec douceur.

— Non. Que je sois damné si je lui cède. Deux ou trois couvertures, une caisse de cognac, d'accord, mais pas un chariot à trois cents livres !

— Vous avez bougrement raison, Ralph, approuva Harry en riant. Pour ce prix-là, on pourrait acheter Long Island...

Il fut interrompu par une toux discrète derrière lui. Bazo s'était approché sans bruit depuis l'autre feu, autour duquel bivouaquaient les conducteurs et les serviteurs.

— Henshaw, commença-t-il d'un ton accusateur lorsque Ralph l'eut reconnu, tu m'as dit que nous sommes venus ici pour chasser le buffle afin de confectionner des courroies avec sa peau. Tu n'as pas confiance en moi ?

— Bazo, tu es mon frère.

— Tu mens à tes frères ?

— Si j'avais parlé des pierres qui brûlent à Bulawayo, nous aurions été suivis par une centaine de chariots quand nous avons quitté la ville.

— Ne t'avais-je pas dit que j'ai déjà conduit mes guerriers sur ces collines afin de pourchasser ce babouin déplumé que tu submerges maintenant de cadeaux ?

— Tu ne me l'avais pas dit.

Bazo changea rapidement de sujet. Il n'était pas fier de sa campagne contre Wankie, la seule au cours de toutes les années durant lesquelles il avait été induna des « Taupes » qui ne s'était pas terminée par un succès total. Il se rappelait encore des récriminations du vieux roi — que ne pouvait-il les oublier !

— Henshaw, si tu m'en avais parlé, nous n'aurions pas eu à perdre notre temps et à nous abaisser à parlementer avec ce fils de trente pères, cette crotte de chacal, ce...

Ralph coupa court à cette description louangeuse de leur hôte en se levant et prenant Bazo par les épaules.

— Bazo, tu peux nous y conduire ? C'est ce que tu veux dire ? Tu peux nous emmener jusqu'aux pierres qui brûlent ?

Bazo acquiesça d'un signe de tête.

— Et il ne t'en coûtera pas un chariot, précisa-t-il.

Ils chevauchaient dans une aube rouge et brumeuse à travers les clairières. Les troupeaux de buffles s'ouvraient sur leur passage et se refermaient derrière eux. Les énormes bêtes noires levaient leur museau humide avec une dignité pesante et solennelle conférée par les bosses massives à la base de leurs cornes ; elles regardaient passer les cavaliers à quelques centaines de pas avec un étonnement impassible, puis recommençaient à paître tranquillement. Les cavaliers tournaient à peine les yeux vers elles, leur attention rivée sur le large dos couturé de Bazo, tandis qu'il les conduisait au trot léger vers la ligne de collines à sommet plat qui émergeaient de la forêt devant eux.

Ils attachèrent leurs chevaux au bas de la pente, puis commencèrent à grimper pendant qu'au-dessus d'eux un petit oréotrague au poil brun et au pied sûr filait vers le haut des falaises, rapide comme un chamois, et que du sommet un vieux babouin leur lançait des cris de défi. Ils montèrent en courant mais n'arrivèrent cependant pas à suivre Bazo ; il les attendait à mi-hauteur sur une corniche au-dessus de laquelle la falaise s'élevait à pic jusqu'au sommet. Sans emphase, il fit un simple signe du menton. Ralph et Harry regardèrent dans la direction indiquée, incapables de parler, leur poitrine comme un soufflet de forge, leur chemise collée au dos par la sueur.

Aussi loin que portait leur regard dans les deux directions, une veine horizontale de vingt pieds d'épaisseur courait en travers de la falaise, noire comme la nuit la plus sombre, et cependant étincelant d'une étrange iridescence verdâtre dans les rayons obliques du soleil matinal.

— C'était la seule chose qui nous manquait dans ce pays, dit Ralph à voix basse. Les pierres qui brûlent, l'or noir... maintenant, nous avons tout.

Harry Mellow s'avança et, tel un fidèle touchant la relique d'un saint, posa la main sur la falaise avec vénération.

— Je n'ai jamais vu de charbon de cette qualité et une veine si profonde, pas même dans les collines du Kentucky.

Il arracha brusquement son chapeau de sa tête et, avec un cri de Peau-Rouge, le lança loin en bas de la pente.

— Nous sommes riches ! hurla-t-il. Riches ! Riches ! Riches !

— C'est mieux que de travailler pour M. Rhodes ? demanda Ralph.

Harry l'empoigna par les épaules et tous deux se mirent à virevolter sur l'étroite corniche en poussant des cris de joie tandis que Bazo s'appuyait contre la veine de charbon et les regardait sans sourire.

Il leur fallut deux semaines pour arpenter et piqueter leurs concessions, délimitant tout le terrain sous lequel les veines de charbon pouvaient être enfouies. Harry définissait les tracés avec son théodolite ; Bazo et Ralph suivaient avec une équipe d'hommes armés de haches qui plantaient les piquets et marquaient les coins par des tas de pierres.

Ce faisant, ils découvrirent une douzaine d'autres endroits dans les collines où affleuraient des gisements de charbon riches et profonds.

— Des réserves de charbon pour mille ans, prédit Harry. Du charbon pour les chemins de fer et les hauts fourneaux, du charbon pour approvisionner en énergie un pays neuf.

Le quinzième jour, Ralph et Harry rentrèrent au camp sans se presser à la tête de leur équipe de Matabélé épuisés. Privée de son nouveau mari pendant deux semaines, Victoria était aussi pâle et mélancolique qu'une jeune veuve, mais le lendemain au petit déjeuner, tandis qu'elle s'affairait autour de Harry, remplissant sa tasse de café, entassant sur son assiette des tranches de phacochère fumé et des œufs d'autruche brouillés, elle avait retrouvé ses belles couleurs et ses yeux, leur étincelle.

Assis au haut bout de la table dressée sous des msasas géants, Ralph dit à Cathy :

— Ouvrez une bouteille de champagne, ma douce, nous avons quelque chose à célébrer.

Puis levant une coupe pleine à ras bord, il déclara :

— Mesdames et messieurs, je bois à l'or de la mine Harkness, au charbon du pays de Wankie, et aux richesses des deux !

Ils rirent, trinquèrent et burent.

— Restons ici pour toujours, dit Vicky. Je suis si heureuse. Je ne veux pas que ça finisse.

— Nous allons rester encore un peu, admit Ralph, un bras autour de la taille de Cathy. J'ai dit au Docteur Jim que nous venions ici pour chasser le buffle. Si nous ne rapportons pas quelques chariots de peaux, le petit docteur va commencer à s'interroger.

La brise du soir venait de l'est. Ralph savait qu'en cette saison, elle soufflerait régulièrement toute la nuit et gagnerait en force avec la chaleur du soleil.

Il envoya vers l'est deux équipes de Matabélé, chacune en possession d'un paquet de grosses allumettes et à la tête d'un attelage de bœufs. À l'aube, elles avaient atteint les berges de la

Gwaai. Les hommes abattirent deux gros épineux morts et arrimèrent les chaînes de l'attelage autour des troncs.

Ils mirent ensuite le feu aux branches, le bois sec s'enflamma comme une torche. Pris de panique, les bœufs détalèrent ; les conducteurs, courant à côté de chaque attelage, les obligeaient à galoper dans des directions opposées. Filant en travers du vent, ils tiraient derrière eux les arbres embrasés qui laissaient dans les hautes herbes sèches un sillage d'escarbilles et de brindilles enflammées. Une heure plus tard, un feu de forêt faisait rage sur un front de plusieurs kilomètres. Poussé par le vent, il progressait en rugissant vers la longue plaine marécageuse où les chariots de Ralph étaient dételés. La fumée tourbillonnante occultait le ciel tout entier d'un immense voile brun grisâtre.

Ralph avait réveillé le camp avant les premières lueurs de l'aube, et il surveillait le contre-feu tandis que la rosée contenait les flammes et les rendait maîtrisables. Les Matabélé mettaient le feu à l'herbe de la plaine du côté au vent et le laissaient progresser jusqu'à la lisière de la forêt de l'autre côté. Là, ils le battaient avant qu'il ait eu le temps de prendre dans les arbres.

Isazi fit avancer ses chariots sur la terre noircie et encore chaude et les disposa en carré, ses précieux bœufs parqués au milieu. Alors, pour la première fois, tous auront la possibilité de marquer une pause et de regarder vers l'est. Le nuage de fumée sombre du feu de forêt masquait l'aube, et leur îlot de sécurité leur sembla soudain minuscule sur le chemin de ce terrible incendie. Même les Matabélé, d'ordinaire d'humeur si joyeuse, avaient perdu leur entrain habituel, et tout en aiguisant leurs couteaux à écorcher, ils lançaient des regards inquiets vers le front de fumée bouillonnante.

— Nous allons être couverts de suie, se lamenta Cathy. Tout va être sale.

— Et probablement un peu roussi, renchérit Ralph en riant pendant que Bazo et lui passaient en revue les chevaux de rechange et glissaient les fusils dans leurs sacoches.

Puis il s'approcha de Cathy et, un bras autour de son épaule, lui dit :

— Vicky et vous devrez rester dans les chariots. Ne les quittez pas, quoi qu'il arrive. Si vous avez un peu trop chaud, aspergez-vous d'eau, mais ne quittez pas les chariots.

Il huma le vent et perçut la première bouffée de fumée. Il lança un clin d'œil à Harry, qui tenait Vicky dans ses bras pour des adieux qui n'en finissaient pas.

— Je parie ma part des gisements de charbon contre la vôtre.

— Il ne tiendra aucun de vos paris fous, Ralph Ballantyne, coupa Vicky. Harry a maintenant une femme à entretenir !

— Une guinée, alors ! insista Ralph en modérant l'enjeu.

— Topez là ! accepta Harry.

Ils se serrèrent la main et sautèrent en selle.

Bazo menait le cheval de rechange de Ralph, avec un fusil dans la fonte et une cartouchière enroulée autour du pommeau.

— Reste près de moi, Bazo, dit Ralph avant de jeter un coup d'œil à Harry, suivi lui aussi par un Matabélé et une monture de rechange.

— Prêt ? demanda Ralph.

Harry hocha la tête et ils sortirent au trot du laager.

L'odeur âcre de fumée apportée par le vent était devenue forte, les chevaux dilataient les narines nerveusement et sautaient par-dessus les cendres chaudes du contre-feu.

— Regardez-les ! lança Harry, impressionné.

Les troupeaux de buffles avaient commencé à fuir devant le feu de brousse. Ils apparaissaient les uns après les autres, d'abord cent, puis cinq cents, puis mille. Le mouvement vers l'ouest s'accélérait, exode de corps noirs serrés les uns contre les autres, la terre commençait à trembler sous le martèlement de milliers de sabots. De temps en temps, l'un des buffles qui conduisaient les troupeaux, bêtes si massives et noires qu'elles semblaient taillées dans le roc, s'arrêtait et se retournait pour endiguer la marée de femelles et de bufflons. Il levait sa tête bosselée et armée de puissantes cornes, humait le vent d'est avec ses narines humides, fermait à demi ses yeux piqués par la fumée, puis repartait en un trot pesant et balancé. Les femelles étaient prises par cette agitation communicative tandis que leurs petits au poil encore roux poussaient des beuglements effarés et se pressaient contre leurs flancs.

Les troupeaux se comprimaient à présent les uns contre les autres. Les énormes animaux, les plus gros atteignant une tonne et demie, couraient épaule contre épaule, museau contre queue, sur un front de près d'un mile. Les premiers sortaient de la forêt pour déferler sur la plaine marécageuse. Les rangs serrés dispa-raissaient dans la poussière en suspension et étaient encore cachés par les troncs argentés et tordus des msasas.

Ralph noua son foulard sur son nez et sa bouche, et abaissa son chapeau sur ses yeux.

— Harry, mon gars, tous ceux qui passent de ce côté-ci des chariots sont pour moi, dit-il en joignant le geste à la parole. Tous ceux qui passent de l'autre côté sont pour vous.

— Et une guinée au meilleur, convint Harry.

Il introduisit une cartouche dans la culasse de son Lee Enfield et, avec un de ses cris de Peau-Rouge, enfonça ses talons dans les flancs de sa monture et fila droit vers les bêtes les plus proches.

Ralph le laissa partir et maintint son cheval au trot. Il avançait doucement, en oblique vers le déferlement de troupeaux, attentif à ne pas les effrayer prématurément, les laissant concentrer leur attention derrière eux sur les flammes plutôt que devant eux, sur le chasseur. De cette façon, il parvint à s'approcher de très près, et choisit un beau mâle au premier rang. Il se pencha sur son fusil et mit en joue le cou épais, à l'endroit précis où la peau croûteuse et chauve formait un pli à l'avant de l'épaule.

Le coup de feu fut presque couvert par le martèlement des sabots et les beuglements des petits, mais le buffle piqua du nez, fit la culbute et, dans les affres de l'agonie, glissa sur le dos en agitant convulsivement ses pattes, avec un cri aussi lugubre qu'une corne de brume dans le vent d'hiver. Les troupeaux se mirent au grand galop.

Tout en dirigeant sa monture avec ses talons et la pointe de ses bottes afin de garder les deux mains libres pour recharger, viser et tirer, Ralph s'approcha encore de la muraille de corps sombres lancés à toute vitesse. Parfois il était si près que le canon de son fusil effleurait presque un cou ou une épaule monstrueuse ; l'éclair jaillissait de la gueule et pénétrait dans l'épaisse peau noire, rapide et brillant comme la lame d'une sagaie. À chaque détonation, une autre bête s'écroulait, car à cette distance, un chasseur expérimenté était à même de provoquer une hécatombe. Il tira jusqu'à ce que le chien percute une chambre vide, puis fourra des cartouches neuves dans le magasin et tira de nouveau aussi vite qu'il était capable de recharger, sans lever la crosse de son épaule ni l'œil des mires.

Le canon était fumant ; à chaque coup, le fusil lui heurtait violemment l'épaule sous l'effet du recul et le faisait grincer des dents ; l'index de sa main droite était en sang, un morceau de peau ayant été déchiré par la garde de la gâchette au niveau de la deuxième articulation, si bien qu'il lui fallait à présent plusieurs secondes pour recharger. Assourdi par la fusillade, chaque nouveau coup de feu lui faisait l'effet d'un petit pan ! amorti, tandis que le fracas provoqué par le galop et les beuglements du troupeau lui semblait distant, comme provenant d'un rêve. Sa vision était brouillée par le nuage de poussière et, tandis que les bêtes rentraient en trombe dans la forêt, par l'ombre des arbres dont les cimes se rejoignaient au-dessus de lui. Il saignait, blessé au front, au menton et à la lèvre par les cailloux gros comme des glands projetés sur son visage par les sabots. Il ne cessait pourtant de recharger, de tirer, de recharger encore. Il avait depuis longtemps cessé de compter les bêtes abattues, et le troupeau interminable continuait de se presser sur les flancs de son cheval.

Soudain, la première cartouchière fut vide, une centaine de coups tirés, constata Ralph avec surprise, et il en prit une neuve dans sa sacoche de selle, se baissant instinctivement sous une longue branche puis relevant la tête pour trouver un énorme mâle galopant à une demi-longueur devant lui.

Dans sa vision déformée, il apparut à Ralph que c'était le roi de tous les buffles, ses cornes, lourdes comme les blocs de granit des Matopos, si vieilles que la pointe en était émoussée, avaient une envergure plus grande que celle de ses bras tendus. Les années avaient rendu gris et chauves sa croupe et son dos, des grappes de tiques pendaient des plis profonds de sa peau de chaque côté de ses énormes testicules.

Presque éreintée, la monture de Ralph ne pouvait plus le porter et le buffle s'éloignait en une course puissante, son imposant arrière-train se ramassant et se détendant, ses sabots fendus s'enfonçant presque jusqu'au jarret dans la terre sablonneuse sous l'énorme poids de son corps. Ralph se dressa sur ses étriers et visa la colonne vertébrale à la base de la longue queue en touffe qui battait les flancs de l'animal dans l'impétuosité de sa course.

À l'instant où Ralph pressa sur la détente, une branche lui accrocha brutalement l'épaule, le coup fut dévié et la balle s'enfonça avec un bruit mat dans l'arrière-train rond et noir. Le buffle trébucha et s'arrêta, puis se rattrapa avant de s'effondrer sur le côté, le sang jaillissant entre ses pattes de derrière. Ralph poussa son cheval épuisé à sa suite, mais un autre gros tronc gris émergea devant lui des nuages de poussière et l'obligea à faire un brusque crochet dans la direction opposée pour l'éviter. L'écorce rugueuse lui écorcha le genou et le buffle disparut dans les rangs des bêtes lancées à pleine vitesse et les tourbillons de poussière.

« Qu'il s'en aille ! » cria Ralph. Il n'avait aucune chance de retrouver un animal particulier au milieu de cette multitude. Il introduisit une autre cartouche dans la culasse brûlante de son fusil et atteignit une grande femelle rousse à l'arrière du crâne, abattant son petit un instant plus tard d'une balle dans l'épaule.

Le fusil était vide et il entreprit de le recharger, concentrant toute son attention sur sa tâche, jusqu'au moment où, soudain averti par son instinct, il leva les yeux.

Le buffle blessé avait fait demi-tour pour le prendre en chasse.

Il émergea de l'obscurité comme une avalanche noire, écartant les traînards à coups de cornes afin de s'ouvrir un chemin dans le flot obscur de ses congénères. Il avait le nez levé, le museau brillant d'humidité, et de longues traînées de mucus

162

argenté pendaient de ses narines dilatées. Il arrivait en trombe, soulevant des petits nuages de poussière sous ses sabots.

« Allez, mon gars ! » criait Ralph désespérément à son hongre épuisé, le rassemblant avec ses genoux et les rênes, l'écartant de la charge du buffle tout en enclenchant une cartouche dans la culasse de sa Winchester.

Le buffle se rapprochait en une course précipitée ; Ralph tourna son fusil et tira à bout portant dans la gigantesque tête, sachant qu'il n'aurait pas le temps de faire feu une deuxième fois. La tête de l'animal tressaillit, un éclat de corne grise jaillit des grosses bosses rondes et le buffle reprit son équilibre, se stabilisant avec la grâce d'une gazelle sur ses énormes pattes de devant. Il baissa la tête. En tendant la main, Ralph aurait pu toucher la crête de longs poils hirsutes entre les épaules, mais, instinctivement, il libéra d'un coup son pied de l'étrier et leva le genou jusqu'au menton à l'instant où le buffle plantait ses grandes cornes dans le flanc du cheval. À l'endroit où se trouvait sa jambe une seconde plus tôt, la pointe émoussée de la corne noire pénétrait dans la poitrine du hongre.

Ralph entendit les côtes craquer et se briser comme du bois mort, l'air expulsé des poumons sortit en sifflant de la gorge du cheval. Monture et cavalier furent soulevés de terre. Le hongre continua de pousser son hennissement de douleur tandis que Ralph était désarçonné. Le fusil lui échappa des mains, il atterrit sur la hanche et l'épaule, roula sur lui-même et se retrouva à genoux. Sa jambe droite engourdie l'immobilisa pendant de précieuses secondes.

Le buffle était arc-bouté sur le hongre tombé, pattes de devant écartées, sa tête cornue baissée, le sang dégoulinant de son arrière-train massif, et il embrochait le cheval. Des boyaux humides et glissants s'étaient enroulés autour des cornes et le buffle les arrachait de l'abdomen béant en donnant de violents coups de tête. Le cheval lança encore un coup de sabot convulsif, puis s'immobilisa.

Ralph rampa jusqu'au pied d'un teck en traînant la jambe.

— Bazo ! cria-t-il, apporte-moi le fusil ! Amène le cheval ! Bazo !

Il distingua l'accent de panique dans sa voix, et le buffle le perçut aussi. Il laissa le cheval, et Ralph entendit le grondement sourd des sabots sur le sol sablonneux, il entendit son souffle, il sentit l'odeur âcre de l'animal. Il cria de nouveau, se releva avec effort et tenta de gagner un mopani à cloche-pied. Il se rendit compte qu'il n'y arriverait pas et fit volte-face pour affronter le buffle enragé.

L'animal était si près que Ralph pouvait voir la trace humide laissée par les larmes qui coulaient des coins de ses petits yeux porcins injectés de sang le long de ses bajoues couvertes de poils hirsutes, et, tandis qu'il beuglait, sa langue tachetée de rose et de gris qui pendait de sa mâchoire. La tête se baissa pour l'embrocher et l'éventrer, comme elle l'avait fait avec le cheval, mais à cet instant une voix cria en ndébélé :

— Hau ! Tu es plus laid que la mort ! (Le buffle s'immobilisa et pivota sur ses épaisses pattes de devant.) Viens donc, espèce de malédiction !

Bazo détournait le buffle de lui, il avait émergé au galop du nuage de poussière, tirant le cheval de rechange par la bride, et passait de biais devant le buffle en l'excitant de la voix et lui battant la face avec sa cape en peau de singe. L'animal se laissa leurrer par la cape, baissa la tête et la chargea. Le cheval que montait Bazo était encore frais ; il esquiva le mouvement des grandes cornes luisantes.

— Henshaw ! Prends le cheval de rechange, cria Bazo en laissant tomber la bride, dirigeant droit sur Ralph la jument grise lancée au galop.

Ralph se ramassa sur lui-même, le cheval le vit et fit un écart au dernier moment, mais Ralph sauta pour attraper la selle et réussit à en saisir le pommeau. Pendant une douzaine de pas, il courut en sautillant à côté de la jument qui l'emportait, ses pieds effleurant le sol. Il arracha le fusil de la sacoche accrochée à hauteur de son genou et fit pirouetter la jument en direction du grand buffle noir.

L'animal était toujours absorbé par Bazo et le pourchassait, masse monstrueuse chargeant à une vitesse étonnante. À cet instant, le Matabélé à demi nu heurta une branche basse de l'épaule et de la tête.

Bazo fut projeté sur le côté, sa cape s'envola, claquant lourdement comme un corbeau suralimenté. Il glissa au point de se retrouver suspendu la tête en bas, celle-ci frôlant presque le sol entre les sabots de sa monture.

S'approchant de l'arrière-train éclaboussé de sang du buffle, Ralph lui tira dans le dos, cherchant à atteindre la colonne vertébrale dans la masse de muscles et de peau noire. Il tirait mécaniquement, actionnant la manette de chargement, et le choc du recul résonnait dans ses oreilles, de sorte qu'il entendait à peine les lourdes balles de plomb heurter le corps du buffle avec un bruit mat. Un des projectiles atteignit les poumons, un torrent de sang écumant jaillit soudain des deux narines de l'animal, et la charge furieuse fut brisée en un trot entravé.

Ralph arriva sur le flanc de l'animal qui tourna vers lui sa grosse tête et le regarda les yeux inondés de larmes d'agonie. Il toucha presque le large front avec la gueule de son fusil. Le coup de grâce projeta la tête en arrière, le buffle tomba à genoux en silence et ne bougea plus.

Ralph continua de galoper, attrapa le cheval de Bazo par la bride et l'arrêta d'une secousse.

— Il n'y a qu'un Matabélé pour monter la tête dans les étriers et les pieds sur la selle, lança-t-il d'une voix haletante en aidant Bazo à se redresser.

L'écorce rugueuse de la branche avait laissé une longue traînée sur le front de Bazo, des gouttelettes de lymphe perlaient sur la chair à vif.

— Henshaw, mon petit Faucon, rétorqua-t-il d'une voix pâteuse, tu criais si fort que j'ai cru que tu perdais ta virginité... avec une corne, par-derrière.

Ralph toussait, secoué d'un rire presque hystérique tant il était soulagé d'avoir échappé à un danger mortel. Bazo s'ébroua pour s'éclaircir les idées et sourit malicieusement.

— Retourne chez les femmes, Henshaw, car tu piailles comme une jeune fille. Donne-moi ton fusil, et je vais te gagner ta guinée.

— Voyons plutôt si tu arrives à suivre, répondit Ralph en poussant son cheval au galop.

Par réaction au danger passé, il était emporté par une sorte de folie atavique, l'exaltation du chasseur, et il fondit sur les troupeaux en fuite avec une frénésie meurtrière.

Le feu de brousse les rattrapa et mit fin à la boucherie. Ralph et Bazo étaient presque pris par les flammes, mais ils franchirent le rideau de feu, les crinières de leurs chevaux grésillant et sentant le roussi, la chemise de Ralph brûlée par endroits. Puis, en sécurité dans la zone dégagée par le contre-feu, ils regardèrent, fascinés, l'incendie balayer tout de chaque côté. Les branches enflammées étaient emportées en tournoyant par un souffle brûlant qui sautait en rugissant d'arbre en arbre, parfois sur des distances de cent mètres, faisant éclater le suivant comme s'il avait été frappé par un obus.

Les flammes aspiraient l'air, les deux hommes cherchaient leur respiration en suffoquant et toussaient comme des fumeurs de chanvre à cause de la chaleur qui pénétrait dans leurs poumons. Elle leur brûlait le visage, semblait leur dessécher les globes oculaires et les éblouissait comme s'ils avaient regardé le soleil en face.

Lorsque le feu se fut éloigné vers l'ouest, ils restèrent silencieux, ébranlés et subjugués par la majesté de son passage, pénétrés du sentiment de leur insignifiance face à une telle puissance élémentaire.

Il fallut attendre le lendemain matin que la terre se soit suffisamment refroidie pour que les peaussiers puissent se mettre à l'ouvrage. Les carcasses des buffles étaient à moitié rôties, leur poil brûlé sur le flanc supérieur, et intact du côté où les animaux étaient étendus. Les peaussiers travaillèrent dans un paysage digne de Jérôme Bosch — terre désolée et noircie, arbres dénudés et monstrueusement tordus, silhouettes hideuses des vautours accroupis sur les branches hautes.

Une équipe roulait les énormes carcasses et pratiquait les incisions autour de l'encolure, le long des membres et du ventre ballonné, puis l'équipe suivante accrochait les attelages de bœufs et arrachait la peau en un seul morceau, tandis que la troisième équipe répandait du sel gemme sur les peaux humides et les étalait au soleil.

Le deuxième jour, l'air était imprégné de la puanteur de centaines de carcasses en putréfaction, et le concert de cris, de hurlements et de croassements des charognards accompagnait la scène. Les voiles de fumée brun grisâtre s'étaient dissipés, mais les ailes noires des corbeaux, celles, pointues, au battement rapide, des petits milans, les grandes ailes majestueusement déployées des vautours assombrissaient de nouveau le ciel.

Autour de chaque carcasse dépouillée de sa peau, le ventre d'un rose obscène gonflé de gaz, les hyènes hurlaient et ricanaient, et les petits chacals se précipitaient nerveusement pour arracher un petit morceau de charogne. Les vautours sautillaient en claquant des ailes, se chamaillaient à coups de bec pour se frayer un chemin vers le ventre à travers l'anus dilaté des cadavres.

Les grands marabouts blanc et noir, solennels comme des ordonnateurs des pompes funèbres, s'approchaient d'un air digne, les yeux brillants de convoitise sur leur tête déplumée. Dépourvu de plumes également, rose et comme ébouillanté, leur jabot pendillait devant leur gorge tels les organes génitaux congestionnés. De leur bec long et puissant, ils déchiraient un lambeau de chair recouvert déjà par le lustre iridescent et verdâtre de la pourriture. Ils levaient ensuite le bec vers le ciel et l'ouvraient tout grand, s'évertuant à engouffrer le bon morceau dans leur jabot déjà gorgé.

La puanteur de la chair putréfiée et brûlée et l'odeur des charognards flottaient sur le petit cercle des chariots et empêchaient les femmes de dormir.

— Ralph, pouvons-nous partir demain ? murmura Cathy.

— Pourquoi ? demanda-t-il d'une voix ensommeillée. Vous aviez dit que vous aimiez cet endroit.

— Plus maintenant... Ralph, combien de temps allons-nous encore continuer à mettre le feu et à tuer ces bêtes ?

Il fut si surpris par cette question qu'il se dressa sur un coude et la regarda d'un air interrogateur à la lueur de la bougie.

— Que diable voulez-vous dire par là ?

— Lorsque tous les animaux auront disparu, ce pays ne sera plus celui que je connais et que j'aime.

— Disparu ? (Il secoua la tête avec compassion, comme on le fait avec un enfant stupide.) Disparu ? Par Dieu, Cathy, vous avez vu les troupeaux ? Ils sont innombrables, illimités. Et on trouve les mêmes jusqu'à Khartoum. Nous pourrions chasser comme ça chaque jour sans qu'ils diminuent d'un iota. Non, Cathy, ils ne disparaîtront jamais.

— Combien de bêtes avez-vous tuées ? demanda-t-elle à voix basse.

— Moi ? Deux cent quatorze, trente-deux de plus que votre estimé beau-frère, répondit Ralph en se rallongeant confortablement et en attirant la tête de Cathy sur sa poitrine. Et il en coûtera une guinée à ce coquin.

— À vous deux, ça fait presque quatre cents... en une seule journée de chasse, Ralph, fit-elle.

Sa voix était si basse qu'il l'entendit à peine, mais c'est avec une pointe d'impatience dans la sienne qu'il répondit :

— Bon sang, Cathy, j'ai besoin de ces peaux. Je les prends si j'en ai envie, un point, c'est tout. Maintenant, endormez-vous, petite sotte.

L'estimation que Ralph avait faite de l'importance des troupeaux était à tout le moins prudente. Probablement jamais depuis la création de la Terre, un grand mammifère n'avait autant proliféré à sa surface. Depuis les sources du Nil, lorsque le grand fleuve serpente à travers les marais impénétrables où flottent les papyrus, vers le sud, sur les vastes savanes de l'Afrique orientale et centrale, jusqu'au Zambèze et au-delà, dans les clairières dorées et les forêts du Matabeleland, vagabondaient les immenses troupeaux de buffles.

Les tribus primitives les chassaient très rarement. Ils étaient trop rapides, dangereux et puissants pour leurs arcs et leurs sagaies. Creuser un puits suffisamment large et profond pour piéger un animal aussi énorme exigeait un travail que peu d'indigènes envisageaient assez sérieusement pour cesser de danser, de boire leur bière de mil et de razzier le bétail des tribus voisines. Les voyageurs arabes qui pénétraient à l'intérieur des terres n'étaient pas intéressés par un gibier aussi grossier et préféraient capturer les jeunes Matabélé, filles ou garçons, pour les vendre comme esclaves sur les marchés de Malindi et de Zanzibar ou bien chasser l'éléphant pour l'ivoire. Les explorateurs européens, équipés de leurs armes perfectionnées, étaient encore peu nombreux à s'aventurer à l'intérieur de ces contrées lointaines, et même les grandes troupes de lions qui suivaient les troupeaux ne pouvaient enrayer leur multiplication.

Les pâturages étaient noirs de bovins. Certains troupeaux, de vingt ou trente mille têtes, étaient si denses que les bêtes qui se trouvaient à l'arrière mouraient littéralement de faim, l'herbe étant entièrement broutée avant qu'elles aient pu l'atteindre. Affaiblis par leur multitude, ils étaient vulnérables à la peste venue du nord.

Elle avait pris naissance en Égypte. C'était le même fléau que celui infligé par Jéhovah, le dieu de Moïse, au pharaon d'Égypte, la peste bovine, une maladie virale qui attaque tous les ruminants, mais à laquelle les bovins — buffles et bétail domestique — sont les plus prédisposés. Les animaux atteints sont aveuglés et étouffés par l'élimination provenant des muqueuses. Les mucosités coulent en flot épais des narines et des mâchoires. Extrêmement infectieuses et contagieuses, elles persistent dans les pâturages où l'animal est passé bien après sa mort.

Le cours de la maladie est rapide et irréversible. L'écoulement de mucus est rapidement suivi par une diarrhée abondante, la dysenterie, les bêtes faisant effort pour évacuer même après que leurs intestins se sont vidés de leur contenu, à l'exception de mucus mêlé de sang. Puis, lorsque l'animal s'effondre enfin et n'a plus la force de se relever, les convulsions tordent la tête vers l'arrière jusqu'à ce que le nez touche le flanc, position dans laquelle il meurt.

La peste balaya le continent comme le vent : dans les zones où la concentration de buffles était la plus forte, un troupeau de dix mille têtes était éliminé entre l'aube et le crépuscule du même jour. Sur la savane dénudée, les carcasses étaient nombreuses au point de se toucher, comme des bancs de sardines empoisonnées échoués sur le rivage. Au-dessus de ce carnage flottait l'odeur caractéristique de la maladie, à laquelle venait bientôt se mêler celle de la putréfaction, car même les vols grouillants de corbeaux et les meutes de hyènes gloutonnes ne pouvaient dévorer la millième partie de cette aubaine.

Cette vague de maladie et de mort se déplaçait vers le sud, submergeant les troupeaux de bêtes beuglantes fuyant à l'aveuglette. Vint le moment où elle atteignit le Zambèze ; cependant, même cette large étendue d'eau verte tourbillonnante ne put l'arrêter. Transportée de l'autre côté du fleuve dans les jabots dilatés des vautours et autres charognards, l'épidémie fut répandue par ces oiseaux sur les pâturages dans les fientes lâchées en plein vol.

La vague continua de déferler vers le sud, toujours plus bas vers le sud.

Isazi, le petit conducteur zoulou, était toujours le premier levé au laager. Il aimait être réveillé et alerte pendant que d'autres, deux fois plus jeunes que lui, dormaient encore.

Il quitta sa natte et alla jusqu'au feu de camp. Ce n'était plus qu'un tas de cendres, mais Isazi rapprocha les extrémités noircies des grosses bûches, écrasa au milieu quelques feuilles séchées de palmier ilala et se baissa pour souffler dessus. La cendre s'envola, un charbon rougeoya, puis, avec un claquement sec, une feuille de palmier libéra une petite flamme joyeuse. Le feu prit et Isazi se réchauffa les mains pendant un moment avant de sortir du cercle des chariots et de déambuler jusqu'à l'endroit où les bœufs étaient parqués.

Isazi aimait ses bœufs comme certains aiment leurs enfants ou leurs chiens. Il avait donné un nom à chacun d'eux et connaissait leur caractère, leurs forces et leurs faiblesses. Il savait lesquels essaieraient de sortir de l'attelage si la progression devenait difficile ou le terrain mou, lesquels étaient courageux ou particulièrement intelligents. Il avait naturellement ses préférés, comme l'énorme timonier roux qu'il avait baptisé Lune Sombre à cause de ses grands yeux doux, un bœuf qui avait réussi à retenir un chariot chargé de dix-huit pieds contre le courant de la Shashi tandis que la berge boueuse s'éboulait sous ses sabots, ou encore Hollandais, le bœuf de tête auquel il avait appris à répondre comme un chien à son sifflement et à conduire les autres à leur place dans l'attelage.

Isazi eut un petit rire de plaisir en déplaçant la barrière d'épineux qui fermait le kraal temporaire et siffla Hollandais. Dans la semi-obscurité qui précède l'aube, une bête toussa, une toux alarmante qui fit frissonner Isazi. Un bœuf en bonne santé ne toussait pas de cette façon.

Debout à l'entrée de l'enclos, il hésitait à avancer lorsqu'il sentit une odeur qu'il ne connaissait pas. Aussi ténue fût-elle, elle lui souleva le cœur. C'était comme le souffle d'une hyène ou l'odeur des plaies d'un lépreux. Plein d'appréhension, il dut faire effort pour avancer malgré la puanteur.

— Hollandais ! cria-t-il. Où es-tu, mon beau ?

Il entendit le bruit caractéristique d'une bête en proie à la maladie et courut vers elle. Même dans la faible lumière, il reconnut le grand corps pommelé. Le gros animal était couché.

Isazi se précipita. Une bête ne se couche que lorsqu'elle a abandonné tout espoir.

— Debout ! *Vusa, thandwa !* Debout, mon beau !

Le bœuf haleta convulsivement mais ne se leva pas. Isazi s'agenouilla et plaça ses bras autour de l'encolure de l'animal. Le cou était tordu vers l'arrière de façon bizarre, le museau velouté contre le flanc de la bête. Sous la peau soyeuse, les muscles étaient contractés, durs comme fer.

Isazi passa ses mains le long du cou de l'animal et constata qu'il était brûlant de fièvre. Il lui toucha la joue, elle était gluante et humide. Isazi porta la main à son nez : un épais mucus la couvrait, et l'odeur le suffoqua. Il se releva précipitamment et, affolé, s'éloigna à reculons jusqu'à l'entrée ; là, il tourna les talons et courut aux chariots.

— Henshaw ! hurla-t-il. Venez vite, petit Faucon.

— Des lis turban, grogna Ralph Ballantyne en traversant le kraal à grandes enjambées, le visage congestionné par la colère.

Le lis turban est une jolie fleur rouge bordée de jaune d'or ; elle éclot sur un buisson d'un vert vif qui tente tout ruminant sans méfiance.

— Où sont les bouviers ? Faites venir ici ces fichus *mujiba* !

Il s'arrêta près du cadavre tordu de Lune Sombre. Un timonier de cette qualité valait cinquante livres, et ce n'était pas le seul bœuf mort ; huit autres avaient été terrassés et autant étaient malades.

Isazi et les autres conducteurs revinrent en traînant les bouviers. Ils étaient terrifiés ; ce n'étaient que des enfants, le plus âgé à la veille de la puberté, les plus jeunes, d'une dizaine d'années seulement, vêtus d'un *mutsha*, simple morceau d'étoffe qui faisait office de cache-sexe et laissait les fesses nues.

— Vous ne savez donc pas ce que c'est qu'un lis ? leur cria Ralph. C'est votre travail de repérer les plantes vénéneuses et d'en écarter les bœufs. Je vais vous donner une bonne correction pour vous apprendre.

— Nous n'avons pas vu de lis, déclara catégoriquement l'aîné des gamins, et Ralph s'en prit à lui.

— Espèce de petit corniaud arrogant !

Ralph avait à la main un fouet en cuir de rhinocéros. Il avait presque cinq pieds de long ; le manche plus épais que le pouce allait en s'effilant jusqu'à l'extrémité de la lanière. Le cuir fumé avait pris une belle couleur ambrée.

170

— Je vais t'apprendre à surveiller les bœufs au lieu de dormir sous un arbre, dit Ralph en lançant un coup à l'arrière des jambes de l'enfant.

Le fouet siffla comme une vipère et le gamin poussa un cri. Ralph le prit par le poignet et lui asséna une douzaine de coups supplémentaires sur les jambes et les fesses. Puis il le laissa aller et empoigna un autre *mujiba*. L'enfant sautillait au rythme des coups en poussant un cri à chacun.

— Très bien, lâcha Ralph enfin satisfait. Attelez les bêtes en bonne santé.

Il y avait tout juste assez de bœufs pour former trois attelages, et Ralph fut contraint d'abandonner la moitié de ses chariots avec leur chargement de peaux de buffle salées. Ils se mirent en route vers le sud tandis que le soleil montait au-dessus de l'horizon.

Une heure après, un autre bœuf était tombé dans les traits, le cou tordu en arrière contre son flanc. On coupa les traits et le laissa là, étendu sur le bas-côté de la piste. Un demi-mile plus loin, deux autres bêtes s'effondrèrent. Elles commencèrent ensuite à tomber si régulièrement qu'à midi on dut abandonner deux chariots de plus, et le dernier poursuivit son chemin avec un attelage réduit. La fureur de Ralph avait fait place à la perplexité. Il ne s'agissait manifestement pas d'un cas d'empoisonnement ordinaire par les herbes du veld. Aucun de ses conducteurs n'avait jamais rien vu de pareil, et il n'y avait pas un seul précédent dans le vaste folklore africain.

— C'est de la *tagathi*, une terrible sorcellerie, estima Isazi, qui semblait s'être ratatiné de chagrin à cause de la mort de ses bœufs bien-aimés et ressemblait à un petit gnome noir.

— Sacrebleu, Harry, nous aurons de la chance si nous ramenons un seul chariot à la maison, dit Ralph en entraînant son beau-frère à l'écart des femmes. Il nous reste encore quelques mauvais gués à passer. Nous aurions mieux fait de partir en éclaireurs pour essayer de trouver un endroit où traverser la Lupani plus facilement.

La rivière n'était qu'à quelques kilomètres devant eux, ils distinguaient déjà la bande de forêt vert sombre qui longeait son cours. Ralph et Harry chevauchaient côte à côte, tous deux envahis par l'anxiété.

— Cinq chariots laissés en plan là-bas, grommela Ralph d'un air morose. À trois cents livres pièce, sans parler des bêtes perdues...

Il s'interrompit brusquement et se redressa sur sa selle.

Ils avaient débouché dans une clairière proche de la rivière, et Ralph regardait trois girafes passer de l'autre côté de la zone dégagée. Avec leurs pattes d'échassier et leur long cou de cygne, ce sont les mammifères d'Afrique à l'allure la plus curieuse. Elles ont des yeux doux et tristes ; leur tête, étrangement belle et laide à la fois, est surmontée non par des cornes véritables, mais par des excroissances osseuses recouvertes de peau et de poils. Leur démarche a la lenteur délibérée de celle du caméléon, mais les grands mâles pèsent une tonne et atteignent six mètres de haut. Elles sont muettes : la douleur ou l'émotion la plus violente ne peut extraire le moindre soupir de leur longue gorge. Elles ont un cœur gros comme un tambour pour pouvoir faire circuler le sang jusqu'à la tête, et les artères du cou sont équipées de valves pour empêcher le cerveau d'exploser sous la pression lorsque l'animal se baisse, pattes écartées, pour boire.

Les trois girafes traversaient la plaine marécageuse à la queue leu leu. Presque devenu noir avec l'âge, le vieux mâle ouvrait la marche, puis venait la femelle, tachetée de fauve, et enfin le petit, d'un joli beige.

Le girafon gambadait. Ralph n'avait jamais rien vu de tel : il tanguait et tournait en élégantes pirouettes, son cou se tordait et se redressait, se balançait d'un côté puis de l'autre. La mère se retournait anxieusement par intervalles pour le surveiller, puis partagée entre le devoir et l'amour maternel, repartait à la suite du mâle. Finalement, avec une sorte de grâce empreinte de lassitude, le girafon s'effondra très lentement sur le sol herbeux et resta étendu dans l'enchevêtrement de ses longues pattes. La mère s'attarda à proximité une minute ou deux, puis, comme le veut la nature sauvage, abandonna le faible pour suivre son compagnon.

Lentement, presque à contrecœur, Ralph et Harry s'approchèrent de l'endroit où le girafon était couché. C'est seulement quand ils l'atteignirent qu'ils virent les fatales mucosités qui coulaient de la bouche et des narines, et l'arrière-train maculé par la diarrhée. Ils regardèrent le cadavre avec incrédulité, jusqu'au moment où Harry plissa le nez et huma l'air.

— Cette odeur, la même que celle des bœufs..., commença-t-il, puis il comprit soudain. La peste. Bonne mère, Ralph, c'est une sorte de peste. Elle balaye tout, gibier et bovins.

Sous son hâle, Ralph avait pris une couleur terreuse.

— Deux cents chariots, Harry, murmura-t-il, presque quatre mille bœufs. Si cette calamité continue à se répandre, je vais tout perdre. (Il vacillait sur sa selle, et il lui fallut se cramponner au pommeau pour retrouver l'équilibre.) Je serai fini. Éliminé... tout perdu.

Il s'apitoyait sur son sort, la voix tremblante, puis, un peu plus tard, il se secoua comme un épagneul mouillé pour chasser le désespoir, et les couleurs revinrent sur son beau visage tanné.

— Non, je ne suis pas encore fini. Pas sans me battre en tout cas, lança-t-il d'un air farouche en se tournant brusquement vers Harry. Vous allez devoir ramener tout seul les femmes à Bulawayo, commanda-t-il. Je prends les quatre meilleurs chevaux.

— Où allez-vous ? demanda Harry.

— À Kimberley.

— Pour quoi faire ?

Mais Ralph avait déjà fait pirouetter sa monture comme un poney de polo et, couché sur l'encolure, revenait au galop vers l'unique chariot qui venait de sortir de la forêt derrière eux. Au moment même où il l'atteignit, l'un des bœufs de tête s'écroula et resta étendu, contracté, dans les traits.

Isazi n'effectua pas sa visite au kraal le lendemain matin. Il appréhendait ce qu'il allait y trouver. Bazo s'y rendit à sa place.

Toutes les bêtes étaient mortes, jusqu'à la dernière. Elles étaient déjà raides et froides comme des statues, immobilisées dans leur effroyable convulsion finale. Bazo frissonna et serra sa cape en peau de singe autour de ses épaules. Ce n'était pas la fraîcheur de l'aube mais une crainte superstitieuse qui le glaçait.

« Lorsque les bestiaux seront couchés sans pouvoir se relever, la tête tournée jusqu'à toucher le flanc... », pensa-t-il tout haut, répétant les paroles exactes de l'Umlimo, et sa terreur fut balayée par un accès de joie et d'humeur guerrière. « C'est arrivé tout comme elle l'a prophétisé. »

Jamais les paroles de l'Élue n'avaient été aussi peu équivoques. Il aurait dû s'en rendre compte immédiatement, mais le tourbillon des événements l'avait troublé au point qu'il comprenait seulement alors la signification véritable de cette épidémie. Il n'avait plus qu'un seul désir : quitter le laager et courir vers le sud, jour et nuit, sans s'arrêter, jusqu'à la caverne secrète dans les collines sacrées.

Il avait envie de se lever devant l'assemblée des indunas et de leur dire : « Vous qui avez douté, croyez maintenant aux paroles de l'Umlimo. Vous qui avez le ventre plein de lait et de bière, mettez-y une pierre à la place. »

Il voulait se rendre dans les mines, les fermes, les nouveaux villages construits par les Blancs où les siens travaillaient avec la pelle et la pioche au lieu de manier la lame d'acier, vêtus des hardes mises au rebut par leurs maîtres et non plus des plumes et du pagne des guerriers.

Il voulait leur demander : « Vous souvenez-vous du chant de

guerre des *Izimvukuzane Ezembintaba*, les Taupes-qui-creusent-sous-la-montagne ? Venez, vous qui creusez la terre d'autrui, venez avec moi entonner de nouveau le chant de guerre des Taupes. »

Mais le moment n'était pas encore tout à fait venu, car la troisième et ultime partie de la prophétie de l'Umlimo ne s'était pas encore réalisée, et jusque-là, Bazo, comme ses vieux camarades, devait feindre de servir les Blancs. Avec effort, il cacha sa joie folle, se retirant derrière le visage insondable de l'Afrique. Bazo quitta l'enclos et les bœufs morts, et se dirigea vers le chariot restant. Les femmes et les enfants blancs dormaient à l'intérieur, et Harry Mellow était couché, roulé dans une couverture, à l'abri de la rosée sous le châssis.

Henshaw les avait laissés la veille en fin d'après-midi, avant même qu'ils aient atteint les berges de la Lupani. Il avait choisi quatre chevaux, les plus rapides et vigoureux, chargé expressément Bazo de conduire à pied la petite troupe à Bulawayo, puis embrassé sa femme et son fils, donné une poignée de main à Harry Mellow, et galopé vers le sud en direction du gué de la Lupani, conduisant les trois chevaux de rechange avec des longes, chevauchant comme un homme pourchassé par des chiens sauvages.

Bazo se pencha près du chariot et s'adressa à l'homme enveloppé dans la couverture en s'exprimant lentement et distinctement. Harry Mellow comprenait le ndébélé un peu mieux chaque jour, mais il en était encore au début de son apprentissage et Bazo voulait être certain qu'il saisirait ses paroles.

— Le dernier des bœufs est mort. Un cheval a été tué par les buffles, et Henshaw en a pris quatre.

Harry Mellow se dressa sur son séant et prit une décision :

— Ça laisse une monture pour chaque femme, et Jon-Jon peut chevaucher derrière l'une d'elles. Nous autres, nous marcherons. Combien de temps nous faut-il pour regagner Bulawayo, Bazo ?

Le Matabélé haussa les épaules de manière éloquente :

— Si nous étions un corps de guerriers, rapide et entraîné, cinq jours. Mais à l'allure des Blancs chaussés de bottes...

Ils avaient l'air d'une colonne de réfugiés, laquelle s'étirait entre les deux chevaux, chaque serviteur portant sur sa tête un paquet contenant uniquement les provisions indispensables. Les femmes étaient gênées par leur longue jupe lorsqu'elles marchaient pour reposer les chevaux, et Bazo n'arrivait pas à ralentir le pas pour marcher à leur rythme. Il prit une bonne avance sur les autres, et, une fois qu'il fut hors de vue et de portée de voix, il se mit à caracoler et marteler le sol de ses pieds, frappant un adversaire fantôme avec une sagaie imaginaire, et accompagnant sa *giya*, sa danse de défi, du chant de guerre de son ancien régiment.

> *Telle une taupe dans les entrailles de la Terre*
> *Bazo a trouvé le passage secret...*

Le premier couplet commémorait l'assaut de son régiment contre la montagne qui était le bastion de Pemba, le sorcier. Bazo avait alors escaladé le passage souterrain menant au sommet de la falaise. Il y avait longtemps de cela. C'était pour le récompenser de son exploit que Lobengula l'avait promu induna, lui avait accordé l'anneau, symbole de cette fonction de commandement, lui avait permis d'« aller chez les femmes » et de prendre Tanase pour épouse.

Toujours dansant dans la forêt, Bazo entonna les autres couplets. Ils avaient tous été composés en souvenir d'une fameuse victoire, sauf le dernier. C'était le seul qui n'avait jamais été chanté par le régiment au complet en ordre de bataille. Il évoquait la dernière charge des Taupes, lorsque, Bazo à leur tête, ils s'étaient lancés à l'attaque du laager sur les berges de la Shangani. Bazo l'avait composé lui-même lorsqu'il gisait dans la caverne des Matupos, mourillé par les blessures par balles.

> *Pourquoi pleurez-vous, veuves de Shangani,*
> *Quand les fusils à trois pattes rient si fort ?*
> *Pourquoi pleurez-vous, fils des Taupes,*
> *Quand vos pères ont obéi à l'ordre du roi ?*

Soudain un nouveau couplet se présenta à l'esprit de Bazo : achevé, parfait, comme s'il avait été chanté déjà dix mille fois.

> *Les Taupes sont sous la terre,*
> *« Sont-elles mortes ? » demandèrent les filles de Machobane.*
> *Écoutez donc, jolies jeunes filles, n'entendez-vous pas*
> *Quelque chose remuer dans l'obscurité ?*

Bazo le cria aux msasas dans leur manteau de feuilles rouges, et les arbres s'inclinèrent légèrement sous le vent d'est, comme si eux aussi écoutaient.

Ralph Ballantyne fit halte à King's Lynn. Il lança les rênes à Jan Cheroot, le vieux chasseur hottentot.

— Donne-leur à boire et remplis leurs sacs de grain pour moi. Je repars dans une heure.

Il courut sur la véranda de la grande maison à toit de chaume, et sa belle-mère sortit pour l'accueillir. Sa consternation se changea en joie quand elle le reconnut.

— Oh, Ralph, vous m'avez fait peur...

— Où est mon père ? demanda Ralph en l'embrassant sur la joue.

Impressionnée par sa gravité, Louise changea d'expression.

— Dans la section nord, ils sont en train de marquer les veaux... Mais qu'y a-t-il, Ralph ? Je ne vous ai jamais vu ainsi.

Il ignora sa question.

— La section nord. Ça fait six heures de chevauchée. Je n'ai pas le temps d'y aller.

— C'est grave ? Dites-moi ce qui se passe, Ralph.

— Pardonnez-moi, dit-il en posant la main sur son bras. Une effroyable épidémie balaye le pays vers le sud. Elle a atteint mes bêtes sur la Gwaai, et nous les avons toutes perdues, plus de cent têtes en l'espace de douze heures.

Louise avait les yeux fixés sur lui.

— Peut-être..., murmura-t-elle.

Il lui coupa la parole :

— Elle tue tout : girafes, buffles et bœufs, seuls les chevaux n'ont pas encore été touchés. Mais, par Dieu, Louise, hier, pendant que je chevauchais vers ici, il y avait des buffles morts et puants de chaque côté de la piste. Des bêtes qui, la veille, étaient robustes et saines.

— Que faire, Ralph ?

— Vendre, répondit-il. Vendre tout le bétail à n'importe quel prix avant que l'épidémie n'arrive ici. (Il se retourna vers Jan Cheroot et cria :) Apporte-moi le calepin qui est dans ma sacoche de selle.

Pendant qu'il griffonnait un mot à l'intention de son père, Louise lui demanda :

— Depuis combien de temps n'avez-vous pas mangé ?

— Je ne sais plus.

Il avala des tranches de viande froide, un oignon cru et du fromage sur du pain de campagne, et fit passer le tout avec un pichet de bière tout en donnant ses instructions à Jan Cheroot.

— N'en parle à personne d'autre qu'à mon père. Dépêche-toi, Jan.

Mais avant que le petit Hottentot ait eu le temps de se préparer, Ralph était déjà en selle et parti.

Il contourna la ville de Bulawayo pour éviter de rencontrer des gens de connaissance et atteindre la ligne de télégraphe dans un endroit désert, à l'écart de la route principale. C'étaient ses équipes qui avaient installé la ligne et il en connaissait donc chaque tronçon, chaque point vulnérable. Il savait comment couper Bulawayo et le Matabeleland du reste du monde de la manière la plus efficace.

Ralph attacha ses chevaux au pied de l'un des poteaux et grimpa lestement jusqu'à la grappe d'isolateurs en porcelaine aux fils de cuivre luisants. Il noua un lacet en cuir à deux endroits différents pour empêcher le fil de tomber à terre, puis sectionna entre les nœuds. Le fil se rompit en vibrant, mais le lacet tint bon. Quand Ralph redescendit et leva les yeux, il eut la certitude qu'un poseur de lignes expérimenté serait nécessaire pour repérer la coupure.

Il sauta en selle et poussa son cheval au galop à coups de talon. À midi, il atteignit la route et l'emprunta en direction du sud. Il changeait de cheval toutes les deux heures et chevaucha jusqu'à ce qu'il fît trop sombre pour voir la piste. Il entrava alors les chevaux et s'endormit d'un sommeil de plomb à même le sol. Avant l'aube, il mangea un morceau de fromage et une tranche du pain bis que Louise avait mis dans sa sacoche de selle. Il était déjà en route que le ciel pâlissait à peine à l'orient.

Au milieu de la matinée, il s'écarta de la piste et trouva la ligne télégraphique, là où elle passait à proximité d'un kopje à sommet aplati. Il savait que les premiers poseurs de lignes à la recherche de la coupure n'allaient pas tarder à la trouver, et qu'il y avait peut-être au bureau du télégraphe de Bulawayo une personne impatiente d'envoyer un rapport à M. Rhodes sur la terrible épidémie qui ravageait les troupeaux.

Ralph sectionna la ligne en deux nouveaux endroits et poursuivit son chemin. En fin d'après-midi, l'un de ses chevaux flancha. Il l'avait mené trop durement, et il le laissa au bord de la piste. Si un lion ne le mangeait pas, peut-être un de ses conducteurs reconnaîtrait-il sa marque.

Le lendemain, à cinquante miles de la rivière Shashi, il croisa un de ses convois en provenance du sud — vingt-six chariots sous la responsabilité d'un contremaître blanc. Ralph s'arrêta juste le temps nécessaire pour échanger les chevaux de l'homme contre les siens, épuisés, avant de repartir. Il coupa les lignes télégraphiques deux fois encore, une fois de chaque côté de la Shashi, avant d'arriver à la tête de la ligne de chemin de fer.

Il tomba d'abord sur son géomètre, un Écossais à cheveux roux. Avec une équipe de Noirs, il travaillait à cinq miles devant les équipes principales à définir le tracé de la voie ferrée. Ralph ne mit même pas pied à terre.

— Avez-vous reçu le télégramme que je vous ai envoyé de Bulawayo, Mac ? demanda-t-il sans perdre de temps en salutations.

— Non, monsieur Ballantyne, répondit l'Écossais en secouant ses boucles couvertes de poussière. Pas la moindre nouvelle du nord depuis cinq jours... on dit que les lignes sont coupées. C'est la plus longue panne dont j'aie jamais entendu parler.

— Bon sang de bon Dieu ! jura Ralph avec véhémence pour cacher son soulagement. Je voulais que vous teniez un truck à ma disposition.

— Si vous vous dépêchez, monsieur Ballantyne, il y a un train de wagons vides qui repart aujourd'hui.

Cinq miles plus loin, Ralph arriva à la tête de la ligne. La voie ferrée traversait une grande plaine toute plate parsemée d'épineux. Cette activité effervescente semblait incongrue sur cette terre désolée et morne en lisière du désert du Kalahari. Une locomotive verte soufflait des colonnes de vapeur argentée dans le ciel vide, manœuvrant le chapelet de wagons à plate-forme vers le point extrême de la ligne. Armées de leviers, des équipes de Noirs vêtus de simples pagnes soulevaient en chantant les rails d'acier étincelants et les laissaient tomber par-dessus le bord des wagons dans un nuage de poussière ; une autre équipe se précipitait alors pour les installer sur les traverses en teck.

Les contremaîtres les stabilisaient avec des cales en acier, puis venaient les manœuvres qui enfonçaient les pointes de fer à grands coups de masse. Un kilomètre plus loin se trouvait la baraque de chantier, un abri carré en bois et tôle ondulée que l'on pouvait déplacer chaque jour. L'ingénieur en chef était en manches de chemise, suant au-dessus d'un bureau fait de caisses de lait concentré clouées ensemble.

— Quel est votre kilométrage ? demanda Ralph depuis la porte.

— Monsieur Ballantyne, fit l'ingénieur surpris en se levant d'un bond. (Il avait un cou de taureau, d'épais avant-bras velus et trois centimètres de plus que Ralph, mais il craignait celui-ci. Ça se voyait dans ses yeux. Ralph en éprouva une petite satisfaction. Il n'avait pas l'ambition d'être l'homme le plus populaire d'Afrique.) Nous ne vous attendions pas maintenant, pas avant la fin du mois.

— Je sais. Quel est votre kilométrage ?

— Nous avons rencontré quelques difficultés, monsieur.

— Bon sang, vous allez répondre à ma question ?

— Depuis le premier du mois..., hésita l'ingénieur, mais il savait d'expérience qu'il n'y avait aucun profit à mentir à Ralph Ballantyne. Seize miles.

Ralph s'approcha du levé topographique et vérifia les chiffres. Il avait pris note en passant des numéros de balise en tête de la ligne.

— Quinze miles et six cents yards, ça ne fait pas seize miles, fit-il.

— Non, monsieur. Presque seize miles.

— Ce résultat vous satisfait ?

— Non, monsieur.

— Moi non plus.

« Cela suffit », se dit Ralph. En rajouter nuirait à l'efficacité de cet homme, et il n'y en avait pas de meilleur pour le remplacer, du moins entre ici et le fleuve Orange.

— Avez-vous reçu mon télégramme de Bulawayo ?

— Non, monsieur Ballantyne. Les lignes sont coupées depuis plusieurs jours.

— Celle de Kimberley aussi ?

— Non, pas celle-là.

— Parfait. Dites à votre opérateur d'envoyer ça.

Ralph se pencha au-dessus du bloc réservé aux messages et griffonna rapidement : « À l'intention d'Aaron Fagan, avoué, De Beers Street, Kimberley. Arriverai demain, jeudi 6, à la première heure. Prenez rendez-vous urgent avec Rough Rider de la part de Rholands. »

Rough Rider était le nom de code de Roelof Zeederberg, le principal concurrent de Ralph dans le domaine des transports. Les chariots express de Zeederberg faisaient la navette entre les baies Delagoa et Algoa, les mines d'or de Pilgrim's Rest et du Witwatersrand, et la tête de ligne à Kimberley.

Tandis que le télégraphiste tapait le message sur l'instrument en cuivre et teck, Ralph se retourna vers son ingénieur.

— Alors, quelles sont ces difficultés qui vous retardent, et comment pouvons-nous les pallier ?

— Le plus ennuyeux est le goulot d'étranglement à la gare de manœuvre de Kimberley.

Ils se mirent au travail, et au bout d'une heure la locomotive siffla. Ils sortirent de la baraque, toujours discutant. Ralph jeta sa sacoche de selle et sa couverture roulée sur le premier wagon plat, et retarda le départ du train d'une dizaine de minutes pour finir d'arranger les derniers détails avec l'ingénieur.

— À partir de maintenant, les rails vous seront livrés plus vite que vous ne pourrez les fixer, promit-il d'un air résolu en sautant sur le wagon et faisant signe au mécanicien.

Le sifflet lança un jet de vapeur dans l'air sec du désert, les roues de la locomotive tournèrent sur place, puis mordirent avec une secousse, et le long chapelet de wagons vides commença à rouler bruyamment vers le sud en prenant rapidement de la vitesse. Ralph trouva un coin du wagon à l'abri du vent et se roula dans sa couverture. Huit jours de chevauchée entre la Lupani et la voie ferrée, ce devait être une sorte de record.

« Mais il n'y a pas de prix décerné pour ça non plus », dit-il d'une voix lasse en baissant son chapeau sur ses yeux et en s'installant pour écouter la litanie des roues sur les traverses : « Nous devons nous dépêcher, nous devons nous dépêcher. » Juste avant qu'il ne sombre dans le sommeil, la litanie changea. « Les bœufs sont mourants. Les bœufs sont morts », répétaient les roues inlassablement, mais même cela ne put le maintenir éveillé une seconde de plus.

Ils entrèrent dans la gare de manœuvre de Kimberley seize heures plus tard. Il était un peu plus de quatre heures du matin.

Ralph sauta du wagon lorsque la locomotive ralentit aux aiguillages et, sa sacoche en bandoulière, remonta péniblement De Beers Street. Une lumière était allumée dans le bureau du télégraphe et Ralph tapa au guichet de bois jusqu'à ce que l'opérateur de nuit apparaisse, telle une chouette hors de son nid.

— Je voudrais envoyer un télégramme urgent à Bulawayo.

— Désolé, mon vieux, la ligne est coupée.

— Quand fonctionnera-t-elle de nouveau ?

— Dieu seul le sait, ça fait déjà six jours qu'elle ne marche pas.

Ralph avait encore un sourire aux lèvres lorsqu'il entra en plastronnant dans le hall de l'hôtel de Diamond Lil.

Le gardien de nuit était nouveau et ne reconnut pas Ralph. Il vit arriver un homme grand et mince, brûlé par le soleil, qui flottait dans ses vêtements tachés et couverts de poussière, sa chevauchée sauvage ayant fait fondre toute graisse superflue. Il ne s'était pas rasé depuis qu'il avait quitté la Lupani, et ses bottes étaient éraflées sur l'empeigne à cause des buissons épineux à travers lesquels il avait chevauché. La suie de la locomotive lui avait noirci le visage et rougi les yeux, et le gardien le prit pour un vagabond.

— Désolé, monsieur, dit-il. L'hôtel est plein.

— Qui occupe la suite « Diamant Bleu » ? demanda Ralph d'un ton affable.

— Sir Randolph Charles, répondit l'employé avec un accent de respect.

— Mettez-le dehors, dit Ralph.

— Je vous demande pardon ? dit le gardien en se reculant, l'air glacial.

Ralph tendit la main par-dessus le bureau, le prit par la cravate et le tira vers lui.

— Faites-le sortir de la suite, répéta Ralph, ses lèvres à quelques centimètres de l'oreille de l'homme. Et en vitesse !

C'est à cet instant que le réceptionniste entra dans le hall.

— Monsieur Ballantyne, s'exclama-t-il avec un mélange d'alarme et de plaisir feint en se précipitant au secours de son collègue. Votre suite personnelle va être prête dans quelques minutes. (D'une voix sifflante, il ajouta à l'oreille du gardien de nuit :) Libérez cette suite immédiatement ou je m'en charge à votre place.

La suite « Diamant Bleu » était équipée d'une des rares salles de bain de Kimberley disposant d'eau chaude. Deux domestiques noirs approvisionnèrent la chaudière installée à l'extérieur pendant que Ralph, de l'eau jusqu'au menton, réglait le robinet d'eau chaude avec son gros orteil. En même temps, il se rasait avec un coupe-chou en grimaçant devant le miroir. Le réceptionniste avait veillé à ce que la malle de Ralph soit sortie du débarras et tournait autour des valets occupés à repasser les costumes et à essayer d'améliorer encore le brillant impeccable des bottes qu'ils déballaient.

À midi moins cinq, sentant la brillantine et l'eau de Cologne, Ralph entra dans le bureau d'Aaron Fagan. Celui-ci était maigre et voûté, ses cheveux clairsemés tirés en arrière dégageaient son grand front d'intellectuel. Il avait le nez crochu, la bouche charnue et sensuelle, et les yeux vifs.

Il jouait au jeu cruel de la « kalabrias » sans faire de quartier, mais il y avait pourtant en lui de la compassion que Ralph appréciait autant que ses autres qualités. S'il avait connu les intentions de Ralph, il aurait d'abord tenté de le dissuader, puis aurait fait valoir ses arguments contre le projet, avant de se mettre à l'ouvrage et de concocter un contrat draconien.

Ralph n'avait pas le temps pour l'instant de parler d'éthique avec lui, et tandis qu'ils se donnaient l'accolade en se tapant affectueusement sur l'épaule, il devança sa question en demandant : « Est-ce qu'ils sont là ? » tout en poussant la porte du bureau.

Roelof et Doel Zeederberg ne se levèrent pas à l'entrée de Ralph, et les trois hommes ne se tendirent pas la main. Ils s'étaient heurtés trop souvent.

— Alors, Ballantyne, vous voulez encore nous faire perdre notre temps ? lança Roelof avec un fort accent suédois, mais sous ses pâles sourcils roux, ses yeux pétillaient d'intérêt.

— Je n'oserais jamais, mon cher Roelof, protesta Ralph. La seule chose que je veux, c'est que nous réglions cette question de tarif sur la nouvelle route du Matabeleland avant de nous mettre mutuellement en faillite.

— *Ja !* admit Doel sarcastiquement. C'est une bonne idée ; j'aimerais aussi faire en sorte que ma belle-mère ait de l'affection pour moi.

— Nous voulons bien vous accorder quelques minutes pour écouter vos propositions, dit Roelof sur un ton désinvolte, son intérêt de plus en plus piqué.

— L'un de nous devrait racheter l'affaire de l'autre et établir ses propres tarifs, dit Ralph avec affabilité.

Les deux frères se regardèrent malgré eux. Roelof s'acharna à rallumer son cigare éteint pour dissimuler sa surprise.

— Vous vous demandez pourquoi ? reprit Ralph. Vous voulez savoir pour quelle raison Ralph Ballantyne veut vendre ?

Aucun des deux frères ne nia ; ils attendirent tranquillement comme des vautours à l'affût.

— La vérité est celle-ci : j'ai trop diversifié mes activités dans le Matabeleland. La mine Harkness...

Roelof se détendit. Ils avaient entendu parler de la mine ; on disait dans les couloirs de la Bourse de Johannesburg qu'il en coûterait cinquante mille livres pour démarrer la production.

— Je suis en retard dans l'exécution de mon contrat de construction de la voie ferrée pour M. Rhodes, poursuivit Ralph avec sérieux. J'ai besoin de trésorerie.

— Vous avez un chiffre en tête ? demanda Roelof en tirant sur son cigare.

Ralph le lui donna, et Roelof manqua s'étouffer. Son frère lui tapa entre les épaules jusqu'à ce qu'il ait repris sa respiration, puis Roelof eut un petit rire et secoua la tête.

— *Ja*, dit-il. C'est un très bon prix.

— Il semble en effet que vous ayez raison. Je vous fais perdre votre temps, admit Ralph en se levant.

— Asseyez-vous, intervint Roelof, qui avait cessé de rire. Asseyez-vous et discutons, reprit-il vivement.

Le lendemain à midi, Aaron Fagan avait rédigé le contrat. Les termes en étaient très simples. Les acheteurs considéraient que le relevé des actifs était complet et exact. Ils acceptaient de reprendre tous les contrats de transport en cours et la responsabilité de toutes les marchandises alors en transit. Le vendeur ne donnait aucune garantie. Le prix d'acquisition devait être payé au comptant, sans aucun transfert d'actions, et la date d'effet du contrat était celle de la signature.

Ils signèrent en la présence de leurs avoués, et les deux parties, accompagnées de leurs conseillers juridiques, traversèrent la rue pour se rendre à l'agence centrale de la Dominion Colonial and Overseas Bank, où le chèque de la société Zeederberg Bros. fut présenté à l'encaissement et dûment honoré par le directeur de l'établissement. Ralph fourra les liasses de billets de cinq livres dans son sac et salua les frères Zeederberg en inclinant son chapeau.

— Bonne chance, messieurs, dit-il.

Il prit Aaron Fagan par le bras et le conduisit à l'hôtel de Diamond Lil. Roelof Zeederberg se passa la main sur son crâne à moitié chauve.

— J'ai soudain un étrange pressentiment, murmura-t-il mal à l'aise en les regardant s'en aller.

Le lendemain matin, Ralph prit congé d'Aaron Fagan à la porte de son bureau.

— Vous entendrez de nouveau parler des frères Zeederberg plus tôt que vous ne l'imaginez, avertit-il d'un ton affable. Soyez gentil de ne pas m'importuner avec leurs accusations.

Aaron le regarda pensivement s'éloigner vers Market Square.

Une demi-douzaine de personnes de sa connaissance arrêtèrent Ralph pour s'enquérir avec sollicitude de sa santé ou lui demander s'il avait l'intention d'émettre des actions de la mine Harkness.

— Faites-moi signe si vous vous décidez, Ralph.

— Si je peux vous être utile, je le ferai avec plaisir, monsieur Ballantyne.

Le bruit courait que le minerai de la mine atteignait soixante onces d'or la tonne, et tous ceux qu'il rencontrait voulaient prendre une participation, si bien qu'il lui fallut près d'une heure pour parcourir les cinq cents mètres qui le séparaient de la De Beers Consolidated Mines Company.

C'était un bâtiment magnifique, un temple dédié au diamant. Aux trois étages, les balcons étaient ornés de grilles en fer forgé peintes en blanc, les murs en brique rehaussés par les angles en pierre de taille, les fenêtres en verre teinté et les portes en teck huilé avec poignées et serrures en cuivre poli.

Ralph signa le registre des visites et un portier en uniforme et gants blancs le conduisit au dernier étage par un escalier en colimaçon. Il y avait une plaque en cuivre sur la porte, avec seulement un nom gravé, sans titre d'accompagnement : « M. Jordan Ballantyne », mais la splendeur du bureau sur lequel elle s'ouvrait donnait une idée de la place occupée par Jordan dans la hiérarchie de la De Beers.

Les doubles fenêtres donnaient sur la mine de Kimberley, à moins d'un mile de là, mais il était impossible, même de cette hauteur, de voir le fond du puits. C'était comme si un météore avait creusé un cratère dans la croûte terrestre. Et chaque jour il devenait plus profond au fur et à mesure que les mineurs suivaient le cône fabuleux de kimberlite bleue. La mine avait déjà produit près de dix millions de carats de diamants de qualité, et la compagnie de M. Rhodes était propriétaire de l'ensemble.

Ralph accorda un regard rapide au puits dans lequel il avait passé la majeure partie de sa jeunesse à suer sang et eau à la recherche des pierres insaisissables, puis il examina la pièce en connaisseur. Les lambris étaient en chêne sculpté de main d'expert, les livres sur les étagères reliés en maroquin gravé à la feuille d'or. Le sol était couvert de tapis en soie de Qum.

On entendit couler de l'eau par la porte ouverte de la salle de bain attenante, et une voix demanda : « Qui est là ? »

Ralph lança son chapeau sur la patère et se tourna pour faire face à la porte au moment où Jordan la franchissait, en manches de chemise avec des protections aux poignets. Sa chemise était en lin irlandais le plus fin et sa cravate en soie moirée. Il se séchait les mains avec une serviette monogrammée, mais s'immobilisa en voyant Ralph, jeta la serviette, poussa un cri de joie et vint à lui en trois grandes enjambées.

Au bout d'un moment, Ralph mit fin à leur étreinte fraternelle et tint Jordan à bout de bras pour l'examiner.

— Toujours le parfait dandy, dit-il pour le taquiner en ébouriffant ses épaisses boucles dorées coupées à la dernière mode.

Cette familiarité n'enlevait rien au fait que Jordan était l'un des plus beaux hommes qu'il ait jamais connus. Non, il était plus que beau, et le plaisir évident que son frère éprouvait à le voir rehaussait l'éclat de son teint et l'étincelle de vivacité derrière ses longs cils recourbés. Comme toujours, le charisme de son cadet et sa gentillesse captivaient Ralph.

— Et toi, demanda Jordan en riant, tu es si tanné et mince ! Qu'est-il advenu de ta bedaine ?

— Je l'ai laissée sur la route du Matabeleland.

— Du Matabeleland ! répéta Jordan en changeant d'expression. Tu auras donc apporté ces terribles nouvelles avec toi ? (Il se précipita vers le bureau recouvert de cuir.) La ligne télégraphique a été coupée pendant plus d'une semaine, voilà le premier message qui est passé depuis qu'elle est réparée. Je viens de le décoder.

Il tendit le papier pelure à Ralph. La traduction était écrite entre les lignes imprimées par le téléscripteur de la jolie écriture de Jordan. Le message était adressé à « Jupiter », le nom de code de M. Rhodes, et il avait été envoyé par le général Mungo Saint John, en sa qualité d'administrateur par intérim en l'absence du Dr Jameson.

« Épidémie frapperait bétail dans nord du Matabeleland. Pertes de soixante pour cent. Je répète : soixante pour cent. Vétérinaires de la Compagnie reconnaissent symptômes similaires à épidémie peste bovine Italie 1880. Aucun traitement connu. Pertes possibles cent pour cent à défaut quarantaine et contrôle. Réclame urgemment autorité pour détruire et brûler tout bétail au centre province pour éviter propagation vers le sud. »

Tout en feignant d'être abasourdi à la lecture du premier paragraphe, Ralph parcourut rapidement le reste du texte. Il était exceptionnel d'avoir la possibilité de lire un rapport décodé de la BSA Company ; le fait que Jordan le lui ait mis entre les mains donnait la mesure de son trouble.

Il y avait des listes concernant les effectifs et les dispositions de police, des résumés des sommes disponibles et distribuées, des demandes administratives, des recommandations pour des licences commerciales et le tableau des concessions minières enregistrées à Bulawayo. Ralph rendit le papier à son frère avec un air grave de circonstance.

En haut du tableau des concessions nouvelles, il avait vu une zone de plus de cent kilomètres carrés enregistrée au nom de la Compagnie charbonnière de Wankie. C'était le nom que Harry Mellow et lui avaient choisi d'un commun accord pour leur société, et Ralph rayonnait intérieurement. Harry avait donc certainement ramené les femmes et Jonathan sains et saufs à Bulawayo, et avait sans tarder enregistré les concessions. Une fois de plus, Ralph se félicita de l'avoir choisi pour associé et beau-frère. La seule petite incertitude concernait la mention ajoutée au tableau par Saint John :

« Faire part au plus vite de la politique de la Compagnie concernant les concessions charbon et métaux de base. Concession 198 en faveur de Compagnie charbonnière de Wankie en suspens en attendant éclaircissements. »

Les concessions étaient enregistrées mais non encore confirmées. Ralph aurait cependant le temps de s'en inquiéter plus tard. Pour l'heure, il lui fallait concentrer son attention sur les appréhensions de Jordan.

— Les terres de papa sont juste sur le chemin de cette épidémie. Il a travaillé si dur toute sa vie, et il a eu une telle poisse... Oh, Ralph, ça ne peut pas lui arriver encore ! (Jordan s'interrompit, une autre pensée lui était venue à l'esprit.) Et toi aussi. Combien d'attelages as-tu dans le Matabeleland, Ralph ?

— Aucun.

185

— Aucun. Je ne comprends pas.

— J'ai vendu mes bœufs et mes chariots jusqu'aux derniers aux Zeederberg.

Jordan le regarda bouche bée.

— Quand cela ? demanda-t-il enfin.

— Hier.

— Quand es-tu parti de Bulawayo, Ralph ?

— Quel rapport ?

— Les lignes télégraphiques... elles ont été coupées, tu sais... délibérément. En quatre endroits différents.

— Incroyable ! Qui a pu faire une chose pareille ?

— Je n'ose même pas le demander, fit Jordan en secouant la tête, puis, réflexion faite, il ajouta : Je ne veux pas savoir quand tu as quitté Bulawayo ni si papa a vendu son bétail aussi soudainement que tu l'as fait.

— Viens, Jordan, je t'emmène déjeuner au club. Une bouteille de champagne te consolera d'appartenir à une famille de gredins et de travailler au service d'un autre.

Le Kimberley Club avait une façade des plus quelconques. Depuis sa fondation, il avait été agrandi deux fois et les parties rajoutées sautaient aux yeux : brique crue de Kimberley jouxtant la tôle galvanisée, puis brique rouge cuite. Le toit en tôle ondulée n'était pas peint, mais il y avait en revanche d'étranges petites touches prétentieuses : la clôture blanche, la porte principale vitrée avec du verre de Venise.

Nul ne pouvait considérer qu'il était vraiment arrivé en Afrique du Sud tant qu'il n'était pas membre du club. On en faisait si grand cas que Barney Barnato, dont la candidature, en dépit de ses millions, avait été résolument rejetée, ne s'était laissé finalement tenter de vendre ses holdings de diamant à M. Rhodes qu'après que l'entrée du club lui eut été promise comme partie intégrante de la négociation. Même alors, le stylo à la main, Barnato avait hésité à signer le contrat.

— Qu'est-ce qui me prouve qu'ils ne vont pas encore me sortir dès que j'aurai signé ?

— Mon cher ami, je ferai de vous un administrateur à vie, lui assura M. Rhodes en lui tendant la carotte finale, irrésistible pour le petit Cockney des quartiers pauvres.

Le soir de son admission, Barnato s'était dirigé à grands pas vers le bar vêtu comme un imprésario de théâtre, et il avait offert une tournée générale, puis il avait montré la bague qu'il portait au majeur, où étincelait un magnifique diamant bleu de dix carats.

— Alors, messieurs, que pensez-vous de ça ?

186

L'un des membres l'examina pendant quelques instants, puis remarqua :

— Ça jure terriblement avec la couleur de vos ongles, mon vieux.

Puis, ignorant le verre qu'on lui tendait, il se dirigea nonchalamment vers la salle de billard, suivi par tous les autres, à l'exception de Barney Barnato et du barman. Voilà quel genre de club c'était.

L'entrée du club avait été assurée à Ralph et à Jordan dès qu'ils avaient eu l'âge requis. Car non seulement leur père en était l'un des membres fondateurs et des administrateurs à vie, mais il était aussi titulaire d'un brevet de Sa Majesté et un gentleman. Au Kimberley Club, ces choses-là passaient avant la vulgaire richesse. Le portier salua les deux frères par leur nom et déposa leur carte sur la planche des « entrées ». Le barman versa à Jordan gin rose et Indian tonic sans qu'il ait à le lui demander et se tourna vers Ralph en s'excusant :

— On ne vous voit pas assez souvent, monsieur Ralph. Un whisky Glenlivet comme d'habitude, monsieur, avec de l'eau et sans glace ?

Après être passés à la salle à manger, les frères Ballantyne commandèrent tous deux de l'agneau de lait, au goût subtil d'herbes du Karroo, servi avec des pommes de terre nouvelles persillées. Jordan refusa le champagne que lui proposait Ralph.

— Je travaille, dit-il avec un sourire, et j'ai des goûts plus simples que les tiens. Quelque chose comme un château-margaux 73 me conviendrait mieux.

Le bordeaux de vingt ans d'âge coûtait quatre fois plus cher que tous les champagnes inscrits sur la carte des vins.

— Bon sang ! lâcha Ralph d'un air piteux. Sous ce vernis d'urbanité, tu es bien un vrai Ballantyne.

— Et toi, tu dois être plein de fric après cette vente opportune. Il est de mon devoir de frère de t'aider à t'en débarrasser.

— J'ai bradé, objecta Ralph tout en appréciant le bordeaux.

Ils savourèrent leur repas en silence pendant quelques minutes, puis Ralph prit son verre.

— Que pense M. Rhodes des gisements de charbon que Harry et moi avons piquetés ? demanda-t-il doucement en faisant semblant d'étudier les reflets incarnats dans son vin mais en observant en fait la réaction de son frère.

Il vit les commissures des lèvres de Jordan frémir de surprise, vit ses yeux briller d'une autre émotion qu'il n'eut pas le temps de déchiffrer, puis Jordan porta à sa bouche un morceau d'agneau avec sa fourchette en argent, le mastiqua consciencieusement et l'avala avant de demander :

— Du charbon ?

— Oui, du charbon ! Harry Mellow et moi avons piqueté un énorme gisement de charbon de qualité supérieure dans le nord du Matabeleland... Tu n'as pas vu l'enregistrement des concessions ? Le conseil d'administration n'a pas encore donné son approbation ? Tu dois être au courant, Jordan.

— Quel vin exceptionnel, fit Jordan en humant le bouquet. Quel corps !

— Oh, j'oubliais que le télégraphe était en panne. Tu n'as pas encore reçu le message ?

— Ralph, j'ai appris par mes informateurs, dit Jordan avec circonspection, et Ralph se pencha vers lui pour mieux écouter, j'ai appris que le secrétaire du club vient de recevoir de Fortnums un fromage de Stilton de vingt livres. Il doit être parfaitement à point après le voyage.

— Jordan ! fit Ralph, mais son frère ne leva pas les yeux.

— Tu sais bien que je ne peux rien dire, murmura-t-il pitoyablement.

Ils mangèrent donc du stilton sur des craquelins et l'accompagnèrent d'un porto tiré du fût qui n'était pas sur la carte et que seuls connaissaient les membres privilégiés.

Enfin Jordan tira sa montre en or de son gousset.

— Il faut que j'y aille. M. Rhodes et moi partons pour Londres demain à midi. J'ai beaucoup à faire avant le départ.

Cependant, en sortant du club, Ralph prit fermement son frère par le bras et le conduisit dans De Beers Street en captivant son attention avec un flot de potins familiaux jusqu'au moment où ils se trouvèrent face à une jolie maison en briques rouges presque cachée par des rosiers, ses fenêtres à carreaux en losange équipées de rideaux en dentelle. Sur la porte, on lisait cette petite plaque anodine :

HAUTE COUTURE FRANÇAISE
COUTURIÈRES EUROPÉENNES.
SPÉCIALITÉS POUR TOUS LES GOÛTS.

Avant que Jordan ait compris l'intention de son frère, Ralph avait soulevé le loquet du portillon et l'entraînait dans l'allée d'accès. Il estimait qu'après un bon repas, la compagnie de l'une des jeunes demoiselles que Diamond Lil savait si bien choisir pour orner Rose Cottage ne manquerait pas de délier la langue même d'un serviteur aussi fidèle que Jordan et l'amènerait à quelques indiscrétions sur les affaires de son patron.

Jordan n'avait pas fait un pas dans l'allée qu'il libéra son bras avec une violence inutile.

— Où vas-tu ? demanda-t-il, aussi pâle que si un mamba avait traversé le chemin juste devant lui. Tu sais quelle sorte d'endroit est cette maison ?

— Bien sûr. C'est le seul bordel que je connaisse où un médecin vérifie la marchandise proposée au moins une fois par semaine.

— Tu ne peux pas aller là-dedans.

— Allez viens, Jordie, fit Ralph avec un sourire en reprenant son frère par le bras. C'est moi, ton frère Ralph, pas la peine de jouer la comédie. Un jeune célibataire comme toi, bon sang ! Je parie qu'il y a là-dedans une plaque sur le mur au-dessus de chaque lit avec ton nom gravé... (Il s'interrompit en se rendant compte que Jordan était réellement consterné.) Qu'est-ce qui se passe, Jordie ? demanda-t-il, sans son assurance habituelle. Ne me dis pas que tu ne t'es jamais fait retirer tes boutons de manchettes par l'une des pensionnaires de Lil ?

— Je n'ai jamais mis les pieds là-dedans, répondit Jordan en secouant la tête avec véhémence, pâle comme un linge, les lèvres tremblantes. Et tu ne devrais pas non plus y aller, Ralph. Tu es marié !

— Oh Seigneur, Jordie, ne sois pas stupide. On finit par se lasser même du caviar et du champagne. Du jambon de campagne et un bon pichet de cidre de temps à autre, cela change un peu.

— Ça te regarde, dit Jordan en lui lançant un regard incendiaire. Et je suggère que nous ne restions pas à discuter devant ce... cet établissement. (Il tourna les talons et s'éloigna rapidement d'une douzaine de pas avant de jeter un coup d'œil par-dessus son épaule.) Tu ferais mieux de consulter ton avocat à propos de ce fichu charbon plutôt que de...

Il s'interrompit, manifestement horrifié par son indiscrétion, puis se hâta en direction de Market Place. La mâchoire de Ralph se durcit, ses yeux devinrent froids et durs comme des émeraudes. Il avait appris de Jordan ce qu'il voulait savoir, et ça ne lui avait pas coûté le prix d'une des créatures de luxe de Diamond Lil. Le rideau de dentelle de la fenêtre de Rose Cottage se souleva, et une jolie fille aux yeux sombres et aux lèvres rouges lui sourit en agitant ses anglaises pour l'inviter à entrer.

— Reste assise, chérie, lui dit Ralph, et garde-le au chaud pour moi. Je reviendrai plus tard.

Il écrasa sous son pied son cigare à demi fumé et se dirigea à grands pas vers le bureau d'Aaron Fagan.

Aaron Fagan les appelait la « bande de loups ».

« M. Rhodes les garde enchaînés dans des niches spécialement construites à leur intention, et il les laisse courir de temps en temps, juste pour garder le goût de la chair humaine. »

Ils ne ressemblaient pourtant pas particulièrement à des loups, ces quatre hommes sobrement vêtus, autour de la quarantaine ou de la cinquantaine.

Aaron les présenta individuellement, puis collectivement :

— Ces messieurs sont les conseillers juridiques permanents de la De Beers. Je ne crois pas me tromper en disant qu'ils agissent également au nom de la British South Africa Company ?

— C'est exact, monsieur Fagan, dit le plus âgé tandis que ses collègues prenaient place de l'autre côté de la longue table.

Chacun déposa en face de lui une chemise en peau de porc contenant des papiers, puis comme des acteurs de vaudeville ayant bien répété, ils levèrent la tête à l'unisson. C'est seulement alors que Ralph s'aperçut qu'ils avaient des regards de loups.

— En quoi pouvons-nous vous être utiles ?

— Mon client souhaite obtenir des éclaircissements sur les lois minières promulguées par la BSA Company, répondit Fagan.

Deux heures plus tard, Ralph, avançant à tâtons dans un labyrinthe de voies juridiques, essayait de suivre la conversation et de comprendre le jargon. Son irritation était de plus en plus manifeste.

Fagan en appelant silencieusement à sa patience, il fit effort pour retenir les paroles de colère qui lui venaient aux lèvres, s'affala davantage sur sa chaise et, en un geste de défi délibérément grossier, posa ses pieds bottés sur la table au milieu des documents juridiques éparpillés.

Pendant une heure encore il écouta, se tassant toujours plus sur sa chaise, un regard renfrogné posé sur les avocats qui lui faisaient face, jusqu'au moment où Fagan demanda humblement :

— Cela veut dire que, selon vous, mon client n'a pas rempli les obligations impliquées par la clause 5 de la section 27B comprise en conjonction avec la section 7 *bis* ?

— Eh bien, monsieur Fagan, il nous faudrait d'abord examiner la question de l'obligation de résultats telle qu'elle est définie dans la section 31, répondit prudemment le meneur de la meute en lissant ses moustaches et interrogeant du regard ses assistants, qui de nouveau hochèrent la tête de concert. Selon les termes de cette section...

Ralph atteignit soudain les limites ultimes de sa patience. Il reposa ses pieds par terre avec un bruit tel que les quatre messieurs en complet gris sursautèrent. L'un fit tomber son dossier, et les papiers s'envolèrent.

— Je ne connais peut-être pas la différence entre l'« obligation de résultats » et le trou que vous avez entre les fesses, lança Ralph d'une voix qui fit pâlir et se recroqueviller sur lui-même le meneur — comme tous les hommes dont le métier est de manier les mots, il avait horreur de la violence, et c'était bien ce qu'il sentait dans le regard que Ralph fixait sur lui. Je sais cependant ce qu'est un tas de fumier quand j'en vois un. Et c'est bien ce que vous êtes en train de me servir, messieurs.

— Monsieur Ballantyne, protesta l'un des assistants, plus courageux que son chef, je m'élève contre l'utilisation d'un tel langage ! Vos insinuations...

— Ce ne sont pas des insinuations, coupa Ralph. Je dis carrément que vous êtes des bandits, est-ce assez clair ? Vous préférez voleurs ou pirates ?

— Monsieur...

L'assistant se leva d'un bond, rouge d'indignation. Ralph tendit la main par-dessus la table et le saisit par la cravate, coupant court à ses protestations avant qu'elles n'aient eu le temps de franchir ses lèvres.

Vouillez vous taire quand je parle, l'ami. J'en ai assez de traiter avec le menu fretin. Je veux parler au chef des bandits. Où est M. Rhodes ?

À ce moment une locomotive siffla au loin dans la gare de triage. Le son leur parvint à peine, même dans le silence qui suivit la question de Ralph. Celui-ci se souvint de l'excuse invoquée la veille par Jordan pour écourter leur déjeuner. Il lâcha l'avocat si brusquement que celui-ci retomba sur sa chaise, le souffle coupé.

— Aaron, quelle heure est-il ? demanda Ralph.

— Midi moins huit.

— Il était en train de se débarrasser de moi... ce salaud était en train de se débarrasser de moi !

Ralph tourna les talons et partit en courant.

Il y avait une demi-douzaine de chevaux attachés devant l'immeuble de la De Beers. Sans ralentir, Ralph jeta son dévolu sur un grand bai d'allure robuste et se précipita vers lui. Il serra la sangle, décrocha les rênes et tourna la tête du cheval vers la route.

— Hé, vous ! cria le portier. C'est la monture de Sir Randolph !

— Dites à Sir Randolph qu'il peut récupérer sa suite, répondit Ralph en sautant en selle.

Il avait fait un bon choix, le bai répondait bien aux sollicitations de ses genoux. Ils dépassèrent au galop les échafaudages de la mine et filèrent entre les grandes buttes formées par les refus de broyage. Puis Ralph vit le train particulier de M. Rhodes.

Il franchissait déjà les aiguillages à l'extrémité sud de la gare de triage et s'éloignait dans la plaine. La locomotive tirait quatre wagons, la vapeur jaillissait des pistons des roues motrices à chaque tour. Le bras de signal était baissé et les feux étaient verts. La locomotive prenait rapidement de la vitesse.

— Allez, mon gars ! cria Ralph pour encourager sa monture en la faisant bifurquer vers la clôture en fil barbelé qui longeait la voie.

Le cheval ralentit en pointant ses oreilles en avant pour prendre la mesure de l'obstacle, puis s'élança hardiment.

— Oh ! Bonne bête ! fit Ralph en le soulevant des mains et des pieds.

Ils s'envolèrent, passant deux pieds au-dessus de la clôture, et atterrirent sans encombre. Devant eux le terrain était dégagé et la voie ferrée tournait légèrement. Ralph coupa au plus court ; allongé sur l'encolure du cheval, il surveillait le sol caillouteux pour éviter les trous. Cinq cents mètres plus loin, le train s'éloignait d'eux petit à petit, mais le bai continua de galoper courageusement.

La locomotive atteignit alors la rampe des collines de Magersfontein, le souffle de la chaudière changea de rythme et ralentit. Ils la rattrapèrent quatre cents mètres avant la crête ; Ralph poussa son cheval assez près pour se pencher sur sa selle et empoigner la rampe du balcon arrière du dernier wagon. Il s'élança dans le vide et grimpa sur la plate-forme. Il jeta un coup d'œil par-dessus son épaule : le bai était déjà en train de brouter tranquillement l'herbe du Karroo à côté de la voie ferrée.

— Je savais bien que tu allais venir. (Ralph se retourna rapidement. Jordan était à la porte du wagon.) J'ai même fait préparer un lit pour toi dans l'une des cabines des invités.

— Où est-*il* ? demanda Ralph.

— Il t'attend au salon. Il a assisté avec intérêt à ta folle chevauchée. J'avais parié que tu y arriverais : grâce à toi, j'ai gagné une guinée.

Officiellement, le train était à l'usage de tous les directeurs de la De Beers, bien qu'aucun d'entre eux, à l'exception du président du conseil d'administration, ne se soit encore montré assez téméraire pour exercer ce droit.

À l'extérieur, les wagons et la locomotive étaient vernis en marron et or. L'intérieur était aussi luxueux qu'il pouvait l'être lorsqu'on dépense sans compter : tapis de Wilton assortis, lustres en cristal et robinetterie en or massif et onyx dans les salles de bain.

M. Rhodes était affalé dans un fauteuil en cuir boutonné près de la fenêtre panoramique de son wagon personnel. Des liasses de papiers encombraient le dessus en cuir frappé d'or de son bureau, un verre de whisky était posé près de son coude. Il paraissait fatigué et malade, le visage bouffi et marbré de rouge. Il y avait à présent plus d'argent que d'or roux dans sa moustache et ses cheveux ondulés, mais il avait toujours ses yeux bleu pâle de fanatique et la voix haut perchée.

— Asseyez-vous, Ballantyne, dit-il. Jordan, apportez à boire à votre frère.

Jordan déposa sur la table à côté de Ralph un plateau d'argent avec un carafon de whisky, un verre en cristal Stuart et une carafe de bordeaux assortie. Pendant ce temps-là, M. Rhodes se remettait à ses papiers.

— Quel est le capital le plus important d'une nation, Ballantyne ? demanda-t-il à brûle-pourpoint sans lever les yeux.

— Les diamants ? suggéra Ralph d'un ton moqueur, et il entendit Jordan prendre une bonne inspiration derrière lui.

— Les hommes, dit M. Rhodes comme s'il n'avait pas entendu. Les hommes jeunes, intelligents, imprégnés d'un grand dessein pendant la période la plus réceptive de leur vie. Des hommes jeunes comme vous, Ralph, des Anglais possédant toutes les vertus humaines. (Il marqua une pause.) Je suis en train de prévoir dans mon testament une dotation pour un ensemble de bourses. Je veux que ces jeunes gens soient choisis soigneusement et envoyés à Oxford. (Pour la première fois, il leva les yeux vers Ralph.) Je trouve parfaitement inacceptable que les idées les plus nobles d'un homme se perdent pour la seule raison qu'il passe de vie à trépas. Ils seront mes idées vivantes. À travers ces jeunes gens, je vivrai éternellement.

— Comment les choisirez-vous ? demanda Ralph, intrigué malgré lui par ce projet d'immortalité, conçu par un géant au cœur malade.

— J'y travaille en ce moment, répondit Rhodes en remettant en ordre ses papiers. Réussite littéraire et scolaire, naturellement, succès dans la pratique des sports virils, capacité de diriger.

— Où les trouverez-vous ? s'enquit Ralph, qui, pour l'heure, avait oublié sa colère et sa frustration. En Angleterre, tous ?

— Non, non, fit Rhodes en secouant sa tête léonine. Dans tous les coins de l'Empire : Afrique, Canada, Australie, Nouvelle-Zélande, même en Amérique. Treize en Amérique chaque année. Un par État.

Ralph réprima un sourire. Le colosse d'Afrique — à propos de qui Mark Twain avait écrit : « Lorsqu'il est sur la montagne de la Table, son ombre tombe sur le Zambèze » — avait des failles dans son vaste esprit rusé. Il croyait encore que l'Amérique ne comportait que les treize États d'origine. Ces petites faiblesses donnèrent à Ralph le courage de l'affronter, de s'opposer à lui. Il ne toucha pas à la carafe posée près de son coude. Il avait besoin de tous ses esprits pour découvrir les autres points faibles à exploiter.

— Et après les hommes ? questionna Rhodes. Quel est ensuite le capital le plus précieux d'un pays ? Les diamants, comme vous l'avez suggéré ? L'or ? (Il secoua la tête.) C'est l'énergie qui fait circuler les trains, fonctionner les machines d'extraction des mines, qui alimente les hauts fourneaux, l'énergie qui fait tourner toutes les roues. Le charbon.

Tous deux restèrent alors silencieux et se regardèrent. Ralph sentait tous les muscles de son corps sous tension, les poils à l'arrière de son cou se hérisser, mus par une passion atavique. Le jeune taureau affrontant le vieux chef du troupeau pour leur première épreuve de force.

— C'est très simple, Ralph, les gisements de charbon du pays de Wankie doivent rester entre des mains responsables.

— Celles de la British South Africa Company, par exemple ? demanda Ralph d'un air mécontent.

M. Rhodes n'eut pas à répondre. Il continua simplement de regarder Ralph dans les yeux.

— Par quel moyen comptez-vous vous les approprier ? interrogea Ralph au bout d'un moment.

— Par tous les moyens nécessaires.

— Légaux ou autres ?

— Allons, Ralph, vous savez pertinemment qu'il est en mon pouvoir de légaliser tout ce que je fais en Rhodésie. (Non pas le Matabeleland ou le Machonaland, remarqua Ralph, mais la Rhodésie. Le rêve mégalomaniaque de grandeur atteignait son comble.) Il va de soi que vous recevrez un dédommagement — des terres, des concessions aurifères —, ce qu'il vous plaira. Que choisirez-vous, Ralph ?

Ralph secoua la tête.

— Je veux les gisements de charbon que j'ai découverts et piquetés. Ils m'appartiennent. Je vous combattrai pour les garder.

Rhodes soupira et se pinça l'arête du nez.

— Très bien. Je retire mon offre de compensation. Laissez-moi par contre souligner quelques faits dont vous n'avez vraisemblablement pas conscience. Deux poseurs de lignes de la compagnie ont déclaré par écrit et sous serment devant l'administrateur à Bulawayo qu'ils vous ont vu couper les lignes du télégraphe au sud de la ville, lundi 4 à quatre heures de l'après-midi.

— Ils mentent, dit Ralph avant de se tourner vers son frère.

Lui seul pouvait avoir effectué cette déduction et en avoir fait part à M. Rhodes. Jordan était assis en silence dans un fauteuil au bout du salon. Il ne leva pas les yeux du bloc-notes posé sur ses genoux, son beau visage était serein. Ralph sentit sous sa langue le goût amer de la traîtrise et il se retourna pour faire face à son adversaire.

— Il se peut qu'ils mentent, reconnut M. Rhodes d'une voix douce, mais ils sont prêts à témoigner sous serment.

— Déprédation avec intention délictueuse des biens de la Compagnie, dit Ralph en levant un sourcil. Est-ce un crime capital maintenant ?

— Vous ne comprenez toujours pas, je vois. Tout contrat conclu à la suite d'une présentation déformée des faits peut être annulé par une cour de justice. Si Roolof Zeederberg peut prouver que lorsque vous et lui avez signé votre petit accord, vous étiez pleinement au courant de l'épidémie de peste bovine qui balayait la Rhodésie, et que vous avez commis un acte criminel pour lui cacher ce fait... (M. Rhodes ne termina pas sa phrase. Il soupira une nouvelle fois, se frotta le menton, sa barbe grisonnante crissa sous ses doigts.) Le 4, votre père, le major Zouga Ballantyne, a vendu cinq mille têtes de bétail élevé pour la reproduction à la Gwaai Cattle Ranches, une de mes sociétés. Trois jours plus tard, la moitié des bêtes étaient mortes de la peste bovine, et les autres ne vont pas tarder à être abattues à la suite des mesures de lutte contre le fléau prises par la Compagnie. Les frères Zeederberg ont déjà perdu soixante pour cent des bœufs que vous leur avez vendus, ils ont deux cents chariots et leur chargement immobilisés sur la grand-route du nord. Ne voyez-vous pas, Ralph, que votre contrat de vente et celui de votre père pourraient être déclarés nuls et non avenus ? Que vous pourriez être tous les deux obligés de rembourser l'argent que vous avez reçu et de reprendre des milliers d'animaux morts ou agonisants.

Le visage de Ralph était de marbre, mais sa peau avait jauni comme celle d'un homme en proie à la fièvre depuis cinq jours. D'un mouvement saccadé, il remplit à moitié son verre de whisky et avala une gorgée comme si ça avait été du verre pilé.

M. Rhodes laissa la question de la peste bovine reposer comme une vipère lovée entre eux, et il sembla passer à autre chose.

— J'espère que mes conseillers juridiques ont suivi mes instructions et vous ont informé des lois relatives à la prospection et à l'exploitation minières que nous avons adoptées pour les territoires donnés à charte. Nous avons décidé d'appliquer le droit américain, et non celui du Transvaal. (M. Rhodes but une gorgée puis fit tourner le verre dans sa main. Le pied avait laissé une auréole sur le cuir d'Italie.) Ce droit américain présente certains aspects particuliers. Je doute que vous ayez eu l'occasion de les examiner tous et prendrai donc la liberté de vous en exposer un. Selon les termes de la section 23, toute concession minière piquetée entre le coucher du soleil et son lever sera nulle et le droit à ces concessions susceptible d'être supprimé par le commissaire aux mines. Vous saviez cela ?

Ralph hocha la tête.

— Ils me l'ont dit.

— Il y a en ce moment sur le bureau de l'administrateur une déclaration écrite sous serment effectuée en la présence d'un juge de paix par un certain Jan Cheroot, un Hottentot au service du major Zouga Ballantyne. Il y atteste que certaines concessions, connues sous le nom de « mine Harkness » et enregistrées par la Compagnie foncière et minière de Rhodésie, dont vous êtes le principal actionnaire, ont été piquetées de nuit, ce qui les rend susceptibles d'annulation.

Ralph sursauta si violemment que son verre cogna contre le plateau d'argent et que du whisky se renversa.

— Avant que vous punissiez cet infortuné Hottentot, je m'empresse de préciser qu'en effectuant cette déclaration il était persuadé d'agir au mieux de vos intérêts et de ceux de son maître.

Cette fois-ci, le silence s'éternisa de longues minutes pendant que M. Rhodes regardait par la fenêtre les étendues dénudées et blanchies par le soleil du Karroo sous un ciel bleu laiteux. Puis soudain, il reprit la parole.

— Je n'ignore pas que vous vous êtes déjà engagé à acheter le matériel nécessaire à exploiter la mine Harkness, et que vous avez donné votre garantie personnelle pour plus de trente mille livres. Le choix qui s'offre à vous est donc des plus simples. Ou vous abandonnez toute concession sur les gisements de charbon de Wankie, ou vous perdez non seulement ces concessions mais aussi celles de la mine Harkness et vous voyez votre contrat Zeederberg annulé. Vous vous retirez, encore fort riche, ou...

Ralph laissa la déclaration inachevée résonner dans son esprit l'espace de dix battements de cœur, puis demanda :

— Ou ?

— Ou bien je vous anéantis, complètement, dit M. Rhodes.

Il affronta calmement la haine féroce qu'il percevait dans les yeux du jeune homme assis en face de lui. Il était désormais insensible à l'adulation comme à la haine ; ces choses étaient insignifiantes mesurées à l'aune du grand dessein de sa vie. Il était cependant capable d'offrir une parole d'apaisement.

— Vous devez comprendre qu'il n'y a rien de personnel dans tout cela, Ralph, dit-il. Je n'ai à votre égard que de l'admiration pour votre courage et votre détermination. Ainsi que je l'ai dit tout à l'heure, c'est dans des jeunes gens comme vous que je place tous mes espoirs pour l'avenir. Non, Ralph, cela n'a rien de personnel. Je ne peux tout simplement pas permettre que quelque chose ou quelqu'un se mette en travers de mon chemin. Je sais ce qui doit être accompli, et il reste très peu de temps pour l'accomplir.

L'instinct de tuer s'empara de Ralph comme une rage noire et impie. Il imaginait ses doigts serrés sur la gorge gonflée, sentait ses pouces écraser le larynx duquel sortait cette voix perçante et cruelle. Il ferma les yeux et lutta pour chasser sa colère. Il s'en débarrassa comme un homme qui jette son manteau mouillé pour affronter l'orage, et quand il rouvrit les yeux, il eut l'impression que sa vie entière avait changé. Il était d'un calme glacial, le tremblement avait disparu de ses mains et sa voix était paisible.

— Je comprends, dit-il en hochant la tête. À votre place, je ferais probablement la même chose. Pourquoi ne demandons-nous pas à Jordan de rédiger le contrat par lequel mes associés et moi-même cédons à la BSA Company tous les droits que nous pourrions détenir sur les gisements de charbon de Wankie, en considération de quoi la Compagnie confirme irrévocablement mes droits sur les concessions dites de la mine Harkness ?

M. Rhodes hocha la tête en signe d'approbation.

— Vous irez loin, jeune homme. Vous êtes un lutteur. (Puis levant les yeux vers Jordan.) Allez-y !

La locomotive poursuivait sa route en grondant à travers la nuit, et malgré les tonnes de plomb qui avaient été placées sur les axes pour adoucir le voyage de M. Rhodes, les wagons faisaient des embardées rythmiques et les traverses craquaient durement sous les roues d'acier.

Ralph était assis près de la fenêtre de son luxueux compartiment. La courtepointe en duvet d'oie était tirée sur le lit à deux places derrière les rideaux en velours vert, mais il n'avait pas envie de dormir. Il était encore tout habillé bien que la pendule en or sur la table de chevet indiquât trois heures du matin. Il avait beaucoup bu mais avait curieusement gardé les idées claires, comme si sa fureur avait brûlé l'alcool au fur et à mesure qu'il l'avalait.

Il regardait fixement par la fenêtre. La pleine lune était suspendue au-dessus des kopjes violets aux formes étranges dressés à l'horizon. De temps à autre, le battement des roues se transformait en coups de gong lorsqu'ils franchissaient un pont métallique au-dessus du lit asséché d'une rivière où le sable blanc luisait comme de l'argent fondu au clair de lune.

Ralph avait écouté pendant tout le dîner M. Rhodes débiter sans fin, de sa voix haut perchée et discordante, des idées grandioses et bizarres émaillées de vérités déconcertantes ou de platitudes.

La seule raison pour laquelle Ralph réussissait à maîtriser ses émotions et à faire bonne figure, la raison pour laquelle il parvenait même à hocher la tête d'un air approbateur ou à sourire aux saillies de M. Rhodes, était la certitude d'avoir découvert une autre faiblesse à son adversaire. M. Rhodes vivait dans un monde si haut au-dessus des autres hommes, il était si protégé par son immense richesse, si aveuglé par ses propres visions, qu'il ne semblait même pas se rendre compte qu'il s'était fait un ennemi mortel. S'il pensait aux sentiments qu'éprouvait Ralph, c'était pour supposer qu'il avait déjà passé philosophiquement aux pertes et profits les gisements de charbon de Wankie.

La nourriture choisie et les vins rares semblaient à Ralph aussi insipides que de la sciure. Il les avalait avec difficulté et éprouva un soulagement quand, de sa façon habituelle, M. Rhodes mit fin à la soirée en se levant brusquement de table. Seulement alors il marqua une pause pour examiner le visage de Ralph.

— Je jauge les hommes à la manière dont ils font face à l'adversité, dit-il. Vous avez passé l'examen avec succès, jeune Ballantyne.

À cet instant, Ralph avait failli une fois encore perdre le contrôle de lui-même, mais M. Rhodes avait alors quitté le salon de sa démarche d'ours, laissant les deux frères seuls à la table.

— Je suis désolé, Ralph, dit simplement Jordan. Je t'ai un jour mis en garde. Tu n'aurais pas dû essayer de le défier. Tu n'aurais pas dû me contraindre à choisir entre toi et lui. J'ai déposé une bouteille de whisky dans ta cabine. Nous arriverons au village de Matjiesfontein demain matin. Il y a là un hôtel de première qualité dirigé par un certain Logan. Tu pourras y attendre le train remontant vers le nord qui te ramènera à Kimberley demain soir.

Ralph contempla avec étonnement la bouteille de whisky vide. Après avoir bu une telle quantité d'alcool il aurait dû se trouver dans un état comateux. C'est seulement quand il essaya de se lever que ses jambes le trahirent, et il tomba contre le lavabo. Il reprit son équilibre et se regarda dans le miroir.

Ce n'était pas la tête d'un homme ivre. Sa mâchoire et sa bouche étaient fermes, ses yeux sombres et furieux. Il s'écarta du miroir, regarda le lit et se rendit compte qu'il ne pourrait pas fermer l'œil, trop consumé qu'il était par la rage et la haine. Il eut soudain envie d'un répit, d'un bref moment d'oubli, et il sut où le trouver. À l'autre bout du salon, derrière une porte à deux battants en marqueterie, il y avait tout un assortiment de bouteilles, les alcools les plus fins et les plus exotiques en provenance de tous les pays civilisés de la planète : c'était là qu'il pourrait trouver l'oubli.

Ralph traversa sa cabine, tripota maladroitement la serrure et sortit en manches de chemise. L'air frais de la nuit sur le Karroo lui caressa les cheveux, il frissonna et se glissa le long de l'étroit couloir en direction du salon. Il se cogna d'abord une épaule puis l'autre contre les cloisons en teck verni et jura à cause de sa maladresse. Il traversa le balcon en plein air entre les deux wagons en se cramponnant à la main courante pour ne pas perdre l'équilibre, impatient de regagner l'intérieur. Tandis qu'il s'engageait dans le couloir de la deuxième voiture, une des portes s'ouvrit devant lui, et une silhouette mince se découpa dans un rayon de lumière jaune.

Jordan n'avait pas vu son frère. Il s'arrêta dans l'embrasure de la porte et jeta un coup d'œil dans la cabine derrière lui. Son expression était aussi douce et aimante que celle d'une mère quittant son enfant endormi. Doucement, avec un luxe de précautions, il referma la porte coulissante sans faire le moindre bruit. Puis il se retourna et se retrouva face à face avec Ralph.

Jordan ne portait pas de veste, mais sa chemise était déboutonnée jusqu'à la boucle en argent de sa ceinture, les poignets n'étaient pas fermés, comme s'ils avaient été remis en place hâtivement, et ses pieds étaient nus, très blancs et de forme élégante sur la moquette sombre.

Rien de tout cela ne surprit Ralph, trop éméché pour se poser des questions. Il pensait que Jordan avait faim ou éprouvait un besoin pressant. Il s'apprêtait à proposer à Jordan de venir avec lui chercher une autre bouteille quand il vit son expression.

Il se sentit instantanément transporté quinze ans en arrière, dans le bungalow à toit de chaume du camp de son père près du grand puits de la mine de Kimberley où Jordan et lui avaient passé la plus grande partie de leur jeunesse. Une nuit, Ralph avait surpris son frère en train de se livrer à un acte enfantin d'onanisme, et c'était la même expression effrayée et coupable qu'il avait vue sur son beau visage.

Jordan était de nouveau cloué au sol, paralysé et pâle. Il regardait Ralph avec de grands yeux terrifiés, sa main levée comme pour se protéger la gorge. Ralph comprit soudain. Il recula d'horreur et trouva la porte du balcon fermée derrière lui. Il s'y adossa, incapable de parler pendant d'interminables secondes tandis que Jordan et lui continuaient de se dévisager. Lorsque finalement Ralph retrouva sa voix, elle était rauque comme s'il avait longtemps couru.

— Bon sang, je comprends maintenant pourquoi tu n'as que faire des putes : tu en es une toi-même.

Il se retourna, ouvrit la porte brusquement, se précipita sur le balcon, regarda autour de lui fiévreusement comme un animal pris au piège et vit les grands espaces immaculés du veld baigné par le clair de lune. Il ouvrit d'un coup de pied la porte du balcon, descendit les marches à toute vitesse et se laissa tomber dans la nuit.

Il heurta le sol violemment, roula en bas du ballast et se retrouva à plat ventre dans les rudes broussailles à côté de la voie. Lorsqu'il leva la tête, les feux rouges du fourgon de queue diminuaient en direction du sud et le bruit des roues était déjà amorti par la distance.

Il se remit debout et partit en boitillant et titubant dans le veld désert. À un kilomètre de la voie ferrée, il tomba à genoux, eut un haut-le-cœur et vomit son whisky et son dégoût. L'aube arriva, lavis orangé sinistre sur lequel se découpait la silhouette noire de collines aplaties. Ralph dirigea son regard de ce côté et dit à haute voix :

— Je jure que je l'aurai. Je jure de détruire ce monstre, ou bien c'est moi qui serai détruit.

À ce moment-là, le disque du soleil émergea au-dessus des collines et projeta un rayon cuivré sur le visage de Ralph, comme si un dieu avait écouté et scellé le pacte par le feu.

— Mon père a abattu un énorme éléphant à cet endroit. Les défenses sont sur la véranda de King's Lynn, dit Ralph à voix basse. Et j'ai moi-même tué ici un beau lion. Ça fait un drôle d'effet de penser que cela ne se produira plus jamais en ce lieu.

À côté de lui, penché sur son théodolite, Harry Mellow se redressa, le visage grave.

— Nous sommes venus pour conquérir cette région sauvage, dit-il. Il y aura bientôt ici un grand chevalement qui se dressera vers le ciel, et si le filon Harkness tient ses promesses, il y aura aussi un jour une ville avec des écoles et des églises, et des centaines, peut-être des milliers de familles. N'est-ce pas ce que nous voulons tous les deux ?

Ralph secoua la tête.

— Je serais cinglé si je ne le voulais pas. Ça paraît seulement curieux quand on regarde l'endroit maintenant.

Comme avant, l'herbe rose ondulait sous le vent dans les vallées, les arbres qui festonnaient la crête étaient grands, leur tronc argenté luisant au soleil. Mais tandis que Ralph et Harry regardaient, l'un de ces arbres frissonna sur le fond du ciel puis bascula avec fracas. Des Matabélé armés de haches s'agglutinèrent autour du géant abattu pour couper les branches et une ombre de regret persista quelques instants encore dans les yeux de Ralph, puis il se détourna.

— Vous avez choisi un bon coin, dit-il, et Harry suivit la direction de son regard.

— Knobs Hill, dit celui-ci en riant.

La case en chaume et torchis tournait le dos à l'enceinte réservée aux travailleurs indigènes et jouissait d'une vue à couper le souffle sur la forêt vers laquelle l'escarpement plongeait en des lointains bleutés. Vicky sortit de la case, petite silhouette féminine dont le tablier jaune formait une petite tache guillerette sur le fond rouge de la terre que la jeune femme espérait transformer en jardin. Elle vit les deux hommes en contrebas et leur fit signe.

— Bon sang, Vicky a fait des merveilles, fit Harry en levant son chapeau pour répondre au salut de sa femme, avec l'air un peu idiot des amoureux. Elle se débrouille parfaitement, rien ne la dérange — pas même le cobra qu'elle a trouvé dans les toilettes ce matin. Elle s'est levée et lui a tout simplement donné un coup de fusil.

— C'est sa vie, fit remarquer Ralph. Mettez-la en ville et elle sera probablement en larmes dix minutes après.

— Pas elle, objecta Harry avec fierté.

— D'accord, vous avez bien choisi, concéda Ralph, mais ça ne se fait pas de vanter les mérites de sa propre épouse.

— Ça ne se fait pas ? (Harry secoua la tête d'un air étonné.) Oh, vous, les Anglais ! dit-il avant de se baisser pour coller son œil à l'objectif du théodolite.

— Laissez ce fichu engin une minute, fit Ralph en lui pinçant légèrement l'épaule. Je n'ai pas chevauché trois cent miles pour contempler votre dos.

— Très bien, acquiesça Harry en se redressant. Je laisse le travail en plan. De quoi voulez-vous que nous parlions ?

— Montrez-moi comment vous avez choisi l'emplacement du puits n° 1.

Tous deux parcoururent la vallée pendant que Harry exposait les raisons de son choix.

— Les anciennes tranchées présentent une inclinaison légèrement supérieure à quarante degrés, et nous avons trois couches de schiste par-dessus. J'ai prolongé le tracé de l'ancien filon, et nous avons creusé les trous de sondage ici...

Ces trous, d'étroits puits verticaux, chacun sous un portique en bois brut, étaient répartis le long d'une ligne droite sur la pente de la colline.

— Nous sommes descendus à cent pieds dans cinq d'entre eux, à travers les couches friables, et nous sommes retombés sur la couche supérieure de schiste...

— Ce n'est pas avec le schiste que nous allons devenir riches.

— Non, mais la veine est dessous.

— Comment le savez-vous ?

— Vous m'avez engagé pour mon flair. Je la sens, gloussa Harry en entraînant Ralph plus loin. Vous voyez donc que c'est le seul endroit logique où creuser le puits principal. Je compte couper de nouveau la veine à trois cents pieds de profondeur, et lorsque nous serons dessus, nous pourrons l'exploiter.

Une petite équipe de Noirs dégageait le cadre de la surface du filon et Ralph reconnut le plus grand d'entre eux.

— Bazo ! cria-t-il.

L'induna se redressa et s'appuya sur le manche de sa pioche.

— Henshaw, salua-t-il gravement. Tu es venu voir les vrais hommes au travail.

Les muscles durs de Bazo brillaient comme de l'anthracite mouillé et la sueur y avait laissé de longues traînées.

— Les vrais hommes ? Tu m'en avais promis deux cents, et tu m'en as amené vingt.

— Les autres attendent, promit Bazo. Mais ils ne viendront que s'ils peuvent emmener leurs femmes avec eux. Œil Brillant veut qu'elles restent dans les villages.

— Ils peuvent amener leurs femmes avec eux, autant qu'ils voudront. Je parlerai à Œil Brillant. Va les chercher. Choisis les plus forts et les meilleurs. Amène tes vieux camarades du régiment des Taupes, et dis-leur que je les paierai bien et les nourrirai mieux encore. Ils peuvent faire venir leurs femmes et élever des fils vigoureux pour travailler dans les mines.

— Je partirai demain matin, décida Bazo, et serai de retour avant que la lune montre de nouveau ses cornes.

Lorsque les deux Blancs s'éloignèrent pour continuer leur tournée, Bazo les observa pendant un moment, le visage sans expression, les yeux insondables, puis il regarda son équipe et hocha la tête.

Ils crachèrent dans leurs mains, soulevèrent leurs pioches et Bazo entonna leur chant de travail.

— *Ubunyonyo bu ginye entudhla.* Les petites fourmis noires peuvent manger la girafe.

Bazo avait trouvé ces paroles à côté du cadavre d'une girafe frappée par la peste bovine. Les charognards gorgés de nourriture n'y avaient pas touché, mais les fourmis noires l'avaient entièrement nettoyé. Le fait avait marqué Bazo : en persévérant, il est possible de vaincre plus gros que soi, et le chant apparemment anodin préparait insidieusement l'esprit des *amadoda* qui travaillaient sous ses ordres. Épaule contre épaule, ils levèrent haut leurs pioches dont le fer se détacha sur le bleu uniforme du ciel.

— *Guga mzimba !* répondirent-ils en chœur. *Sala nhliziyo.* Notre corps est épuisé mais notre cœur constant.

Puis, tandis que les pioches s'abattaient à l'unisson en sifflant et s'enfonçaient dans la terre dure avec fracas, ils poussèrent le cri d'encouragement des guerriers : *Djii !*

Chacun releva sa pioche, fit un pas en avant et s'arc-bouta de nouveau alors que Bazo reprenait :

Les petites fourmis noires peuvent manger la girafe

La manœuvre se répéta cent fois, la sueur giclait de leurs corps et la terre rouge s'envolait sous leurs pioches.

Bazo avançait en bondissant à une allure régulière et apparemment facile bien que les collines aient été abruptes et les vallées profondes. Il était d'humeur joyeuse. Il ne s'était rendu compte à quel point le labeur de ces dernières semaines avait été exaspérant qu'au moment où il s'était arrêté. Il avait jadis manié la pelle et la pioche dans la mine de diamants de Kimberley. Henshaw était alors son compagnon, et tous deux avaient fait un jeu de cet interminable travail de brute. Il leur avait donné une solide musculature mais sclérosé l'esprit. Puis, un jour, ils n'avaient pu le supporter plus longtemps et s'étaient échappés.

Bazo avait ensuite connu la joie sauvage et la folie divine du terrible moment que les Matabélé appelaient l'« encerclement ». Il s'était dressé contre les ennemis du roi et avait tué en plein soleil, plumes de guerre au vent. Il avait gagné des honneurs et le respect de ses pairs. Il avait siégé au conseil du roi, l'anneau d'induna sur le front, il s'était approché des rives du fleuve noir et avait entrevu au-delà le pays interdit que les hommes appellent la mort, et à présent il avait appris une nouvelle vérité : il est plus pénible pour un homme de revenir en arrière que d'aller de l'avant. Le caractère fastidieux du travail servile était devenu d'autant plus pesant que la gloire l'avait précédé.

Le sentier dégringolait vers la rivière et disparaissait dans la dense végétation vert sombre comme un serpent dans son trou. Bazo le suivit, baissa la tête pour entrer dans le tunnel ombreux et s'immobilisa. Instinctivement, il tendit la main droite vers la sagaie inexistante suspendue au lacet sous la poignée de son long bouclier tout aussi inexistant. Voilà bien longtemps que son bouclier avait brûlé avec dix mille autres sur les feux de joie allumés par les Blancs et que la lame d'acier de sa sagaie avait été brisée sur les enclumes des forgerons de la BSA Company.

Il vit alors que ce n'était pas un ennemi qui venait à sa rencontre le long de l'étroit tunnel végétal, et son cœur bondit presque douloureusement dans sa poitrine.

— Je te vois, Seigneur, salua Tanase d'une voix douce.

Elle était aussi mince et se tenait aussi droite que la jeune fille qu'il avait capturée dans la forteresse de Pemba le sorcier, elle avait toujours les jambes longues et fuselées, la taille fine, un cou de cygne pareil à une tige de lis noir.

— Pourquoi es-tu si loin du village ? demanda-t-il tandis qu'elle s'agenouillait respectueusement devant lui et frappait doucement dans ses mains au niveau de sa taille.

— Je t'ai vu en chemin, Bazo, fils de Gandang.

Il ouvrit la bouche pour lui demander comment elle avait fait car il était arrivé très vite, puis il changea d'avis et sentit un petit frisson de superstition courir sur sa nuque. Il y avait encore parfois quelque chose chez cette femme qui le troublait ; elle n'avait pas été dépouillée de tous ses pouvoirs occultes dans la caverne de l'Umlimo.

— Je te vois, Seigneur, répéta Tanase, et mon corps appelle le tien comme un petit enfant au réveil pleure pour avoir le sein.

Il la releva et tint son visage entre ses mains pour l'examiner comme s'il avait cueilli dans la forêt une fleur belle et rare. Il lui avait fallu longtemps pour s'habituer à la façon dont elle parlait de ses désirs physiques secrets. On lui avait appris qu'il était inconvenant pour une épouse matabélé de manifester du plaisir dans l'acte de procréation et d'en parler à la manière des hommes. Elle devait être seulement le réceptacle docile et consentant de la semence de son mari, prête chaque fois qu'il l'était, discrète et effacée au contraire de lui.

Tanase n'était rien de tout cela. Elle avait commencé par l'ébranler et l'horrifier avec certaines choses qu'elle avait apprises au cours de son apprentissage des mystères de l'ombre.

L'horreur avait cependant fait place à la fascination à mesure qu'elle usait de son savoir-faire devant lui.

Elle avait des potions et des parfums pouvant exciter un homme même quand il était épuisé et blessé, elle savait se servir de sa voix et de son regard pour aiguillonner. Ses doigts trouvaient infailliblement les points sous sa peau dont il n'avait pas conscience et sur lesquels elle jouait comme des touches d'un marimba, le rendant plus viril qu'il n'avait jamais rêvé de l'être. Elle était capable d'user de son propre corps plus habilement qu'il ne maniait son bouclier et sa sagaie, et de faire autant de ravages. Elle savait bouger chaque muscle de son corps indépendamment des autres. À son gré, elle pouvait l'amener abruptement à une jouissance frénétique ou le maintenir en attente sur les sommets comme un milan lorsqu'il chasse en battant rapidement de ses grandes ailes noires.

— Voilà trop longtemps que nous sommes séparés, murmurat-elle avec cette voix et ce regard d'Égyptienne qui accéléraient sa respiration et les battements de son cœur. Je suis venue en avant pour être seule avec toi pendant un moment à l'abri des démonstrations d'adoration de ton fils et de la curiosité des gens du village.

Elle l'entraîna à l'écart du sentier et se débarrassa de sa cape de cuir pour l'étaler sur le lit moelleux des feuilles humides.

Longtemps après que la tempête fut passée et que la tension douloureuse eut quitté leurs corps, lorsque la respiration de Bazo redevint régulière et que ses paupières tombèrent sous l'effet de la lassitude mêlée de satisfaction profonde qui suit l'amour, elle se leva sur un coude au-dessus de lui, et avec une sorte d'émerveillement respectueux parcourut les contours de son visage avec le bout de son doigt.

— *Bayété !* dit-elle doucement.

C'était le salut réservé aux rois. Gêné, il remua, ouvrit grand les yeux, la regarda et reconnut son expression. Leurs ébats ne l'avaient pas amollie ni endormie, comme lui. Le salut royal n'avait pas été une plaisanterie.

— *Bayété !* répéta-t-elle. Ce mot te trouble, ma belle hache affûtée. Pourquoi donc ?

Bazo sentit un frisson d'appréhension et de superstition courir de nouveau sur sa peau ; il était en colère et apeuré.

— Ne parle pas ainsi, femme. N'offense pas les esprits avec tes jacasseries stupides de petite fille.

Elle sourit, mais c'était un sourire cruel de félin, et dit :

— Oh, Bazo, le plus courageux et le plus fort, pourquoi sursautes-tu ainsi en entendant mes paroles de petite fille ? Fils de Gandang, le fils de Mosélékatsé, ne songes-tu pas par hasard à la petite lance en séquoia que Lobengula avait à la main ? Fils de Jouba, dont l'arrière-grand-père était le puissant Diniswayo, qui était plus noble même que son protégé Chaka, devenu roi des Zoulous, ne sens-tu pas le sang royal courir dans tes veines ? Cela ne te donne-t-il pas envie de choses dont tu n'oses même pas parler ?

— Tu es folle, femme, les abeilles de mopani sont entrées dans ta tête et t'ont rendue démente.

Mais Tanase continuait de sourire, ses lèvres près de l'oreille de Bazo, et elle toucha ses cils avec la pointe de son doigt rose.

— N'entends-tu pas les veuves des guerriers morts sur la Shangani et la Bambesi crier : « Notre père Lobengula est mort, nous sommes orphelines, sans personne pour nous protéger. » Ne vois-tu pas les hommes du Matabeleland les mains vides implorer les esprits : « Donnez-nous un roi, crient-ils. Il nous faut un roi. »

— Babiaan, murmura Bazo. Somabula et Gandang. Ce sont les frères de Lobengula.

— Ils sont vieux, la pierre dure est tombée de leur ventre, le feu s'est échappé de leurs yeux.

— Tanase, ne parle pas ainsi.

— Bazo, mon mari, mon roi, ne vois-tu donc pas vers qui se tournent les yeux de tous les indunas lorsque le peuple est réuni en conseil ?

— Folie, répéta Bazo en secouant la tête.

— Sais-tu de qui ils attendent les paroles désormais ? Ne vois-tu pas que même Babiaan et Somabula t'écoutent quand tu parles ?

Elle posa sa main sur sa bouche pour faire taire ses protestations puis, d'un mouvement rapide, se remit à califourchon sur lui. Miraculeusement, il était prêt et plus que prêt, et elle s'écria farouchement :

— *Bayété*, fils de rois ! *Bayété*, père de rois, dont les fruits de la semence gouverneront lorsque les Blancs seront de nouveau avalés par l'océan qui les a vomis !

Avec un cri vibrant, il eut l'impression qu'elle avait arraché de ses tripes la force vitale même et laissé à la place un désir obsédant et terrible, un feu dans son sang, qui ne serait pas éteint tant qu'il ne tiendrait pas dans sa main la petite lance en séquoia, symbole de la monarchie des Ngoni.

Ils allaient côte à côte, main dans la main, ce qui était inhabituel, car une épouse matabélé marche toujours derrière son mari, la natte roulée en équilibre sur sa tête. Mais ils étaient comme des enfants emportés par un rêve délirant, et lorsqu'ils atteignirent le col, Bazo la prit dans ses bras et l'étreignit contre sa poitrine comme il ne l'avait jamais fait encore.

— Si je suis la hache, alors tu en es le tranchant, car tu fais partie de moi et tu es la partie la plus affûtée.

— Ensemble, Seigneur, nous trancherons tout ce qui est en travers de notre chemin, répondit-elle, farouche, avant de se libérer de ses bras et de soulever le rabat du petit sac suspendu à sa ceinture.

— J'ai un cadeau pour toi qui rendra ton cœur plus vaillant encore et ta volonté plus ferme que l'acier. (Elle sortit du sac une chose douce, grise et pelucheuse, et, debout sur la pointe des pieds, leva les bras pour nouer la bande de fourrure autour de son front.) Porte ce bandeau pour la gloire qui a été et sera, induna des Taupes-qui-creusent-sous-la-montagne. Un jour prochain, nous le remplacerons par un bandeau en peau de léopard, fauve et tachetée, les plumes royales de héron bleu piquées sur lui.

Elle le prit par la main et ils descendirent de la colline, mais ils n'étaient pas encore arrivés dans la plaine herbeuse que Bazo s'arrêtait et penchait la tête pour mieux écouter. Un bruit léger, pareil à celui que font les bulles qui éclatent à la surface du porridge en train de cuire, était porté par la brise.

— Des armes à feu, dit-il. Encore éloignées, mais nombreuses.

— C'est exact, Seigneur. Depuis ton départ, les fusils des *kanka* d'Œil Brillant ont été aussi infatigables que les langues des vieilles femmes quand elles boivent de la bière.

— Une peste terrible balaye le pays, annonça à son auditoire le général Mungo Saint John, juché sur une fourmilière comme sur un podium. Elle se transmet d'un animal au suivant aussi vite qu'un feu de brousse passe d'arbre en arbre. Si nous n'arrivons pas à la maîtriser, tout le bétail mourra.

Au pied de la fourmilière, le sergent Ezra traduisait tandis que les indigènes écoutaient en silence, accroupis face à eux. Ils étaient près de deux mille, les habitants de tous les villages qui avaient été construits le long des deux rives de l'Inyati pour remplacer les kraals des régiments de Lobengula.

Les hommes étaient devant, visages sans expression mais yeux attentifs. Derrière eux se trouvaient les jeunes non encore admis au rang de guerrier. C'étaient les *mujiba*, les bouviers, dont la vie quotidienne était intimement liée à celle des troupeaux de la tribu. La présente *indaba* les concernait autant que leurs aînés.

Aucune femme n'était présente, car il s'agissait de bétail, de la richesse de la nation.

— C'est un grand péché d'essayer de cacher vos bêtes comme vous l'avez fait, de les conduire dans les collines au plus profond de la forêt. Elles véhiculent les germes de la peste, expliqua Saint John, laissant ensuite au sergent le temps de traduire avant de poursuivre. Ces tromperies nous ont mis très en colère, Lodzi et moi. De lourdes amendes seront infligées à ceux qui cachent le bétail, et à titre de punition supplémentaire, je doublerai les quotas de travail des hommes. Si vous tentez de faire fi des paroles de Lodzi, vous travaillerez comme des *amaholi*, vous peinerez comme des esclaves.

Mungo Saint John marqua une nouvelle pause et souleva le bandeau noir de son œil manquant pour éponger la sueur qui ruisselait de dessous son chapeau à large bord. Attirées par les troupeaux beuglants parqués dans les enclos d'épineux, les grosses mouches vertes affluaient, et l'endroit sentait la bouse et l'humanité mal lavée. Saint John était énervé par la nécessité dans laquelle il se trouvait de tenter d'expliquer ses actions à cette foule silencieuse et amorphe de sauvages à demi nus, car il avait déjà répété ses mises en garde à l'occasion de trente autres *indaba* à travers tout le Matabeleland. Son sergent avait fini de traduire et le regardait, attendant la suite.

— Comme vous l'avez vu, reprit Saint John en montrant du doigt le bétail parqué derrière lui, il est vain d'essayer de cacher les troupeaux. La police indigène finit toujours par les retrouver.

Il s'interrompit de nouveau et fronça les sourcils. Au second rang, un Matabélé s'était levé et lui faisait face tranquillement. C'était un homme de haute stature, à la musculature harmonieuse bien qu'un de ses bras semblât déformé, partant de l'épaule selon un angle bizarre. Son corps était celui d'un homme dans la fleur de l'âge, mais son visage était marqué et creusé comme par le chagrin ou la souffrance, prématurément vieilli. Sur la dense toison crépue de ses cheveux, il portait l'anneau d'induna, et sur son front, un bandeau de fourrure grise.

— Baba, mon père, dit-il. Nous entendons tes paroles, mais tels des enfants, nous ne les comprenons pas.

— Qui est ce gars-là ? demanda Saint John au sergent Ezra. (Il hocha la tête en entendant la réponse — « Je le connais, c'est Bazo, un fauteur de troubles » — et haussa le ton pour s'adresser à Bazo.) Qu'y a-t-il de si étrange dans ce que je dis ? Qu'est-ce que tu ne comprends pas ?

— Tu dis, Baba, que la maladie va tuer le bétail et que, avant qu'elle le fasse, tu vas abattre les bêtes. Tu dis, Baba, que pour sauver nos bêtes, tu dois les tuer.

Les rangs silencieux des Matabélé s'agitèrent pour la première fois. Ils étaient toujours impassibles, mais ici l'un toussait, là un autre agitait ses pieds, un autre encore chassait les mouches avec sa canne. Aucun ne rit, aucun n'eut de paroles ou de sourire railleurs, mais leur attitude était néanmoins moqueuse, et Saint John le sentit. Derrière leurs visages impénétrables d'Africains, ils écoutaient avec délectation les questions faussement naïves du jeune induna au visage marqué.

— Nous ne comprenons pas une sagesse aussi profonde, Baba. Veux-tu être assez gentil et patient avec tes enfants pour la leur expliquer ? Tu dis que si nous essayons de cacher le bétail, tu nous le confisqueras pour payer les lourdes amendes infligées par Lodzi. Tu dis aussi que si nous sommes obéissants et t'apportons les bêtes, tu les abattras et les brûleras.

Dans les rangs, un homme âgé à barbe blanche qui venait de priser éternua bruyamment, et il y eut immédiatement une épidémie d'éternuements et de quintes de toux. Saint John savait qu'ils encourageaient l'induna dans son impudence espiègle.

— Baba, gentil père, tu nous avertis que tu doubleras nos quotas de travail et que nous serons comme des esclaves. Cela aussi nous échappe, car celui qui travaille un jour sous les ordres d'autrui est-il moins esclave que celui qui travaille deux jours ? Un esclave n'est-il pas tout simplement un esclave, ou un homme libre véritablement libre ? Baba, explique-nous quels sont les degrés de l'esclavage.

Il y avait maintenant un bourdonnement sourd, comme celui d'une ruche au milieu du jour, et si les lèvres des Matabélé qui lui faisaient face ne bougeaient pas, Saint John voyait leur gorge trembler légèrement. Ce n'était que le prélude, et si on laissait faire, il serait suivi par la psalmodie vibrante et grave : *Djii ! Djii !*

— Je te vois, Bazo, s'écria Saint John. J'entends et note tes paroles. Sois assuré que Lodzi les entendra aussi.

— Je suis honoré, petit père, que mes humbles paroles viennent aux oreilles de Lodzi, le puissant père blanc.

Cette fois-ci, des sourires rusés et malicieux apparurent sur le visage des hommes autour de Bazo.

— Sergent, beugla Saint John. Amenez-moi cet individu.

Le grand sergent se précipita, la plaque de cuivre symbole de sa fonction scintillant sur son bras, mais les Matabélé silencieux se levèrent et serrèrent les rangs. Aucun ne leva la main, mais le sergent fut bloqué dans sa course ; il lutta pour poursuivre sa progression comme s'il se débattait au milieu de sables mouvants, et quand il arriva à l'endroit où se trouvait Bazo, l'induna avait disparu.

— Très bien, fit Saint John en hochant la tête d'un air mécontent lorsque le sergent revint au rapport. Laissez-le aller. Ça peut attendre à demain, mais maintenant, nous avons du pain sur la planche. Mettez vos hommes en position.

Une douzaine de policiers arrivèrent au trot et se déployèrent en tirailleurs devant la foule des indigènes, l'arme haute. Pendant ce temps-là, le reste du contingent escaladait la barricade d'épineux du kraal et, au commandement, les hommes chargèrent leurs Winchester à répétition.

— Vous pouvez commencer, ordonna Saint John avec un signe de tête.

La première salve éclata. Les policiers noirs tiraient sur le bétail qui tournait sur place dans l'enclos, et à chaque coup de feu, une bête levait brusquement sa tête cornue et s'écroulait, immédiatement cachée par les autres. Rendus fous par l'odeur du sang, les animaux se lançaient contre la barrière d'épineux dans un concert assourdissant de beuglements tandis que des rangs des Matabélé montait un hurlement douloureux de sympathie.

Ce bétail était leur richesse et la raison même de leur existence. Lorsqu'ils étaient *mujiba*, ils avaient assisté aux naissances dans le veld et aidé à éloigner les hyènes et autres prédateurs. Ils connaissaient chaque bête par son nom et les aimaient de cet amour particulier qui amène les pasteurs à sacrifier leur femme pour protéger leur troupeau.

Au premier rang se trouvait un guerrier si vieux que ses jambes étaient fines comme les pattes du marabout, sa peau sombre comme du tabac et couverte d'un réseau de petites rides. Sa vieille carcasse semblait entièrement desséchée, et pourtant, tandis qu'il assistait à l'abattage du bétail, de grosses larmes coulaient sur ses joues fripées. Le fracas des détonations se poursuivit jusqu'au coucher du soleil, et lorsque enfin le bruit cessa sur le kraal, il était couvert de cadavres d'animaux. Les bêtes étaient entassées les unes sur les autres comme le blé après le passage de la faux. Pas un seul Matabélé n'avait quitté la scène ; ils regardaient maintenant en silence, leurs lamentations tues depuis longtemps.

— Il faut brûler les carcasses, déclara Mungo Saint John en passant à grandes enjambées devant le premier rang des guerriers. Je veux qu'on les recouvre de bois. Nul ne sera dispensé de ce travail, ni les malades ni les vieux. Chacun maniera la hache, et lorsque les carcasses seront recouvertes, j'y mettrai le feu moi-même.

— Dans quel état d'esprit est notre peuple ? demanda Bazo doucement.

C'est Babiaan, l'aîné de tous les anciens conseillers du roi, qui lui répondit. Il n'échappa à personne dans la case bondée que le ton de Babiaan était empreint de respect.

— Ils sont malades de chagrin, dit-il. Depuis la mort du vieux roi, il n'y a pas eu autant de désespoir dans leur cœur que maintenant que les bêtes ont été abattues.

— C'est comme si l'homme blanc avait voulu leur planter la sagaie dans la poitrine, acquiesça Bazo. Chaque acte cruel nous renforce et confirme la prophétie de l'Umlimo. Peut-il encore y en avoir un parmi vous qui ait des doutes ?

— Il n'y a plus de doutes. Nous sommes prêts à présent, répondit Gandang, son père, tout en regardant lui aussi Bazo pour recevoir de lui confirmation.

— Nous ne sommes pas prêts, répondit Bazo en secouant la tête. Nous ne serons pas prêts tant que la troisième prophétie de l'Umlimo ne sera pas accomplie.

— « Lorsque le bétail sans cornes sera mangé par la croix », murmura Somabula. Nous avons assisté aujourd'hui à l'abattage des bêtes, celles qu'avait épargnées la peste.

Ce n'est pas la prophétie, leur dit Bazo. Lorsque cela arrivera, il n'y aura aucun doute dans notre esprit. Jusque-là, nous devons poursuivre nos préparatifs. De combien de sagaies disposons-nous et où sont-elles gardées ?

Chacun à leur tour, les indunas se levèrent et effectuèrent leur rapport. Ils firent état du nombre de guerriers entraînés et prêts à combattre, ils expliquèrent où se trouvait chaque groupe et estimèrent le temps nécessaire pour qu'il soit armé et en campagne.

Quand le dernier eut fini, Bazo consulta les principaux indunas conformément à la coutume puis définit les objectifs de chaque commandant sur le terrain.

— Suku, induna du corps des Imbezu, tes hommes ratisseront la route depuis les berges de la Malundi vers le sud jusqu'à la mine de Gwanda. Abattez tous ceux que vous rencontrerez en chemin, coupez les fils de cuivre à chaque poteau. Les *amadoda* qui travaillent à la mine seront prêts à se joindre à vous lorsque vous arriverez là-bas. Il y a au comptoir commercial de Gwanda vingt-huit Blancs, y compris les femmes et les enfants. Comptez ensuite les corps afin de vous assurer qu'aucun ne s'est échappé.

Suku répéta les ordres mot pour mot, témoignant en cela de l'usage que font de la mémoire les peuples qui ne peuvent s'en remettre à l'écrit. Bazo hocha la tête et se tourna vers l'induna

211

suivant pour lui donner ses instructions et les lui entendre réciter ensuite.

Minuit était passé depuis longtemps lorsque le dernier d'entre eux reçut ses ordres et les répéta. Bazo s'adressa alors de nouveau à eux.

— La prudence et la rapidité seront vos seules alliées. Aucun guerrier ne portera de bouclier pour ne pas être tenté de taper sur lui comme nous faisions naguère. La sagaie uniquement, et le silence. Vous n'entonnerez pas de chants de guerre lorsque vous attaquerez, car le léopard ne grogne pas avant de bondir. Le léopard chasse la nuit, et quand il pénètre dans l'enclos, il n'épargne personne, ni le bouc, ni la chèvre, ni les chevaux.

— Les femmes ? s'enquit Babiaan sombrement.

— Oui. De même qu'ils ont tué Ruth et Imbali, acquiesça Bazo.

— Les enfants ? demanda un autre induna.

— Les petites filles blanches grandissent et portent un jour des petits garçons blancs, qui à leur tour grandissent pour porter des fusils. Lorsqu'un homme avisé trouve un nid de mamba, il tue le serpent et écrase les œufs sous ses pieds.

— Nous n'épargnerons donc personne ?

— Non, confirma Bazo doucement.

Quelque chose dans sa voix fit frissonner Gandang. Il reconnut le moment où le pouvoir réel passe du vieux mâle au plus jeune. Bazo était devenu indiscutablement le chef.

Et c'est lui qui déclara finalement : « *Indaba pelile !* La réunion est terminée ! »

L'un après l'autre, les indunas le saluèrent, sortirent de la case et s'esquivèrent dans la nuit. Quand le dernier fut parti, le rideau en peaux de chèvre à l'arrière de la case s'écarta et Tanase vint auprès de Bazo.

— Je suis si fière, murmura-t-elle, que j'ai envie de pleurer comme une petite fille stupide.

C'était une longue colonne, presque mille personnes en comptant femmes et enfants. Elle s'étirait sur près de deux kilomètres et descendait des collines en serpentant comme une vipère blessée. La coutume était une fois de plus méprisée, car bien que les hommes marchassent en tête, ils étaient chargés de sacs de grains et de marmites. Jadis, ils n'auraient porté que leur bouclier et leurs armes. Ils étaient plus nombreux que les deux cents hommes forts que Bazo avait promis à Henshaw.

Les femmes venaient ensuite. Beaucoup d'hommes avaient emmené plusieurs épouses, parfois jusqu'à quatre. Même les très jeunes filles, celles qui n'étaient pas encore pubères, portaient un rouleau de nattes en équilibre sur leur tête, et les mères tenaient leur bébé sur la hanche afin qu'il puisse téter pendant la marche. Le rouleau que portait Jouba était aussi lourd que celui des autres. Pourtant, malgré sa corpulence, les plus jeunes devaient presser le pas pour la suivre. Sa voix claire de soprano menait le chant.

Bazo remontait la colonne au petit trot. Les filles célibataires tournaient la tête pour le regarder passer, attentives à ne pas déséquilibrer leur fardeau, puis elles chuchotaient et riaient entre elles, car malgré son visage ravagé et ses cicatrices, l'aura de puissance et de détermination qui l'entourait attirait même les plus jeunes et les plus volages.

Bazo arriva à la hauteur de Jouba et se rangea à son côté.

— *Mamewethu*, salua-t-il avec respect, les fardeaux de tes jeunes filles seront un peu plus légers après le passage de la rivière. Nous allons laisser trois cents sagaies dissimulées dans les coffres à mil et enfouies sous l'abri à chèvres des gens de Suku.

— Et les autres ? demanda Jouba.

— Nous les porterons jusqu'à la mine Harkness. Une cachette y a été préparée. Tes filles les sortiront de là par petites quantités pour les acheminer dans les villages écartés.

Bazo repartit vers la tête de la colonne, mais Jouba le rappela.

— Je suis inquiète, mon fils, profondément inquiète.

— Cela me désole, petite mère. Qu'est-ce qui t'inquiète ?

— Tanase me dit que tous les Blancs vont tâter de la sagaie.

— Tous, confirma Bazo.

— Nomousa, qui est plus qu'une mère pour moi, doit-elle mourir elle aussi, mon fils ? Elle est si gentille et bonne pour notre peuple...

Bazo la prit doucement par le bras et l'entraîna à l'écart du sentier, où ils ne pouvaient être entendus.

— Cette gentillesse dont tu parles fait d'elle la plus dangereuse de toutes, expliqua Bazo. L'amour que tu lui portes nous affaiblit tous. Si je te dis : « Nous allons l'épargner », tu me demanderas alors : « Ne pouvons-nous pas aussi épargner son fils, et ses filles et leurs enfants ? » Non, je te le dis tout net, ajouta-t-il en secouant la tête, si je devais en épargner un, ce serait Œil Brillant lui-même.

— Œil Brillant ! s'exclama Jouba. Je ne comprends pas. Il est cruel et féroce, dénué de toute compréhension.

— Lorsque nos guerriers voient son visage et entendent sa voix, tous les maux dont nous avons souffert leur reviennent en mémoire, et cela les renforce et excite leur colère. Lorsqu'ils voient Nomousa, ils deviennent mous et hésitants. Elle doit être parmi les premiers à mourir, et j'enverrai un homme de confiance pour exécuter la besogne.

— Tu dis qu'ils doivent tous périr ? demanda Jouba. Celui-là, qui vient maintenant, mourra-t-il lui aussi ? (Jouba montra devant elle le sentier qui serpentait paresseusement sous les feuillages en ombrelle des acacias. Un cavalier arrivait au petit galop de la mine Harkness, et même à cette distance on ne pouvait pas ne pas reconnaître sa façon de tenir ses puissantes épaules et son assiette à la fois facile et arrogante.) Regarde-le ! poursuivit Jouba. C'est toi qui lui as donné « le Faucon » comme nom de louange. Tu m'as souvent raconté comment vous avez travaillé épaule contre épaule et mangé dans la même marmite quand vous étiez jeunes. Tu étais fier lorsque tu décrivais le faucon sauvage que vous aviez attrapé et dressé ensemble. (Jouba baissa la voix.) Vas-tu tuer cet homme que tu appelles ton frère, mon fils ?

— Je n'en laisserai le soin à nul autre, affirma Bazo. Je le tuerai de mes propres mains pour avoir la certitude que ce soit fait vite et proprement. Et ensuite je tuerai sa femme et son fils. Après quoi, il n'y aura plus de retour en arrière possible.

— Tu es devenu un homme dur, mon fils, murmura Jouba avec une ombre terrible de regret dans les yeux et de la souffrance dans la voix.

Bazo se détourna d'elle et regagna le sentier. Ralph Ballantyne le vit et agita son chapeau au-dessus de sa tête.

— Bazo, comment pourrai-je jamais te croire ? lança-t-il en riant tandis qu'il approchait. Tu m'apportes plus d'hommes que les deux cents promis.

Ralph Ballantyne franchit la limite sud de King's Lynn, mais deux heures de chevauchée lui furent encore nécessaires avant d'apercevoir à l'horizon la silhouette gris laiteux des kopjes qui signalaient la ferme.

Le veld qu'il traversait était à présent silencieux et presque désert. Il frissonna, son visage s'assombrit et de lugubres pensées l'envahirent. Là où quelques mois plus tôt paissaient les troupeaux de bêtes bien grasses de son père, l'herbe tendre poussait de nouveau, dense et sans bétail pour la fouler, comme pour dissimuler les ossements blanchis dont le sol était jonché.

Seul l'avertissement de Ralph avait épargné à Zouga Ballantyne un désastre financier complet. Il avait réussi à vendre une petite partie de ses troupeaux à la Gwaai Cattle Ranches, une filiale de la BSA Company, mais avait perdu le reste de ses bêtes, et leurs ossements luisaient maintenant dans l'herbe comme des rangées de perles.

Devant lui, au milieu de mimosas, Ralph distinguait un des enclos à bétail de son père ; il se dressa sur sa selle et se protégea les yeux pour mieux voir, intrigué par le nuage de poussière rose suspendu au-dessus de la vieille palissade. La poussière était soulevée par des sabots, et il distinguait des claquements de fouet, bruit que l'on n'entendait plus dans le Matabeleland depuis plusieurs mois.

Même à cette distance, il reconnut les deux hommes. Leurs silhouettes qui se découpaient sur la palissade les faisaient ressembler à un couple de vieux hiboux faméliques.

— Jan Cheroot ! cria-t-il en approchant. Isazi ! À quoi jouez-vous donc, espèces de vieux gredins ?

Ils lui adressèrent un sourire ravi et sautèrent par terre pour l'accueillir.

— Bon Dieu ! lança Ralph, stupéfait de voir les animaux qui se trouvaient dans l'enclos, restés cachés jusque-là par l'épais rideau de poussière. Voilà à quoi vous passez votre temps lorsque je ne suis pas là, Isazi ? Qui a eu cette idée ?

— C'est Bakela, votre père, répondit le petit Zoulou, qui prit instantanément l'air attristé. Et l'idée est stupide.

Les animaux au poil lisse et luisant étaient rayés blanc et noir, leur crinière aussi raide qu'un balai-brosse.

— Des zèbres, par Dieu ! s'exclama Ralph en secouant la tête. Comment les avez-vous capturés ?

— Nous avons éreinté une douzaine de bons chevaux en les poursuivant, expliqua Jan Cheroot, son visage jaune et parcheminé ridé en une grimace de désapprobation.

— Votre père espère remplacer les bœufs de trait par ces ânes stupides. Ils sont farouches et déraisonnables comme une vierge venda. Ils vous mordent et vous donnent des coups de pied jusqu'à ce que vous les ayez mis dans les traits, puis ils se couchent et refusent d'avancer, dit Isazi l'air dégoûté.

C'était manifestement de la folie que d'essayer de combler en quelques mois le fossé entre les animaux sauvages et les animaux domestiques. Il avait fallu des millénaires de sélection et d'élevage pour développer la vaillance, la bonne volonté et le dos puissant des bœufs de trait. Que Zouga ait seulement décidé d'effectuer cette tentative donnait la mesure du besoin désespéré de moyens de transport dans lequel se trouvaient les colons.

— Isazi, quand vous en aurez fini avec ces enfantillages, fit Ralph en secouant la tête, un travail d'homme vous attend au camp de la voie ferrée.

— Je serai prêt à partir avec vous lorsque vous serez de retour, promit le Zoulou avec enthousiasme. Ces ânes à rayures me rendent malade.

Ralph se tourna vers Jan Cheroot.

— J'ai à te parler, vieil ami.

Lorsqu'ils furent de l'autre côté de l'enclos, il demanda au petit Hottentot :

— As-tu signé un document de la Compagnie affirmant que nous avons piqueté les concessions Harkness de nuit ?

— Je ne vous aurais jamais laissé tomber, déclara fièrement Jan Cheroot. Le général Saint John m'a expliqué, et j'ai apposé ma signature sur le papier pour sauver vos concessions et celles du major. J'ai bien fait ? demanda-t-il anxieusement en voyant la mine de Ralph.

Celui-ci se pencha sur sa selle et donna une tape sur l'épaule osseuse du vieil Hottentot.

— Tu as toujours été pour moi un bon et fidèle ami.

— Depuis le jour de votre naissance, déclara Jan Cheroot. Lorsque votre maman est morte, je vous ai tenu sur mes genoux.

Ralph ouvrit sa sacoche de selle et les yeux du Hottentot s'illuminèrent en voyant la bouteille de cognac du Cap.

— Donnes-en un petit verre à Isazi, dit Ralph.

Mais Jan Cheroot serra la bouteille sur sa poitrine comme si cela avait été son premier-né.

— Je ne gaspillerai jamais une goutte de cognac en l'offrant à un sauvage, déclara-t-il avec indignation.

Ralph éclata de rire et poursuivit son chemin vers la ferme de King's Lynn. Il y trouva tout l'affairement et l'excitation auxquels il s'attendait. Dans l'enclos au-dessous de la grande maison à toit de chaume, il y avait des chevaux qu'il n'avait jamais vus, et parmi eux les mulets blancs qu'on ne pouvait pas ne pas reconnaître de l'équipage de M. Rhodes. La voiture elle-même était garée sous les arbres de la cour, sa peinture étincelante, son harnais soigneusement rangé sur les râteliers de la sellerie derrière les écuries. Ralph sentit sa colère éclater quand il la vit. Sa haine le brûlait comme du vin bon marché brûle l'estomac et il avait un goût acide dans le fond de la gorge. En mettant pied à terre, il avala avec difficulté pour la maîtriser.

Deux valets noirs accoururent pour emmener son cheval. L'un d'eux détacha sa couverture, ses sacoches de selle et la fonte de son fusil, et les emporta vers la maison. Ralph le suivit. Il se trouvait au milieu de la pelouse lorsque Zouga apparut sur la véranda, se protégeant les yeux du soleil avec une serviette de table.

— Mon fils ! Je ne t'attendais pas avant ce soir.

Ralph monta en courant les marches et embrassa son père,

puis Zouga le prit par le bras et l'entraîna vers la salle à manger. Le mur de la véranda était tapissé de trophées de chasse : longues cornes torsadées de koudou et d'éland, celles, noires et en forme de cimeterre, d'antilopes noires et rouannes et, de chaque côté de la porte à deux battants menant à l'intérieur, les énormes défenses du gigantesque éléphant que Zouga avait abattu près de la mine Harkness. En se dressant sur la pointe des pieds, on en touchait à peine la pointe, et elles étaient plus épaisses qu'une cuisse de femme.

Zouga et Ralph passèrent entre les deux pour entrer dans la salle à manger. Sous le chaume, la fraîcheur et la pénombre contrastaient avec la lumière éblouissante du milieu de la journée. Le plancher et les solives étaient en teck scié à la main. Jan Cheroot avait fabriqué avec du bois coupé sur la propriété la longue table et les chaises équipées de sièges en lanières de cuir tressées, mais l'argenterie provenait de la maison familiale de Zouga à King's Lynn en Angleterre. C'était là le seul élément commun à ces deux lieux du même nom mais si dissemblables.

Face à la chaise vide de Zouga, à l'extrémité opposée de la table, se trouvait le personnage familier et troublant à la silhouette massive, qui leva sa tête léonine à l'entrée de Ralph.

— Ah, Ralph, ça fait plaisir de vous voir.

Cela 01 était stupéfiant de ne percevoir aucune hostilité ni dans la voix ni dans les yeux de M. Rhodes. Était-il possible qu'il ait déjà chassé de son esprit leur dispute à propos des mines de charbon de Wankie comme si elle n'avait jamais eu lieu ? Ralph fit effort pour accorder sa réaction à la sienne.

— Comment allez-vous ? demanda-t-il avec un sourire en serrant la large main aux articulations proéminentes.

La peau était froide comme celle d'un reptile, effet d'une mauvaise circulation due à un cœur malade. Ralph fut content de la lâcher et parcourut la table sur toute sa longueur. Il n'était pas sûr de pouvoir dissimuler longtemps ses véritables sentiments sous le regard scrutateur de ces yeux pâles hypnotiques.

Ils étaient tous là, le doucereux petit docteur à la droite de M. Rhodes, sa place habituelle.

— Jeune Ballantyne, salua-t-il froidement en tendant la main sans se lever.

— Jameson !

Ralph répondit au salut du docteur avec familiarité, sachant que l'omission délibérée du titre l'ulcérait, autant que le « jeune » condescendant l'avait lui-même irrité.

De l'autre côté de M. Rhodes était assis un invité dont la présence était surprenante. C'était la première fois que Ralph voyait le général Mungo Saint John à King's Lynn. Le militaire grisonnant à l'œil sombre et malicieux avait vécu avec Louise Ballantyne, la belle-mère de Ralph, bien des années plus tôt, avant que ce dernier n'ait quitté Kimberley pour le nord.

Ralph n'avait jamais entièrement compris cette liaison ni l'odeur de scandale qui l'entourait. Mais il était significatif que Louise n'ait pas été présente dans la pièce et qu'aucune place ne lui ait été réservée à la table. Si M. Rhodes avait insisté pour que Saint John assiste à cette réunion et si Zouga avait accepté de l'inviter, c'était certainement pour une raison impérative. Mungo Saint John gratifia Ralph de son sourire de loup lorsqu'ils se serrèrent la main. Malgré ces histoires familiales, Ralph avait toujours éprouvé une admiration cachée pour ce personnage de roman, et le sourire qu'il lui rendit était sincère.

L'importance des autres personnages assis à la table confirmait celle de la réunion. Ralph supputait qu'elle se tenait à King's Lynn pour garantir son absolue discrétion, qu'il eût été difficile de préserver à Bulawayo. Il devinait aussi que chaque invité avait été personnellement choisi et convié par M. Rhodes plutôt que par son père.

Outre Jameson et Saint John, il y avait Percy Fitzpatrick, un des associés du groupe minier Corner House, et représentant éminent de la Chambre des mines du Witwatersrand, l'organe des barons de l'or de Johannesburg. C'était un jeune homme plein d'entrain et de belle prestance, au teint clair, à la moustache et aux cheveux roux, dont la carrière avait connu des hauts et des bas : il avait été employé de banque, conducteur de chariots, écrivain, il avait pratiqué la culture des agrumes et servi de guide à Lord Randolph Churchill au cours de son expédition en Afrique, et il était devenu un des magnats de l'or. Plusieurs années plus tard, Ralph devait réfléchir sur l'ironie du désir d'immortalité de cet homme extraordinaire, désir qui s'exprimait dans un livre à caractère sentimental consacré à un chien nommé Jock.

À côté de Fitzpatrick était assis l'honorable Bobbie White, qui venait de se rendre à Johannesburg à la suggestion de M. Rhodes. C'était un jeune et plaisant aristocrate, le type d'Anglais que M. Rhodes préférait. Il était aussi un militaire de carrière et un officier d'état-major, comme le montrait sa veste d'uniforme.

Près de lui se trouvait John Willoughby, commandant en second de la colonne qui, au début, avait occupé Fort Salisbury et le Mashonaland. Il avait aussi fait partie de celle qui avait vaincu Lobengula, et la société de Willoughby était propriétaire de près d'un million d'acres d'excellents pâturages en Rhodésie, une concurrente de la Rholands, la compagnie de Ralph, si bien que leurs salutations furent réservées.

Il y avait ensuite le Dr Rutherford Harris, premier secrétaire de la British South Africa Company et membre du parti politique de M. Rhodes, dans lequel il représentait l'électorat de Kimberley au parlement du Cap. C'était un homme grisonnant et taciturne, qui louchait de façon sinistre, et Ralph se méfiait de lui comme d'un des laquais à la botte de M. Rhodes.

Au bout de la table, Ralph se trouva face à face avec Jordan, et il hésita une fraction de seconde, le temps d'apercevoir l'appel désespéré dans l'œil doux de son frère. Il lui serra rapidement la main, mais ne lui sourit pas et le salua comme une simple connaissance d'une voix froide et impersonnelle avant de s'asseoir à la place qu'un domestique en uniforme blanc et large ceinture pourpre se hâtait de lui préparer près de Zouga.

La conversation animée que Ralph avait interrompue reprit, orchestrée et dirigée par M. Rhodes.

— Où en êtes-vous avec vos zèbres domestiqués ? demanda-t-il à Zouga, qui secoua sa barbe dorée.

— C'était une tentative désespérée, vouée à l'échec dès le départ. Mais quand on sait que sur les cent mille têtes de bétail que nous avions dans le Matabeleland avant la peste bovine, seules quelque cinq cents bêtes ont survécu, toute idée envisageable méritait d'être explorée.

— J'ai entendu dire que tous les buffles de cafrerie ont été fauchés par l'épidémie, déclara le Dr Jameson. Qu'en pensez-vous, major ?

— Ils ont subi des pertes catastrophiques. Il y a deux semaines, j'ai chevauché vers le nord jusqu'à la rivière Pandama-tenga, où un an plus tôt les troupeaux comptaient plus de cinq mille têtes. Cette fois-ci, je n'ai pas vu une seule bête vivante. Je n'arrive cependant pas à croire qu'il n'y en a plus aucune. À mon avis, il doit rester quelques buffles survivants disséminés là-bas, ceux qui possédaient une immunité naturelle, et je suis persuadé qu'ils vont se reproduire.

M. Rhodes n'était pas un sportif. Il avait dit un jour à propos de son frère Franck : « Oui, c'est un brave type. Il chasse et il pêche — en d'autres termes, c'est le parfait flemmard. » Cette conversation sur le gibier l'ennuya presque tout de suite, et il changea de sujet, s'adressant à Ralph :

— Et votre voie ferrée... quel est le point d'avancement des travaux ?

— Nous sommes toujours en avance de près de deux mois sur nos prévisions, répondit Ralph avec une pointe de défi. Nous avons franchi la frontière du Matabeleland il y a quinze jours...

je pense qu'aujourd'hui la ligne a déjà atteint le comptoir commercial de Plumtree.

— Ça tombe bien, fit Rhodes en hochant la tête. Nous allons très bientôt avoir besoin de la voie.

Docteur Jim et lui échangèrent des regards de conspirateurs.

Lorsqu'ils se furent régalés du pudding préparé par Louise, plein de raisins secs, de noix et de miel sauvage, Zouga congédia les domestiques et versa lui-même le cognac pendant que Jordan offrait des cigares. Quand ils eurent repris leur place, M. Rhodes changea brusquement de sujet comme à son habitude, et Ralph sut immédiatement qu'il allait connaître la raison véritable pour laquelle il l'avait fait venir à King's Lynn.

— Aucun d'entre vous n'ignore que le but de mon existence est de voir la carte d'Afrique coloriée en rose du Cap au Caire. De faire en sorte que ce continent devienne un nouveau joyau de la couronne de notre reine. (Le ton de sa voix, qui jusque-là avait été irrité et critique, prit un caractère étrangement hypnotique.) À nous, qui appartenons à la race anglo-saxonne de langue anglaise et à la première d'entre les nations, la destinée nous a imposé un devoir sacré : apporter la paix au monde sous un seul drapeau et un seul monarque. Il faut que nous ayons l'Afrique, tout entière, pour l'ajouter aux possessions de Sa Majesté. Mes émissaires se sont déjà rendus au nord, dans la région comprise entre le Zambèze et le fleuve Congo, pour préparer la voie. (Il s'interrompit et secoua la tête avec colère.) Mais tout cela ne sert à rien si l'extrémité sud du continent nous échappe.

— La République sud-africaine, commenta Jameson d'une voix basse et empreinte d'amertume. Paul Kruger et sa petite république bananière du Transvaal.

— Ne vous laissez pas dominer par vos sentiments, le reprit Rhodes avec douceur. Tenons-nous-en uniquement aux faits.

— Que sont-ils, M. Rhodes ? demanda Zouga Ballantyne en se penchant en avant avec ardeur.

— Tout simplement qu'un vieux bigot ignorant croit que les nomades hollandais illettrés à la tête desquels il se trouve sont les nouveaux Israélites, élus par leur Dieu de l'Ancien Testament... que, tel un chien sauvage tenant un os, cet extraordinaire personnage est assis sur une vaste étendue de territoire dans la partie la plus riche du continent africain, et il gronde contre tous ceux qui œuvrent pour le progrès et l'instruction.

Tous avaient été réduits au silence par cette invective, et M. Rhodes jeta un regard circulaire sur leurs visages avant de poursuivre :

— Il y a trente-huit mille Anglais sur les gisements aurifères du Witwatersrand. Sur vingt livres qui entrent dans les coffres de Kruger, ils en paient dix-neuf. Ce sont eux qui sont à l'origine du moindre progrès de la civilisation dans cette république plongée dans les ténèbres de l'ignorance ; pourtant Kruger les impose impitoyablement et leur refuse toute représentation et tout droit de suffrage. Leurs requêtes pour obtenir le droit de vote sont accueillies au Volksraad avec mépris par une assemblée hétéroclite de balourds ignares. Suis-je injuste, Percy ? dit Rhodes en regardant Fitzpatrick. Vous connaissez ces gens, vous vivez avec eux au quotidien. Ma description des Boers du Transvaal est-elle exacte ?

Percy Fitzpatrick haussa les épaules.

— M. Rhodes a raison. Le Boer du Transvaal est un animal différent de son cousin du Cap. Les Hollandais du Cap ont eu le loisir d'assimiler certains éléments du mode de vie anglais. En comparaison, ce sont des gens urbains et civilisés, alors que l'habitant du Transvaal n'a malheureusement perdu aucun des traits de ses ancêtres hollandais : il est lent, obstiné, hostile, méfiant, rusé et malveillant. Il est exaspérant d'être envoyé sur les roses par des gens de cet acabit, d'autant plus que nous revendiquons seulement nos droits d'hommes libres, le droit de vote.

M. Rhodes, qui n'entendait pas laisser la parole trop longtemps à un autre, reprit :

Non seulement Kruger insulte nos compatriotes, mais il joue aussi à des jeux plus dangereux. Il applique aux marchandises anglaises des tarifs douaniers discriminatoires et rédhibitoires. Il a attribué des monopoles commerciaux sur tous les produits miniers essentiels à des membres de sa famille et de son gouvernement. Il a armé ses burghers avec des fusils allemands et constitué un corps d'artillerie avec du matériel Krupp, et il flirte ouvertement avec le Kaiser. (Rhodes marqua une pause.) Une sphère d'influence germanique au cœur des domaines de Sa Majesté risquerait d'anéantir à jamais notre rêve d'une Afrique britannique. Les Allemands ne possèdent pas notre altruisme.

— Tout ce bon or jaune envoyé à Berlin, dit Ralph Ballantyne d'un air songeur.

Il regretta immédiatement d'avoir ouvert la bouche, mais M. Rhodes, qui ne semblait pas avoir entendu, poursuivit :

— Comment faire entendre raison à un homme tel que Kruger ? Comment même discuter avec un individu qui croit encore implicitement que la Terre est plate ?

M. Rhodes s'était remis à transpirer en dépit de la fraîcheur qui régnait dans la pièce. Sa main tremblait tellement que lorsqu'il voulut prendre son verre, il le renversa, répandant le cognac sur la table. Jordan se leva précipitamment et épongea le cognac avant qu'il ait pu couler sur ses genoux, puis il sortit une boîte à pilules en argent de son gousset et en déposa une près de sa main droite. M. Rhodes la prit et, tout en respirant péniblement, la plaça sur sa langue. Après quelques instants, sa respiration devint plus facile et il put reprendre la parole.

— Je suis allé lui rendre visite, messieurs. Je suis allé à Pretoria pour le voir chez lui. Il m'a fait porter un mot par un domestique pour me dire qu'il ne pouvait me rencontrer ce jour-là.

Tous avaient entendu l'histoire, et ils étaient seulement surpris que M. Rhodes pût raconter un incident aussi humiliant. Le président Kruger avait envoyé un serviteur noir à l'un des hommes les plus riches et influents de la planète avec ce message :

Je suis passablement occupé en ce moment. L'un de mes burghers est venu me parler d'un bœuf malade. Revenez mardi.

— Dieu est témoin que M. Rhodes a fait tout ce que l'on pouvait raisonnablement tenter, intervint le Docteur Jim pour rompre le silence embarrassé. Risquer de subir de nouveau les insultes de ce vieux Boer ne pourrait que jeter un discrédit non seulement sur M. Rhodes lui-même mais aussi sur notre reine et sur l'Empire. (Le petit docteur s'interrompit et regarda tour à tour chaque convive. Ils écoutaient avec une attention passionnée et attendaient la suite.) Que pouvons-nous faire ? Que *devons*-nous faire ?

M. Rhodes sortit de sa torpeur et regarda le jeune officier d'état-major en uniforme resplendissant.

— Bobbie ? dit-il pour l'inviter à donner son avis.

— Messieurs, vous n'ignorez sans doute pas que je viens d'arriver du Transvaal.

Il prit une serviette en cuir posée près de sa chaise, la posa sur la table et en sortit une liasse de papiers. Il en tendit un à chacun des hommes présents.

Ralph regarda le document et sursauta légèrement. C'était l'ordre de bataille de l'armée de la République sud-africaine. Sa surprise était telle que la première partie de ce que disait Bobbie White lui échappa.

— Le fort de Pretoria est en cours de réparation et d'agrandissement. Une brèche a été pratiquée dans les murailles pour les besoins des travaux et elles sont entièrement vulnérables à une petite troupe déterminée. (Ralph n'en croyait pas ses oreilles.) En dehors du corps d'artillerie, il n'y a aucune armée régulière sur place. Comme vous le montre le papier qui est devant vous, la défense du Transvaal repose sur sa milice de citoyens. Il leur faut de quatre à six semaines pour se constituer en une force effective.

Bobbie White avait fini sa déclaration, et M. Rhodes invita Percy Fitzpatrick à prendre la parole.

— Savez-vous comment Kruger appelle ceux dont le capital et le travail ont développé pour lui l'industrie minière de l'or ? Il les appelle les « Uitlanders », les « Étrangers ». Vous n'ignorez pas non plus que nous, les Uitlanders, avons élu nos propres représentants, réunis en ce que nous appelons le Comité de réforme de Johannesburg. J'ai l'honneur d'être un des membres de ce comité, et je parle au nom de tous les Anglais du Transvaal. (Il marqua une pause et lissa soigneusement sa moustache avec son index avant de poursuivre.) Je vous ai apporté deux messages. Le premier est bref et simple. C'est : « Nous sommes déterminés et unis pour défendre la cause. Vous pouvez compter sur nous jusqu'au bout. »

Les hommes assis autour de la table hochèrent la tête et Ralph sentit sa peau le picoter. Ce n'étaient pas des enfantillages, ils prenaient tout cela très au sérieux et complotaient l'un des actes de piraterie les plus audacieux de toute l'Histoire. Il eut du mal à garder son calme et son sérieux tandis que Fitzpatrick continuait.

— Le deuxième message se présente sous la forme d'une lettre signée par tous les membres du Comité de réforme. Si vous le permettez, je vais vous la lire. Il est adressé au Dr Jameson, en sa qualité d'administrateur de la Rhodésie, et il dit ceci :

Johannesburg

Cher monsieur,

La situation de ce pays est devenue si critique que nous sommes persuadés qu'un conflit entre le gouvernement du Transvaal et la population des Uitlanders ne saurait tarder à se déclarer...

Au fur et à mesure que Fitzpatrick lisait, Ralph comprit que cette lettre justifiait une insurrection armée.

Une société étrangère d'Allemands et de Hollandais contrôle nos destinées et, en conjonction avec les leaders boers, tente de les couler dans un moule totalement étranger au génie du peuple britannique...

Ils s'apprêtaient par la force des armes à mettre la main sur le gisement aurifère le plus riche de la planète.

Lorsque notre requête pour obtenir le droit de suffrage a été débattue par le Volksraad — l'assemblée — du Transvaal, un de ses membres a mis les Uitlanders au défi de se battre pour les droits qu'ils revendiquaient, et aucun des autres ne s'est élevé contre ses paroles. Le gouvernement du Transvaal a fait apparaître toutes les conditions nécessaires d'un conflit armé.

C'est en ces circonstances que nous nous sentons obligés de vous prier, en tant qu'Anglais, de venir à notre aide en cas de troubles. Nous garantissons le remboursement de toute dépense que vous pourriez supporter en prenant notre défense, et vous prions de croire que seule la nécessité la plus urgente nous a amenés à faire appel à vous.

Percy Fitzpatrick leva les yeux vers Docteur Jim avant de conclure.

— La lettre est signée par tous les membres du comité : Leonard, Phillips, Francis, le frère de M. Rhodes, John Hays Hammond, Farrar et moi-même. Nous ne l'avons pas datée.

Au bout de la table, Zouga Ballantyne laissa échapper une expiration sifflante, mais personne ne souffla mot pendant que Jordan se levait et remplissait les verres avec une carafe en cristal. M. Rhodes était penché sur la table, le menton appuyé sur la main, regardant au loin par la fenêtre la ligne bleutée des collines, les collines des Indunas, où se trouvait naguère le kraal du roi matabélé. Tous attendaient qu'il reprenne la parole. Finalement, il soupira et dit :

— Plutôt que d'entrer en conflit, je préfère de beaucoup découvrir quel est le prix demandé et le payer, mais nous n'avons pas affaire à un homme normal. Dieu veuille nous préserver des saints et des fanatiques — puissé-je avoir à faire uniquement à des gredins !

Il tourna la tête vers le Dr Jameson, affermit son regard rêveur et l'invita à exprimer son avis. Le petit docteur se renversa sur sa chaise en équilibre sur ses deux pieds de derrière et fourra ses mains dans ses poches.

— Nous devons envoyer cinq mille fusils et un million de cartouches à Johannesburg.

Intrigué et fasciné malgré lui, Ralph l'interrompit pour lui demander :

— Où allez-vous... où allez-vous vous les procurer ? Ce ne sont pas des marchandises ordinaires.

Docteur Jim acquiesça.

— C'est une bonne question, Ballantyne. Les fusils et les munitions se trouvent d'ores et déjà dans les entrepôts de la De Beers à Kimberley.

Ralph plissa les yeux. Le complot était bien avancé, plus qu'il ne l'avait cru possible. Il se souvint alors du comportement soup-

224

çonneux du petit docteur lorsqu'ils étaient au camp de base à partir duquel ils avaient découvert le gisement Harkness. Les préparatifs devaient être engagés depuis des mois. Il lui faudrait découvrir tous les détails.

— Comment allons-nous les acheminer à Johannesburg ? Il va falloir les introduire en contrebande, et ça représente un volume considérable...

— Ralph, coupa M. Rhodes avec un sourire. Vous n'avez pas cru, je pense, que vous étiez convié à un déjeuner mondain. Lequel d'entre nous jugez-vous le plus expérimenté et le plus capable de transporter les armes ? Qui a acheminé les fusils Martini à Lobengula ? Quel est le transporteur le plus habile du sous-continent ?

— Moi ? demanda Ralph surpris.

— Vous, confirma M. Rhodes.

Tout en le regardant, Ralph sentit soudain monter en lui une excitation impie. Il allait se trouver au centre de cette fantastique conspiration, au courant de tous les détails. Son esprit se mit à fonctionner à toute vitesse ; il savait intuitivement que c'était là une chance comme on en a une fois dans sa vie, et il devait en tirer tout le parti possible.

— Vous allez vous en charger, naturellement ?

Une petite ombre passa dans les yeux bleus au regard pénétrant.

— Naturellement, dit Ralph, mais l'ombre persista. Je suis anglais. Je connais mon devoir, poursuivit-il tranquillement avec sincérité.

Il vit l'ombre se dissiper dans les yeux de Rhodes. C'étaient des paroles auxquelles celui-ci pouvait ajouter foi. Rhodes se tourna de nouveau vers le Dr Jameson.

— Je suis désolé, dit-il, nous vous avons interrompu.

— Nous allons réunir ici une force de quelque six cents cavaliers triés sur le volet, reprit Docteur Jim, puis s'adressant à John Willoughby et Zouga Ballantyne, tous deux militaires aguerris : Je me reposerai beaucoup sur vous.

Willoughby acquiesça mais Zouga fronça les sourcils et demanda :

— Plusieurs semaines seront nécessaires pour que six cents hommes fassent à cheval le trajet entre Bulawayo et Johannesburg.

— Nous ne partirons pas de Bulawayo, répondit Jameson d'une voix égale. J'ai reçu l'approbation du gouvernement britannique pour maintenir une force armée dans le Bechuanaland, sur la bande concédée à la compagnie de chemin de fer qui court le long de la frontière du Transvaal. Elle est destinée à la protection de la voie ferrée, mais sera stationnée à Pitsani, à cent quatre-vingts miles seulement de Johannesburg. Nous atteindrons la capitale en une cinquantaine d'heures si nous chevauchons dur, bien avant que les Boers aient eu le temps d'organiser une quelconque résistance.

À ce moment-là, Ralph comprit que c'était faisable. Compte tenu de la chance légendaire du Dr Leander Starr Jameson, ils pouvaient réussir leur coup. Ils pouvaient prendre le Transvaal aussi facilement qu'ils s'étaient emparés du Matabeleland.

Bon sang, quel butin ça allait être ! Un territoire représentant un milliard de livres sterling en or annexé aux terres de M. Rhodes, à la Rhodésie. Ensuite, tout le reste deviendrait possible — l'Afrique britannique, un continent entier. Ralph était abasourdi par l'ampleur du projet.

C'est Zouga Ballantyne qui, une fois encore, découvrit la faille.

— Quelle est la position du gouvernement de Sa Majesté ? Va-t-il nous soutenir ? demanda-t-il. Sans lui, nous ne pouvons rien.

— Je reviens de Londres, répondit Rhodes. Durant mon séjour, j'ai dîné avec le ministre des Colonies, M. Joseph Chamberlain. Comme vous le savez, il a instillé à Downing Street une ardeur et une détermination nouvelles. Il est en totale sympathie avec la situation critique dans laquelle se trouvent nos compatriotes à Johannesburg. Il est aussi pleinement conscient des dangers d'une intervention allemande dans le sud de l'Afrique. Laissez-moi vous assurer que M. Chamberlain et moi, nous nous comprenons parfaitement. Je ne puis en dire davantage à ce stade, vous devez me faire confiance.

Si tout ça est vrai, pensa Ralph, les chances de réussite deviennent importantes. Attaque rapide portée au cœur de l'ennemi, soulèvement des citoyens anglais en armes, appel lancé au gouvernement britannique magnanime et, finalement, annexion.

Tout en restant attentif à l'élaboration du plan, Ralph évaluait rapidement les conséquences qu'entraînerait la réussite du complot. La principale était que la British South Africa Company et la De Beers Consolidated Diamond Company, propriétés de M. Rhodes, deviendraient les sociétés commerciales les plus puissantes et les plus riches du monde. La colère et la haine de Ralph revinrent avec tant de violence que ses mains se mirent à trembler et qu'il dut les poser sur ses genoux, mais il ne pouvait s'empêcher d'observer son frère cadet.

Jordan regardait M. Rhodes avec une telle expression d'adoration patente que Ralph était certain qu'elle n'échappait pas aux autres, et il en était malade de honte. Il n'avait cependant pas à s'inquiéter : ils étaient tous fascinés par les rêves de gloire et de grandeur, emportés par le charisme et les qualités irrésistibles de chef du colosse hirsute assis au haut bout de la table.

Zouga, en militaire pragmatique, demanda encore :

— Docteur Jim, comptez-vous recruter les six cents hommes en Rhodésie ?

— Pour des questions de secret et d'opportunité, nous ne pouvons les recruter dans la colonie du Cap, ni ailleurs en l'occurrence. (Jameson hocha la tête.) Maintenant que l'épidémie a réduit à néant leur avoir, les jeunes Rhodésiens impatients de s'engager, ne serait-ce que pour la paye et la ration, ne manqueront pas, et tous sont de bons combattants qui ont participé aux affrontements contre les Matabélé.

— Pensez-vous qu'il est sage de vider le pays de ses hommes valides ?

— Ce ne sera que pour quelques mois seulement, intervint M. Rhodes avec un froncement de sourcils, et nous n'avons pas d'ennemis à redouter, n'est-ce pas ?

— Pensez-vous qu'il n'y a aucun risque ? insista Zouga. Il y a des dizaines de milliers de Matabélé...

— Allons, major, coupa Jameson. Les Matabélé ne sont plus qu'une foule vaincue et désorganisée. Le général Saint John assumera les fonctions d'administrateur du territoire en mon absence ; je ne vois personne qui puisse mieux que lui apaiser vos craintes.

Tous les regards se tournèrent vers l'homme de haute taille assis à côté de Jameson. Mungo Saint John retira son long cigarillo de sa bouche et sourit en plissant le coin de son œil unique.

— Je dispose de deux cents policiers indigènes dont la fidélité est indiscutable. J'ai des informateurs dans chaque village matabélé important qui m'avertiront de tout mouvement. Non, major, je puis vous assurer que le seul ennemi que nous ayons à prendre en compte est ce vieux Boer obstiné de Pretoria.

— J'accepte ces assurances venant d'un militaire de l'envergure du général Saint John, dit simplement Zouga avant de se tourner de nouveau vers M. Rhodes. Pouvons-nous discuter des détails concernant le recrutement de cette force ? Et avant tout, de quelle somme disposons-nous ?

Ralph observait les visages pendant que les membres du complot tiraient des plans et argumentaient, et il constata avec surprise que son père était aussi rapace et impatient que tous les autres. Quels que soient les mots qu'ils prononcent, pensat-il, quel que soit le sujet qu'ils semblent traiter, en réalité ils parlent d'argent.

Ralph se souvint soudain de cette aube sur le Karroo où il s'était agenouillé dans le désert et, prenant Dieu à témoin, avait

227

prêté serment, et il lui fallait à présent rassembler toute sa volonté pour ne pas lever les yeux vers M. Rhodes. Il savait que cette fois-ci, il ne pourrait cacher sa haine et resta donc le regard fixé sur son verre de cognac tout en luttant pour retrouver la maîtrise de lui-même et s'obliger à penser sans passion.

S'il était possible de détruire ce géant, ne l'était-il pas aussi de détruire sa société commerciale, de lui arracher le pouvoir de gouverner, les droits fonciers et miniers qu'elle détenait dans toute la Rhodésie ?

Ralph sentit son sang frémir quand il se rendit compte que l'occasion qui se présentait pouvait lui permettre non seulement de se venger mais aussi d'amasser une grande fortune. Si le complot échouait, les actions des compagnies minières des gisements aurifères — les groupes Corner House, Rand Mines et Consolidated Goldfields — s'effondreraient. Un simple coup à la baisse à la Bourse de Johannesburg permettrait de ramasser des millions de livres.

Ralph Ballantyne se sentit confondu par l'ampleur de la perspective qui s'ouvrait à lui, la perspective d'un pouvoir et d'une richesse dont il n'avait jamais rêvé jusque-là. Il n'entendit pas la question posée par M. Rhodes, et ne leva les yeux que lorsque celui-ci la répéta.

— Je vous ai demandé, Ralph, quand vous pourriez partir pour Kimberley pour prendre en charge le matériel ?

— Demain, répondit-il d'une voix égale.

— Je savais que je pouvais compter sur vous, dit M. Rhodes en hochant la tête.

Ralph s'était volontairement attardé pour être le dernier à partir de King's Lynn.

Son père et lui étaient sur la véranda et regardaient la colonne de poussière soulevée par la voiture de M. Rhodes qui s'éloignait vers le bas de la colline. Ralph s'appuya contre l'un des piliers blanchis à la chaux supportant le toit, les yeux plissés pour se protéger de la volute de fumée de son cigarillo ; ses bras croisés étaient musclés et brunis par le soleil.

— Vous n'êtes pas assez naïf pour prendre le jugement émis par Percy sur les Boers pour argent comptant, n'est-ce pas, papa ?

Zouga se mit à rire.

— Lents, méfiants, malveillants et toute cette salade. (Il secoua la tête.) Ce sont de bons cavaliers et de bons tireurs, ils se sont battus contre toutes les tribus indigènes au sud du Limpopo...

— Sans parler de nos soldats, lui rappela Ralph. Majuba Hill, 1881. Le général Colley et quatre-vingt-dix de ses hommes sont enterrés sur la colline, les Boers n'ont pas perdu un seul des leurs.

— Ce sont de bons soldats, reconnut Zouga, mais nous avons le bénéfice de la surprise.

— Vous admettez cependant, papa, que ce sera un acte de banditisme international ? (Ralph ôta son cigarillo de ses lèvres et en fit tomber la cendre.) Nous n'aurons pas le moindre argument pour nous en justifier moralement.

Ralph vit la cicatrice que son père avait sur la joue, baromètre infaillible de son humeur, devenir blanche comme de la porcelaine.

— Je ne comprends pas, dit-il, mais tous deux savaient très bien qu'il comprenait parfaitement.

— C'est du vol, persista Ralph. Pas seulement du détroussage de grand chemin, mais du vol à grande échelle. Nous complotons de voler un pays entier.

— Avons-nous en ce cas volé ce pays-ci aux Matabélé ? demanda Zouga.

— C'était différent, répondit Ralph avec un sourire. C'étaient des sauvages, et ils projetaient de renverser un gouvernement légitime.

— Lorsque nous considérons l'intérêt de l'Empire..., commença Zouga, dont la cicatrice avait viré au cramoisi.

— L'Empire, papa ? interrompit Ralph toujours souriant. S'il y a deux personnes qui devraient être entièrement sincères l'une avec l'autre, c'est bien vous et moi. Regardez-moi en face, et affirmez-moi qu'il n'y aura pour nous d'autre profit dans cette aventure que la satisfaction d'avoir rempli notre devoir vis-à-vis de l'Empire.

Mais Zouga ne le regarda pas.

— Je suis un militaire...

— Oui, coupa de nouveau Ralph. Mais vous êtes aussi un propriétaire de ranch qui vient de subir les effets de la peste bovine. Vous avez réussi à vendre cinq mille têtes de bétail, mais nous savons tous deux que ça n'a pas suffi. De combien êtes-vous endetté, papa ?

— Trente mille livres, répondit Zouga à contrecœur après quelques instants d'hésitation.

— Avez-vous l'espoir de pouvoir rembourser ces dettes ?

— Non.

— À moins que nous ne prenions le Transvaal.

Zouga ne répondit pas, sa cicatrice reprit sa couleur normale, et il soupira.

229

— Très bien, fit Ralph. Je voulais seulement m'assurer que je n'étais pas le seul à avoir ces raisons d'agir.

— Est-ce que tu vas arriver à t'en sortir ? demanda Zouga.

— Ne vous inquiétez pas, papa. Nous y arriverons, je vous le promets.

Ralph s'écarta du pilier et appela les valets d'écurie pour qu'ils lui amènent son cheval. Une fois en selle, il regarda son père et pour la première fois remarqua combien la lassitude entraînée par l'âge avait fait perdre son éclat au vert de ses yeux.

— Mon garçon, ce n'est pas parce que certains d'entre nous seront récompensés de leurs efforts que l'entreprise n'est pas noble. Nous sommes les serviteurs de l'Empire, et les serviteurs fidèles sont fondés à recevoir un juste salaire.

Ralph se pencha et lui donna une tape sur l'épaule, puis il rassembla les rênes et poussa sa monture vers le bas de la colline à travers la forêt d'acacias.

Telle une vipère prudente, la voie de chemin de fer poursuivait son ascension de l'escarpement, empruntant souvent les anciennes pistes des éléphants, ces gros pachydermes ayant déjà trouvé les lignes de pente et les passages les plus faciles. Elle avait laissé loin derrière les baobabs au tronc gonflé et les arbres à fièvre du bassin du Limpopo ; les forêts étaient à présent plus belles, l'air plus doux, l'eau des rivières plus claire et fraîche.

Le camp de base de Ralph s'était déplacé au rythme de l'avancement des travaux et se trouvait alors installé dans l'une des vallées retirées, assez près des équipes d'ouvriers pour qu'on les entende enfoncer à coups de marteau les pointes de fer dans les traverses en teck. L'endroit possédait les charmes procurés par une nature vierge. Le soir, un troupeau d'antilopes noires venait brouter l'herbe de la clairière au-dessous du camp, réveillé tous les matins à l'aube par les cris des babouins dans les collines. La baraque du télégraphe se trouvait à dix minutes à pied, de l'autre côté de la colline boisée, et la locomotive qui acheminait les rails et les traverses depuis Kimberley apportait aussi le dernier numéro du *Diamond Fields Advertiser* et tous les autres petits luxes destinés à agrémenter la vie au camp.

En cas de besoin, Cathy pouvait faire appel au contremaître et à ses hommes, le camp lui-même étant sous la protection de vingt fidèles serviteurs matabélé et d'Isazi, le petit conducteur zoulou, qui faisait remarquer avec modestie qu'à lui seul il valait une vingtaine de Matabélé courageux. Dans l'éventualité peu probable où Cathy se sentirait seule ou s'ennuierait, la mine

Harkness n'était qu'à une trentaine de miles, et Harry et Vicky avaient promis de venir lui rendre visite tous les week-ends.

— On ne peut pas venir avec toi, papa ? plaidait Jonathan. Je pourrais vraiment t'aider, tu sais.

Ralph le prit dans ses bras.

— Un de nous deux doit rester ici pour veiller sur maman, expliqua-t-il. Tu es le seul en qui je peux avoir confiance.

— Nous pouvons l'emmener avec nous, suggéra Jonathan avec enthousiasme, et Ralph imagina sa femme et son fils au milieu d'une révolution armée, avec barricades dans les rues et commandos boers ravageant la campagne.

— Ce serait sympathique, reconnut Ralph, mais tu ne penses pas au nouveau bébé. Que se passerait-il si la cigogne arrivait ici en notre absence, sans qu'il y ait personne pour signer le reçu de ta petite sœur ?

Jonathan fit la grimace. Il avait déjà conçu une solide antipathie pour ce personnage féminin qui n'arrivait jamais mais était sans cesse présent. Elle semblait se mettre en travers de tous ses projets exaltants, son père et sa mère ne manquaient pas de l'évoquer dans presque toutes les conversations, et sa mère consacrait la majeure partie du temps naguère dévolu à Maître Jonathan à tricoter et à coudre, ou restait simplement assise avec un sourire aux lèvres. Elle ne partait plus avec lui faire une promenade à cheval chaque matin et chaque soir, et ne se laissait plus aller à ces bagarres et à ces ébats chahuteurs qu'il aimait tant. En fait, Jonathan avait déjà consulté Isazi sur la possibilité d'envoyer un message à la cigogne pour lui demander de ne pas se déranger, pour lui dire qu'ils avaient changé d'avis. Isazi n'avait cependant pas été très encourageant, tout en lui promettant d'en toucher un mot de sa part au sorcier local.

De nouveau confronté à cette fille omniprésente, Jonathan capitula de mauvaise grâce.

— Dans ce cas, pourrai-je venir avec toi quand ma petite sœur sera là pour veiller sur maman ?

— Nous ferons mieux que ça, mon vieux. Est-ce que ça te dirait de traverser la mer sur un gros bateau ?

C'était le genre de discours qui plaisait à Jonathan et son visage s'illumina.

— Je pourrai le conduire ? demanda-t-il

— Je suis persuadé que le capitaine te permettra de lui donner un coup de main, répondit Ralph en riant. Et quand nous serons arrivés à Londres, nous habiterons dans un grand hôtel et nous achèterons plein de cadeaux pour maman.

Cathy posa son tricot sur ses genoux et le regarda à la lumière de la lampe.

— Et moi ? s'enquit Jonathan. Est-ce qu'on pourra acheter plein de cadeaux pour moi aussi ?

— Pour toi et pour ta petite sœur, accorda Ralph. À notre retour, nous irons à Johannesburg et nous achèterons une grande maison avec de beaux lustres et des carrelages en marbre.

— Et une écurie pour mon poney, ajouta Jonathan en applaudissant.

— Et aussi une niche pour Chaka, renchérit Ralph en lui ébouriffant les cheveux. Et tu iras à l'école, une jolie école en brique avec plein d'autres petits garçons.

Le sourire de Jonathan s'estompa légèrement ; c'était peut-être aller un peu loin.

— Maintenant, tu vas dire bonne nuit à ta mère et lui demander de te mettre au lit, dit Ralph en le reposant à terre et lui donnant une petite tape sur les fesses.

Cathy se hâta de revenir de la tente où dormait Jonathan et, en se déplaçant avec la gaucherie émouvante des femmes enceintes, s'approcha du feu près duquel Ralph était assis, sur une chaise pliante en toile, un verre de whisky à la main, les jambes allongées vers la flambée. Elle s'arrêta derrière sa chaise et passa ses bras autour de son cou, puis, les lèvres contre sa joue, elle murmura :

— C'est vrai, ou c'est juste pour me taquiner ?

— Voilà assez longtemps que vous vous montrez courageuse. Je vais vous acheter une maison comme vous n'avez même jamais osé en rêver.

— Avec des lustres ?

— Et une voiture pour vous conduire à l'opéra.

— Je ne sais pas si j'aimerais... je n'y suis jamais allée.

— Nous le saurons à Londres, qu'en pensez-vous ?

— Oh, Ralph, je suis si heureuse que ça me donne envie de pleurer. Mais pourquoi tout cela maintenant ? Qu'est-ce qui explique un tel changement ?

— Quelque chose va se passer avant Noël qui transformera notre vie. Nous allons devenir riches.

— Je croyais que nous l'étions déjà.

— Je veux dire vraiment riches, comme le sont Robinson et Rhodes.

— Pouvez-vous me dire ce que c'est ?

— Non, dit-il simplement. Mais il ne vous reste que quelques semaines à patienter, jusqu'à Noël, ce n'est pas loin.

— Oh, chéri, soupira-t-elle. Allez-vous être absent jusque-là ? Vous me manquez tant.

— Alors ne perdons plus de temps en parlotes.

Il se leva, la prit dans ses bras et la porta jusqu'à leur tente sous le grand caprifiguier.

Le lendemain matin, Jonathan à son côté, qu'elle tenait par la main pour le retenir, Cathy regardait Ralph sur la plate-forme de la grosse locomotive verte.

— J'ai l'impression que nous passons notre temps à nous dire au revoir, cria-t-elle pour se faire entendre par-dessus le sifflement de la vapeur qui s'échappait des roues motrices et le grondement des flammes dans la chaudière.

— C'est la dernière fois, promit Ralph.

Comme il était beau et joyeux ! Cathy crut que son cœur allait éclater.

— Revenez dès que possible.

— Dès que je le pourrai.

Le mécanicien abaissa la manette en cuivre du régulateur et le souffle de la vapeur couvrit les paroles suivantes de Ralph.

— Que dites-vous ? cria Cathy en trottinant lourdement à côté de la locomotive.

— Ne perdez pas la lettre, répéta-t-il.

— Je vous le promets.

Ne pouvant plus suivre la locomotive, elle s'arrêta et agita son mouchoir en dentelle jusqu'à ce que le train disparaisse dans la courbe au-delà du kopje. Le dernier sifflement lugubre s'ovanouit et elle revint vers Isazi, qui attendait avec la charrette anglaise. Jonathan dégagea sa main et courut pour grimper sur le siège.

— Est-ce que je peux conduire, Isazi ? supplia Jonathan.

Cathy s'irrita de l'inconstance de l'enfant : en larmes et désespéré, puis excité à la perspective de tenir les rênes l'instant suivant.

Tout en s'installant sur la banquette en cuir boutonné du cabriolet, elle fourra une main dans la poche de son tablier pour s'assurer que l'enveloppe cachetée confiée par Ralph y était bien. Elle la prit et lut l'instruction tentatrice qu'il avait écrite dessus : « À ouvrir seulement lorsque vous recevrez mon télégramme. »

Elle s'apprêta à la remettre dans sa poche, puis se mordit la lèvre, luttant contre la tentation, la décacheta finalement et en tira la feuille de papier pliée.

« Lorsque vous recevrez mon télégramme, vous devrez envoyer d'urgence au major Zouga Ballantyne, quartier général du régiment de cavalerie rhodésien à Pitsani, Bechuanaland, le télégramme suivant : VOTRE FEMME LOUISE BALLANTYNE GRAVEMENT MALADE — RETOURNEZ IMMÉDIATEMENT À KING'S LYNN. »

Cathy lut par deux fois les instructions et fut soudain prise d'une angoisse terrible.

— Oh, mon chéri, quelle folie allez-vous encore commettre ? murmura-t-elle tandis que Jonathan emmenait les chevaux au trot le long de la piste qui menait au camp.

L'atelier de la mine d'or Simmer et Jack se trouvait sous le chevalement en acier installé sur la crête. La ville de Johannesburg s'étalait au loin dans la vallée et au-delà sur les collines arrondies. Le toit et les murs de l'atelier étaient en tôle ondulée, des flaques noires d'huile de moteur tachaient le sol bétonné. Il y régnait une chaleur étouffante, et à l'extérieur le soleil du début de l'été était aveuglant.

— Fermez les portes, ordonna Ralph Ballantyne.

Deux membres du petit groupe s'arc-boutèrent sur les lourds panneaux coulissants en bois et métal, grognant et suant, peu habitués à l'effort physique. Une fois les portes closes, il faisait sombre comme dans une cathédrale, et des grains de poussière dansaient dans les rayons du soleil passant à travers les fentes des parois métalliques.

Une cinquantaine de bidons jaunes se trouvaient alignés au milieu du local. Sur leur couvercle était inscrit au pochoir à la peinture noire : « HUILE DE MOTEUR. 44 GALS. »

Ralph se débarrassa de sa veste en lin beige, desserra le nœud de sa cravate et retroussa ses manches. Il prit une massette et un burin sur l'établi le plus proche et entreprit d'ouvrir le couvercle d'un des bidons. Les quatre autres hommes s'approchèrent pour voir. Les coups de massette résonnaient dans le grand hangar. De minuscules éclats de peinture jaune volaient sous le burin et, dessous, le métal mis à nu brillait comme des pièces neuves.

Ralph finit d'ouvrir le couvercle en faisant levier et se redressa. La surface de l'huile luisait comme du charbon dans la pénombre. Il plongea son bras jusqu'au coude dans le liquide visqueux et en retira un long paquet enveloppé dans de la toile cirée ruisselant d'huile épaisse. Il le porta sur l'établi, coupa l'attache et il y eut des exclamations de satisfaction quand il défit l'emballage.

— Le tout dernier Lee Metford à culasse mobile, chargé à la cordite sans fumée. Il est sans équivalent.

L'arme passa de main en main ; quand elle arriva à Percy Fitzpatrick, celui-ci en actionna la culasse, l'ouvrant et la fermant rapidement.

— Combien y en a-t-il ?

— Dix par bidon, répondit Ralph. Cinquante bidons.

— Et le reste ? demanda Franck Rhodes.

Il était aussi différent de son frère cadet que Ralph l'était de Jordan — grand et mince, les yeux enfoncés dans les orbites et les pommettes saillantes, ses cheveux grisonnants laissant un front dégarni.

— Je peux effectuer une livraison hebdomadaire pendant les cinq semaines à venir, lui dit Ralph en s'essuyant les mains avec un gros morceau de coton.

— Vous ne pouvez pas aller plus vite ?

— Est-ce que vous pouvez les nettoyer et les distribuer plus vite ? rétorqua Ralph, qui, sans attendre la réponse, se tourna vers John Hays Hammond, le brillant ingénieur des mines américain, à qui il faisait davantage confiance qu'au frère de M. Rhodes.

— Avez-vous arrêté un plan d'action définitif ? demanda-t-il. M. Rhodes voudra le savoir à mon retour à Kimberley.

— Notre premier objectif va être de nous emparer du fort et de l'arsenal de Pretoria.

Ils discutèrent alors des détails, Ralph griffonnant des notes sur un paquet de cigarettes. Lorsque finalement, il hocha la tête et fourra le paquet dans sa poche, Franck Rhodes lui demanda :

— Quelles sont les nouvelles de Buluwayo ?

— Jameson a recruté tous ses hommes, six cents en tout, répondit Ralph. Ils sont armés et montés. Il sera prêt à partir pour Pitsani à la fin du mois, voilà où nous en sommes. (Il enfila sa veste et dit :) Mieux vaut qu'on ne nous voie pas ensemble.

Il leur serra la main à tous, mais quand il arriva au colonel Franck Rhodes, il ne résista pas à la tentation d'ajouter :

— Mieux vaudrait aussi, colonel, que vous limitiez vos messages télégraphiques à l'essentiel. Le code que vous utilisez, les références quotidiennes à la création fictive de votre compagnie minière suffisent à attirer l'attention du plus sot des fonctionnaires de la police du Transvaal, et nous savons avec certitude qu'il y en a un au bureau du télégraphe de Johannesburg.

— Nous ne nous sommes permis d'envoyer aucun message superflu, monsieur, répondit Franck avec raideur.

— Que penser alors de celui-ci : « Les six cents actionnaires sont-ils prêts à procéder à la souscription ? » fit Ralph en imitant sa diction collet monté, puis il salua d'un signe de tête, sortit, reprit son cheval et descendit la route vers Fordsberg et la ville.

Elizabeth se leva sur un regard de sa mère et commença à débarrasser les assiettes à soupe.

— Tu n'as pas fini, Bobby, dit-elle à son jeune frère.

— Je n'ai pas faim, Lizzie, protesta l'enfant. Et puis ça a un drôle de goût.

— Vous avez toujours une bonne excuse pour ne pas manger, Monsieur Robert, le réprimanda Elizabeth. Pas étonnant que vous soyez si maigre. Vous ne deviendrez jamais grand et fort comme votre papa.

— Ça suffit, Elizabeth, coupa Robyn. Laisse-le s'il n'a pas faim. Tu sais qu'il n'est pas bien en ce moment.

Elizabeth jeta un coup d'œil à sa mère, puis empila avec soumission l'assiette de Robert avec les autres. Aucune des filles n'avait jamais été autorisée à laisser de la nourriture, pas même quand elles étaient en proie aux étourdissements provoqués par la malaria, mais elle avait appris à ne pas s'insurger contre l'injuste indulgence de Robyn pour son seul garçon. En tenant la lampe à pétrole de l'autre main, Elizabeth sortit par la porte de derrière et se dirigea vers la case à toit de chaume qui faisait office de cuisine.

— Il est temps qu'elle se marie, commenta Jouba en hochant la tête mélancoliquement. Elle a besoin d'un homme dans son lit et d'un bébé à son sein pour la faire sourire.

— Ne dis pas de bêtises, Jouba, fit Robyn sèchement. Elle a le temps. Elle m'aide beaucoup, je ne peux pas la laisser partir. Elle est aussi compétente qu'un médecin diplômé.

— Les jeunes gens viennent de Bulawayo les uns après les autres et elle les éconduit tous, continua Jouba, ignorant l'injonction de Robyn.

— C'est une jeune fille raisonnable et sérieuse.

— C'est une jeune fille triste, qui a un secret.

— Jouba, toutes les femmes n'ont pas envie de passer leur vie à faire partie du mobilier d'un mari, se moqua Robyn.

— Tu te souviens quand elle était petite ? poursuivit Jouba imperturbablement. Combien elle rayonnait de joie ? Elle était éclatante comme une goutte de rosée.

— Elle a grandi.

— Je pensais que c'était à cause du grand jeune homme d'au-delà des mers, celui qui cherche des cailloux et qui a emmené Vicky, dit Jouba en secouant la tête. Mais ce n'est pas lui. Au mariage de Vicky, elle riait, et ce n'était pas le rire d'une fille qui a perdu celui qu'elle aime. Il y a quelque chose ou quelqu'un d'autre, conclut-elle doctement.

Robyn s'apprêtait à protester de nouveau, mais elle en fut empêchée par un bruit de voix qui venait du dehors, et elle se leva précipitamment.

— Que se passe-t-il ? cria-t-elle. Qu'est-ce qu'il y a, Elizabeth ?

La flamme de la lanterne retraversa la cour, éclairant les pieds d'Elizabeth mais laissant son visage dans l'obscurité.

— Maman ! Maman ! Venez vite ! cria-t-elle, tout excitée.

Elle entra en trombe.

— Maîtrise-toi, ma fille, dit Robyn en la secouant par l'épaule.

Elizabeth prit une profonde inspiration avant de parler.

— Le vieux Moïse vient d'arriver du village... il dit qu'il y a des soldats, des centaines de soldats qui passent à cheval devant l'église.

— Jouba, va chercher le manteau de Bobby, lança Robyn en prenant son châle et sa canne derrière la porte. Elizabeth, donne-moi la lanterne.

À la tête de toute la famille, elle descendit l'allée sous les sombres spathodéas, dépassa les bâtiments de l'hôpital et se dirigea vers l'église. Les trois femmes formaient un petit groupe serré, Bobby enveloppé dans un manteau de laine et assis à califourchon sur la hanche de Jouba. Avant qu'elles aient atteint l'église, de nombreuses autres silhouettes se hâtaient autour d'elles dans l'obscurité.

— Ils sortent de l'hôpital, lança Jouba indignée. Et demain, ils seront encore tous malades.

— Tu ne pourras pas les retenir. La curiosité tue le chat, dit Elizabeth avec indignation, puis elle s'exclama : Les voilà ! Moïse a raison. Regardez-les.

La clarté des étoiles permettait de distinguer le flot noir des cavaliers qui descendaient du col. Ils avançaient deux par deux, une longueur séparant chaque paire. Il faisait trop sombre pour voir leurs visages sous le large bord de leur chapeau, mais derrière l'épaule de chacun le canon d'un fusil pointait comme un doigt accusateur découpé sur le champ glacé des cieux semés d'étoiles. L'épaisse couche de poussière qui couvrait la piste amortissait le bruit des sabots, mais le cuir graissé des selles craquait en frottant et une chaîne de gourmette tintait lorsqu'un cheval s'ébrouait doucement en agitant la tête.

Le silence relatif d'une telle multitude était cependant inquiétant. On n'entendait guère que des murmures, aucun ordre de resserrer les rangs ni les habituelles mises en garde — « Attention au trou ! » — lorsque des cavaliers se déplacent en formation sur un terrain peu familier et dans l'obscurité. La tête de la colonne atteignit l'embranchement de la route au-dessous de l'église et prit la voie de gauche, l'ancienne piste que suivaient les chariots en direction du sud.

— Qui est-ce ? demanda Jouba avec un tremblement de crainte superstitieuse dans la voix. On dirait des fantômes.

— Ce ne sont pas des fantômes, dit Robyn d'un ton catégorique, mais les soldats de plomb de Jameson, son nouveau régiment de cavalerie rhodésien.

— Pourquoi prennent-ils l'ancienne route ? (À l'instar de Jouba, Elizabeth aussi parlait à voix basse, impressionnée par le silence de la scène.) Et pourquoi chevauchent-ils de nuit ?

— Ça sent le coup fourré à la manière de Jameson... et de son maître, dit Robyn en s'avançant sur la piste, puis, la lanterne levée haut, elle cria : Où allez-vous ?

Une voix grave répondit dans la colonne :

— Là-bas, puis on revient pour voir si c'est loin, mam'zelle !

Il y eut quelques petits rires, mais le flot des cavaliers continua de s'écouler sans s'arrêter devant l'église.

Les transports se trouvaient au milieu de la colonne, sept chariots tirés par des mulets, car la peste n'avait épargné aucun bœuf de trait. Après les chariots arrivèrent huit charrettes à deux roues avec les mitrailleuses Maxim, puis trois canons de campagne légers, reliques de la force expéditionnaire de Jameson, qui avait pris Bulawayo quelques années plus tôt. Des cavaliers formaient la queue de la colonne.

Il fallut près de vingt minutes avant que tous aient défilé devant l'église, puis le silence redevint total, seule la poussière en suspension dans l'air rappelant leur passage.

— Maman, j'ai froid, finit par pleurnicher Bobby, et Robyn émergea de ses pensées.

— Je me demande quelle diablerie ils nous préparent ? murmura-t-elle en ramenant le petit groupe vers la maison.

— Les haricots vont être froids, se lamenta Elizabeth en se hâtant vers la cuisine tandis que Robyn et Jouba gravissaient les marches de la véranda.

Jouba déposa par terre Bobby, qui retourna en trottinant dans la chaude lumière de la salle à manger. Jouba s'apprêtait à le suivre, mais Robyn l'arrêta en posant une main sur son bras. Les deux femmes étaient côte à côte, sécurisées par l'affection et l'amitié qu'elles se portaient mutuellement. Elles regardaient à travers la vallée, dans la direction où les cavaliers sombres et silencieux avaient disparu.

— Comme c'est beau ! murmura Robyn. Je m'imagine toujours que les étoiles sont mes amies ; elles sont si fidèles au rendez-vous, si familières et, ce soir, si proches ! (Elle leva la main vers le firmament comme pour les cueillir.) Voilà Orion, et là, le Taureau.

— Et les quatre fils de Manatassi, les pauvres enfants assassinés par leur mère, ajouta Jouba.

— Les mêmes étoiles brillent pour nous tous, bien que nous leur donnions des noms différents, dit Robyn en serrant contre elle sa vieille amie. Vous appelez ces quatre-ci les fils de Manatassi, et nous, nous les appelons la Croix... la Croix du Sud.

Elle sentit Jouba tressaillir, puis commencer à frissonner, et l'inquiétude perça tout de suite dans la voix de Robyn.

— Qu'y a-t-il, ma Petite Colombe ? demanda-t-elle.

— Bobby a raison, murmura Jouba. Il fait froid, nous ferions mieux de rentrer.

Elle resta assise pendant tout le dîner sans dire un mot, mais quand Elizabeth emmena Bobby dans sa chambre, elle annonça simplement :

— Nomousa, il faut que je retourne au village.

— Oh, Jouba, mais tu viens seulement d'en revenir. Que se passe-t-il donc ?

— J'ai le sentiment, je sens dans mon cœur que mon mari a besoin de moi, Nomousa.

— Ah, les hommes ! commenta amèrement Robyn. Si seulement on pouvait être débarrassées d'eux... la vie serait beaucoup plus simple si les femmes gouvernaient le monde.

— C'est le signe, chuchota Tanase en tenant son fils contre son sein, ses yeux luisant dans l'ombre comme ceux d'un crâne par la lumière du petit feu de camp qui fumait au milieu de la case. Les choses se passent toujours ainsi avec les prophéties de l'Umlimo. Leur signification n'apparaît que lorsque les événements ont eu lieu.

— Les ailes dans l'obscurité en plein midi, acquiesça Bazo, les bêtes le cou tordu jusqu'à toucher leur flanc, et maintenant...

— Et maintenant la croix a mangé le bétail sans cornes : les cavaliers sont partis vers le sud en pleine nuit avec leurs montures. Voilà le troisième, le dernier signe que nous attendions, exulta Tanase. Les esprits de nos ancêtres nous pressent de passer à l'action. L'attente est finie.

— Petite mère, les esprits t'ont choisie pour éclairer le sens de leurs messages. Sans toi, nous n'aurions jamais su comment les Blancs appellent ces quatre étoiles. Les esprits te réservent maintenant une autre tâche. C'est toi qui sais où ils sont, tu sais combien ils sont à la mission de Khami.

Jouba regarda son époux et ses lèvres se mirent à trembler, ses yeux se remplirent de larmes. Gandang lui fit signe de parler.

— Il y a Nomousa, murmura-t-elle. Nomousa qui est pour moi plus qu'une mère et une sœur. Nomousa qui a coupé la chaîne qui me retenait au fond de la cale du négrier...

— Chasse ces pensées de ton esprit, conseilla Tanase d'une

voix douce. Il n'y a plus de place pour elles maintenant. Dis-nous qui d'autre se trouve à la mission.

— Il y a Elizabeth, ma douce et triste Lizzie, et Bobby, que je porte sur ma hanche.

— Qui encore ? insista Tanase.

— Il n'y a pas d'autres Blancs, murmura Jouba.

Bazo regarda son père.

— Ils te reviennent, tous ceux de la mission. Tu sais ce qu'il faut faire.

Gandang hocha la tête, et Bazo se retourna vers sa mère.

— Parle-moi de Bakela, douce petite mère, dit-il d'une voix apaisante. Bakela, le Poing, et sa femme. Quelles nouvelles as-tu d'eux ?

— La semaine dernière, il était dans la grande maison de King's Lynn, lui et Balela, celle qui rend le ciel clair et ensoleillé.

Bazo se tourna vers un des autres indunas qui était assis derrière Gandang.

— Suku !

— Baba ? répondit l'induna en se dressant sur un genou.

— Bakela et sa femme sont pour toi, lui dit Bazo. Quand tu auras accompli ta tâche, va à Hartley Hills et prends avec toi les mineurs qui travaillent là-bas, trois hommes et une femme avec quatre enfants.

— *Nkosi nkulu*, acquiesça l'induna, et nul ne s'interrogea ni n'éleva d'objection en l'entendant donner à Bazo le titre de roi.

— Petite mère, où sont Henshaw et sa femme, où est la fille de Nomousa ?

— Nomousa a reçu une lettre d'elle il y a trois jours. Elle et son petit garçon campent près du chantier de la voie de chemin de fer. Elle attend un bébé qui doit naître à l'époque de la fête de la *Chawala*. Elle dit qu'elle est très heureuse.

— Et Henshaw ? s'impatienta Bazo. Où est-il, lui ?

— Elle dit dans sa lettre qu'il est avec elle, et que c'est la cause de son bonheur. Il est peut-être encore là-bas.

— Je me les réserve, dit Bazo. Eux et les cinq Blancs qui se trouvent sur le chantier. Ensuite nous balaierons la route des chariots et nous nous occuperons des deux hommes, de la femme et des trois enfants d'Antelope Mine.

Il poursuivit à voix basse, affectant une tâche à chacun de ses commandants ; chaque ferme et mine isolée était attribuée à l'un d'eux, avec un décompte des victimes qu'on pouvait s'attendre à y faire. Les lignes du télégraphe devaient être coupées, les membres de la police indigène exécutés, les cours d'eau surveillés, toutes les routes empruntées par les chariots ratissées pour ne manquer aucun voyageur, les armes à feu collectées et le bétail emmené et caché. Quand il eut fini, il se tourna vers les femmes.

— Tanase, tu veilleras à ce que nos épouses et nos enfants aillent dans le vieux sanctuaire, tu les conduiras toi-même dans les collines sacrées des Matopos. Tu t'assureras qu'ils restent en petits groupes bien séparés les uns des autres, et les *mujiba*, les garçons non encore initiés, feront le guet depuis les sommets des collines pour avertir de l'éventuelle arrivée d'hommes blancs. Les femmes tiendront les potions et les *muti* prêtes pour nos blessés.

— *Nkosi nkulu*, acquiesçait Tanase après chaque instruction.

Elle regardait son visage en essayant de ne pas laisser apparaître sa fierté et son exultation. Elle l'appelait « Roi ! », comme l'avaient fait les autres indunas.

Quand Bazo eut fini, ils attendirent autre chose. Le silence qui régnait dans la case était tendu, le blanc des yeux luisait sur les visages d'ébène. Bazo parla enfin.

— Traditionnellement, la nuit de la lune de la *Chawala*, les fils et les filles de Machobane, de Mosélékatsé et de Lobengula célèbrent la fête des premiers fruits. Cette année, il n'y aura pas d'épis de maïs à moissonner, car les sauterelles l'ont fait à notre place. Cette année, nos jeunes guerriers n'auront pas de bétail à abattre à mains nues, car la maladie l'a fait à leur place. (Bazo parcourut lentement du regard le cercle des visages.) Dans ces conditions, que la tempête fasse rage la nuit de la *Chawala* ! Que les yeux deviennent rouges ! Que les jeunes Matabélé attaquent !

— Djii ! gronda Suku au deuxième rang des indunas, et le vieux Babiaan reprit le chant de guerre, puis tous se balancèrent à l'unisson en suivant son exemple, les yeux exorbités et rougeoyants à la lumière du feu, emportés par la divine fureur guerrière.

Les munitions étaient les plus longues à transporter, et Ralph ne disposait que de vingt hommes de confiance pour accomplir le travail.

Il y avait dix mille cartouches dans chaque caisse métallique, avec le WD du ministère de la Guerre et la flèche imprimés sur le couvercle. Elles étaient fermées par un simple clip, qu'on pouvait ouvrir d'un coup de crosse. Les leçons apprises par l'armée britannique ont toujours été dures. Celle d'Isandhlwana, la colline de la Petite Main, à la frontière du Zoulouland, l'avait été aussi. Lorsque Lord Chelmsford avait laissé un millier d'hommes au camp pendant qu'il partait avec une colonne

241

volante pour obliger les indunas zoulous à engager le combat. Évitant le contact avec la colonne, ceux-ci étaient revenus sur leurs pas et avaient fondu sur le camp. C'est seulement quand les régiments de guerriers cafres firent irruption à l'intérieur du périmètre que les intendants s'aperçurent que Chelmsford avait emporté avec lui les clefs des caisses à munitions. Isazi, le petit conducteur zoulou de Ralph, témoin oculaire de l'épisode, lui en avait raconté la fin.

« Ils essayaient d'ouvrir les caisses à la hache, à la baïonnette ou à mains nues. Lorsque nous avons porté le fer contre eux, ils juraient et criaient de rage et de dépit. Ils tentèrent finalement de se défendre avec leurs fusils vides, expliqua Isazi, les yeux embués à ce souvenir comme lorsqu'un vieillard se rappelle un amour perdu. Je vous le dis, petit Faucon, c'étaient des hommes courageux et ce fut un beau massacre. »

On ne sait pas exactement combien d'Anglais sont morts à la Petite Main, car Chelmsford ne put regagner le terrain qu'un an après, mais ce fut l'un des désastres les plus terribles de l'histoire de l'armée anglaise. Les autorités compétentes modifièrent immédiatement la conception des caisses à munitions.

Le fait que les munitions aient été emballées dans des caisses du ministère de la Guerre montre à quel point M. Rhodes et le ministre des Colonies à Whitehall se comprenaient. Le contenu des caisses, trop volumineux, devait cependant être réemballé dans du papier paraffiné à raison de cent cartouches par paquet. Il fallait ensuite protéger ces paquets par des feuilles de fer-blanc soudées avant de les plonger dans les bidons d'huile. C'était un travail pénible et Ralph s'échappa avec plaisir pendant quelques jours des ateliers de la De Beers où la besogne était accomplie.

Aaron Fagan l'attendait à son bureau, vêtu de son manteau, son chapeau melon à la main.

— Vous faites des mystères, Ralph, accusa-t-il. Ne pouviez-vous pas me donner une idée de ce que vous attendez ?

— Vous l'apprendrez assez tôt, promit Ralph en lui glissant un cigarillo entre les lèvres pour le calmer. Tout ce que je veux que vous me disiez, c'est si ce gars-là est digne de confiance et discret.

— C'est le fils aîné de ma sœur, s'insurgea Fagan.

— Parfait, mais est-il capable de se taire ?

— J'en donne ma tête à couper.

— Peut-être aurez-vous à le faire. Bon, allons rendre visite à ce garçon modèle.

David Silver était un jeune homme replet au teint rose, au pince-nez à monture dorée, aux cheveux gominés, la raie au milieu dégageant une ligne de cuir chevelu brillante comme une cicatrice laissée par un coup d'épée. Il s'inclina avec courtoisie devant son oncle Aaron, et se donna beaucoup de mal pour installer confortablement ses hôtes, les chaises disposées afin que le jour vienne de derrière, un cendrier et une tasse de thé à portée de la main de chacun.

— C'est du pekoe orange, fit-il remarquer avec modestie en s'asseyant près de son bureau.

Puis il joignit les extrémités de ses doigts, pinça ses lèvres d'une manière compassée et regarda Ralph dans l'expectative.

Pendant que ce dernier expliquait brièvement ce qu'il désirait, il hochait la tête d'un air radieux et laissait échapper des petits bruits de succion pour l'encourager à poursuivre.

— Monsieur Ballantyne, dit-il en branlant toujours de la tête lorsque Ralph eut fini, c'est ce que nous autres agents de change — il ouvrit sa main en un geste dépréciateur — appelons dans notre jargon jouer à la baisse. Il s'agit d'une transaction tout à fait courante.

— David, je pense que M. Ballantyne sait..., commença Aaron Fagan en se tortillant légèrement sur sa chaise et regardant Ralph avec l'air de s'excuser.

— Non, non, je vous en prie, laissez M. Silver continuer, coupa celui-ci en branlant la tête, l'air solennel mais les yeux pétillants d'amusement.

David Silver ne perçut pas l'ironie et accepta l'invitation de Ralph.

— C'est un contrat à court terme purement spéculatif. Je me fais un devoir de le dire à tous mes clients qui envisagent de se lancer dans une opération de ce genre. Pour être franc, monsieur Ballantyne, je n'approuve pas cette spéculation. Je considère la Bourse comme un lieu d'investissement légitime, un marché où les capitaux peuvent être confiés à des entreprises légitimes et s'associer à elles. Cela n'est pas le cas de l'officine d'un bookmaker.

— C'est une très noble conception des choses, reconnut Ralph.

— Je suis heureux que vous le pensiez. (David Silver gonfla ses joues d'un air pompeux.) Revenons-en cependant aux opérations de vente à découvert. Le client entre sur le marché et offre de vendre des actions d'une société X qu'il ne possède pas, à un prix inférieur au prix actuel du marché, et ce à une date ultérieure, généralement à un terme allant de un à trois mois.

— Oui, acquiesça Ralph toujours solennel, je crois que je vous suis jusque-là.

— Il va de soi que l'opérateur à la baisse s'attend que les actions perdent beaucoup de leur valeur avant le terme de la transaction. De son point de vue, plus forte sera la baisse, plus grand sera son profit.

— Ah ! dit Ralph. Un moyen facile de gagner de l'argent.

— Si, au contraire, reprit David Silver, les actions montent, l'opérateur subira des pertes considérables. Il sera contraint d'acheter ses actions à un prix élevé pour honorer ses engagements vis-à-vis de l'acheteur, et naturellement, celui-ci ne lui paiera que le prix convenu.

— Naturellement !

— Vous comprenez maintenant pourquoi j'essaie de dissuader mes clients de se lancer dans de telles transactions.

— Votre oncle m'a assuré que vous étiez un homme prudent.

— Monsieur Ballantyne, je pense que vous n'êtes pas sans savoir que le marché est soutenu, poursuivit David Silver avec suffisance. J'ai entendu dire que plusieurs compagnies minières du Witwatersrand vont faire état d'une augmentation importante de leurs profits dans leur prochain rapport trimestriel. À mon sens, c'est le moment d'acheter des actions de mines d'or, pas de les vendre.

— Monsieur Silver, je suis un pessimiste invétéré.

— Très bien, soupira David du ton d'un être supérieur habitué au manque de docilité des gens du commun. Voulez-vous me dire exactement ce que vous avez en tête, monsieur Ballantyne ?

— Je veux vendre à découvert les actions de deux sociétés, dit Ralph. Consolidated Goldfields et British South Africa Company.

David Silver prit un air profondément attristé.

— Vous avez choisi les deux sociétés les plus solides actuellement sur le marché, celles de M. Rhodes. Avez-vous un chiffre en tête, monsieur Ballantyne ? Les transactions ne peuvent porter que sur cent actions au minimum...

— Deux cent mille, dit doucement Ralph.

— Deux cent mille livres ! s'exclama David Silver.

— Actions, corrigea Ralph.

— Monsieur Ballantyne, déclara David, blanc comme un linge. BSA est cotée douze livres et Consolidated, huit. Si vous vendez deux cent mille actions... ça représente une transaction de deux millions de livres.

— Non, non ! objecta Ralph en secouant la tête. Vous m'avez mal compris.

— Grâce à Dieu, dit David Silver soulagé, un peu de couleur revenant sur ses joues rondes.

— Je ne voulais pas dire deux cent mille actions en tout, mais pour chaque société. Soit quatre millions de livres.

David Silver se leva d'un bond, si brusquement que sa chaise bascula contre le mur avec fracas, et pendant quelques instants il donna l'impression de vouloir s'enfuir dans la rue.

— Mais, mais..., bredouilla-t-il avant de rester coi, les verres de son pince-nez embués, la lèvre en avant comme celle d'un gamin boudeur.

— Asseyez-vous, commanda Ralph gentiment.

David Silver retomba sur sa chaise pitoyablement.

— Je vais devoir vous demander de bloquer des fonds, dit-il en une ultime tentative pour décourager Ralph.

— Combien vous faut-il ?

— Quarante mille livres.

Ralph ouvrit son chéquier sur le bord du bureau et prit un stylo sur le plumier de Silver. Le crissement de la plume était le seul bruit que l'on entendait dans le petit bureau. Puis Ralph se radossa à sa chaise et agita le chèque pour en sécher l'encre.

— Un mot encore, dit-il. Personne en dehors de ces quatre murs, personne ne doit savoir que je suis le mandant de cette transaction.

— J'en donne ma tête à couper.

— Ou vos testicules, avertit Ralph en se penchant pour lui tendre le chèque.

Malgré son sourire, ses yeux étaient si froids que David Silver eut un frisson et sentit un violent élancement dans ses parties intimes menacées.

C'était une maison boer typique du haut veld, construite sur une crête rocheuse au-dessus d'une plaine sans arbres, aux longues ondulations couvertes d'herbe argentée. La toiture en tôle ondulée avait commencé à rouiller par endroits. La construction était entourée de larges vérandas, et les murs blanchis à la chaux, décolorés et écaillés. Un moulin à vent squelettique se dressait sur l'arrière. Un vent sec et chargé de poussière faisait tourner les ailes à toute vitesse sur le fond bleu pâle du ciel sans nuages. À chaque grincement fatigué du plongeur, un godet d'eau trouble se déversait dans la citerne circulaire près de la porte de la cuisine.

Rien n'avait été fait pour créer un jardin ou une pelouse. Une douzaine de volailles tachetées faméliques gratouillaient la terre brûlée par le soleil ou perchaient, inconsolables, sur le chariot déglingué ou quelque autre matériel en ruine qui semblait toujours orner la cour des fermes boers. Du côté du vent dominant trônait un vieil eucalyptus dont l'écorce partait en lambeaux comme la peau d'un serpent en train de muer, découvrant le tronc argenté. Sous son ombre avare étaient attachés huit robustes poneys bais.

Lorsque Ralph mit pied à terre devant la véranda, une meute de bâtards l'entoura en grondant et montrant les crocs ; les chiens s'enfuirent, hurlant et jappant, après quelques coups de pied et de fouet.

— *U kom 'n bietjie laat, meneer*, lança une voix.

Un homme était apparu sur la véranda, en manches de chemise, les pieds nus dans ses sandales. Des bretelles retenaient son pantalon marron trop court, qui flottait.

— *Jammer*, s'excusa Ralph pour son retard, recourant à ce patois hollandais que les Boers appellent la *taal*, la langue.

L'homme tint la porte ouverte pour Raph, qui se baissa pour entrer dans la salle de séjour sans fenêtres où flottait une odeur de fumée et de cendre refroidie dans la cheminée. Le sol était recouvert de tapis tressés et de peaux de bêtes. Une table en bois sombre grossièrement façonné constituait tout le mobilier, et, accrochée au mur face à la cheminée, une broderie avec les dix commandements en hollandais, toute la décoration. Le seul livre de la pièce était ouvert sur la table : une énorme Bible en hollandais reliée pleine peau.

Sur des chaises en cuir tressé, huit hommes étaient assis de l'autre côté de la table. Aucun n'avait moins de la cinquantaine, car les Boers accordaient une grande importance chez leurs leaders à l'expérience et à la sagesse acquise. La plupart étaient barbus ; tous, l'air solennel, portaient des vêtements grossiers et usés, aucun ne souriait. Celui qui avait accueilli Ralph le suivit à l'intérieur et, sans un mot, indiqua une chaise vide. Ralph s'installa et tous se détournèrent de lui pour regarder le personnage assis en bout de table.

C'était l'homme le plus imposant du groupe par sa stature. Il était monstrueusement laid, comme peut l'être un bulldog ou un grand anthropoïde. Il avait une barbe grise en bataille mais la lèvre supérieure rasée. La peau de son visage pendait en plis épais, brûlée par dix mille soleils africains, et elle était irrégulière et couverte de verrues et de taches décolorées, symptômes d'un cancer bénin de la peau, comme le papier piqué des pages d'un vieux grimoire. L'une de ses paupières tombait et lui donnait un air soupçonneux et malin. Ses yeux marron, eux aussi agressés par l'aveuglant soleil africain et par la poussière du veld et des champs de bataille, étaient continuellement injectés de sang et irrités. Son peuple l'appelait Oom Paul, Oncle Paul, et lui témoignait une vénération presque égale à celle vouée au Dieu de l'Ancien Testament.

Paul Kruger recommença à lire à haute voix la Bible ouverte

devant lui. Il lisait lentement de sa voix de basse profonde en suivant le texte avec le doigt. Il lui manquait un pouce, arraché trente ans plus tôt par l'explosion du canon d'un fusil.

« Toutefois, le peuple qui l'habite est puissant ; les villes sont fortifiées, très grandes ; nous y avons même vu des descendants d'Anaq... Caleb harangua le peuple assemblé : il faut marcher, disait-il, et conquérir ce pays : nous en sommes capables. »

Ralph le regardait avec attention, examinant l'énorme corps affaissé, les épaules si larges que l'affreuse tête ressemblait à un oiseau ébouriffé perché au sommet d'une montagne, et il songea à la légende qui entourait cet homme.

Paul Kruger avait neuf ans lorsque son père et ses oncles avaient chargé leurs chars à bœufs, rassemblé leurs troupeaux et s'étaient mis en route vers le nord, loin de la domination britannique, poussés par le souvenir de leurs héros pendus à Slachters Nek par les soldats anglais. Les Kruger fuyaient l'injustice qu'ils estimaient avoir subie en voyant leurs esclaves affranchis, les cours de circuit anglaises, les juges qui ne parlaient pas leur langue, les impôts levés sur la terre qui était leur et les troupes étrangères qui saisissaient leurs chars troupeaux pour paiement de ces impôts.

Cela se passait en 1835 et au cours de ce rude voyage — le « Grand Trek » — Paul Kruger était devenu un homme à l'âge où la plupart des garçons jouent encore aux billes. On lui donnait chaque jour une seule balle et une charge de poudre, et on l'envoyait chasser pour nourrir toute la famille. S'il revenait bredouille, son père le battait. Il devint par nécessité un tireur d'élite.

Il lui incombait aussi de partir en éclaireur à la recherche d'eau et de gras pâturages, puis d'y conduire la caravane. Il devint ainsi un cavalier hors pair et développa une affinité presque mystique avec le veld ainsi qu'avec les troupeaux de moutons et de bovins multicolores qui étaient toute la richesse de sa famille. Comme un *mujiba* matabélé, il connaissait chaque bête par son nom et était capable de repérer un animal malade dans le troupeau à un kilomètre de distance.

Lorsque Mosélékatsé, l'empereur des Matabélé, lança ses corps de guerriers armés de longs boucliers contre la petite caravane, le petit Paul prit place avec les hommes sur les barricades. Ils étaient trente-trois à défendre le cercle des chariots attachés par des chaînes, les espaces entre les roues obstrués par des branches d'épineux entrelacées.

Les *amadoda* matabélé étaient innombrables. L'un après

l'autre, les régiments chargeaient en poussant leur « Djii ! » grave et vibrant. Ils attaquèrent sans répit pendant six heures d'affilée, et lorsque les Boers commencèrent à être à court de munitions, leurs femmes firent fondre du plomb et coulèrent des balles au milieu de la bataille. Lorsque les Matabélé se replièrent enfin, leurs morts étaient entassés jusqu'à hauteur de la poitrine autour des chariots et le petit Paul était devenu un homme, car il avait tué des ennemis, beaucoup d'ennemis.

Curieusement, il n'abattit son premier lion que quatre ans après, le foudroyant d'une balle en plein cœur au moment où il bondissait sur le dos de son cheval. Il était alors capable d'essayer une nouvelle monture en la faisant galoper sur un terrain accidenté. S'il était désarçonné, il se recevait comme un chat, sur ses pieds, secouait la tête en signe de désapprobation et s'en allait. Lorsqu'il chassait le buffle, il montait à l'envers, tourné vers l'arrière, de façon à mieux viser lorsque les bêtes pourchassaient son cheval, ce qu'elles faisaient immanquablement. Cette assiette inhabituelle ne l'empêchait nullement de maîtriser sa monture, et il pouvait se remettre dans le bon sens et en douceur si rapidement qu'il ne gênait pas son cheval lancé au grand galop.

À peu près à cette époque, il fit preuve de pouvoirs extrasensoriels. Avant une chasse, debout près de la tête de son cheval, il entrait délibérément en transe et se mettait à décrire la campagne environnante et les animaux sauvages qui s'y trouvaient. « À une heure de cheval au nord il y a une petite mare boueuse. Un troupeau de couaggas est en train de s'y abreuver, et cinq élands bien gras descendent la piste menant au point d'eau. Sur la colline qui le domine, sous un alhagi, une troupe de lions se repose, *'n ou swart maanhaar*, un vieux mâle à crinière noire, et deux lionnes. Dans la vallée au-delà, trois girafes. » Les chasseurs trouvaient les animaux, ou les signes qu'ils avaient laissés, exactement à l'endroit décrit par Paul.

À seize ans il eut le droit, en tant qu'homme, de circonscrire la terre de deux fermes en décrivant en un jour la plus grande boucle possible pour un cavalier. Chacune des fermes couvrait une superficie de plus de six mille hectares. Ce furent les premières des vastes propriétés terriennes qu'il acquit et conserva toute sa vie, troquant parfois plusieurs milliers d'hectares d'excellents pâturages contre une charrue ou un sac de sucre.

À vingt ans il était cornette de campagne, une charge élective à mi-chemin entre juge et shérif. Le fait d'avoir été choisi si jeune par des hommes qui respectaient les années le signalait comme un homme hors du commun. À peu près à cette époque, il fit la course contre un cavalier monté sur un étalon, lui-même courant à pied, et il gagna d'une longueur. Puis il y eut la bataille contre le chef noir Sekukuni, au cours de laquelle le général boer fut tué d'une balle dans la tête et dégringola du haut d'un kopje. C'était un homme corpulent, qui pesait cent vingt kilos, mais Paul Kruger sauta dans le ravin, ramassa le corps et le remonta en courant en haut de la colline sous les tirs de mousquet des hommes de Sukukuni.

Lorsqu'il partit demander la main de sa future femme, il trouva la route coupée par la Vaal en crue dont le flot charriait des carcasses de bovins et d'animaux sauvages. Malgré les cris d'avertissement du passeur, il poussa son cheval dans les eaux brunes et passa à la nage. Les rivières en crue n'arrêtaient pas un homme comme Paul Kruger.

Après avoir combattu Moshesh et Mosélékatsé, et toutes les autres tribus belliqueuses au sud du Limpopo, après avoir incendié la mission du Dr David Livingstone qu'il soupçonnait de livrer des armes aux indigènes, après avoir combattu ses compatriotes, les Boers rebelles de l'État libre d'Orange, il fut nommé commandant en chef des armées, puis président de la République sud-africaine.

C'était ce vieil homme indomptable, courageux, à la force physique inouïe, affreusement laid, obstiné, dévot et acariâtre, riche en terres et en troupeaux, qui levait à présent la tête et achevait sa lecture de la Bible par une simple injonction aux hommes qui l'écoutaient avec respect :

— Craignez Dieu et méfiez-vous des Anglais, dit-il en refermant le livre sacré.

Puis, sans quitter des yeux le visage de Ralph, il beugla d'une voix de stentor : « Apportez du café ! » Une domestique noire entra d'un air affairé avec des gobelets fumants sur un plateau en fer-blanc. Les hommes assis autour de la table échangèrent des paquets de tabac noir et bourrèrent leur pipe en regardant Ralph avec des expressions fermées et circonspectes. Quand un nuage de fumée bleue flotta dans la pièce, Kruger reprit la parole.

— Vous avez demandé à me voir, *mijn heer* ?

— Seul à seul, dit Ralph.

— Je fais entière confiance à ces hommes.

— Très bien.

Ils s'exprimaient en *taal*. Ralph savait que Kruger parlait assez bien anglais et qu'il ne le ferait pas pour une question de principe. Ralph avait appris la *taal* dans les mines de diamants. C'était la plus simple des langues européennes, adaptée à la vie quotidienne d'une société peu complexe de chasseurs et d'agriculteurs, qui recouraient néanmoins à la sophistication du hollandais pour les besoins des discussions politiques ou du culte.

— Je m'appelle Ballantyne.

— Je sais qui vous êtes. Votre père était chasseur d'éléphants. Un homme fort, à ce qu'on dit, et droit... mais vous, ajouta Kruger avec un soudain accent de mépris dans la voix, vous appartenez à ce païen de Rhodes. (Bien que Ralph secouât la tête en signe de dénégation, il poursuivit :) Ne croyez pas que je n'ai pas entendu ses blasphèmes. Je sais que lorsqu'on lui a demandé s'il croyait qu'il y a un Dieu, il a répondu (Kruger passa brusquement à l'anglais avec un fort accent) : « Je donne à Dieu cinquante pour cent de chances d'exister. » (Il secoua lentement la tête.) Il le paiera un jour, car le Seigneur a ordonné : « Vous ne prononcerez pas mon nom en vain. »

— Le jour de l'échéance est peut-être déjà venu, dit Ralph doucement. Et peut-être êtes-vous l'instrument choisi par Dieu.

— Osez-vous blasphémer, vous aussi ? demanda le vieillard d'un ton acerbe.

— Non, je viens livrer le blasphémateur entre vos mains, répondit Ralph en posant une enveloppe sur le bois foncé, puis d'une pichenette il la fit glisser jusque devant le président. Il y a là la liste des armes qu'il a envoyées secrètement à Johannesburg et l'indication du lieu où elles se trouvent. Le nom des rebelles qui ont l'intention de s'en servir. L'effectif et la force du commando rassemblé à vos frontières, à Pitsani, la route qu'ils prendront pour rejoindre les rebelles de Johannesburg, et la date à laquelle ils doivent se mettre en marche.

Tous les hommes présents s'étaient raidis sous le choc, seul le vieillard continuait de tirer calmement sur sa pipe. Il ne fit pas le moindre mouvement pour prendre l'enveloppe.

— Pourquoi êtes-vous venu me voir avec ça ?

— Lorsque je vois un voleur sur le point de pénétrer chez mon voisin, j'estime qu'il est de mon devoir de l'avertir.

Kruger ôta la pipe de sa bouche, fit un petit mouvement rapide du poignet et un jet de jus jaune gicla du tuyau sur le sol près de sa chaise.

— Nous sommes voisins, expliqua Ralph. Nous sommes des Blancs vivant en Afrique. Nous avons une destinée commune. Nous avons de nombreux ennemis et, un jour, nous serons peut-être forcés de les combattre ensemble.

La pipe de Kruger gargouillait doucement, mais personne ne souffla mot pendant deux bonnes minutes, jusqu'à ce que Ralph brise le silence.

— Bon, disons-le, si Rhodes échoue, je gagne une grosse somme.

Kruger soupira et hocha la tête.

— Très bien, maintenant je vous crois enfin, car voilà pour un Anglais une bonne raison de trahir.

Il prit l'enveloppe dans sa vieille main brune et noueuse.

— Au revoir, *mijn heer*, ajouta-t-il à voix basse.

Cathy s'était remise à la peinture. Elle s'était arrêtée à la naissance de Jon-Jon, mais à présent, elle avait de nouveau le temps. Cependant, elle était décidée cette fois-ci à accomplir un travail plus sérieux, au lieu de se contenter de portraits de famille mièvres et de jolis paysages.

Elle avait entrepris une étude sur les arbres de Rhodésie, et son portfolio était déjà bien rempli. Elle commençait par peindre l'arbre tout entier, allant jusqu'à exécuter une vingtaine d'études avant de s'attacher à un spécimen représentatif. Elle ajoutait ensuite des détails des feuilles, des fleurs et des fruits, qu'elle rendait fidèlement à l'aquarelle. Enfin, elle mettait sous presse des feuilles et des fleurs réelles, recueillait des graines et rédigeait une description précise de la plante.

Elle n'avait pas tardé à prendre la mesure de son ignorance et avait commandé au Cap et à Londres des ouvrages de botanique, notamment le *Systema… de la nature* de Linné. Grâce à ces livres, elle ambitionnait de devenir une botaniste compétente. Elle avait déjà trouvé huit arbres jamais encore répertoriés, en avait appelé un *Terminalia Ralphii* en l'honneur de Ralph, et l'autre en l'honneur de Jonathan, qui avait grimpé dans les branches hautes pour aller lui cueillir ses jolies fleurs roses.

Lorsqu'elle adressa timidement certains de ses spécimens séchés et de ses dessins à Sir Joseph Hooker à Kew Gardens, elle reçut une lettre encourageante, dans laquelle il la complimentait pour la qualité de son travail artistique et confirmait sa classification des espèces nouvelles. À la lettre était joint un exemplaire de son *Genera plantarum*, dédicacé avec ces mots : « À une collègue étudiante des merveilles de la nature », et cela avait été le début d'un échange épistolaire fascinant. Elle pouvait s'adonner à ce violon d'Ingres pendant que Jon-Jon se consacrait à la recherche des nids d'oiseaux. Cela l'aidait à rompre la monotonie des jours passés en l'absence de Ralph, bien qu'elle eût à présent des difficultés à suivre Jon-Jon, son gros ventre la réduisant à se déplacer avec un dandinement dépourvu de dignité. Elle devait le laisser escalader seul les rochers.

Ce matin-là, ils exploraient l'un des ravins dans les collines au-dessus du camp où ils avaient trouvé un bel arbre au feuillage déployé dont les fruits formaient d'étranges candélabres sur les branches supérieures. À sept mètres de hauteur, Jonathan tentait d'attraper une branche chargée de fruits lorsque Cathy entendit des voix appeler dans les épaisses broussailles qui obstruaient l'entrée du ravin. Elle reboutonna précipitamment son chemisier et laissa retomber sa jupe sur ses jambes nues — la chaleur était étouffante dans cette gorge encaissée et elle s'était assise au bord d'un torrent pour se rafraîchir les pieds.

— Hé ho ! cria-t-elle, et l'opérateur du télégraphe apparut, suant et escaladant la pente en s'aidant des pieds et des mains. C'était un petit homme sombre, chauve, aux yeux protubérants, mais c'était aussi l'un des admirateurs les plus fervents de Cathy. L'arrivée d'un télégramme qui lui était destiné était pour lui le prétexte de quitter sa baraque et de se mettre à sa recherche. En adoration, il attendit, son chapeau à la main, qu'elle ait lu le message.

— Voulez-vous envoyer un télégramme pour moi, monsieur Braithwaite ?

— Naturellement, madame Ballantyne, avec grand plaisir, répondit-il en rougissant comme une fille, la tête penchée timidement.

Cathy rédigea sur une feuille de son carnet de croquis le message rappelant d'urgence Zouga Ballantyne à King's Lynn, et M. Braithwaite le serra sur sa poitrine creuse comme une sainte relique.

— Joyeux Noël, madame Ballantyne, dit-il.

Cathy tressaillit. Les jours avaient passé si vite qu'elle ne s'était pas rendu compte que l'année 1895 était sur le point de s'achever. Brusquement, la perspective de passer Noël seule dans cette région sauvage, de passer un autre Noël sans Ralph, l'effraya.

— Joyeux Noël, monsieur Braithwaite, dit-elle, espérant qu'il allait repartir avant qu'elle se mette à sangloter.

Sa grossesse la rendait si faible et pleurnicharde. Si seulement Ralph pouvait revenir. Si seulement...

Pitsani n'était pas une ville, pas même un village. Un seul magasin se dressait tristement sur le veld plat et sablonneux, en bordure du désert du Kalahari, qui s'étendait sur plus de deux mille kilomètres vers l'ouest. Cependant, ce n'était qu'à quelques kilomètres de la frontière du Transvaal, bien que celle-ci ne fût signalée par aucune barrière, aucun poste de garde. Le pays était si plat et si dépourvu de traits distinctifs, la végétation si rabougrie, que le cavalier aperçut le magasin à une distance de dix kilomètres, et autour de lui, miroitant comme des fantômes dans l'air surchauffé, les petites tentes blanches en forme de cône d'un camp militaire.

Le cavalier avait poussé son cheval impitoyablement depuis la voie ferrée à Mafeking, à une cinquantaine de kilomètres de là, car il portait un message urgent. Il ne semblait pas destiné à servir de messager de paix puisque c'était un militaire et un homme d'action. Il s'appelait Maurice Heany, il était capitaine et bel homme, cheveux et moustache sombres, regard éclatant. Il avait servi dans le régiment de cavalerie de Carrington et la police du Bechuanaland, et au cours de la guerre contre les Matabélé, il avait commandé une brigade d'infanterie montée. C'était un faucon, et il portait le message d'une colombe. Les sentinelles aperçurent la poussière soulevée par les sabots de son cheval alors qu'il était encore à trois kilomètres, et il y eut un petit remue-ménage dans le camp lorsque la garde fut appelée.

Quand Heany entra au trot dans le camp, tous les officiers supérieurs étaient déjà rassemblés dans la tente de commandement. Le Dr Jameson lui-même s'avança pour lui serrer la main et le conduire à l'intérieur de la tente où ils étaient à l'abri des regards indiscrets. Zouga Ballantyne versa de l'Indian tonic dans un petit verre de gin et le lui apporta.

— Désolé, Maurice, nous ne sommes pas au Kimberley Club, nous n'avons malheureusement pas de glace.

— Glace ou pas, vous me sauvez la vie.

Tous deux hommes se connaissaient bien. Maurice Heany avait été l'un des jeunes associés de Ralph et de Harry Johnston lorsqu'ils s'étaient engagés par contrat à conduire la colonne pionnière dans le Mashonaland.

Heany but et s'essuya la moustache avant de lever les yeux vers John Willoughby et le petit docteur. Il était bien embarrassé de savoir à qui adresser son message, car bien que Willoughby fût le commandant du régiment, Zouga Ballantyne son commandant en second, et le Dr Jameson officiellement un simple observateur civil, tous savaient qui détenait en dernier ressort l'autorité et le pouvoir de décision.

Jameson le sortit de l'embarras en lui ordonnant sans ambages :

— Allez, mon vieux, crachez le morceau.

— Ce ne sont pas de bonnes nouvelles, Docteur Jim, M. Rhodes est déterminé à ce que vous restiez là tant que le Comité de réforme n'a pas pris le contrôle de Johannesburg.

— C'est-à-dire, quand ? demanda Jameson avec amertume. Regardez ça ! (Il ramassa sur la table une liasse de messages télégraphiques sur papier pelure.) Un télégramme arrive toutes les heures, dans le code exécrable de Franck Rhodes. Tenez, écoutez celui-là, arrivé hier : « Il est absolument nécessaire de retarder émission des actions jusqu'à accord sur en-tête de la

253

société. » (Jameson laissa tomber les télégrammes sur la table avec dégoût.) Ergotage ridicule sur la question de savoir quel drapeau arborer. Bon sang, si nous ne faisons pas ça pour l'Union Jack, pour quoi le faisons-nous ?

— C'est un peu comme une jeune fille timide qui, ayant fixé la date de son mariage, voit arriver le jour des noces avec appréhension, dit Zouga Ballantyne en souriant. N'oubliez pas que nos amis du Comité de réforme de Johannesburg sont plus habitués aux opérations boursières et aux spéculations financières qu'au maniement des armes. Comme notre vierge effarouchée, il se peut qu'ils aient besoin d'un petit coup de pouce.

— C'est tout à fait ça, acquiesça le Dr Jameson. Et pourtant M. Rhodes craint que nous passions à l'action avant eux.

— Il y a autre chose que vous devez savoir, ajouta Heany en hésitant. Il semble que ces messieurs de Pretoria sachent que quelque chose se prépare. Le bruit court même qu'il y aurait un traître parmi nous.

— C'est impensable, dit sèchement Zouga.

— Je suis de votre avis, Zouga, dit Docteur Jim en hochant la tête. Il est beaucoup plus probable que le vieux Kruger ait eu connaissance de ces fichus télégrammes puérils de Franck Rhodes.

— Peut-être avez-vous raison, messieurs. Quoi qu'il en soit, les Boers effectuent certains préparatifs. Il est même possible qu'ils aient déjà rassemblé leurs commandos de miliciens dans les secteurs de Rustenburg et de Zeerust.

— Si c'est le cas, dit doucement Zouga, il ne nous reste plus que deux choses à faire. Soit nous passons immédiatement à l'action, soit nous pouvons tous rentrer chez nous à Bulawayo.

Le Dr Jameson ne put rester assis plus longtemps, il se leva d'un bond et commença à arpenter la tente à petits pas rapides et saccadés. Tous le regardèrent en silence jusqu'au moment où il s'arrêta devant l'ouverture de la tente, les yeux fixés sur la plaine brûlée par le soleil en direction de l'horizon oriental sous lequel se trouvait l'or du Witwatersrand. Il se retourna finalement pour leur faire face, et ils virent qu'il avait pris une décision.

— Je fonce, dit-il.

— Je m'y attendais, murmura Zouga.

— Que comptez-vous faire ? demanda Jameson à voix basse.

— Je vais avec vous, répondit Zouga.

— Je m'y attendais aussi, dit Jameson avant de regarder Willoughby qui acquiesça à son tour.

— Parfait ! Johnny, voulez-vous rassembler les hommes ? J'aimerais leur parler avant le départ... et vous, Zouga, voulez-vous veiller à ce que les lignes du télégraphe soient coupées ? Je ne veux plus jamais recevoir de messages de Frankie. S'il a autre chose à dire, il pourra le faire de vive voix lorsque nous arriverons à Johannesburg.

— Ils ont fait prisonnier Jameson !

L'exclamation résonna dans le silence feutré du Kimberley Club, comme le cri de guerre des Huns aux portes de Rome. La consternation fut immédiate et générale. Les membres du club quittèrent le bar comme un seul homme pour se précipiter dans le hall et entourer le porteur de nouvelles. D'autres, sortis de la salle de lecture, étaient alignés le long de la rampe des escaliers et lançaient des questions. Dans la salle à manger, dans sa hâte à rejoindre l'entrée, quelqu'un heurta le chariot et le renversa sur le côté. Le rôti roula par terre, précédé par les pommes de terre comme par une escouade de fantassins.

Le porteur de nouvelles était un des prospères acheteurs de diamants de Kimberley ; si grand était son trouble qu'il avait oublié de retirer son canotier en franchissant la porte du club, infraction qui, en d'autres circonstances, eût mérité une réprimande du comité.

Debout au milieu du hall, le chapeau fermement enfoncé sur la tête, ses lunettes tombées jusqu'à l'extrémité de son nez empourpré, symptôme de son excitation et de son agitation, il lisait à haute voix l'article du *Diamond Fields Advertiser* dont l'encre toute fraîche lui avait taché les doigts : « Jameson hisse le drapeau blanc à Doornkop après que seize hommes sont tombés au cours d'un violent affrontement. Dr Jameson, c'est un honneur de vous rencontrer. Le général Cronje accepte sa reddition. »

Bien que ses invités l'aient abandonné pour se précipiter avec les autres dans le hall d'entrée, Ralph Ballantyne n'avait pas quitté sa chaise au haut bout de la table d'angle. Il fit signe au garçon distrait pour qu'il lui remplisse son verre, puis se servit une autre cuillerée de *sole bonne femme* en attendant le retour de ses invités. Ils arrivèrent groupés, conduits par Aaron Fagan, comme des gens revenant d'un enterrement.

— Les Boers devaient les attendre...

— Docteur Jim y est allé tout droit...

— Que diable pensait-il être en train de faire ?

Les chaises grincèrent par terre et, dès qu'il fut assis, chacun prit son verre.

— Il disposait de six cent soixante hommes et fusils. Par Dieu, voilà donc une affaire qui était soigneusement préparée !

— Les langues vont se délier.

— Et des têtes vont sans doute tomber.

— Docteur Jim a fini par perdre sa chance insolente.

— Ralph, votre père fait partie des prisonniers ! s'exclama Aaron Fagan, qui lisait l'article.

Pour la première fois, Ralph montra une émotion.

— Ce n'est pas possible, dit-il en arrachant le journal des mains de Fagan et en le lisant avec angoisse. Que s'est-il passé ? murmura-t-il. Oh, mon Dieu, que s'est-il passé ?

À ce moment-là, quelqu'un d'autre s'écria dans le hall :

— Kruger a arrêté tous les membres du Comité de réforme... il a promis de les faire juger et déclare qu'ils encourent la peine de mort.

— Les mines d'or ! dit un autre distinctement dans le silence qui s'ensuivit, et instinctivement tous levèrent la tête vers la pendule accrochée au mur au-dessus de l'entrée de la salle à manger.

La Bourse rouvrait dans l'heure suivante. Il y eut un autre mouvement, cette fois-ci dans la rue. Sur le trottoir, des membres du club nu-tête appelaient leur voiture tandis que d'autres partaient au trot vers les bâtiments de la Bourse.

Le club était presque déserté, il ne restait qu'une dizaine de dîneurs attablés. Aaron et Ralph n'étaient plus que tous les deux à leur table. Ralph tenait toujours la liste des prisonniers dans sa main.

— Je n'arrive pas à le croire, murmura-t-il.

— C'est une catastrophe, reconnut Aaron. Qu'est-ce qui a pris à Jameson ?

Il semblait que le pire se soit produit, rien ne pouvait dépasser les terribles nouvelles qu'ils avaient reçues jusque-là, mais alors le secrétaire du club sortit de son bureau, le visage terreux, et se tint dans l'embrasure de la porte de la salle à manger.

— Messieurs, annonça-t-il d'une voix rauque, j'ai des nouvelles encore plus mauvaises. Elles viennent d'arriver par le télégraphe. M. Rhodes a offert de démissionner de ses fonctions de Premier ministre de la colonie du Cap, ainsi que de celles de président de la BSA, de la De Beers et de la Consolidated Goldfields.

— Rhodes, murmura Aaron. M. Rhodes en était aussi. C'est une conspiration... Dieu seul sait quelles seront les conséquences ultimes de cette histoire, et qui M. Rhodes va entraîner dans sa chute.

— Je crois que nous devrions commander un flacon de porto, dit Ralph en écartant son assiette. Je n'ai plus faim.

Il pensa à son père enfermé dans une prison boer, et brusquement une image lui traversa l'esprit, celle de Zouga en chemise blanche, les mains attachées derrière le dos, sa barbe dorée et argentée étincelant au soleil, regardant calmement le peloton d'exécution en face de lui. Ralph se sentit nauséeux et le porto vieux lui laissa un goût de quinine sur la langue. Il reposa son verre.

— Ralph, dit Aaron les yeux fixés sur lui, l'opération à la baisse. Vous avez vendu à découvert les actions de la BSA et de la Consolidated, et vous n'avez pas encore pris position à l'achat.

— J'ai bouclé toutes vos transactions, déclara David Silver. J'ai vendu vos actions BSA à un peu plus de sept livres en moyenne, ce qui vous laisse un profit, après commission et taxe, de près de quatre livres par action. Vous avez encore fait mieux avec les transactions sur la Consolidated Goldfields ; ses actions ont été le plus durement touchées par le krach : de huit livres quand vous avez commencé à vendre à découvert, elles sont tombées presque à deux livres quand on a eu l'impression que Kruger était sur le point de saisir par représailles les compagnies minières du Witwatersrand. (David Silver s'interrompit et regarda Ralph avec admiration et respect.) C'est le genre de coups de filet qui deviennent légendaires dans la corbeille, mon cher Ballantyne. Vous avez pris un risque inouï ! Quel courage ! Quelle prévoyance !

— Quelle chance ! dit Ralph impatiemment. Avez-vous le chèque ?

— Je l'ai. (David Silver ouvrit le porte-document en cuir noir qu'il avait sur les genoux et en sortit une enveloppe blanche cachetée à la cire rouge.) Il est contresigné et garanti par ma banque, dit-il en le posant avec vénération sur le bureau de l'oncle Aaron. La somme est d'un million cinquante-huit livres, huit shillings et six pence. Après celui que M. Rhodes a payé à Barney Barnato pour ses concessions dans la mine de Kimberley, c'est le plus gros chèque jamais tiré en Afrique, au sud de l'équateur — que dites-vous de ça, monsieur Ballantyne ?

Ralph regarda Aaron assis derrière le bureau.

— Vous savez ce qu'il faut en faire. Assurez-vous seulement qu'on ne puisse jamais remonter jusqu'à moi.

— Je comprends, acquiesça Aaron.

— A-t-on reçu la réponse à mon télégramme ? demanda Ralph, qui passa à un autre sujet. D'habitude, ma femme n'est pas aussi lente à répondre. (Et parce qu'Aaron était un vieil ami et qu'il aimait la douce Cathy autant que n'importe lequel de ses nombreux admirateurs, Ralph expliqua :) Elle est à deux mois de l'accouchement. Maintenant que l'agitation provoquée par la petite aventure de Jameson commence à s'apaiser et qu'il n'y a plus de risque de guerre, je dois faire venir Cathy ici, où elle bénéficiera d'une assistance médicale de qualité.

— Je vais envoyer mon commis au bureau du télégraphe, dit Aaron, qui se leva, se dirigea vers la porte de l'autre bureau et donna ses instructions.

Il regarda ensuite son neveu :

— Y avait-il autre chose, David ?

Le petit agent de change sursauta. Il regardait Ralph comme un enfant contemple son héros. Il rassembla ses papiers précipitamment et les fourra dans son porte-document avant de venir tendre sa main blanche à Ralph.

— Je ne saurais vous dire quel honneur ça a été pour moi d'être associé avec vous, monsieur Ballantyne. S'il y a quelque chose que je peux un jour faire pour vous...

Aaron dut le pousser vers la porte.

— Pauvre David, murmura-t-il en revenant à son bureau. Son tout premier millionnaire, c'est une date dans la vie d'un jeune agent de change.

— Mon père..., dit Ralph sans même sourire.

— Je suis désolé, Ralph. Nous ne pouvons rien faire de plus. Il retournera en Angleterre enchaîné avec Jameson et les autres. Ils doivent être incarcérés à Wormwood Scrubs jusqu'à ce qu'ils soient appelés à répondre à l'inculpation. (Aaron prit une feuille sur son bureau.) « Attendu que, au mois de décembre 1895, en Afrique du Sud, sur le territoire des possessions de Sa Majesté, avec d'autres personnes, ils ont illégalement préparé et équipé une expédition militaire contre les possessions d'un État ami, à savoir la République sud-africaine, contrairement aux dispositions du Foreign Enlistment Act de 1870. »

Aaron reposa le document et secoua la tête.

— Nous ne pouvons rien y faire maintenant.

— Que va-t-il leur arriver ? C'est un crime capital...

— Oh non, Ralph, je suis sûr que ça n'en arrivera pas là.

Ralph se tassa sur sa chaise et regarda par la fenêtre d'un air maussade, se reprochant amèrement de ne pas avoir prévu que Jameson allait couper les lignes du télégraphe avant de marcher sur Johannesburg. Le message envoyé par Cathy à Zouga Ballantyne pour le rappeler sous le prétexte fictif que Louise était gravement malade ne lui était jamais parvenu et Zouga était tombé avec les autres sur les commandos boers qui les attendaient.

Si seulement... pensa Ralph, et le cours de ses pensées fut interrompu. Il leva les yeux dans l'expectative vers le commis qui entrait en hésitant dans le bureau.

— La réponse de ma femme est arrivée ? demanda-t-il.

L'homme secoua la tête.

— Je suis désolé, monsieur, mais il n'y a pas de réponse.

Il hésitait et Ralph le pressa de parler.

— Alors quoi, mon vieux, qu'y a-t-il ?

— Apparemment, toutes les lignes télégraphiques de Rhodésie sont coupées depuis lundi.

— Oh, c'était donc ça.

— Non, monsieur Ballantyne, ce n'est pas tout. Un message est arrivé de Tati, à la frontière rhodésienne. Un cavalier y serait arrivé ce matin. (Le commis avala sa salive.) Il semble que ce cavalier soit le seul survivant.

— Survivant ? s'exclama Ralph en le regardant fixement. Qu'est-ce que ça veut dire ? Qu'est-ce que c'est que cette histoire ?

— Les Matabélé se sont soulevés. Ils sont en train de tuer tous les Blancs de Rhodésie — hommes, femmes et enfants !

— Maman, Douglas et Suss ne sont pas là. Il n'y a personne pour m'apporter mon petit déjeuner, dit Jon-Jon en entrant dans la tente où Cathy était encore en train de se brosser les cheveux et de se faire des tresses.

— Tu les as appelés ?

— Plein de fois.

— Dis à l'un des valets d'écurie d'aller les chercher, mon chéri.

— Les valets ne sont pas là aussi.

— Les valets ne sont pas là non plus, corrigea Cathy en se levant. Bon, alors, allons nous occuper nous-mêmes de ton petit déjeuner.

Elle sortit dans la lumière de l'aube. Le ciel avait une superbe teinte rose foncé qui, à l'est, virait à l'orange vif, et le chœur des oiseaux dans les arbres au-dessus du camp était comme le tintement de clochettes d'argent. Le feu de camp n'était plus qu'un tas de cendres grises et n'avait pas été ranimé.

— Apporte un peu de bois, Jon-Jon, dit Cathy en se dirigeant vers la case cuisine.

Elle fronça les sourcils, contrariée. La case était déserte. Elle prit une boîte dans le garde-manger grillagé et leva les yeux en voyant une ombre apparaître dans l'embrasure de la porte.

— Oh, Isazi, fit-elle au petit Zoulou. Où sont les autres serviteurs ?

— Qui sait où un chien de Matabélé se cache quand on a besoin de lui ? répondit-il avec mépris. Ils ont sans doute passé la nuit à danser et à boire de la bière, et maintenant leur tête est trop lourde à porter.

— Il va falloir que vous m'aidiez jusqu'au retour des cuisiniers.

Après avoir pris le petit déjeuner dans la tente salle à manger, Cathy appela de nouveau Isazi.

— Est-ce qu'ils sont arrivés ?

— Pas encore, Nkosikazi.

— Je voudrais descendre au chantier. J'espère qu'il y a un télégramme de Henshaw. Voulez-vous atteler les poneys, Isazi ?

Alors, pour la première fois, elle remarqua les sourcils légèrement froncés sur le visage ridé du vieux Zoulou.

— Qu'y a-t-il ?

— Les chevaux... ils ne sont pas dans le kraal.

— Où sont-ils donc ?

— Peut-être l'un des *mujiba* les a-t-il sortis de bonne heure. Je vais aller les chercher.

— Oh, ça n'a pas d'importance. (Cathy secoua la tête.) Le bureau du télégraphe n'est pas loin. Cela me fera du bien de marcher un peu. Jon-Jon, va me chercher mon chapeau.

— Nkosikazi, ce n'est peut-être pas très prudent. Le petit...

— Ne vous en faites pas, dit Cathy d'un ton affectueux en prenant Jonathan par la main. Si vous trouvez les poneys, vous pourrez venir nous chercher.

Puis, balançant son chapeau par le ruban, Jonathan gambadant à ses côtés, elle se mit en route sur la piste qui conduisait à la voie ferrée en contournant la colline boisée.

On n'entendait pas le bruit des coups de marteau sur l'acier. Jonathan fut le premier à le remarquer.

— C'est si silencieux, maman.

Ils s'arrêtèrent pour écouter.

— Ce n'est pas vendredi, pourtant, murmura Cathy. M. Mac ne peut pas être en train de faire la paye. (Elle secoua la tête, toujours pas inquiète.) C'est bizarre.

Ils poursuivirent leur chemin. Après avoir tourné la colline, ils s'arrêtèrent de nouveau, et Cathy leva son chapeau pour se protéger les yeux du soleil encore bas sur l'horizon. Les rails s'éloignaient vers le sud, brillants comme les fils soyeux d'une toile d'araignée, mais au-dessous d'eux ils s'interrompaient brusquement là où se terminait la trouée pratiquée dans la brousse. Il y avait à cet endroit un tas de traverses en teck et un faisceau plus petit de rails, la locomotive de service devant arriver de Kimberley dans l'après-midi pour réapprovisionner les stocks. Les marteaux et les pelles étaient soigneusement empilés là où l'équipe les avait laissés la veille au soir. Il n'y avait personne alentour.

— De plus en plus étrange, dit Cathy.

— Où est M. Henderson, maman ? demanda Jonathan à voix plus basse que d'ordinaire. Où sont M. Mac et M. Braithwaite ?

— Je n'en sais rien. Ils doivent être encore dans leurs tentes.

Les tentes du géomètre, de l'ingénieur et de ses contremaîtres étaient groupées derrière la baraque en tôle ondulée du télégraphe. Il n'y avait aucun signe de vie autour de la cabane et des pyramides de toile blanche, si ce n'était qu'un corbeau était perché au sommet de l'une d'elles. Son croassement rauque leur parvenait malgré la distance et tandis que Cathy regardait, il déploya ses ailes noires et se posa lourdement au sol à l'entrée de la tente.

— Où sont les ouvriers ? demanda Jonathan.

Cathy frissonna soudain.

— Je ne sais pas, chéri, répondit-elle d'une voix cassée avant de s'éclaircir la gorge. Nous allons le savoir.

Elle se rendit compte qu'elle avait parlé trop fort, et Jonathan se serra contre ses jambes.

— Maman, j'ai peur.

— Ne fais pas la bête, lui dit Cathy avec fermeté, et, en le tirant par la main, elle commença à descendre la colline.

Elle marchait aussi vite que son gros ventre le lui permettait et quand elle atteignit la baraque du télégraphe, le bruit de sa respiration dans ses oreilles était devenu assourdissant.

— Reste là, dit-elle.

Elle ne savait pas ce qui la poussait à laisser Jonathan au pied des marches de la véranda, mais elle se dirigea seule vers la porte de la baraque. Elle était entrebâillée. Elle l'ouvrit complètement.

M. Braithwaite était assis à sa table face à l'entrée. Il la regardait avec des yeux ronds, la mâchoire pendante.

— Monsieur Braithwaite, dit-elle.

Au son de sa voix il y eut un bourdonnement comme si un essaim d'abeilles s'envolait, et les grosses mouches bleues qui couvraient le devant de la chemise de M. Braithwaite s'élevèrent dans l'air en un nuage. Cathy vit qu'un trou béant s'ouvrait dans le ventre de l'opérateur du télégraphe et que ses entrailles pendaient entre ses genoux jusqu'au plancher sous le bureau.

Cathy recula jusqu'à la porte. Elle sentit ses jambes devenir molles et des ombres noires tournoyèrent dans son champ de vision comme des ailes de chauves-souris au crépuscule. L'une des mouches bleu métallique se posa sur sa joue et chemina paresseusement vers la commissure de ses lèvres.

Cathy se pencha en avant et vomit son petit déjeuner à ses pieds. Elle sortit lentement à reculons en secouant la tête et essaya d'essuyer le vomi, au goût écœurant, qu'elle avait sur les lèvres. Elle faillit trébucher sur les marches et s'assit lourdement. Jonathan se précipita vers elle et s'agrippa à son bras.

— Qu'est-ce qu'il y a, maman ?

— Je veux que tu sois un petit homme courageux, murmurat-elle.

— Tu es malade, maman ?

L'enfant lui secouait le bras avec agitation et Cathy avait du mal à penser. Elle comprit ce qui avait provoqué l'affreuse mutilation du cadavre. Les Matabélé éviscéraient toujours leurs victimes. Cette éventration rituelle libérait l'esprit du mort et lui permettait de rejoindre son Walhalla. Laisser intact le ventre de la victime équivalait à piéger son fantôme sur terre, qui revenait alors hanter le tueur.

M. Braithwaite avait été éventré par la lame aiguisée d'une sagaie matabélé et on lui avait extirpé les entrailles comme à un poulet. C'était bien l'œuvre de guerriers matabélé.

— Où est M. Henderson, maman ? demanda Jon-Jon d'une voix aiguë. Je vais voir à sa tente.

L'ingénieur était l'un des meilleurs amis de Jonathan, et Cathy le retint par le bras.

— Non, Jon-Jon... n'y va pas !

— Pourquoi ?

Le corbeau avait fini par prendre confiance ; il franchit en sautillant l'entrée de la tente et disparut à l'intérieur. Cathy savait ce qui l'y attirait.

— Tais-toi, s'il te plaît, Jon-Jon. Laisse maman réfléchir.

Les serviteurs absents. Ils avaient bien entendu été avertis, ainsi que les équipes de construction matabélé. Ils savaient qu'un détachement de guerriers était dans les parages, et ils avaient disparu. Une pensée affreuse lui vint : peut-être les domestiques, ses propres gens, faisaient-ils partie de la troupe d'agresseurs. Elle secoua la tête énergiquement. Non, pas eux. Ce devait être une petite bande de renégats, mais pas les gens de sa maison.

Ils avaient dû frapper à l'aube, car c'était leur heure favorite, et avaient surpris Henderson et ses chefs d'équipe dans leur sommeil. Seul le fidèle petit Braithwaite était à son travail. La machine du télégraphe. Cathy tressaillit — le télégraphe, c'était son seul lien avec le monde extérieur.

— Jon-Jon, reste là, ordonna-t-elle, et elle repartit sans bruit vers la porte de la baraque.

Elle rassembla son courage, puis entra en essayant de ne pas regarder le petit homme assis à son bureau. Un rapide coup d'œil suffit. Arrachée du mur, la machine du télégraphe était par terre, brisée en mille morceaux. Cathy recula et s'appuya contre la tôle ondulée près de la porte, serrant son ventre de ses deux mains, se forçant à réfléchir de nouveau.

Les guerriers avaient attaqué le chantier avant de s'évanouir dans la forêt... Elle se souvint alors des serviteurs absents. Le camp... Les Matabélé n'avaient pas disparu et devaient effectuer un mouvement tournant à travers les arbres en direction du camp. Elle regarda désespérément autour d'elle, s'attendant à tout moment à voir les files silencieuses de guerriers emplumés sortir à pas de loup de la brousse.

Le train de service était attendu en fin d'après-midi, dix heures plus tard, et elle était seule avec Jonathan. Cathy tomba à genoux, l'attira à lui et l'étreignit avec l'énergie du désespoir. Alors seulement, elle s'aperçut que l'enfant regardait par la porte ouverte.

— M. Braithwaite est mort, dit-il d'une voix neutre en détournant brusquement la tête. Ils vont nous tuer nous aussi, hein, maman ?

— Oh, Jon-Jon !

— Il nous faut un fusil. Je sais tirer. Papa m'a appris.

Un fusil... Cathy regarda en direction des tentes d'où aucun bruit ne s'échappait. Elle n'avait pas le courage d'y entrer, même pour essayer de trouver une arme, sachant quel carnage l'y attendait. Une ombre tomba sur elle et elle poussa un cri.

— C'est moi, Nkosikazi.

Isazi était descendu des collines aussi silencieusement qu'une panthère.

— Les chevaux sont partis, annonça-t-il.

Cathy lui fit signe de regarder dans la baraque. Le visage d'Isazi resta impassible.

— Les chacals matabélé sont donc encore capables de mordre.

— Les tentes..., murmura Cathy. Voyez si vous pouvez trouver une arme.

Isazi s'éloigna au pas de course avec l'agilité d'un homme deux fois plus jeune, puis entra successivement dans chacune des tentes en baissant la tête. Quand il revint, il portait une sagaie à la hampe brisée.

— Le grand costaud s'est bien battu. Il était encore vivant, et les corbeaux mangeaient ses tripes arrachées. Il ne pouvait plus parler mais me regardait. Je lui ai donné la paix. Mais il n'y a pas de fusils... les Matabélé les ont emportés.

— Il y a des fusils au camp, chuchota Cathy.

— Venez, Nkosikazi, dit-il en l'aidant à se relever avec tendresse.

Jonathan lui prit vaillamment l'autre bras, bien qu'il ne lui arrivât pas à l'aisselle. Cathy ressentit les premières douleurs avant qu'ils aient atteint la brousse dense au bord de la trouée, et elle se plia en deux. Ils la tinrent pendant toute la durée des contractions. Jonathan ne comprenait pas ce qui se passait, mais le petit Zoulou était grave et silencieux.

— Ça ira, dit Cathy en se redressant.

Elle essaya de chasser les cheveux de son visage, mais ils étaient collés par la sueur. Ils suivirent la piste au rythme de Cathy. Isazi guettait le mouvement de guerriers dans la forêt de chaque côté et, de sa main libre, il tenait par en dessous la sagaie brisée, prêt à frapper.

Prise de nouvelles contractions, Cathy haleta et chancela. Cette fois-ci, ils ne purent la retenir et elle tomba à genoux dans la poussière. Quand la douleur se fut calmée, elle leva les yeux vers Isazi.

— Elles sont trop rapprochées. Ça va arriver.

Il n'eut pas à répondre.

— Amenez Jonathan à la mine Harkness.

— Nkosikazi, le train...

— Le train sera là trop tard. Il faut que vous partiez.

— Nkosikazi... vous... qu'allez-vous devenir ?

— Sans cheval, je ne pourrai jamais atteindre la mine. Il y a près de trente miles. Chaque instant que vous perdez maintenant met un peu plus la vie du petit en danger.

Il ne bougea pas.

— Si vous pouvez le sauver, Isazi, vous sauverez une partie de moi-même. Si vous restez ici, nous mourrons tous. Partez. Partez vite !

Isazi tendit la main pour prendre celle de Jonathan, mais l'enfant se déroba.

— Je ne veux pas quitter ma maman, cria-t-il d'une voix hystérique. Mon papa a dit que je devais m'occuper de ma maman.

Il fallut à Cathy toute sa détermination pour accomplir le geste le plus difficile de sa jeune vie. Elle gifla Jonathan à toute volée. L'enfant s'éloigna d'elle en titubant, la marque rouge des doigts de sa mère sur ses joues pâles. Elle ne l'avait jamais encore frappé au visage.

— Fais ce que je te dis ! cria-t-elle en le foudroyant du regard. Va-t'en immédiatement avec Isazi !

Le Zoulou prit l'enfant dans ses bras et la regarda encore quelques instants.

— Vous avez un cœur de lionne. Je vous salue, Nkosikazi, dit-il avant de partir en bondissant dans la forêt, toujours portant Jonathan.

Quelques secondes après, il avait disparu, et seulement alors elle laissa les sanglots la secouer et l'étouffer. Elle pensa alors qu'être seul est la chose la plus terrible qui soit dans la vie. Elle songea à Ralph ; elle ne l'avait jamais aimé et désiré autant qu'à ce moment-là. Il sembla pendant un temps qu'elle avait épuisé jusqu'à la dernière parcelle de son courage pour frapper son fils unique et le chasser afin qu'il ait une petite chance de salut. Elle avait envie de rester là, à genoux par terre dans les premiers rayons du soleil, jusqu'à ce qu'ils viennent la tuer à coups de sagaie.

Puis, au plus profond d'elle-même, elle trouva la force de se relever et repartit en clopinant sur le sentier. Au pied de la colline, elle regarda le camp en contrebas. Tout était tranquille et en ordre. Sa maison. La fumée du feu de camp s'élevait comme une plume gris pâle dans l'air immobile du matin, si accueillante, si rassurante. De manière irrationnelle, elle eut l'impression que si elle réussissait seulement à regagner sa tente, tout irait bien.

Elle se remit en marche mais n'avait pas fait dix pas qu'elle sentit quelque chose se déchirer en elle, et brusquement le flot tiède des eaux s'écoula entre ses cuisses. Elle continua de lutter, gênée par sa jupe trempée, puis, aussi incroyable que cela pouvait paraître, elle se retrouva dans sa tente.

Il y faisait frais et la pénombre qui y régnait lui fit penser à une église. Une fois encore ses jambes se dérobèrent sous elle. Elle rampa péniblement par terre, ses cheveux lui tombèrent sur le visage et l'aveuglèrent. À tâtons elle se dirigea vers la malle de voyage posée au pied du large lit de camp et chassa les cheveux de ses yeux en s'appuyant contre elle.

Le couvercle était si lourd qu'il lui fallut faire appel à toute sa force, mais il finit par s'ouvrir avec un grand bruit. Le pistolet était caché sous les couvre-lits blancs au crochet qu'elle avait mis en réserve pour la maison que Ralph allait lui construire un jour. C'était un gros revolver Webley de l'armée. Elle n'avait tiré qu'une fois avec lui, Ralph derrière elle lui tenait les poignets pour amortir le recul.

Elle dut se servir de ses deux mains pour le soulever devant sa poitrine. Elle était trop fatiguée pour monter sur le lit. Elle s'adossa à la malle, assise à même le sol, les jambes allongées à plat devant elle, et tint le pistolet sur son giron.

Elle avait dû s'assoupir un peu, car lorsqu'elle s'éveilla en sursaut, ce fut pour entendre le frôlement de pieds sur la terre nue. Elle leva les yeux. L'ombre d'un homme était découpée par les rayons obliques du soleil sur le fond blanc de la toile de tente comme avec une lanterne magique. Elle leva le revolver et visa l'entrée. L'horrible arme en métal noir tremblait entre ses mains, et un homme entra en écartant le rabat.

— Oh, Dieu merci ! (Cathy laissa le pistolet retomber sur ses cuisses.) Dieu merci, c'est toi, murmura-t-elle, et elle laissa sa tête s'affaisser en avant.

Son épaisse chevelure se sépara en deux et glissa de chaque côté, découvrant la peau tendre et pâle de sa nuque. Bazo baissa les yeux vers elle et vit le pouls battre lentement sous la peau.

Bazo portait un pagne en queues de civette, et autour du front un bandeau en fourrure de taupe — ni plumes ni pompons. Il avait les pieds nus et tenait dans sa main gauche une sagaie à large lame, dans la droite, un casse-tête semblable à une masse d'armes de chevalier du Moyen Âge. Le manche de trois pieds de long était en corne de rhinocéros polie et la tête constituée d'une boule de bois dur et lourd criblée de clous en fer forgés à la main.

Lorsqu'il asséna le coup de massue, il y mit toute sa force et visa le pouls visible sur la nuque de Cathy.

Deux de ses guerriers entrèrent dans la tente et se placèrent à ses côtés, la folie meurtrière encore dans leurs yeux vitreux. Eux aussi portaient le bandeau en fourrure de taupe. Ils regardèrent le corps étendu par terre. L'un des guerriers changea la position de sa main sur la hampe de sa sagaie, prêt à procéder à l'éventration.

— L'esprit de la femme doit s'envoler, dit-il.

— Vas-y, ordonna Bazo.

Le guerrier se baissa et œuvra rapidement, d'une main experte.

— Elle porte la vie, dit-il. Regarde ! Il bouge encore.

— Tue-le ! commanda encore Bazo avant de sortir à grandes enjambées, et il lança aux guerriers qui attendaient dehors : Cherchez le garçon. Cherchez le petit Blanc.

Le chauffeur de la locomotive était terrifié. Ils s'étaient arrêtés quelques minutes au comptoir commercial installé près de la voie de garage de Plumtree, et il avait vu les corps du commerçant et des siens étendus dans la cour.

Ralph Ballantyne lui enfonça le canon de son fusil entre les omoplates et le fit reculer jusqu'à la cabine, le forçant ensuite à poursuivre leur voyage vers le nord, à l'intérieur du Matabeleland.

Ils avaient fait tout le trajet depuis la gare de triage de Kimberley avec le régulateur de vapeur ouvert en grand, et, torse nu, suant dans le rougeoiement de la chaudière, Ralph avait relayé le chauffeur sur la plate-forme, pelletant le charbon à une cadence monotone. Il avait le visage et les bras noircis par la poussière comme un charbonnier, les mains moites et à vif à cause des ampoules.

Ils avaient gagné près de deux heures sur le parcours record de la ligne. Quand ils franchirent en grondant la courbe entre les collines et aperçurent le toit en tôle ondulée de la baraque du télégraphe, Ralph lâcha la pelle et grimpa sur le côté de la cabine pour regarder devant.

Son cœur fit un bond de joie, il y avait du mouvement autour de la cabane et entre les tentes, il y avait de la vie ! Sa joie retomba aussi vite qu'elle était montée quand il reconnut les silhouettes de chiens à l'allure furtive.

Les hyènes étaient si occupées à se disputer ce qu'elles avaient tiré hors des tentes qu'elles n'avaient pas peur du tout. C'est seulement lorsque Ralph commença à tirer qu'elles s'égaillèrent. Il abattit une demi-douzaine de ces bêtes répugnantes avant d'avoir vidé son chargeur. Il courut à la baraque puis à chacune des tentes et revint à la locomotive. Ni le conducteur ni le chauffeur n'avaient quitté la cabine.

— Monsieur Ballantyne, nous sommes venus parcourir d'une minute à l'autre...

— Attendez ! lui cria Ralph.

Il escalada le côté du wagon à bestiaux accroché derrière le tender, fit sauter les goupilles et la porte tomba avec fracas pour former un pont-levis.

Ralph fit ensuite descendre les chevaux. Il y en avait quatre, l'un déjà sellé, les meilleures montures qu'il avait pu trouver. Il s'arrêta juste le temps nécessaire pour serrer la sangle et sauta en selle, le fusil toujours à la main.

— Je ne vais pas attendre là ! cria le mécanicien. Dieu toutpuissant, ces nègres sont des bêtes, bon sang, des bêtes.

— Si ma femme et mon fils sont là, j'ai besoin de les ramener. Laissez-moi une heure.

— Je n'attends pas une minute de plus. Je rentre.

— Allez au diable, lui lança Ralph froidement.

Il poussa son cheval au galop, et tirant derrière lui les chevaux de rechange par la longe, il prit la piste qui grimpait à flanc de kopje vers le camp.

Tout en chevauchant, il pensa qu'il aurait peut-être dû écouter Aaron Fagan et recruter une douzaine d'autres cavaliers à Kimberley pour l'escorter. Mais il savait qu'il n'aurait pu supporter d'attendre les quelques heures nécessaires à trouver des hommes de qualité. Il avait donc quitté Kimberley moins d'une demi-heure après avoir reçu le télégramme de Tati — juste le temps de prendre sa Winchester, de remplir de munitions ses sacoches de selle et d'emmener les chevaux de l'écurie de Fagan à la gare de triage.

Avant de franchir l'épaulement de la colline, il jeta un coup d'œil en arrière. La locomotive franchissait déjà en soufflant la grande courbe en direction du sud. Désormais, il était vraisemblablement le dernier Blanc encore en vie au Matabeleland.

Il entra dans le camp au galop. Ils étaient déjà passés par là. Le camp avait été pillé, la tente de Jonathan s'était effondrée, ses vêtements étaient éparpillés dans la poussière et avaient été piétinés.

Cathy ! cria Ralph en descendant de cheval. Jon-Jon ! Où êtes-vous ?

Des papiers bruissèrent sous ses pas. Il regarda à ses pieds. Le portfolio de Cathy avait été jeté par terre et s'était ouvert ; les peintures, dont elle était si fière, étaient déchirées et chiffonnées. Il en ramassa une, elle représentait les jolies fleurs rouge sombre en forme de trompe du *Kigelia africana*, l'arbre à saucisses d'Afrique. Il essaya de défroisser le papier, puis prit conscience de la futilité de son geste.

Il courut jusqu'à leur tente, et écarta le rabat.

Cathy était étendue sur le dos, son enfant à naître près d'elle. Elle avait promis une fille à Ralph, et elle avait tenu sa promesse.

Il tomba à genoux et essaya de lui soulever la tête, mais son corps avait pris la terrible rigidité d'une statue de marbre. Quand il la souleva, il vit la dépression grande comme le poing à l'arrière de son crâne.

Ralph recula, puis se précipita à l'extérieur de la tente.

— Jonathan ! cria-t-il. Jon-Jon ! Où es-tu ?

Il courait à travers le camp comme un dément en hurlant :

— Jonathan ! Je t'en prie, Jonathan, réponds-moi !

Comme il ne trouvait pas âme qui vive, il entra en trébuchant dans la forêt.

— Jonathan ! C'est papa. Où es-tu, mon chéri ?

Dans son angoisse, il se rendit compte confusément que ses cris risquaient d'alerter les *amadoda*, comme les bêlements de la chèvre attirent le léopard, et soudain il eut envie qu'il en soit ainsi de toute son âme.

— Venez ! hurla-t-il dans la forêt silencieuse. Venez. Venez me chercher moi aussi.

Il s'arrêta pour tirer en l'air et écouta l'écho se répercuter à travers la vallée.

Au bout d'un moment, il fut incapable de courir et de crier plus longtemps, et il s'appuya haletant contre un tronc d'arbre.

— Jonathan, dit-il d'une voix cassée. Où es-tu, mon enfant ?

Il fit demi-tour lentement et redescendit la colline en marchant comme un vieillard.

Il s'arrêta en lisière du camp et regarda avec des yeux de myope un objet dans l'herbe, puis il se baissa et le ramassa. Il le tourna et le retourna dans sa main, puis le serra dans son poing, ses articulations blanchies par l'effort. Il tenait un bandeau en fourrure de taupe.

Le bout de peau tannée à la main, il entra dans le camp pour enterrer sa morte.

Robyn Saint John fut réveillée par un grattement léger contre le volet de sa chambre, et elle se redressa sur un coude.

— Qui est là ? cria-t-elle.

— C'est moi, Nomousa.

— Jouba, ma Petite Colombe, je ne t'attendais pas !

Robyn se glissa hors du lit et alla à la fenêtre. Quand elle ouvrit le volet, la nuit était opalescente sous la lune et Jouba blottie sous le rebord de la fenêtre.

— Tu as froid ! s'exclama Robyn en la prenant par le bras. Tu vas attraper mal. Entre immédiatement, je vais te chercher une couverture.

— Attends, Nomousa. (Jouba lui prit le poignet.) Il faut que je parte.

— Mais tu viens d'arriver.

— Personne ne doit savoir que je suis venue ici. Je t'en prie, ne le dis à personne, Nomousa.

— Qu'y a-t-il ? Tu trembles...

— Écoute, Nomousa. Je ne pouvais pas t'abandonner, tu es ma mère et ma sœur, je ne pouvais pas t'abandonner.

— Jouba...

— Ne parle pas. Écoute-moi une minute, supplia Jouba. J'ai si peu de temps.

Alors seulement Robyn comprit que ce n'était pas la fraîcheur de la nuit qui secouait la masse opulente de Jouba, mais des sanglots de terreur.

— Il faut que tu partes, Nomousa. Toi, Elizabeth et le petit. N'emporte rien, pars sur-le-champ. Va à Bulawayo, peut-être y seras-tu en sécurité. C'est ta seule chance.

— Je ne comprends pas, Jouba. Qu'est-ce que c'est que cette histoire absurde ?

— Ils arrivent, Nomousa. Ils arrivent. Je t'en prie, dépêche-toi.

L'instant d'après, elle était partie. Elle se déplaçait rapidement et sans bruit pour une femme de cette corpulence, et elle sembla se fondre parmi les ombres projetées par les spathodéas. Le temps que Robyn ait trouvé son châle et couru sur la véranda, elle avait disparu.

Robyn se dirigea en hâte vers les petits pavillons de l'hôpital, trébuchant dans le sentier obscur.

— Jouba, reviens, tu m'entends ? C'est absurde ! l'appelait-elle, de plus en plus exaspérée.

Elle s'arrêta près de l'église, hésitant sur la direction à prendre.

— Jouba, où es-tu ?

Seuls les cris d'un chacal sur le flanc de la colline au-dessus de la mission brisaient le silence. Un autre lui répondit sur le col, là où la piste de Bulawayo franchissait les collines.

— Jouba !

Le feu de camp près des pavillons de l'hôpital était éteint. Elle s'en approcha et y jeta une grosse bûche. Le silence était anormal. Le feu prit, la bûche s'enflamma et éclaira les parages. Robyn monta les marches du pavillon le plus proche.

Les nattes des patients se trouvaient alignées sur deux rangées en vis-à-vis, au pied de chaque mur, mais elles étaient vides. Même les malades les plus gravement atteints avaient disparu. On les avait sans doute portés, car certains n'étaient plus capables de marcher.

Robyn serra son châle autour de ses épaules.

— Pauvres ignorants, dit-elle à haute voix. Ils ont dû être effrayés par quelque nouveau tour de sorcellerie. Ils auraient peur même de leur ombre.

Affligée, elle fit demi-tour et repartit dans l'obscurité vers la maison. Une lumière était allumée dans la chambre d'Elizabeth et quand Robyn gravit les marches de la véranda, la porte s'ouvrit.

— Maman ! C'est vous ?

— Que fais-tu, Elizabeth ?

— J'ai cru entendre des voix.

Robyn hésita, elle ne voulait pas l'alarmer, mais c'était une fille sensée et il était peu probable qu'un accès de superstition des Matabélé la rende hystérique.

— Jouba est venue. Les Matabélé ont dû être effrayés par quelque sorcellerie. Elle est repartie en vitesse.

— Qu'a-t-elle dit ?

270

— Seulement que nous devrions aller à Bulawayo pour échapper à un danger.

Elizabeth sortit sur la véranda, une bougie à la main.

— Jouba est chrétienne, elle n'est pas dupe de la sorcellerie, dit-elle d'une voix inquiète. Qu'est-ce qu'elle a dit d'autre ?

— Rien. (Robyn bâilla.) Je retourne me coucher. (Elle traversa la véranda, puis s'arrêta.) Oh, les malades se sont enfuis. L'hôpital est vide. C'est très ennuyeux.

— Maman, je crois que nous devrions suivre le conseil de Jouba.

— Que veux-tu dire ?

— Je crois que nous devrions aller immédiatement à Bulawayo.

— Elizabeth, je te croyais plus solide que ça.

— J'ai un terrible pressentiment. Nous ferions mieux de partir. Peut-être y a-t-il un réel danger.

— Je suis chez moi, ici. Ton père et moi avons bâti cette maison de nos propres mains. Rien ne m'obligera à la quitter, dit Robyn avec fermeté. Retourne te coucher. Sans personne pour nous aider, nous allons avoir une rude journée demain.

Ils étaient accroupis silencieusement en longues rangées dans l'herbe haute sous la crête des collines. Gandang parcourait tranquillement les rangs, s'arrêtant de temps en temps pour échanger quelques mots avec un vieux compagnon d'armes, rappeler le souvenir lointain d'une attente semblable avant une bataille.

Cela faisait un drôle d'effet d'être assis à même le sol pendant cette attente. Jadis, ils auraient été accroupis sur leurs boucliers, les longs boucliers tachetés en peau de bœuf dure comme fer, non pas pour être plus à l'aise mais pour cacher à l'ennemi leur forme reconnaissable jusqu'au moment de l'assaut. Ils s'accroupissaient sur eux également pour éviter qu'un jeune guerrier emporté par la folie divine se mette trop tôt à tambouriner sur le cuir tendu avec sa sagaie et signale leur présence.

Cela faisait aussi un drôle d'effet de ne pas être paré de tout l'attirail du régiment des Inyati : les fourrures, les pompons en queues de vache, les crécelles de guerre aux chevilles et aux poignets, la haute coiffe en plumes qui transformait les hommes en géants. Ils étaient vêtus d'un simple pagne comme des néophytes, des jeunes n'ayant pas encore reçu le baptême du sang, mais les cicatrices qui couvraient leur corps sombre, le feu dans leurs yeux faisaient mentir cette impression.

Gandang se sentit envahi par une fierté qu'il pensait ne jamais devoir éprouver encore. Il aimait ses hommes, il aimait leur férocité et leur bravoure, et bien que son visage fût calme et sans expression, cet amour rayonnait dans ses yeux.

Ils le percevaient et le lui rendaient au centuple. « Baba ! » lançaient-ils de leur voix douce et grave. « Père, nous pensions que nous ne combattrions jamais plus à tes côtés », disaient-ils. « Père, ceux de tes fils qui mourront aujourd'hui resteront jeunes pour toujours. »

Au-delà du col, un chacal hurla lugubrement et un autre lui répondit tout près. Le régiment était en position, déployé à travers les collines de Khami comme un mamba lové, il attendait, attentif, prêt au combat.

Le ciel rougeoyait à présent, la fausse aube, celle que suit une obscurité plus profonde avant l'aube véritable. L'obscurité profonde que les *amadoda* aimaient et savaient si bien exploiter.

Ils remuèrent sans bruit, la hampe de leur sagaie posée par terre entre leurs genoux, attendant l'ordre : « Debout, mes enfants. Il est temps de porter le fer. »

Mais cette fois-ci l'ordre ne vint pas, et la vraie aube empourpra le ciel. Les *amadoda* se regardèrent.

L'un des guerriers les plus endurcis, qui s'était gagné le respect de Gandang sur cinquante champs de bataille, s'approcha de l'induna, assis seul un peu à l'écart, et parla au nom de tous.

— Baba, tes enfants sont troublés. Dis-nous pourquoi nous attendons.

— Vieil ami, vos sagaies sont-elles à ce point assoiffées du sang de femmes et d'enfants qu'elles ne peuvent souhaiter une nourriture plus consistante ?

— Nous pouvons attendre aussi longtemps que tu l'ordonnes, baba. Mais ce n'est pas facile.

— Vieil ami, je suis en train d'appâter un léopard avec une chèvre à la chair tendre, lui dit Gandang avant de laisser son menton retomber sur sa poitrine musclée.

Le soleil s'éleva au-dessus de l'horizon et dora la cime des arbres au sommet des collines, mais Gandang ne bougeait toujours pas et les guerriers restaient silencieux derrière lui dans l'herbe.

— La tempête a déjà éclaté. Partout ailleurs nos camarades sont déjà passés à l'action. Ils vont se moquer de nous quand ils entendront dire que nous sommes assis à ne rien faire sur les collines..., murmura un jeune guerrier à un autre.

Un guerrier plus âgé le réprimanda d'une voix sifflante, et le plus jeune se tut, mais un peu plus loin, un autre se déplaça sur ses talons et sa sagaie cogna contre celle de son voisin. Gandang ne leva pas la tête.

Alors, au sommet de la colline, un francolin lança son cri aigu et pénétrant — *Kwaali ! Kwaali !* -, ce son si caractéristique du veld, et seule une oreille particulièrement fine l'eût trouvé étrange.

Gandang se leva.

— Le léopard arrive, dit-il à voix basse.

Il partit d'un air digne jusqu'à l'endroit d'où l'on voyait la route de Bulawayo sur toute sa longueur. La sentinelle qui avait poussé le cri du faisan sauvage indiqua sans mot dire une direction avec la hampe de sa sagaie.

Une voiture découverte et un groupe de cavaliers arrivaient sur la route. Gandang les compta, ils étaient onze et se dirigeaient droit vers les collines de Khami. Même à cette distance, on ne pouvait se tromper sur l'identité du personnage qui chevauchait en tête — son assiette, son port de tête, les longs étriers.

— Hau ! Œil Brillant ! lâcha Gandang à voix basse. Voilà plusieurs lunes que je t'attends.

Le général Mungo Saint John avait été réveillé au milieu de la nuit. En chemise de nuit, il avait écouté le récit de tuerie et d'incendie d'un domestique noir qui avait réussi à s'échapper du comptoir commercial de Two Mile Drift. L'haleine de l'homme sentait le cognac du Cap. « Il est ivre, avait dit Saint John. Emmenez-le et flanquez-lui une bonne rouste. »

Le premier Blanc arriva en ville trois heures avant l'aube. Il avait eu la cuisse transpercée par une sagaie et son bras gauche avait été brisé en deux endroits à coups de casse-tête. Il s'agrippait à l'encolure de son cheval avec son bras valide.

— Les Matabélé attaquent ! Ils incendient les fermes..., criat-il avant de glisser de sa selle, évanoui.

À l'aube, cinquante chariots avaient été rangés en laager sur la place du marché ; sans bœufs pour les tirer, il avait fallu les pousser pour les mettre en place. Toutes les femmes et tous les enfants de la ville avaient été conduits dans le laager et mis à contribution pour préparer des pansements, recharger les armes et cuire du pain en prévision d'un siège. Les quelques hommes valides que le Dr Jameson n'avait pas emmenés avec lui au Transvaal furent rapidement formés en troupe, on trouva des chevaux et des armes pour ceux qui n'en avaient pas.

Au milieu de ce remue-ménage, Mungo Saint John avait réquisitionné une voiture rapide et son conducteur noir, constitué une petite brigade avec les meilleurs cavaliers et, usant de son autorité d'administrateur, leur avait ordonné de le suivre.

Il serra la bride à son cheval en arrivant sur la crête des collines qui dominaient la mission de Khami, à l'endroit où la piste était la plus étroite et passait entre des murailles d'herbe haute et d'arbres, et protégea son œil unique du soleil.

— Dieu merci ! murmura-t-il.

Les toits de chaume de la mission, qu'il s'attendait à voir en flammes, s'étalaient intacts au fond du vallon verdoyant et serein.

Les chevaux suaient et soufflaient après l'effort de la montée, et la voiture traînait à deux cents pas derrière Saint John. Dès qu'elle arriva au col, sans accorder un moment de repos aux mulets, il cria : « En avant ! » et éperonna son cheval dans la descente, suivi par sa troupe.

Robyn Saint John sortit de la case qui lui servait de laboratoire, et dès qu'elle reconnut celui qui conduisait la colonne, elle posa ses mains sur ses hanches et leva le menton avec colère.

— Que signifie cette intrusion, monsieur ? demanda-t-elle.

— Madame, les Matabélé se sont rebellés. Ils assassinent les femmes et les enfants et incendient les fermes.

Robyn se recula d'un pas en un geste protecteur, car Robert était sorti de la clinique pour s'accrocher à ses jupes.

— Je suis venu vous emmener en lieu sûr, vous et vos enfants.

— Les Matabélé sont mes amis, dit Robyn. Je n'ai rien à craindre d'eux. Je suis ici chez moi et n'ai pas l'intention de partir.

— Je n'ai pas le temps de satisfaire votre goût pour la contestation, madame, rétorqua Saint John avec détermination en se dressant sur ses étriers. Elizabeth ! appela-t-il. (Celle-ci apparut sur la véranda de la maison.) Les Matabélé se sont révoltés. Nous sommes en danger de mort. Vous avez deux minutes pour rassembler les objets personnels dont votre famille pourrait avoir besoin...

— Ne fais pas attention à lui, Elizabeth, cria Robyn avec colère. Nous restons ici.

Avant qu'elle ait compris l'intention de Saint John, celui-ci avait aiguillonné son cheval pour le faire reculer jusqu'à l'entrée du laboratoire, puis, penché, l'avait saisie par la taille et balancée sur le pommeau de sa selle, le derrière en l'air et sa jupe remontée jusqu'aux hanches. Elle envoyait des coups de pied et poussait des cris d'indignation, mais il fit avancer son cheval à côté de la voiture et la laissa tomber sur la banquette arrière dans un nouveau tourbillon de jupons.

— Si vous ne restez pas où vous êtes, je n'hésiterai pas à vous faire attacher. Ce qui manquera tout à fait de dignité.

— Je ne vous le pardonnerai jamais ! lança-t-elle, haletante, entre ses dents, mais elle savait qu'il parlait sérieusement.

— Robert, va avec ta mère. Immédiatement ! ordonna Saint John à son fils.

L'enfant galopa jusqu'à la voiture et monta dedans.

— Elizabeth ! beugla de nouveau Saint John. Dépêchez-vous, jeune fille ! Notre vie dépend de notre rapidité.

Elizabeth arriva en courant sur la véranda avec un paquet sur l'épaule.

— Bonne fille ! dit Saint John en lui souriant.

Jolie, courageuse et équilibrée, elle avait toujours été une de ses préférées. Il sauta à terre pour la hisser dans la voiture puis remonta en selle.

— En avant, marche ! Au trot ! ordonna-t-il, et ils sortirent de la cour.

La voiture se trouvait à l'arrière de la colonne, précédée par les dix cavaliers sur deux files, et Saint John ouvrait la marche cinq longueurs en avant. Malgré elle, Elizabeth était électrisée, envahie par une exquise sensation de peur. Cela la changeait tellement de la vie quotidienne de la mission, ces hommes en armes, l'urgence et la tension de la situation, l'obscure menace qui les entourait, le romantisme du fidèle époux chevauchant dans la vallée de la mort pour sauver sa femme bien-aimée. Quelle fière allure il avait en tête de la colonne, quelle assiette facile et, quand il se retournait pour jeter un coup d'œil à la voiture, comme son souffle était insouciant ! Il n'y avait qu'un autre homme au monde pour l'égaler. Si seulement cela avait été Ralph Ballantyne qui soit venu la sauver alors qu'elle était seule ! Cette pensée était coupable et elle la chassa rapidement ; pour se distraire, elle regarda en arrière, en bas de la colline.

— Oh, maman ! Regardez ! cria-t-elle en se dressant dans la voiture bringuebalante.

La mission était en flammes. Le chaume de l'église brûlait en une haute colonne embrasée. De la fumée sortait en volutes de la maison et, tandis qu'elles regardaient frappées d'horreur, elles distinguèrent de minuscules silhouettes humaines descendre en courant l'allée sous les spathodéas en portant des torches d'herbe sèche. L'une d'elles s'arrêta pour jeter sa torche sur le toit de la clinique.

— Mes livres, murmura Robyn. Tous mes papiers. Le travail de toute une vie.

— Ne regardez pas, maman.

Elizabeth se laissa retomber à côté d'elle sur la banquette, et elles s'étreignirent comme deux enfants abandonnés.

La petite colonne atteignit le sommet du col ; sans marquer la moindre pause, les chevaux fourbus s'élancèrent dans la descente sur l'autre versant... et les Matabélé surgirent simultanément des deux côtés de la piste. Ils émergèrent de l'herbe telles deux vagues noires, et le grondement de leur chant de guerre enfla comme le bruit d'une avalanche sur le flanc escarpé d'une montagne.

Les cavaliers chevauchaient avec leur fusil armé, la crosse posée sur leur cuisse droite, mais l'assaut des Matabélé fut si rapide qu'une seule salve claqua. Elle n'eut aucun effet sur le flot des assaillants et, tandis que les chevaux se cabraient et hennissaient de terreur, les cavaliers furent tirés de leur selle et transpercés par dix, vingt coups de sagaie. Pris d'une folie meurtrière, les guerriers s'agglutinaient autour des corps en poussant des rugissements de fureur comme des chiens dépeçant la carcasse d'un renard.

Un gigantesque guerrier couvert de sueur saisit par la jambe le conducteur noir de la voiture et l'arracha du siège, et, alors qu'il était encore en l'air, un autre Matabélé le transperça avec la large lame de sa sagaie.

Seul Mungo Saint John, cinq longueurs en avant de la colonne, réussit à se dégager. Il avait reçu un seul coup de sagaie dans le flanc, et le sang dégoulinait le long d'une jambe de son pantalon sur sa botte.

Toujours droit sur sa selle, par-dessus son épaule et les têtes des Matabélé, il regarda Robyn droit dans les yeux l'espace d'un instant, puis fit pirouetter son cheval et le lança dans la foule des guerriers en direction de la voiture. Il tira un coup de pistolet dans le visage d'un guerrier qui bondissait pour attraper la tête de son cheval, mais de l'autre côté, un autre Matabélé lui porta un coup de sagaie à l'aisselle. Saint John rugit puis projeta sa monture en avant.

— Je suis là. N'ayez pas peur, ma chérie ! cria-t-il.

Un guerrier lui planta sa lance dans le ventre. Il se plia en deux. Son cheval s'écroula le cœur transpercé, et tout sembla fini, mais miraculeusement Saint John se releva et se campa sur ses pieds, le pistolet à la main. Son bandeau avait été arraché et son orbite vide semblait lancer des regards si démoniaques que les guerriers reculèrent quelques instants. Il se tenait au milieu d'eux, les terribles blessures de sa poitrine et de son ventre ruisselantes de sang.

Gandang sortit de la foule et tous devinrent silencieux. Les deux hommes restèrent face à face pendant de longues secondes. Saint John essaya de lever son pistolet mais ses forces le trahirent. Alors Gandang lui planta sa sagaie dans la poitrine et elle ressortit dans le dos.

Debout au-dessus du corps de Saint John, Gandang posa un pied sur sa poitrine et tira sur la sagaie pour la libérer. La lame fit un bruit de succion, comme lorsqu'on sort sa botte d'une boue épaisse, puis ce fut le silence. Il était plus terrible que le chant de guerre et les cris des agonisants.

La foule dense des guerriers noirs cernait la voiture et cachait les cadavres des Blancs. Les *amadoda* faisaient cercle autour de Saint John étendu sur le dos, son visage encore déformé par une grimace de colère et de douleur. Son œil lançait un regard furieux à l'ennemi qu'il ne pouvait plus voir.

L'un après l'autre, les guerriers levèrent la tête et dévisagèrent les femmes et l'enfant blottis dans la voiture découverte. L'air était chargé de menace, ils avaient les yeux vitreux des hommes emportés par une folie meurtrière, les bras, la poitrine et le visage encore barbouillés de sang comme d'une macabre peinture de guerre. Leurs rangs se balançaient comme l'herbe de la prairie caressée par une brise légère. À l'arrière, une seule voix commença à bourdonner, mais avant que les autres aient pu reprendre le chant de guerre, Robyn Saint John se dressa et les regarda du haut de la voiture. Le bourdonnement s'évanouit.

Robyn tendit la main et saisit les rênes. Les Matabélé la regardaient mais aucun encore ne bougea. Robyn donna un petit coup de rênes et les mulets avancèrent au pas.

Gandang, fils de Mosélékatsé, premier induna des Matabélé s'écarta et derrière lui les rangs des guerriers s'ouvrirent. Les mulets passèrent lentement entre eux, enjambant délicatement les cadavres mutilés des cavaliers. Robyn regardait droit devant elle en tenant les rênes avec raideur. Une seule fois, à la hauteur de Saint John étendu, elle baissa les yeux, puis elle regarda de nouveau devant elle.

Lentement, la voiture continua de rouler vers le bas de la colline, et lorsque Elizabeth se retourna, la piste était déserte.

— Ils sont partis, maman, chuchota-t-elle, et alors seulement elle se rendit compte que Robyn était secouée de sanglots silencieux.

Elizabeth passa son bras autour des épaules de Robyn et resta contre elle pendant un moment.

— C'était un homme terrible, mais, que Dieu me pardonne, je l'aimais tant, murmura Robyn, puis elle se redressa et poussa les mulets au trot en direction de Bulawayo.

Ralph Ballantyne chevauchait dans la nuit. Il avait pris le sentier direct et difficile à travers les collines au lieu de la large piste empruntée par les chariots. Les chevaux de rechange étaient chargés de provisions et de couvertures qu'il avait récupérées au camp du chantier de la voie ferrée. Il les conduisait au pas sur un terrain caillouteux, les ménageant en prévision des efforts qu'il leur faudrait peut-être fournir.

Il chevauchait avec son fusil chargé et armé sur son giron. Toutes les demi-heures, il faisait halte et tirait trois coups de feu espacés vers le ciel étoilé. Trois coups, le signal universel du rappel. Quand l'écho s'était amorti en roulant à travers les collines, il écoutait attentivement en se tournant lentement sur sa selle pour couvrir toutes les directions, puis il appelait Jonathan, hurlant son désespoir dans le silence de la forêt, avant de repartir dans l'obscurité. Lorsque l'aube arriva, il abreuva ses chevaux à un ruisseau et les laissa paître pendant quelques heures, assis sur une fourmilière pour les surveiller, mangeant des biscuits et du corned-beef, à l'affût du moindre bruit.

Il était étonné du nombre de sons qui, dans la brousse, ressemblaient à des cris d'enfants pour celui qui voulait les entendre. Le lugubre « kwaï » d'un touraco gris le fit se lever le cœur battant, le cri strident d'un suricate et la plainte même du vent dans la cime des arbres le perturbaient.

Au milieu de la matinée, il remonta en selle. Il n'ignorait pas que, de jour, le risque augmentait de tomber sur une patrouille de Matabélé, mais cette perspective ne l'effrayait nullement. Il se prit à désirer cette rencontre. Au plus profond de lui-même, il y avait une région froide et obscure où il n'était jamais allé, et tout en chevauchant, il l'explora et y trouva une haine et une colère qu'il n'aurait pas cru possibles. Pendant qu'il traversait lentement de superbes forêts dans la lumière blanche du soleil, il s'aperçut qu'il était étranger à lui-même. Jusqu'à ce jour, il n'avait pas su qui il était, et il commençait alors à se découvrir.

Il serra la bride à son cheval sur la crête d'une chaîne de collines dénudées où des Matabélé pouvaient voir de loin sa silhouette découpée sur le bleu du ciel, et délibérément il tira encore trois coups de feu. Constatant qu'aucune file de guerriers n'arrivait en courant pour répondre à l'appel, sa haine et sa colère redoublèrent.

Une heure après midi, il gravit la chaîne de collines où Zouga avait tué le grand éléphant et regarda en contrebas la mine Harkness.

Les bâtiments avaient été incendiés. Sur la crête opposée, les murs de la maison que Harry Mellow avait construite pour Vicky étaient encore debout, mais les fenêtres vides évoquaient les orbites d'un crâne. Les poutres du toit étaient noircies, certaines s'étaient effondrées sous le poids du chaume carbonisé. Les jardins avaient été piétinés et sur les pelouses étaient éparpillés les débris de deux jeunes vies : le lit en cuivre, le matelas éventré d'où s'échappait la bourre, les coffres de Vicky — toute sa dot — brisés, leur contenu brûlé et dispersé.

Plus bas dans la vallée, le magasin et le bureau de la mine avaient aussi été incendiés. Les piles de marchandises calcinées fumaient encore, une odeur de caoutchouc et de cuir brûlés flottait dans l'air, mêlée à une autre, une odeur pareille à celle du porc rôti. C'était la première fois que Ralph sentait la chair humaine grillée, mais instinctivement il la reconnut et son estomac se souleva.

Des vautours au dos voûté perchaient dans les arbres autour des bâtiments détruits par les flammes. Il y avait des centaines de ces oiseaux répugnants, certains gros et noirs à tête rouge et chauve, d'autres, d'un brun sale, au long cou obscène recouvert d'une toison laineuse. Parmi les vautours et les jabirus croassaient des corbeaux braillards et tournoyaient des petits milans. Pour provoquer un tel rassemblement il fallait que le banquet fût pantagruélique.

Ralph descendit le flanc de la colline et trouva presque tout de suite les premiers corps. Des guerriers matabélé, constata-t-il avec une sombre satisfaction, qui s'étaient éloignés en rampant pour mourir de leurs blessures. Harry Mellow avait mieux résisté que l'équipe de construction de la voie ferrée.

— J'espère qu'il a emporté avec lui un millier de vos bouchers noirs, pensa-t-il tout haut en continuant d'avancer avec précaution, prêt à faire feu.

Il mit pied à terre derrière les ruines du magasin de la mine et attacha les chevaux avec un nœud facile à larguer en cas de fuite précipitée. Il y avait là d'autres Matabélé morts, étendus au milieu de leurs armes éparpillées et brisées. La cendre était encore chaude, trois ou quatre cadavres se trouvaient à l'intérieur de la carcasse du magasin, petits monticules noirs méconnaissables, et l'odeur de porc était suffocante.

L'arme haute, Ralph se dirigea avec prudence au milieu des cendres et des débris vers l'angle du bâtiment. Les cris et les battements d'ailes des vautours et des autres charognards couvraient tous les petits bruits qu'il aurait pu faire, et il se tenait prêt à affronter la charge soudaine de guerriers qui lui auraient tendu une embuscade. Il s'arma aussi de courage au cas où il découvrirait les cadavres de Harry et de la blonde et jolie Vicky. Le fait d'avoir enterré le corps mutilé de celle qu'il aimait ne l'avait pas cuirassé contre l'horreur de ce qu'il savait devoir trouver là.

Il atteignit l'angle de la construction, ôta son chapeau et jeta un coup d'œil furtif de l'autre côté.

Il y avait deux cents mètres de terrain découvert entre le magasin en ruine et l'entrée de la galerie n° 1 que Harry avait creusée à flanc de coteau. Des cadavres de guerriers étaient amoncelés sur cette zone découverte. Il y en avait des tas et des tas, certains enchevêtrés en sculptures torturées de membres noirs, d'autres couchés seuls, recroquevillés en position fœtale, comme s'ils se reposaient. La plupart avaient été déchiquetés et rongés par les oiseaux et les chacals, mais quelques-uns étaient intacts.

Cette hécatombe donna à Ralph un amer sentiment de plaisir.

— Bravo, Harry. Bien joué, mon gars, murmura-t-il.

Il était sur le point de s'avancer à découvert lorsque ses tympans furent ébranlés par le brutal déplacement d'air d'une balle, celle-ci le rasant de si près qu'elle chassa ses cheveux sur son front. Il recula à l'abri du mur en secouant la tête pour faire cesser le bourdonnement d'oreilles. La balle avait dû passer à moins de trois centimètres — bien visé pour un Matabélé, pensa-t-il, car les Matabélé étaient connus pour être de piètres tireurs.

Il avait été inattentif. Les monceaux de guerriers morts l'avaient distrait et il avait présumé que le régiment était parti après avoir accompli sa macabre besogne, présomption stupide.

Il se baissa et longea en courant dans l'autre sens le mur du bâtiment calciné, balayant du regard son flanc à découvert, l'œil aiguisé par la poussée d'adrénaline. Les Matabélé aimaient les mouvements d'encerclement : s'ils étaient devant lui, ils n'allaient pas tarder à se trouver derrière, là-bas parmi les arbres.

Il rejoignit les chevaux, les détacha et les conduisit dans la cendre chaude à l'abri des murs. Il prit dans la sacoche de selle une deuxième cartouchière et la passa sur son épaule gauche, la croisant avec la première.

— Allez, bande de salauds, brûlons un peu de poudre, se marmonna-t-il à lui-même.

Le mur en briques crues de Kimberley s'était écroulé à un angle sous l'effet de la chaleur. L'ouverture était irrégulière, elle déformait sa silhouette, et le mur de derrière empêchait qu'il soit éclairé à contre-jour. Prudemment, il jeta un coup d'œil sur le terrain jonché de cadavres. Les assaillants étaient bien cachés, sans doute dans les broussailles au-dessus de la galerie.

Avec surprise, il s'aperçut alors que l'entrée de celle-ci avait été barricadée, obstruée avec des billes de bois et ce qui ressemblait à des sacs de maïs.

Les Matabélé se trouvent dans la galerie... mais cela n'a aucun sens, se dit-il, perplexe. Il eut cependant confirmation de la présence d'un tireur dans la mine. Il y eut un vague mouvement derrière la barricade et, sous le nez de Ralph, une autre balle ricocha en sifflant sur l'arête du mur, l'aveuglant avec de la poussière de brique.

Il se baissa et s'essuya les yeux. Puis il prit une bonne inspiration et brailla :

— Harry ! Harry Mellow !

Tout était silencieux, le coup de feu avait même fait taire les vautours et les chacals.

— Harry ! C'est moi, Ralph !

Il y eut une réponse affaiblie par la distance. Ralph se leva brusquement, franchit le mur écroulé et courut vers la galerie. Harry Mellow courait vers lui en bondissant par-dessus les cadavres amoncelés des Matabélé, un large sourire aux lèvres. Ils se rencontrèrent à mi-chemin, s'étreignirent avec violence et soulagement, se tapant mutuellement dans le dos sans rien dire. Avant de pouvoir parler, Ralph regarda par-dessus l'épaule du grand Américain.

D'autres silhouettes avaient émergé de derrière la barricade rudimentaire : Vicky, vêtue d'un pantalon et d'une chemise d'homme, un fusil à la main, sa chevelure cuivrée se déployant emmêlée sur ses épaules, et à ses côtés, Isazi, le petit conducteur zoulou. Un autre personnage encore plus petit courait devant eux de toutes ses forces, le visage déformé par l'effort.

Ralph le prit dans ses bras et le serra contre sa poitrine, pressant sa joue piquante comme une brosse contre la peau soyeuse de l'enfant.

— Jonathan, dit-il d'un ton rauque, puis la voix lui manqua.

Le contact du petit corps chaud de l'enfant, l'odeur laiteuse de sa sueur étaient presque trop douloureux pour être supportables.

— Papa, dit Jon-Jon en reculant sa tête, pâle et affligé. Je n'ai pas pu veiller sur maman. Elle ne voulait pas.

— Ne t'en fais pas, Jon-Jon. Tu as fait de ton mieux, murmura Ralph avant de se mettre à pleurer, secoué de sanglots terribles, ceux d'un homme qui a atteint les frontières ultimes de son amour.

Malgré sa répugnance à laisser l'enfant quitter ses bras un moment, Ralph envoya Jonathan aider Isazi à nourrir les chevaux à l'entrée de la galerie. Il entraîna ensuite Vicky et Harry Mellow à l'écart, dans l'obscurité du tunnel où ils ne pouvaient voir son visage, et leur annonça simplement :

— Cathy est morte.

— Comment ? demanda Harry après un silence stupéfait. Comment est-elle morte ?

— Dans d'affreuses conditions, dit Ralph. Je ne veux plus en parler.

Harry serra dans ses bras Vicky en larmes et quand le premier chagrin fut passé, Ralph poursuivit :

— Nous ne pouvons rester là. Nous avons le choix entre Bulawayo et la voie de chemin de fer.

— Bulawayo a peut-être été incendiée et pillée à l'heure qu'il est, fit remarquer Harry.

— Et il y a peut-être un régiment de Matabélé entre ici et la voie ferrée, ajouta Ralph. Mais si Vicky veut essayer d'atteindre la ligne, nous pouvons l'envoyer avec Jon-Jon vers le sud par le premier train qui réussit à passer.

— Et ensuite ? demanda Harry.

— Ensuite, je file à Bulawayo. S'ils sont toujours en vie, ils auront besoin d'hommes en état de se battre.

— Vicky ? demanda Harry en étreignant sa femme.

— Ma mère et ma famille sont à Bulawayo. C'est mon pays... je ne fuirai pas, dit-elle en s'essuyant les joues. Je vais avec vous à Bulawayo.

Ralph hocha la tête. Il aurait été surpris qu'elle ait voulu partir vers le sud.

— Nous nous mettrons en route après avoir mangé.

Ils prirent la piste du nord et le trajet fut lugubre. Les chariots abandonnés pendant l'épidémie de peste bovine bordaient la route aussi régulièrement que des bornes kilométriques. Déjà pourrie, la toile des chariots était en lambeaux, les chargements pillés éparpillés par terre, caisses fracassées, boîtes en fer rouillées. Dans les traits de certains, les restes momifiés des bœufs se trouvaient à l'endroit où les animaux étaient tombés, le cou tordu par les convulsions qui les avaient tués.

Ils rencontrèrent des scènes de carnage et de destruction plus récentes et plus dramatiques. D'abord, un des chariots express des Zeederberg en plein milieu de la piste, les mulets abattus à coups de sagaie et le conducteur et les passagers suspendus aux branches d'un arbre épineux, corps éviscérés.

Près du gué de l'Inyati, seuls étaient encore debout les murs calcinés du comptoir commercial. À cet endroit, la mutilation habituelle des morts avait fait l'objet d'une macabre variation. Les corps nus de la femme du commerçant grec et de ses trois filles étaient soigneusement alignés dans la cour, le manche d'un casse-tête enfoncé dans leurs parties intimes. Le marchand lui-même avait été décapité, son tronc jeté dans le feu. Sa tête, plantée sur une sagaie, les lorgnait au milieu de la route. Au passage, Ralph couvrit le visage de Jon-Jon avec son manteau et le tint serré contre lui.

Ralph envoya Isazi en éclaireur jusqu'au gué, où le petit Zoulou constata qu'il était gardé par une douzaine d'*amadoda*.

Ralph serra les rangs de sa petite troupe, et ils s'engagèrent dans le gué au galop, prenant les Matabélé par surprise. Ils en abattirent quatre qui couraient vers leurs armes et remontèrent en trombe sur l'autre berge dans un nuage de poussière. Ils ne furent pas poursuivis, bien que Ralph, espérant qu'ils le seraient, fût revenu en arrière pour se mettre en embuscade au bord de la route.

Il tint Jonathan sur ses genoux pendant toute la nuit et fut cent fois réveillé en sursaut par des cauchemars dans lesquels Cathy criait et demandait grâce. À l'aube, il s'aperçut qu'il avait pris dans sa veste sans s'en rendre compte le bandeau en fourrure de taupe et l'avait tenu en boule dans sa main. Il le remit dans sa poche et boutonna le rabat comme s'il s'était agi d'un objet rare et précieux.

Ils continuèrent leur chemin vers le nord toute la journée du lendemain, dépassant des petites mines d'or privées et des fermes où sur cette terre sauvage des hommes et leur famille avaient commencé à subsister. Certains, encore vêtus des restes de leur chemise de nuit, avaient été pris par surprise. Un petit garçon tenait même son ours en peluche tandis que sa mère, qui n'avait pu l'atteindre, tendait encore sa main vers lui.

D'autres avaient fait chèrement payer leur vie : des cadavres de Matabélé jonchaient le sol aux abords de certaines fermes incendiées. Une fois, la petite troupe trouva des *amadoda* morts mais aucun cadavre de Blanc. Des traces de sabots et de roues s'éloignaient vers le nord.

— Ce sont les Anderson. Ils ont réussi à s'échapper, dit Ralph. Plaise à Dieu qu'ils soient arrivés à Bulawayo.

Ils atteignirent Bulawayo à l'aube du troisième jour. Les barricades s'ouvrirent pour les laisser entrer dans l'immense laager installé sur la place de la ville, et les habitants se pressèrent autour des chevaux en posant des questions.

— Est-ce que les soldats sont en chemin ?

— Quand les soldats vont-ils venir ?

— Avez-vous vu mon frère ? Il était à la mine de l'Antilope...

— Vous avez des nouvelles ?

Quand elle vit Robyn lui faire signe, debout sur un chariot, Vicky se mit à pleurer pour la première fois depuis leur départ de la mine Harkness. Elizabeth sauta du chariot et se fraya un chemin à travers la foule jusqu'au cheval de Ralph.

— Cathy ? demanda-t-elle.

Ralph secoua la tête et vit son propre chagrin reflété dans ses yeux couleur miel. Elizabeth tendit les bras pour prendre Jon-Jon assis devant la selle.

— Je vais m'occuper de lui, Ralph, dit-elle doucement.

La famille était installée dans un coin du laager central. Sous la gouverne de Robyn et de Louise, le chariot avait été transformé en un logement encombré mais acceptable.

Le premier jour du soulèvement, Louise et Jan Cheroot, le petit Hottentot, étaient arrivés de King's Lynn avec le chariot. L'un des survivants de l'attaque de la mine Victoria par les Matabélé était passé au galop près de la maison en criant au passage une mise en garde à peine cohérente.

Louise et Jan Cheroot, déjà alertés par la désertion des travailleurs et des domestiques matabélé, avaient pris le temps d'entasser dans le chariot des objets de première nécessité — aliments en conserve, couvertures et munitions — avant de partir pour Bulawayo, Jan Cheroot conduisant l'attelage, Louise assise sur le chargement un fusil en main. À deux reprises, ils avaient vu au loin des petits groupes de guerriers matabélé, mais quelques coups de semonce les avaient tenus à distance. Ils furent parmi les tout premiers réfugiés à atteindre la ville.

La famille ne dépendait donc pas de la charité des habitants, comme tant d'autres qui étaient arrivés à Bulawayo avec un cheval éreinté et un fusil vide.

Robyn avait installé une clinique sous un auvent près du chariot et le comité de siège lui avait demandé de s'occuper des questions sanitaires et médicales. Louise avait tout naturellement pris la direction des autres femmes du laager et institué un système en vertu duquel toutes les réserves alimentaires et autres biens de première nécessité étaient mis en commun et rationnés. Elle avait confié à des mères adoptives le soin de s'occuper d'une demi-douzaine d'orphelins, et organisé les autres activités, depuis les distractions jusqu'aux leçons données aux dames qui ne savaient pas recharger et manier les armes à feu.

Ralph laissa Vicky annoncer à sa mère la mort de Cathy, confia Jon-Jon à Elizabeth et partit à la recherche d'un membre du comité de siège.

C'est à la nuit tombée seulement qu'il revint au chariot. Contre toute attente, la ville avait un petit air de fête. Malgré les pertes cruelles qu'avaient subies la plupart des familles, malgré la menace de voir les régiments de Matabélé se rassembler autour du laager, les cris des enfants qui jouaient à cache-cache au milieu des chariots, les notes guillerettes d'un concertina, les rires de femmes et les flammes joyeuses des feux de camp auraient pu être ceux d'un pique-nique en des temps plus heureux.

Elizabeth avait donné un bain à Jonathan et à Robert, qui

étaient donc tout roses et sentaient le savon, et tandis qu'elle leur racontait une histoire, ils l'écoutaient avec des yeux ronds comme des billes tout en mangeant.

Ralph lui adressa un sourire reconnaissant et, d'un petit mouvement de tête, fit signe à Harry Mellow de le suivre.

Les deux hommes sortirent d'un pas nonchalant pour faire un tour du laager avec une désinvolture apparente.

— Le comité de siège paraît faire du bon travail, dit Ralph d'un ton confidentiel. Ils ont déjà effectué le recensement du laager : il y a six cent trente-deux femmes et enfants et neuf cent quinze hommes. La défense de la ville s'organise, mais personne n'a encore pensé à autre chose qu'à l'aspect défensif. Ils ont été ravis d'apprendre que la situation dans laquelle nous nous trouvons est connue à Kimberley et au Cap. C'étaient les premières nouvelles qu'ils recevaient de l'extérieur depuis le début de la rébellion, précisa Ralph en tirant sur son cigarillo, et ils ont semblé croire que c'était comme si deux ou trois régiments de cavalerie étaient déjà en route. Nous savons tous deux qu'il n'en est rien.

— Il va falloir des mois pour faire venir des troupes jusqu'ici.

— Jameson et ses officiers sont en route vers l'Angleterre pour y être jugés, et Rhodes a été convoqué devant un juge d'instruction, ajouta Ralph en secouant la tête. Et il y a une nouvelle plus grave : les tribus du Mashona se sont soulevées de concert avec les Matabélé.

— Bon sang, s'exclama Harry en s'arrêtant brusquement et prenant le bras de Ralph. Tout le territoire... tous en même temps ? L'affaire a été soigneusement préparée.

— Il y a eu de rudes combats dans la vallée de la Mazoe ainsi que dans la région de Lomagundi et celle donnée à charte, autour de Fort Salisbury.

— Ralph, combien de personnes ces sauvages ont-ils assassinées ?

— Dieu seul le sait. Il y a des centaines de fermes et de mines isolées dans le pays. Nous devons nous attendre à au moins cinq cents morts, hommes, femmes et enfants confondus.

Ils continuèrent de marcher en silence pendant quelque temps. À un certain moment, une sentinelle leur lança une sommation, mais elle reconnut Ralph.

— J'avais entendu dire que vous aviez réussi à passer, monsieur Ballantyne... Est-ce que les soldats sont en route ?

— Est-ce que les soldats sont en route ? marmonna Ralph un peu plus loin. Voilà ce qu'ils demandent tous.

Ils atteignirent l'autre extrémité du laager et Ralph parla à voix basse à la sentinelle.

— D'accord, monsieur Ballantyne, mais ouvrez l'œil. Ces sauvages sont partout.

Ralph et Harry sortirent du laager et s'enfoncèrent dans la ville. Elle était entièrement déserte. Tous les habitants avaient été installés dans le laager central. Les baraques en chaume et torchis étaient sombres et silencieuses ; les deux hommes descendirent la grand-rue. Lorsque les bâtiments s'espacèrent de chaque côté, ils s'arrêtèrent et regardèrent le veld.

— Ecoutez ! dit Ralph.

Un chacal poussait son cri aigu près de la rivière Umguza, et un autre lui répondit depuis l'ombre de la forêt d'acacias, plus au sud.

— Des chacals, dit Harry, mais Ralph secoua la tête.

— Des Matabélé.

— Vous croyez qu'ils vont attaquer la ville ?

Ralph ne répondit pas immédiatement. Il scrutait le veld du regard, et il avait entre les mains quelque chose qu'il tripotait comme un chapelet de komboloï.

— Les Matabélé sont probablement près de vingt mille. Ils nous savent coincés là, et tôt ou tard, quand ils auront rassemblé leurs régiments et leur courage, ils attaqueront. Ils viendront bien avant que les soldats aient pu arriver jusqu'ici.

— Quelles sont nos chances ?

Ralph enroula autour de son index l'objet qu'il avait à la main, et Harry vit que c'était une bande de fourrure grise.

— Nous disposons de quatre mitrailleuses Maxim, mais il y a six cents femmes et enfants, et sur les neuf cents hommes, la moitié ne sont pas capables de tenir un fusil. La meilleure façon de défendre Bulawayo n'est pas de rester là à les attendre dans le laager...

Ralph fit demi-tour et ils remontèrent la rue silencieuse.

— Ils voulaient que j'entre dans le comité de siège, et je leur ai dit que je n'aimais pas les sièges.

— Qu'avez-vous l'intention de faire, Ralph ?

— Je vais rassembler un petit groupe d'hommes — ceux qui connaissent la tribu et le pays, qui savent tirer et parlent assez correctement le ndébélé pour passer pour des indigènes. Et nous allons partir pour les collines des Matopos ou partout ailleurs où ils se cachent, et nous commencerons à tuer les Matabélé.

Isazi amena quatorze hommes. C'étaient tous des Zoulous venus du sud, des conducteurs et leurs aides de la société Zeederberg, qui avaient travaillé auparavant pour les transports

Rholands mais étaient restés en plan à Bulawayo à la suite de l'épidémie de peste bovine.

— Je sais que vous êtes capables de conduire un attelage de dix-huit bœufs, déclara Ralph en s'adressant au cercle des Zoulous accroupis autour du feu tandis que la bonbonne de vin qu'il leur avait fournie passait de main en main. Je sais aussi que vous êtes capables de manger votre propre poids de *sadza*, de bouillie de maïs, en un seul repas, et de la faire descendre avec assez de bière pour assommer un rhinocéros. Mais savez-vous vous battre ?

Isazi répondit au nom de tous sur le ton patient d'ordinaire réservé aux enfants un peu obtus.

— Nous sommes des Zoulous.

C'était la seule réponse nécessaire.

Jan Cheroot en recruta cinq autres, tous des garçons du Cap, métis de Bochimans et de Hottentots comme il l'était lui-même.

— Celui-ci s'appelle Grootboom, le grand arbre. (Ralph pensa qu'il ressemblait davantage à un épineux du désert du Kalahari, noiraud et sec.) Il était caporal dans le 52e régiment d'infanterie du Cap. C'est mon neveu.

— Pourquoi a-t-il quitté le Cap ?

Jan Cheroot eut l'air peiné.

— Une querelle à propos d'une femme. Un homme a eu le gosier tranché. On a accusé mon neveu d'avoir commis cet acte ignoble.

— Il n'était pas coupable.

— Bien sûr que si. Personne ne manie le couteau mieux que lui... sauf moi, déclara modestement Jan Cheroot.

— Pourquoi veux-tu tuer des Matabélé ? demanda Ralph au neveu en ndébélé.

Le Hottentot lui répondit sans difficulté dans la même langue.

— C'est un travail que je connais et que j'aime.

Ralph hocha la tête et se tourna vers le suivant.

— Il est possible que celui-ci soit encore plus proche parent de moi, dit Jan Cheroot en guise de présentation. Il s'appelle Taas, et sa mère était d'une grande beauté. Elle était propriétaire d'un fameux clandé au pied de Signal Hill, au-dessus des docks du Cap. À une époque, elle et moi étions très intimement liés, mais elle avait beaucoup d'amis.

La recrue avait le nez aplati, les pommettes saillantes, les yeux bridés et la peau glabre et couleur cire de Jan Cheroot. S'il était un des bâtards de Jan et avait passé son enfance dans le quartier malfamé des docks du Cap, alors il devait certainement savoir se battre. Ralph donna son assentiment.

— Cinq shillings par jour, dit-il. Et un cercueil gratuit pour vous enterrer si les Matabélé vous attrapent.

Jameson avait emmené avec lui plusieurs centaines de chevaux dans le sud, et les Matabélé avaient emporté ceux des fermes. Maurice Gifford était déjà parti avec cent soixante cavaliers en direction de Gwanda pour ramener les survivants qui pourraient se trouver coincés dans des fermes et des mines éloignées et résisteraient encore. Enfin, le capitaine George Grey avait formé une troupe d'infanterie montée avec la plupart des chevaux qui restaient. Les quatre montures que Ralph avait amenées étaient de belles bêtes ; il avait réussi à en acheter six autres à un prix exorbitant — cent livres pour un animal qui, dans les bons jours, serait allé chercher dans les quinze sur le marché de Kimberley —, mais c'étaient les dernières. Minuit était passé depuis longtemps et Ralph, étendu tout éveillé sous le chariot, ruminait tout cela pendant qu'au-dessus de lui Robyn et Louise dormaient avec les deux enfants sous la bâche de la plate-forme.

Ralph avait les yeux clos, et à deux mètres de lui Harry Mellow respirait profondément. Son ronflement couvrait tous les petits bruits de la nuit à intervalles réguliers. Cependant, bien qu'absorbé par le fil de ses pensées, Ralph prit conscience d'une autre présence près de lui dans l'obscurité. Il sentit d'abord son odeur, celle de la fumée de bois et des fourrures d'animaux traitées et aussi l'odeur de la graisse avec laquelle les guerriers matabélé s'enduisent le corps.

Ralph glissa sa main droite sous la selle qui lui servait d'oreiller, et ses doigts touchèrent la crosse en noyer strié de son Webley.

— Henshaw, chuchota une voix qu'il ne reconnut pas.

De son bras gauche, il cravata un épais cou musclé et au même moment enfonça le canon de son pistolet dans l'estomac de l'homme.

— Qui es-tu ? Vite, avant que je te tue ! dit-il d'une voix grinçante.

— On m'a dit que vous étiez rapide et fort. Maintenant, je le crois, dit l'homme en ndébélé.

— Qui es-tu ?

— Je vous apporte des hommes de valeur et la promesse de chevaux.

— Pourquoi viens-tu comme un voleur ?

— Parce que je suis matabélé ; les Blancs me tueront s'ils me trouvent ici. Je suis venu pour vous conduire auprès de ces hommes.

Ralph le relâcha avec précaution et tendit la main vers ses bottes.

Ils sortirent du laager et traversèrent sans bruit la ville silencieuse et déserte. Ralph ne parla qu'une fois encore.

— Tu sais que je te tuerai si c'est une trahison.

— Je sais, répondit le Matabélé.

Il était grand, aussi grand que Ralph mais encore plus fortement charpenté, et à un certain moment, quand il jeta un coup d'œil à Ralph par-dessus son épaule, le clair de lune fit ressortir le lustre soyeux d'une cicatrice qui lui barrait la joue sous l'œil droit.

Dans la cour de l'une des dernières maisons de la ville, en bordure du veld, et pourtant cachés par le mur que le propriétaire avait construit pour protéger son jardin, une douzaine d'autres *amadoda* matabélé attendaient. Certains portaient un pagne en fourrure tandis que d'autres étaient habillés avec des vêtements mis au rebut par des Occidentaux.

— Qui sont ces hommes ? demanda Ralph. Qui es-tu ?

— Je m'appelle Ezra, le sergent Ezra. J'étais sous les ordres d'Œil Brillant que les guerriers ont tué sur les collines de Khami.

— La police de la Compagnie a été dispersée et désarmée, dit Ralph.

— C'est vrai. On nous a pris nos fusils. Ils disent qu'ils ne nous font pas confiance, que nous pourrions rejoindre les rebelles.

— Pourquoi ne le faites-vous pas ? demanda Ralph. Certains de vos frères l'ont fait. On dit qu'une centaine de policiers de la Compagnie sont passés de l'autre côté en emportant leurs fusils avec eux.

— Nous ne le pourrions pas, même si nous le voulions, répondit Ezra en secouant la tête. Avez-vous entendu parler du meurtre de deux femmes matabélé près de l'Inyati ? L'une s'appelait Ruth, l'autre Petite Fleur, Imbali ?

Ralph fronça les sourcils.

— Oui, je me souviens.

— J'étais le sergent des meurtriers. L'induna Gandang a demandé que nous lui soyons amenés vivants. Il tient à surveiller lui-même la façon dont nous mourrons.

— Je veux des hommes capables de tuer les femmes matabélé aussi facilement que les Matabélé ont tué les nôtres, dit Ralph. Et maintenant, parlez-moi de ces chevaux.

— Les chevaux capturés par les Matabélé à Essexvale et à Belingwe sont gardés dans les collines en un lieu que je connais.

Longtemps avant la cloche du couvre-feu, ils s'étaient tous esquivés du laager central, seuls ou par deux, Jan Cheroot et ses gars du Cap amenant les chevaux avec eux. Quand Ralph et Harry Mellow descendirent la grand-rue en flânant comme s'ils prenaient l'air avant le dîner, les autres étaient déjà tous rassemblés dans le jardin clos de murs au bout de la rue.

Le sergent Ezra avait apporté les pagnes, les sagaies et les casse-tête, et Jan Cheroot avait pris le grand chaudron de graisse de bœuf et de noir de fumée bouillis jusqu'à former une pâte. Ralph, Harry et les Hottentots se mirent nus et se barbouillèrent mutuellement avec la mixture rance, attentifs à bien la faire pénétrer derrière les oreilles, les genoux et les coudes, et sous les yeux, là où la peau claire risquait d'apparaître.

Lorsque la cloche du couvre-feu de l'église anglicane commença à tinter, ils étaient tous vêtus du pagne des *amadoda* matabélé. Ralph et Harry s'étaient couvert les cheveux, qui les auraient trahis, d'une coiffe en plumes noires de veuve. Isazi et Jan Cheroot attachèrent les bottillons en cuir vert autour des sabots des chevaux pendant que Ralph donnait ses derniers ordres en ndébélé, la seule langue qu'ils devaient utiliser durant tout le raid.

Ils sortirent de la ville dans l'obscurité soudaine entre le crépuscule et le lever de la lune, les battements des sabots étouffés par le cuir, les Matabélé d'Ezra courant sans bruit pieds nus près des étriers. Une heure plus tard, Ralph leur chuchota un ordre bref et ils s'accrochèrent au bottillon de cuir des étriers, un homme de chaque côté des chevaux. L'allure de la marche ne ralentit à aucun moment au-dessous du petit galop. Ils progressèrent rapidement vers le sud-est jusqu'à ce que les crêtes crénelées des Matopos se dessinent sur le fond pâle du ciel éclairé par la lune.

Un peu après minuit, Ezra grogna :

— Voilà l'endroit.

Ralph se dressa sur ses étriers et leva le bras droit. La colonne se resserra et les hommes mirent pied à terre. Taas, le bâtard putatif de Jan Cheroot, vint prendre les chevaux, tandis que Jan lui-même vérifiait les armes de ses hommes.

— Je vais les amener à contre-jour avec le feu. Attends mon signal, lui chuchota Ralph, avant de sourire à Isazi, ses dents luisant au milieu de son visage barbouillé de noir. Nous ne ferons pas de prisonniers. Restez à proximité, mais faites attention aux balles de Jan Cheroot.

— Henshaw, je veux aller avec vous, dit Harry Mellow en ndébélé.

— Vous tirez mieux que vous ne parlez, répondit Ralph dans la même langue. Allez avec Jan Cheroot.

Sur un autre ordre de Ralph, tous plongèrent la main dans le petit sac de cuir accroché à leur hanche et en ressortirent un collier à pompon en queues de vache blanches. C'était le signe de reconnaissance destiné à les empêcher de s'entretuer dans la confusion de la bataille. Seul Ralph ajouta un autre ornement à sa vêture. Il prit sa bande de fourrure de taupe et la noua à son bras, puis soupesa la lourde sagaie et le casse-tête avant de faire un signe de tête à Ezra.

— Conduis-nous !

La file des Matabélé, Ralph courant au deuxième rang, traversa au trot le flanc de la colline. Quand ils eurent contourné l'éperon sud, ils virent le rougeoiement du feu de camp dans le fond de la vallée. Ralph dépassa Ezra pour venir en tête. Il prit une grande inspiration et se mit à chanter :

Lève la pierre sous laquelle dort le serpent.
Lève la pierre pour libérer le mamba.
Le mamba de Machobane a des crocs d'acier.

C'était l'un des chants de guerre du régiment des Insukamini, et derrière lui les Matabélé entonnèrent le refrain de leur voix grave et mélodieuse. Elle résonna dans les collines et réveilla le camp en contrebas. Des silhouettes nues, tirées de leur sommeil, jetèrent du bois dans les feux, et la lueur rouge éclaira par en dessous le feuillage des acacias, dais de verdure pareil au chapiteau d'un cirque.

Ezra avait estimé à quarante l'effectif des *amadoda* chargés de garder les chevaux, mais ils étaient déjà plus nombreux à s'être rassemblés autour des feux de camp et d'autres arrivaient sans cesse, ceux placés aux avant-postes et qui venaient voir la raison de cette agitation. Ralph l'avait prévu. Il ne voulait pas de traînards. Il fallait que tous soient réunis au même endroit afin que ses hommes puissent tirer dans le tas, chaque balle accomplissant la besogne de trois ou quatre. Ralph entra au trot dans le camp.

— Qui commande ici ? beugla-t-il. Que le commandant s'avance pour entendre le message que lui envoie Gandang.

Il savait par le récit du massacre qui avait eu lieu sur les collines de Khami que le vieil induna était l'un des chefs de la rébellion. L'énoncé de son nom eut l'effet attendu.

— Je suis Mazui. Je suis prêt à entendre le message de Gandang, fils de Mosélékatsé, dit d'un ton respectueux un guerrier en sortant des rangs.

— Les chevaux ne sont plus en lieu sûr ici, déclara Ralph. Les Blancs sont au courant de la cachette. Au lever du soleil, nous les conduirons plus loin à l'intérieur des collines, à un endroit que je t'indiquerai.

— Ce sera fait.

— Où sont les chevaux ?

— Dans le kraal, sous la garde de mes *amadoda*, à l'abri des lions.

— Fais venir tous tes hommes, ordonna Ralph.

Le commandant donna un ordre et se retourna vers Ralph avec empressement.

— Quelles sont les nouvelles de la lutte ?

— Il y a eu une grande bataille. (Ralph se lança dans un récit imaginaire, mimant le combat à la manière traditionnelle, sautant, criant et donnant des coups de sagaie dans le vide.) Nous avons donc pris les cavaliers à revers, et nous les avons frappés comme ça et comme ça...

Ses Matabélé répondaient par un chœur de « Djii ! » traînants, bondissaient et prenaient des poses avec lui. L'auditoire, ravi, commençait à taper du pied et à se balancer à l'unisson de Ralph et de ses Matabélé. Les sentinelles et les hommes de garde étaient arrivés de la périphérie du camp, aucune silhouette noire n'émergeait plus de l'ombre. Ils étaient tous là, une centaine, peut-être cent vingt, estima Ralph, contre ses quarante hommes. Ce n'était pas trop déséquilibré : toutes les recrues de Jan Cheroot étaient d'excellents tireurs et avec son fusil Harry Mellow valait cinq hommes ordinaires.

Tout près, dans le bas de la colline, un engoulevent poussa son cri tremblotant et musical. C'était le signal que guettait Ralph. Il éprouva une sombre satisfaction en constatant que Jan Cheroot avait suivi ses ordres à la lettre. De là où il se trouvait, un peu en hauteur, celui-ci devait voir la foule des *amadoda* se découper dans la lueur des feux.

Toujours tournoyant, caracolant et martelant le sol, Ralph s'éloigna afin de laisser une distance de vingt pas entre lui et les premiers Matabélé. Puis il s'arrêta brusquement, les bras en croix. Parfaitement immobile, les yeux fous, il regardait fixement son auditoire. Le silence tomba.

Ralph leva lentement les bras au-dessus de la tête et resta quelques instants dans cette position, figure héroïque luisante de graisse, les muscles de ses bras et de sa poitrine bandés, son pagne en queues de civette pendant jusqu'aux genoux, le collier de queues de vache blanches autour du cou, son amulette contre

292

la mort, embusquée au-delà des feux. Ses traits noircis étaient tordus en une grimace féroce qui envoûtait les spectateurs. La danse et le chant avaient bien rempli leur office : ils avaient distrait les *amadoda* et couvert tous les bruits que les Zoulous et les Hottentots avaient pu faire en prenant position autour du bivouac.

Ralph poussa alors un hurlement démoniaque qui fit frissonner les *amadoda*, et il laissa retomber ses bras, le signal attendu par Harry et Jan Cheroot.

L'obscurité fut déchirée par les éclairs des coups de feu tirés simultanément à bout portant, la gueule des fusils touchant presque la foule des corps nus. C'était un massacre ; chaque balle traversait un ventre, une poitrine, une colonne vertébrale, abattait quatre hommes d'un coup.

L'assaut avait été si inattendu que les guerriers avaient tourné en rond et essuyé trois salves de Winchester avant de tenter de prendre la fuite. La moitié d'entre eux étaient déjà tombés et nombre de ceux qui ne l'étaient pas étaient blessés. Les autres venaient s'écraser contre les hommes d'Isazi comme l'eau contre un barrage. Ralph entendit les Zoulous pousser leurs cris — « *Ngidla !* J'ai mangé ! » — en portant le fer, et les hurlements des agonisants.

Finalement les Matabélé se rallièrent et resserrèrent les rangs pour affronter la ligne mince des Zoulous et s'en rendre maîtres. C'est le moment qu'attendait Ralph. Il lança ses Matabélé sur leur arrière.

Longtemps auparavant, alors qu'ils étaient encore adolescents et travaillaient ensemble à la mine de diamants de Kimberley, Bazo lui avait appris à manier la sagaie à large lame. Ralph était devenu aussi habile dans cet art que ses jeunes compagnons matabélé. Cependant, s'entraîner au maniement de la lance était une chose, l'enfoncer dans la chair vivante en était une autre.

Ralph n'était pas préparé à la sensation que l'on éprouve lorsque la sagaie pénètre dans la chair puis rencontre une résistance, lorsque l'acier racle contre l'os et que la hampe tressaute dans la main quand la victime se débat, prise de convulsions dans les affres de l'agonie.

Instinctivement, comme le lui avait montré Bazo, Ralph imprima un mouvement de torsion à sa sagaie plantée dans le corps de l'homme afin de rendre le coup plus meurtrier et d'empêcher l'effet de succion qui retient la lame. Il la retira ensuite d'un coup sec, et pour la première fois sentit le sang éclabousser son visage, son bras droit et sa poitrine.

Il enjamba l'homme qui agonisait par terre en battant l'air de ses bras et frappa encore et encore. L'odeur du sang et les cris le rendaient fou, mais c'était une folie féroce et froide qui magnifiait sa vision et ralentissait les instants de ce combat mortel, si bien qu'il vit venir le coup porté par un autre guerrier et détourna avec aisance la lame de son adversaire, profitant du mouvement de ses épaules pour tromper la garde du Matabélé et lui enfoncer sa lame dans la gorge. La respiration de l'homme sifflait sur ses cordes vocales sectionnées, il lâcha sa sagaie et empoigna à mains nues la lame de Ralph. Celui-ci la tira en arrière, le tranchant coupa les phalanges de l'*amadoda*, dont les mains s'ouvrirent, inertes. Le guerrier tomba à genoux.

Ralph sauta par-dessus lui et s'apprêta à frapper un autre ennemi.

— Henshaw ! C'est moi ! cria une voix en plein dans son visage.

À travers sa folie, Ralph vit le pompon en queues de vache blanches autour du cou de l'homme qu'il allait transpercer et retint son bras. Les deux lignes d'assaillants s'étaient rejointes.

— C'est fini ! haleta Isazi.

Ralph regarda autour de lui, stupéfait. Tout s'était passé si vite. Il secoua la tête pour desserrer l'étau de la froide folie sanguinaire à laquelle il était en proie.

Tous étaient à terre, quelques-uns encore en train de se tordre et de geindre.

— Achevez-les, Isazi ! ordonna Ralph, et il regarda les Zoulous accomplir leur macabre besogne, passant rapidement d'un corps à l'autre pour sentir le pouls sous l'oreille et, s'il battait encore, porter le coup de grâce.

— Ralph ! lança Harry en dégringolant la pente à la tête des Hottentots. Bon sang, ça a été une sacrée...

— Pas d'anglais, avertit Ralph, puis haussant la voix : Allons chercher les chevaux. Apportez les brides et les longes de rechange.

Il y avait cinquante-trois beaux chevaux à l'intérieur de l'enceinte d'épineux, la plupart portant la marque de la BSA Company. Chacun des Zoulous et des Matabélé encore à pied choisit une monture, et celles qui restaient furent attachées à une longe.

Pendant ce temps, les Hottentots du Cap parcouraient le champ de bataille avec la rapidité et la précision de voleurs de grand chemin ; ils sélectionnaient les fusils en état de fonctionnement, jetaient au feu les vieux Martini-Henry, les mousquets à chargement par le canon et les casse-tête et brisaient d'un coup sec la lame des sagaies dans la fourche d'un arbre. Le butin qu'ils découvrirent, couteaux, vaisselle et vêtements de fabrication européenne, prouvait que ce régiment avait pris part aux déprédations accomplies au cours des premiers jours du soulèvement. Tout cela fut également jeté aux flammes. Une heure après le premier coup de feu, ils étaient déjà repartis.

Ils remontèrent la rue principale de Bulawayo dans la lumière incertaine qui précède l'aube. Au premier rang, Ralph et Harry avaient essuyé leur visage, enlevant le plus gros de leur masque noir, mais pour être sûrs de ne pas se faire tirer dessus par une sentinelle nerveuse, ils arboraient un drapeau blanc confectionné avec le maillot de corps en flanelle de Harry.

Les occupants du laager étaient tombés de leur lit et, stupéfaits, posaient des questions. Puis, quand ils se rendirent compte que la petite cavalcade annonçait les premières représailles contre les tribus meurtrières, les acclamations commencèrent à s'élever et s'amplifièrent en une joyeuse hystérie.

Pendant que Vicky et Elizabeth leur servaient avec fierté un copieux petit déjeuner sous l'auvent du chariot, Ralph et Harry recevaient une cohorte interminable d'admirateurs : veuves dont les maris avaient péri sous les sagaies des Matabélé, garçons rêveurs venus simplement admirer les héros, ou jeunes gens enthousiastes qui demandaient avec ardeur : « Est-ce ici que nous pouvons nous enrôler dans les Scouts Ballantyne ? »

Il y eut des cris de joie lorsque Judy roua de coups de bâton son mari à la patience légendaire. Les enfants du premier rang applaudirent tandis que les coups pleuvaient sur la tête en bois et le dos grotesquement bossu de Polichinelle et que tintaient les clochettes de son chapeau.

Nageant vaillamment à contre-courant du sentiment général, Jon-Jon avait le visage aussi rouge que le nez crochu de Polichinelle et déformé par l'indignation : « Tape-lui dessus toi aussi ! Ce n'est qu'une fille ! » hurlait-il en faisant des bonds sur son siège.

— Voilà qui est digne d'un Ballantyne, commenta Ralph en riant, tout en s'efforçant d'empêcher son fils de se lancer dans la mêlée aux côtés de la gent masculine martyrisée.

Assise derrière Jon-Jon, Elizabeth tenait Robert sur ses genoux. Le visage pâlot de l'enfant était grave et il suçait son pouce avec application comme un vieux gnome sa pipe. Par contraste, Elizabeth rayonnait d'une joie puérile, les joues roses et les yeux vifs, tandis qu'elle poussait Judy à de nouveaux excès.

Une mèche de ses cheveux brillants s'était échappée de son peigne en écaille de tortue et tombait sur la peau veloutée de sa tempe, à demi enroulée autour de son oreille. Celle-ci était rose pâle, si fine et si délicatement ourlée qu'on voyait la lumière du soleil à travers comme si elle avait été faite de quelque porcelaine rare. Cette même lumière faisait jaillir dans les lourdes tresses sombres d'Elizabeth des étincelles incarnates.

Elles attirèrent l'attention de Ralph, qui observa Elizabeth à la dérobée par-dessus la tête bouclée de Jonathan. Son rire, naturel et effronté, évoquait un ronronnement, et Ralph rit de nouveau en sympathie. Elle tourna la tête et pendant quelques instants Ralph la regarda droit dans les yeux. C'était comme regarder dans du miel chaud, et il lui sembla y voir d'insondables profondeurs pailletées d'or. Puis Elizabeth laissa tomber sur eux le voile de ses cils recourbés et se retourna vers la petite scène, mais elle ne riait plus. Sa lèvre supérieure tremblait et sa gorge s'était brusquement empourprée.

Se sentant étrangement coupable et bouleversé, Ralph s'empressa de fixer ses yeux, si ce n'était son attention, sur les marionnettes. À la grande satisfaction de Jonathan, le spectacle prit fin après que Judy eut été emmenée vers un destin inconnu mais amplement mérité par un policier à casque bleu, et le petit comptable à lunettes du magasin Meikles sortit de derrière son écran à rayures pour saluer les spectateurs, les gants de ses marionnettes encore aux mains.

— Il ressemble à M. Kipling, chuchota Elizabeth, et il a la même imagination, attirée par ce qui est violent et sanguinaire.

Ralph lui fut reconnaissant de passer si élégamment sur cet épisode inattendu. Il prit les deux garçons, les assit chacun sur une de ses épaules, et ils suivirent les autres spectateurs qui s'égaillaient à travers le laager.

Sur l'épaule de son père, Jonathan jacassait comme une pie, expliquant à Bobby les meilleurs moments de la pièce, manifestement trop subtils pour être compris par une intelligence inférieure à la sienne. Ralph et Elizabeth marchaient en silence.

Lorsqu'ils arrivèrent près du chariot, Ralph déposa par terre les deux enfants, qui détalèrent. Elizabeth s'obligea sans enthousiasme à les suivre, mais s'arrêta et se retourna vers Ralph quand il lui parla.

— Je ne sais pas ce que j'aurais fait sans vous... Vous avez été d'une telle gentillesse... Sans Cathy..., hésita-t-il, puis voyant le chagrin dans ses yeux, il s'interrompit. Je voulais seulement vous remercier.

— Vous n'avez pas à le faire, Ralph, répondit-elle à voix basse. Si vous avez besoin de quoi que ce soit, je serai toujours là pour vous aider.

Puis, perdant sa réserve, elle voulut dire encore quelque chose, mais ses lèvres se mirent à trembler. Elle tourna brusquement les talons et suivit les deux petits garçons à l'intérieur du chariot.

Ralph avait payé la bouteille de whisky le prix exorbitant de vingt livres par un chèque griffonné sur l'étiquette d'une boîte de corned-beef. Il la cacha sous sa veste et se dirigea vers l'endroit où Isazi, Jan Cheroot et le sergent Ezra étaient assis autour du feu, à l'écart de leurs hommes.

Ils rincèrent le marc de café de leurs gobelets émaillés et tendirent ceux-ci pour recevoir une bonne rasade de whisky qu'ils sirotèrent en silence pendant un moment, les yeux perdus dans les flammes du feu de camp, laissant la chaleur de l'alcool se répandre dans leur corps.

Finalement, Ralph fit un signe de tête au sergent Ezra, et le grand Matabélé commença à parler à voix basse.

— Gandang et son régiment des Inyati attendent toujours dans les collines de Khami... Gandang a douze cents hommes, tous aguerris. Babiaan campe sous les collines des Indunas avec six cents autres. Il peut être ici en une heure...

Ezra donna les positions des divers régiments, parla de l'état d'esprit de leurs guerriers, rappela leur courage et le nom de leur commandant.

— Qu'en est-il de Bazo et de ses Taupes ? demanda enfin Ralph, posant la question qui l'intéressait le plus.

Ezra haussa les épaules

— Nous n'avons pas de nouvelles d'eux. J'ai envoyé mes meilleurs hommes à leur recherche dans les collines. Personne ne sait où ils sont allés.

— Qui allons-nous attaquer maintenant ? demanda Ralph pour la forme, réfléchissant le regard fixé sur le feu. Babiaan sur les collines des Indunas ou Zama et ses mille hommes sur la route de Mangiwe ?

Isazi toussa pour exprimer poliment son désaccord, et quand Ralph le regarda, il dit :

— La nuit dernière, j'étais assis devant l'un des feux du camp de Babiaan, j'ai mangé sa viande et écouté les conversations de ses hommes. Ils ont parlé de notre attaque du camp aux chevaux ; ils disaient que les indunas les avaient avertis de se méfier des étrangers à l'avenir, même s'ils portaient les fourrures et les plumes des régiments matabélé. Le stratagème ne marchera pas deux fois.

Jan Cheroot et Ezra émirent un grognement d'approbation, le petit Hottentot renversa son gobelet pour montrer qu'il était vide et lança un regard significatif en direction de la bouteille posée aux pieds de Ralph. Celui-ci remplit les gobelets, puis, tandis qu'il tenait le sien à deux mains et respirait l'arôme piquant de l'alcool, son esprit revint au dernier après-midi, au rire des enfants et à la jolie jeune fille dont la chevelure brillait au soleil de mille feux.

C'est pourtant d'une voix rauque et dure qu'il dit :

— Leurs femmes et leurs enfants doivent être cachés dans les cavernes et les vallées secrètes des Matopos. Trouvez-les !

Cinq petits garçons jouaient sous la berge de la rivière. Ils étaient tout nus, et leurs jambes couvertes d'argile jaunâtre jusqu'au-dessus du genou. Ils riaient et se chamaillaient gentiment en creusant l'argile avec des bâtons pointus pour la jeter dans des paniers en roseaux grossièrement tressés.

Tungata Zebiwe, « Celui-qui-cherche-ce-qui-a-été-volé », fut le premier à remonter sur la berge et à traîner son lourd panier à l'ombre d'un arbre, où il s'accroupit et se mit à l'ouvrage. Les autres le suivirent et vinrent s'asseoir près de lui en cercle.

Tungata prit une poignée de terre dans son panier et la roula en une épaisse saucisse entre ses paumes roses. Puis il la modela d'une main experte, donnant forme à la bosse dans le dos et aux pattes solides. Il plaça ensuite avec précaution le corps de l'animal sur un morceau d'écorce entre ses genoux, puis entreprit de sculpter à part la tête, y ajoutant des épines rouges recourbées en guise de cornes et des petits éclats de cristal usés pour les yeux. Il raccorda la tête au cou épais, puis, tirant la langue tant il était concentré, l'inclina convenablement pour lui donner fière allure avant de se redresser pour examiner son œuvre d'un œil critique.

— *Inkunzi Nkulu !* salua-t-il sa création. Grand Buffle !

Souriant de plaisir, il porta son animal en argile jusqu'à une fourmilière et l'y installa sur son socle en écorce afin de le faire sécher au soleil. Puis il repartit à la hâte pour commencer à modeler les femelles et les petits du troupeau. Tout en travaillant, il se moquait des sculptures des autres, les comparait à son grand buffle et riait effrontément de leurs répliques.

Tanase le regardait, cachée dans l'ombre. Elle était arrivée sans bruit par le sentier à travers la brousse épaisse qui bordait la rive, guidée par les rires des enfants et leur badinage. Elle hésitait à interrompre ce moment magique.

Dans la tristesse et la lutte, la menace et la fumée de la guerre, il semblait que toute joie et toute gaieté aient été oubliées. Il fallait le ressort et la vision d'un enfant pour lui rappeler ce qui avait été, et ce qui pourrait être de nouveau. Elle sentit le poids suffocant de l'amour qui l'envahissait, suivi presque tout de suite d'une terreur vague. Elle eut envie de se précipiter vers l'enfant et de le prendre dans ses bras, de le serrer contre son sein et de le protéger de... elle ne savait trop quoi.

Tungata leva alors les yeux et la vit ; il vint à elle en portant son buffle d'argile avec une fierté mêlée de timidité.

— Regarde ce que j'ai fait.

— C'est beau.

— C'est pour toi, Umame, je l'ai fait pour toi.

Tanase prit le cadeau.

— C'est un bon buffle, et il va engendrer beaucoup de bufflons.

Son amour était si fort que des larmes lui brûlaient les paupières. Elle ne voulut pas que l'enfant les voie.

— Lave l'argile que tu as sur les jambes et les bras, lui dit-elle. Nous devons retourner à la caverne.

Il gambadait à ses côtés sur le sentier, le corps encore humide, sa peau noire luisante comme du velours, et il rit de plaisir lorsque Tanase plaça le buffle sur sa tête, marchant le dos bien droit en balançant des hanches pour équilibrer le léger fardeau.

Ils gravirent le sentier jusqu'au pied de la falaise. Ce n'était pas vraiment une caverne, plutôt un surplomb long et bas. Ils n'étaient pas les premiers à y avoir élu domicile. Le plafond rocheux était noirci par la suie d'innombrables feux de camp, et la paroi du fond décorée par les antiques peintures et les gravures des petits Bochimans à la peau jaunâtre qui avaient chassé dans la région bien avant que Mosélékatsé eût conduit ses régiments à l'intérieur de ces collines. C'étaient de merveilleuses représentations de rhinocéros, de girafes et de gazelles. Les petits personnages filiformes mais pourvus d'énormes sexes qui les chassaient étaient armés d'arcs.

La rivière fournissait de l'eau fraîche pour la boisson, et une trentaine de vaches, survivantes de la peste bovine, le *maas*, le lait fermenté qui était l'une des denrées de base de la tribu. Et en venant là, chaque femme avait porté sur sa tête un sac en cuir plein de grains. À cause des sauterelles la moisson avait été maigre, mais en gérant soigneusement leurs réserves, les femmes pouvaient tenir pendant des mois.

Les femmes étaient dispersées le long de l'abri rocheux, occupées à diverses tâches. Certaines pilaient le maïs dans des mortiers creusés dans un tronc d'arbre sec, en se servant d'un lourd pilon en bois qu'elles levaient à deux mains au-dessus de leur tête puis laissaient retomber dans le mortier, avant de frapper dans leurs mains puis de saisir le pilon pour le lever de nouveau. D'autres tressaient des lanières d'écorce pour confectionner des nattes, ou tannaient des peaux de bêtes, ou bien encore enfilaient des perles de céramique. Au-dessus du doux bourdonnement des voix de femmes, émaillé du gazouillis des bébés, qui rampaient sur le sol rocheux ou étaient suspendus au sein de leur mère, flottait un nuage de fumée légère provenant des feux de cuisson.

Jouba se trouvait à l'extrémité de l'abri, occupée à transmettre les secrets délicats du brassage de la bière à deux de ses filles et à la jeune épouse de l'un de ses fils. Mis à tremper, les grains de sorgho avaient germé. Venaient ensuite le séchage et le meulage de la levure. C'était un travail absorbant, et Jouba ne prit conscience de la présence de sa première belle-fille et de l'aîné de ses petits-fils que lorsqu'ils furent tout près d'elle. Elle leva les yeux, et un sourire fendit son visage tout rond.

— Ma mère, dit Tanase en s'agenouillant devant elle avec respect, il faut que je te parle.

Jouba fit effort pour se relever, mais resta clouée au sol par son énorme poids. Ses filles la prirent chacune par un coude et la soulevèrent. Une fois debout, ses mouvements étaient d'une agilité surprenante : elle posa Tungata sur sa hanche et le porta sans difficulté le long du sentier. Tanase vint se placer à sa hauteur.

— Bazo m'a envoyé chercher, lui dit-elle. Il y a des dissensions entre les indunas. Bazo a besoin que les paroles de l'Umlimo soient éclaircies, sans quoi la lutte va s'enliser dans l'indécision et des discussions sans fin. Nous perdrons tout ce que nous avons si chèrement conquis.

— Tu dois donc partir, ma fille.

— Je dois aller vite. Je ne peux emmener Tungata avec moi.

— Il est en sûreté ici, je veillerai sur lui. Quand pars-tu ?

— Immédiatement.

Jouba soupira et hocha la tête.

— Soit.

Tanase effleura la joue de l'enfant.

— Obéis à ta grand-mère, dit-elle d'une voix douce, et comme une ombre, elle disparut dans la courbe de l'étroit sentier.

Tanase franchit le portail de granit qui gardait la vallée de l'Umlimo. Ses seuls compagnons de voyage étaient les souvenirs qu'elle avait conservés de cet endroit, et ce n'étaient pas de bons compagnons. Pourtant, quand elle descendit le sentier, elle marchait le dos bien droit avec la grâce d'une antilope, ses longs membres se balançant avec aisance, la tête bien haute sur son long cou de cygne.

Dès qu'elle arriva au milieu des quelques cases regroupées au fond de la vallée, ses sens aiguisés furent immédiatement sensibles à la tension et la colère qui planaient au-dessus de l'endroit comme des miasmes au-dessus d'un marais pestilentiel. Elle sentit la colère et la frustration de Bazo quand elle s'agenouilla devant lui et le salua avec respect. Elle savait très bien ce que signifiaient ces muscles noués à l'articulation de sa mâchoire serrée et ces yeux rouges et vitreux.

Avant de se relever, elle avait déjà remarqué que les indunas s'étaient rangés en deux groupes séparés : d'un côté, les anciens, et face à eux, autour de Bazo, les jeunes impétueux. Elle traversa l'espace qui la séparait des premiers et s'agenouilla devant Gandang et ses frères chenus, Somabula et Babiaan.

— Je te vois, ma fille, répondit gravement Gandang à son salut, puis la précipitation avec laquelle il aborda la raison de sa convocation avertit Tanase de son importance capitale. Nous voulons que tu nous éclaires sur la signification de la dernière prophétie de l'Umlimo.

— Mon Seigneur et père, je ne suis plus dans le secret des mystères...

Gandang écarta sa dénégation avec un geste d'impatience.

— Tu les comprends mieux que toute personne extérieure à cette épouvantable caverne. Écoute les paroles de l'Umlimo et dis-nous exactement le sens que tu leur attribues.

Elle inclina la tête en signe d'assentiment, mais en même temps se tourna légèrement afin d'avoir Bazo à la limite de son champ de vision.

— L'Umlimo a parlé ainsi : « Seul un chasseur insensé hésite à l'entrée de la caverne d'où le léopard blessé cherche à s'échapper », déclama Gandang, reprenant les termes de la prophétie, ses frères hochant la tête pour en confirmer l'exactitude.

Voilant ses yeux derrière ses épais cils noirs, Tanase tourna sa tête imperceptiblement. Elle voyait à présent la main de Bazo posée sur sa cuisse nue. Elle lui avait appris les rudiments du langage des signes réservé aux initiés. Son index se plia et toucha la première articulation de son pouce. C'était un ordre. Le geste signifiait : « Tais-toi ! Ne dis rien ! »

Elle laissa pendre sa main à son côté, signe qu'elle avait compris, puis leva la tête.

— Était-ce tout, Seigneur ? demanda-t-elle à Gandang.

— Non. L'Umlimo a parlé une deuxième fois : « Le vent chaud du nord brûlera les mauvaises herbes avant que le grain nouveau puisse être semé. Attendez le vent du nord. » (Tous les indunas se penchèrent en avant avidement.) Parle-nous de la signification de ces mots, dit Gandang à Tanase.

— Le sens des paroles de l'Umlimo ne se révèle jamais immédiatement. Je dois y réfléchir.

— Quand nous le diras-tu ?

— Quand j'aurai une réponse.

— Demain matin ? insista Gandang.

— Peut-être.

— En ce cas, tu passeras la nuit seule afin que ta méditation ne soit pas perturbée, décréta Gandang.

— Et mon mari ? objecta Tanase.

— Seule, répéta Gandang sèchement. Avec un garde à la porte de ta case.

Le garde qui avait été désigné était un jeune guerrier encore célibataire, et pour cette raison, il était d'autant plus vulnérable aux ruses d'une belle femme. Lorsqu'il apporta à Tanase son bol de nourriture, elle lui sourit de telle façon qu'il s'attarda à l'entrée de la case. Quand elle lui offrit un bon morceau, il jeta un coup d'œil coupable au-dehors puis vint le recevoir de sa main.

La nourriture avait un curieux goût amer, mais il ne voulut pas l'offenser et l'avala vaillamment. Le sourire de la femme promettait des choses que le jeune guerrier avait peine à imaginer, mais quand il essaya de répondre à ses provocations, sa voix était étrangement indistincte à ses propres oreilles, et il se sentit envahi d'une telle lassitude qu'il dut fermer les yeux quelques instants.

Tanase remit en place le bouchon de la fiole en corne qu'elle avait cachée dans sa paume et enjamba sans bruit la silhouette endormie de son gardien. Quand elle siffla, Bazo la rejoignit rapidement et silencieusement là où elle l'attendait près du ruisseau.

— Dis-moi, Seigneur, ce que tu exiges de moi.

Lorsqu'elle retourna à sa case, le garde dormait toujours profondément. Elle l'adossa à l'entrée, son arme sur son giron. Le lendemain matin, il allait avoir mal à la tête, mais ne serait pas pressé de dire aux indunas comment il avait passé la nuit.

— J'ai réfléchi longuement aux paroles de l'Umlimo, déclara Tanase agenouillée devant les indunas, et je décèle une signification dans la parabole du chasseur insensé qui hésite à l'entrée de la caverne.

Gandang fronça les sourcils en devinant quelle allait être l'orientation de sa réponse, mais elle poursuivit imperturbablement.

— Le chasseur courageux et habile n'entrera-t-il pas hardiment dans la caverne où est tapi l'animal pour l'abattre ?

L'un des indunas les plus âgés émit un sifflement désapprobateur et se leva d'un bond.

— Et moi je dis, cria-t-il, que l'Umlimo nous conseille de laisser libre la route du sud afin que les hommes blancs puissent à jamais quitter ce pays avec leurs femmes et leurs biens.

Bazo se leva immédiatement pour lui faire face.

— Les Blancs ne s'en iront jamais. La seule manière de nous débarrasser d'eux est de les enterrer.

Un concert d'approbations s'éleva parmi les jeunes indunas groupés autour de lui, mais il les fit taire en levant la main.

— Si vous laissez libre la route du sud, il ne fait aucun doute qu'elle sera utilisée : par les soldats qui l'ont déjà parcourue avec leurs petits fusils à trois pieds. (Nouveaux cris furieux de contestation et d'encouragement.) Je vous dis que nous sommes le vent du nord prophétisé par l'Umlimo, le vent chaud qui brûlera les mauvaises herbes...

Les clameurs qui couvrirent sa voix montraient combien les chefs de la nation matabélé étaient divisés, et Tanase sentit la noirceur du désespoir l'envahir. Gandang se leva, et tel était le poids de la tradition et de la coutume que même les jeunes indunas les plus farouches et violents se turent.

— Nous devons donner aux Blancs une chance de s'en aller avec leurs femmes. Nous leur laisserons la voie libre, et nous attendrons patiemment le vent chaud, le miraculeux vent du nord promis par l'Umlimo, qui doit chasser nos ennemis.

Seul Bazo ne s'était pas accroupi avec respect pour écouter le grand induna, et il eut un comportement sans précédent : il coupa la parole à son père d'une voix méprisante.

— Tu leur as donné assez de chances, dit-il. Tu as laissé partir la femme de Khami et toute sa famille. Je te pose une question, mon père : ce que tu proposes tient-il de la bonté ou de la lâcheté ?

Ils restèrent bouche bée, car si un fils pouvait parler ainsi à son père, le monde qu'ils connaissaient et comprenaient tous n'était plus le même. Gandang regarda Bazo à travers le petit espace qui les séparait, devenu désormais un abîme qu'aucun des deux ne pourrait plus jamais combler. Bien qu'il fût toujours de haute taille et se tînt bien droit, il y avait un tel chagrin dans ses yeux qu'il paraissait aussi vieux que les collines de granit alentour.

— Tu n'es plus mon fils, dit-il simplement.

— Et tu n'es plus mon père, rétorqua Bazo avant de tourner les talons et de sortir de la case à grandes enjambées.

Tanase d'abord, puis les jeunes indunas un à un se levèrent et le suivirent.

Un cavalier arriva au grand galop et arrêta son cheval si brutalement qu'il se cabra et agita la tête sous la pression du mors.

— Mon commandant, cria-t-il sur un ton pressant, une importante troupe de rebelles arrive sur la route.

— Très bien, soldat, répondit l'honorable Maurice Gifford, officier commandant les escadrons B et D de la garnison de Bulawayo, en touchant de sa main gantée le bord de son chapeau en signe de remerciement. Retournez en avant et gardez-les à l'œil. Capitaine Dawson, ajouta-t-il en se tournant sur sa selle, nous allons mettre les chariots en laager sous ces arbres ; de là, nous aurons un champ de tir bien dégagé pour les Maxim. Je vais sortir avec une cinquantaine d'hommes pour engager le combat avec l'ennemi.

C'était vraiment un coup de chance étonnant que de tomber sur un groupe de rebelles si près de Bulawayo. Après avoir sillonné la région pendant des semaines, Gifford et ses cent soixante soldats avaient réussi à récupérer une trentaine de survivants dans les villages et les comptoirs commerciaux isolés, mais jusque-là ils n'avaient pas eu une seule fois l'occasion de se battre contre les Matabélé. Laissant Dawson préparer le laager, Gifford piqua des deux sur la route de Bulawayo à la tête de cinquante de ses meilleurs hommes.

Gifford était le fils cadet d'un comte, un jeune et bel aristocrate, aspirant dans un célèbre régiment de gardes. Il avait passé sa permission en Afrique dans une région de chasse, et avait eu la chance de voir ses vacances pimentées par un soulèvement indigène. De l'avis général, l'honorable M. Gifford était un jeune homme très bien, terriblement ambitieux et appelé à un bel avenir.

Il serra la bride à son cheval en arrivant au sommet de la côte et leva sa main gantée pour faire arrêter sa troupe.

— Ils sont là, cria l'éclaireur. Sont sacrément culottés.

L'honorable Maurice Gifford essuya les lentilles de ses jumelles avec l'extrémité de son foulard en soie avant d'y coller ses yeux.

— Ils sont tous montés, et joliment bien, murmura-t-il. Mais, Seigneur ! Quelle bande de voyous à tête d'assassin !

Les cavaliers n'étaient plus qu'à quelques centaines de mètres, clique anarchique d'hommes portant pagne et coiffe de guerrier, armés d'un étrange assortiment d'armes modernes et primitives.

— Soldats, en ordre dispersé, par file à gauche, gauche ! à droite, droite ! ordonna Gifford. Sergent, nous allons utiliser la pente pour les charger, puis nous romprons et tenterons de les attirer à portée des Maxim.

— Je vous demande pardon, commandant, marmonna le sergent, mais n'est-ce pas un Blanc qui les conduit ?

Gifford releva ses jumelles et regarda de nouveau.

— C'est fichtre vrai ! murmura-t-il. Mais le bonhomme est affublé de fourrures et de gris-gris.

Chevauchant en tête de sa bande hétéroclite, le bonhomme le salua d'un joyeux signe de main.

— Salut, vous ne seriez pas Maurice Gifford par hasard ?

— Lui-même, monsieur, répondit Gifford d'un ton glacial. À qui ai-je l'honneur, si je puis me permettre ?

— Ballantyne, Ralph Ballantyne, se présenta le bonhomme avec un sourire engageant. Et ces messieurs, ajouta-t-il en montrant du pouce ceux qui le suivaient, sont les Scouts Ballantyne.

Maurice Gifford leur jeta un coup d'œil dégoûté. Il était impossible de dire quelles étaient leurs origines, car tous s'étaient barbouillés de graisse et d'argile pour ressembler à des Matabélé, et vêtus à la mode indigène ou de vieilles nippes européennes. Seul ce Ballantyne n'avait pas le visage peinturluré, vraisemblablement pour se faire reconnaître du corps de bataille de Bulawayo, mais il était tout aussi probable qu'il allait le noircir dès qu'il aurait obtenu d'eux ce qu'il voulait. Il ne se gêna d'ailleurs pas pour faire connaître ses désirs.

— Une réquisition, monsieur Gifford, dit-il en sortant de sa petite sacoche de ceinture une note pliée et cachetée et en la lui tendant.

Gifford mordit le doigt de son gant droit et le tira avant de prendre la note et d'en briser le cachet.

— Je ne peux pas vous laisser emporter ma Maxim ! s'exclama-t-il en lisant. Il est de mon devoir de protéger les civils confiés à mes soins.

— Vous n'êtes qu'à quatre miles du laager de Bulawayo et il n'y a pas de Matabélé sur la route. Nous venons de la dégager à votre place. Vos civils ne courent plus aucun danger.

— Mais..., commença Gifford.

— La réquisition est signée du colonel William Napier, commandant en chef du corps de bataille de Bulawayo, coupa Ralph, toujours souriant. Je vous suggère de lui en toucher un mot à votre retour à Bulawayo. En attendant, nous sommes assez pressés par le temps. Nous allons vous débarrasser de la Maxim et ne vous importunerons pas plus longtemps.

Gifford chiffonna la note et, impuissant, jeta un regard furieux à Ralph avant de changer son fusil d'épaule.

— Vous et vos hommes portez, semble-t-il, l'uniforme de l'ennemi, accusa-t-il. C'est une violation des règles de la guerre.

— Rappelez ces règles aux indunas, monsieur Gifford, en particulier celles concernant le meurtre et la torture des non-combattants.

— Un Anglais n'a pas à descendre au niveau des sauvages qu'il combat, dit Gifford avec hauteur. J'ai eu l'honneur de rencontrer votre père, le major Zouga Ballantyne. C'est un gentleman. Je me demande ce qu'il penserait de votre conduite.

— Mon père et ses camarades conspirateurs, tous gentlemen anglais, sont actuellement en train d'être jugés pour avoir fait la guerre à un gouvernement ami. Je ne manquerai pas, cependant, de lui demander son avis à la première occasion. Maintenant, avant que je vous souhaite le bonjour, si vous voulez bien nous envoyer votre sergent afin qu'il nous remette la Maxim, monsieur Gifford.

Ils descendirent la mitrailleuse de sa charrette, prirent le trépied et les caisses de munitions, et chargèrent le tout sur trois chevaux de bât.

— Comment avez-vous fait pour convaincre Napier de se séparer de l'une de ses précieuses Maxim ? demanda Harry Mellow à Ralph en serrant les courroies des bâts.

— Simple tour de passe-passe, répondit celui-ci en lui lançant un clin d'œil. La plume est plus puissante...

— Vous avez fait un faux ! s'exclama Harry en le dévisageant. Ils vont vous fusiller.

— Faudra d'abord qu'ils m'attrapent. (Ralph se tourna et beugla :) Soldats, en selle ! En avant, marche !

Il n'y avait pas de doute, c'était bien un sorcier. Un petit bonhomme ratatiné, pas plus haut que Tungata et que ses camarades, mais peinturluré des plus merveilleuses couleurs, zigzags pourpre, noir et blanc sur le visage et la poitrine.

Lorsqu'il émergea de la brousse près de la rivière, les enfants furent paralysés de terreur. Mais avant qu'ils aient eu le temps de reprendre leurs esprits et de détaler, le petit sorcier émit une telle série de cris et de grognements, imitant le cheval, l'aigle et le babouin chacma, tout en caracolant, battant des bras et piaffant, que leur terreur fit place à la fascination.

Puis le sorcier tira du sac qu'il portait en bandoulière un énorme morceau de sucre candi. Il le suça bruyamment, et les enfants, qui n'avaient pas eu de sucre depuis des semaines, s'approchèrent et le regardèrent avec des yeux brillants de convoitise. Il tendit le morceau de sucre à Tungata qui s'avança peu à peu, le prit brusquement et repartit en galopant. Le petit sorcier riait de manière si contagieuse que les autres enfants rirent avec lui et s'agglutinèrent autour de lui pour recevoir les autres morceaux de sucre qu'il leur offrait. Escorté par les enfants qui applaudissaient et riaient, le sorcier gravit le sentier à flanc de coteau jusqu'à l'abri naturel creusé dans le roc.

Rassurées par les cris joyeux des enfants, les femmes vinrent entourer le petit sorcier pour le regarder en gloussant, et les plus hardies lui demandaient :

— Qui es-tu ?

— D'où viens-tu ?

— Qu'y a-t-il dans ton sac ?

En réponse à la dernière question, le sorcier sortit de sa besace une poignée de rubans colorés, et les jeunes femmes les nouèrent autour de leurs poignets et de leur cou en poussant des cris d'extase.

— J'apporte des cadeaux et des bonnes nouvelles, caqueta le sorcier. Regardez ce que je vous ai apporté.

Il y avait des peignes en acier, des petits miroirs ronds et une boîte qui égrenait une musique douce. Elles se pressaient autour de lui, sous le charme.

— Des cadeaux et des bonnes nouvelles ! chantait le sorcier.

— Dis-nous ! Dis-nous ce que c'est !

— Les esprits de nos ancêtres sont venus nous aider. Ils ont envoyé un vent divin pour anéantir les Blancs, comme la peste a anéanti le bétail. Tous les Blancs sont morts !

— Les *amakiwa* sont morts !

— Ils ont laissé tous ces merveilleux cadeaux. Il n'y a plus de Blancs à Bulawayo, mais la ville est remplie de ces belles choses : il suffit de se servir. Il y en a autant qu'on veut, mais dépêchez-vous, tous les Matabélé, les hommes comme les femmes, vont là-bas. Il ne restera plus rien pour les derniers arrivés. Regardez, regardez ces beaux tissus, il y a des milliers de pièces semblables. Qui veut ces jolis boutons, ces couteaux tranchants ? Celles qui les veulent n'ont qu'à me suivre ! chantait le sorcier. La lutte est finie ! Les Blancs sont morts ! Les Matabélé ont vaincu ! Qui veut me suivre ?

— Conduis-nous, petit Père, nous te suivrons.

Sans cesser de tirer des babioles de son sac, le sorcier entama la descente vers l'extrémité de l'étroite vallée. Les femmes ramassèrent vivement leurs bambins et les attachèrent sur leur dos avec des bandes de tissus, appelèrent les enfants plus âgés et se dépêchèrent d'emboîter le pas au sorcier.

— Suivez-moi, gens de Machobane ! gazouillait celui-ci. Les jours fastes sont revenus. La prophétie de l'Umlimo s'est accomplie. Le vent divin venu du nord a balayé les *amakiwa*.

Envahi par l'excitation et la terreur de rester à la traîne, Tungata parcourut en courant l'abri rocheux jusqu'au moment où il vit l'énorme silhouette bien-aimée accroupie contre la paroi du fond.

— Grand-mère ! glapit-il. Le sorcier a de jolies choses pour nous tous. Il faut se dépêcher !

Au fil des millénaires, le ruisseau avait creusé vers l'extérieur de la vallée une gorge étroite et sinueuse entre deux hautes falaises de granit recouvertes de lichens orange et jaune vif. Au fond de ce gouffre, le ruisseau dégringolait en cascades fumantes d'écume avant de déboucher dans une vallée moins profonde et plus large entourée de collines plus basses. Cette vallée était couverte d'une herbe grasse de la couleur du blé mûr.

Le sentier courait au bord de la gorge, bordé, d'un côté, par un à-pic vertigineux au-dessus de l'eau blanche, et, de l'autre, par une falaise. Puis la pente devenait plus douce, et le sentier descendait dans la vallée inférieure. L'érosion avait creusé dans celle-ci de profonds ravins, et l'un d'eux offrait un emplacement idéal pour la Maxim.

Ralph l'avait fait installer par deux de ses hommes de façon que le canon entouré de sa chemise d'eau dépasse juste le bord du ravin. Les boîtes oblongues empilées à côté de la mitrailleuse contenaient deux mille cartouches. Pendant que Harry Mellow coupait des branches d'épineux pour dissimuler l'arme, Ralph arpentait la prairie devant le ravin et élevait un tas de pierres au bord du sentier.

Il escalada de nouveau la pente et dit à Harry :

— Réglez les mires à trois cents mètres.

Il parcourut ensuite le ravin dans toute sa longueur pour donner ses ordres à chacun de ses hommes, les leur faisant ensuite répéter pour s'assurer qu'ils avaient bien compris.

— Quand Jan Cheroot arrivera à la hauteur du tas de pierres, la Maxim ouvrira le feu. À ce moment-là, balayez la colonne en commençant par l'arrière.

Le sergent Ezra hocha la tête et introduisit une cartouche dans la culasse de sa Winchester. Il plissa les yeux, estimant la déviation due au vent d'après le balancement des brins d'herbe et la sensation sur son visage. Puis il posa son coude sur le bord de la ravine et appuya sa joue couturée contre la crosse.

Ralph revint sur ses pas jusqu'à l'endroit où Harry Mellow préparait la mitrailleuse et le regarda régler la vis de hausse pour relever légèrement le canon, puis tourner l'arme d'un côté et de l'autre sur son trépied afin de s'assurer que le pivotement horizontal s'effectuait librement.

— Chargement, un, ordonna Ralph.

Taas, chargé de cette opération, introduisit le bout en cuivre de la bande de cartouches dans la boîte de culasse. Harry laissa la poignée de chargement revenir en arrière et le mécanisme cliqueta sèchement.

— Chargement, deux !

Harry manœuvra de nouveau la poignée pour enclencher la bande, et la première cartouche tomba doucement dans la culasse.

— Prêt ! annonça Harry. Il ne nous reste plus qu'à attendre.

Ralph acquiesça et ouvrit le petit sac accroché à sa hanche. Il en sortit la bande de fourrure de taupe et la noua soigneusement autour de son bras, au-dessus du coude. Ils s'installèrent alors, se préparant à l'attente.

Ils attendaient en plein soleil. Il tombait sur leur dos nu couvert de graisse, et bientôt en nage, attirant les mouches. Le soleil passa au zénith, entama lentement sa descente, et ils attendaient toujours.

Ralph dressa brusquement la tête, sur quoi un léger mouvement se répercuta le long du ravin, parmi les tireurs alignés. Ils distinguèrent des voix au loin, et les falaises qui gardaient l'entrée de la gorge en renvoyaient l'écho. Ils entendirent ensuite chanter, de douces voix d'enfants qui s'amplifiaient à chaque coude de vent et chaque détour du sentier creusé dans la roche.

Une petite silhouette apparut en dansant à la sortie de la gorge. Les étranges motifs pourpre, noir et blanc masquaient le visage aplati et la couleur jaunâtre de la peau de Jan Cheroot, mais on ne pouvait pas ne pas reconnaître son pas alerte et son port de tête évoquant celui d'un oiseau. Le sac de babioles dont il s'était servi comme d'appâts avait été vidé depuis longtemps, et il s'en était débarrassé.

Il descendait en gambadant le sentier en direction du tas de pierres élevé par Ralph, suivi par les Matabélé. Elles étaient si impatientes qu'elles marchaient à trois ou quatre de front et se bousculaient pour ne pas se laisser distancer par le sorcier qui les conduisait.

— Il y en a plus que je ne l'espérais, murmura Ralph.

Harry Mellow ne le regarda pas. La couche de graisse noire cachait la pâleur de son visage, et c'est avec un air affligé qu'il regardait fixement au-dessus de ses mires.

La longue colonne de femmes et d'enfants matabélé continuait de sortir de la gorge, et Jan Cheroot avait presque atteint le tas de pierres.

— Prêt ! grinça Ralph.

Jan Cheroot arriva à hauteur du cairn et disparut alors en un clin d'œil, comme s'il était tombé dans une trappe.

— Maintenant ! lança Ralph.

Aucun des hommes ne bougea dans la longue rangée de tireurs. Tous fixaient le fond de la vallée.

— Maintenant ! répéta Ralph.

En tête de la procession, les femmes s'étaient arrêtées, frappées de stupéfaction par la brusque disparition de Jan Cheroot, et celles qui arrivaient derrière les poussaient.

— Ouvrez le feu ! ordonna Ralph.

— Je ne peux pas, murmura Harry, assis derrière la Maxim, les deux mains sur les poignées de l'arme.

— Allez au diable ! s'écria Ralph d'une voix tremblante de colère. Ils ont ouvert le ventre de Cathy et ont sorti ma fille de ses entrailles. Tuez-les, bon sang !

— Je ne peux pas ! répéta Harry.

Ralph l'empoigna par l'épaule, le tira en arrière, prit sa place derrière la mitrailleuse et saisit les deux poignées. Avec l'index il ouvrit les crans de sûreté, puis appuya ses pouces sur les détentes. La Maxim entonna son ricanement infernal et sa culasse vomit les cartouches de cuivre vides en un flot brillant.

Le regard tendu à travers le nuage de fumée bleue, Ralph faisait pivoter lentement la mitrailleuse de droite à gauche, balayant le sentier depuis l'ouverture de la gorge jusqu'au tas de pierres, et le long du ravin de chaque côté les Winchester à répétition ajoutaient au vacarme. Les coups de feu couvraient presque les hurlements qui montaient de la vallée.

Jouba n'arrivait pas à suivre l'allure des femmes plus jeunes et des enfants. Elle était de plus en plus à la traîne, et Tungata la pressait anxieusement :

— Nous allons arriver trop tard, grand-mère. Nous devons nous dépêcher.

Avant même d'atteindre la gorge au bout de la vallée, Jouba respirait bruyamment et chancelait, ses lourds bourrelets de chair tremblotant à chaque pas et des taches sombres dansant devant ses yeux.

— Il faut que je me repose, dit-elle d'une voix haletante en se laissant tomber au bord du sentier.

Avant de s'engager dans la gorge, les traînardes la dépassaient en riant et la taquinant.

— Ah, petite mère, veux-tu que je te prenne sur mon dos ?

Tungata attendait près d'elle en sautant d'un pied sur l'autre et se tordant les mains d'impatience.

— Oh, grand-mère, il ne reste plus beaucoup de chemin...

Quand enfin les taches noires disparurent de ses yeux, elle lui fit un signe de tête. Tungata lui prit les mains et tira de toutes ses forces pour l'aider à se relever.

Jouba repartit en clopinant ; ils étaient à présent les derniers de la file mais entendaient loin devant les rires et les chants amplifiés par la gorge en entonnoir. Tungata courait devant puis, rappelé par son devoir, revenait sur ses pas en gambadant prendre la main de Jouba.

— S'il te plaît, grand-mère. S'il te plaît !

Deux fois encore, Jouba dut s'arrêter. Ils étaient tout seuls maintenant, et le soleil ne pénétrait pas dans les profondeurs de l'étroite gorge. Elle était ombreuse, et le froid qui montait des eaux écumantes tempéra même l'entrain de Tungata.

Ils dépassèrent une courbe et aperçurent la vallée herbeuse et ensoleillée qui s'ouvrait au-delà des murailles de granit.

— Ils sont là ! s'écria Tungata avec soulagement.

Le sentier qui serpentait à travers la prairie était encombré, mais, comme une colonne de fourmis butant contre un obstacle infranchissable, en tête de la procession les minuscules silhouettes s'agglutinaient et tournaient en rond.

— Dépêche-toi, grand-mère, nous pouvons les rattraper !

Jouba, qui s'était assise, se remit debout péniblement et repartit clopin-clopant vers le soleil.

À ce moment-là, l'air autour de sa tête se mit à palpiter, comme si un oiseau avait été pris au piège à l'intérieur de son crâne. Pendant quelques instants, elle crut que c'était l'effet de son épuisement, mais ensuite elle vit au loin la multitude de silhouettes humaines commencer à trébucher et à tournoyer comme des poussières emportées par une tornade.

Elle n'avait encore jamais entendu le bruit d'une mitrailleuse, mais elle avait écouté les guerriers qui avaient combattu sur les berges de la Shangani et de la Bambesi décrire les petits fusils à trois pieds qui jacassaient comme de vieilles femmes. Munie soudain d'une réserve d'énergie qu'elle n'aurait jamais cru posséder, elle saisit Tungata et, telle une grande femelle éléphant en fuite, repartit à l'aveuglette dans les profondeurs de la gorge.

Ralph Ballantyne était assis sur le bord de son lit de camp. Sur la caisse retournée qui servait de table était posée une bougie allumée à côté d'une bouteille de whisky à moitié vide et d'une timbale émaillée.

Ralph regardait en fronçant les sourcils la page de son journal, essayant d'y voir clair à la lueur vacillante de la bougie. Il était ivre. Une demi-heure plus tôt, la bouteille était encore pleine. Il prit la timbale, la vida d'un trait, la reposa et la remplit de nouveau. Quelques gouttes tombèrent sur la page vide. Il les essuya avec le pouce et examina la marque qu'elles avaient laissée avec la gravité des ivrognes. Il secoua la tête pour tenter de mettre de l'ordre dans ses idées, prit son porte-plume, le trempa dans l'encrier et essuya avec soin l'excès d'encre.

Il se mit à écrire laborieusement. Quand l'encre toucha la marque humide laissée par le whisky, elle s'étala en forme d'éventail bleu pâle. Cela contraria Ralph démesurément. Il jeta l'instrument et remplit son gobelet à ras bord. Il but le whisky, s'arrêtant deux fois pour reprendre sa respiration, et lorsque le gobelet fut vide, il le tint entre ses genoux, la tête penchée sur lui.

Après un long moment, et avec un effort manifeste, il releva la tête et relut ce qu'il avait écrit, en formant les mots avec ses lèvres comme un écolier devant son premier livre de lecture.

« La guerre fait de nous des monstres. »

Il tendit la main vers la bouteille mais la fit tomber et le liquide ambré s'échappa en gargouillant pour former une petite flaque sur le couvercle de la caisse. Il se renversa sur le lit de camp et ferma les yeux, les jambes pendant par terre, un bras en travers du visage en un geste protecteur.

Après avoir couché les enfants dans le chariot, Elizabeth rampa sur son lit au-dessous du leur, attentive à ne pas déranger sa mère. Ralph n'avait pas dîné avec eux, et il avait renvoyé Jonathan avec une parole dure quand celui-ci était venu jusqu'à sa tente le chercher pour le repas.

Elizabeth était couchée sur le côté sous la couverture de laine et son œil était à la hauteur de l'ouverture de la bâche fermée avec un lacet, si bien qu'elle voyait au-dehors. Dans la tente de Ralph, la bougie était toujours allumée, alors que, à l'angle du laager, dans celle qu'occupaient Harry et Vicky, l'obscurité régnait depuis une heure. Elle ferma les yeux et essaya de s'obliger à dormir, mais elle était si agitée qu'à côté d'elle Robyn soupira avec humeur et se retourna. Elizabeth rouvrit les yeux et regarda à la dérobée par la fente de la toile. La bougie était toujours allumée dans la tente de Ralph.

Elle se glissa doucement hors de sa couverture tout en gardant un œil sur sa mère, ramassa son châle sur le couvercle de la malle et sortit sans bruit du chariot.

Le châle sur ses épaules, elle s'assit sur le brancard du chariot. Il n'y avait que la toile de tente entre elle et sa mère. Elle entendait distinctement le rythme de la respiration de Robyn et perçut le moment où elle sombrait profondément dans l'inconscience au petit bruit de gorge qu'elle fit.

La nuit était tiède, et le laager presque silencieux ; un chien jappait sur un ton malheureux à l'autre bout, et plus près les pleurs d'un bébé affamé furent rapidement bâillonnés par le sein maternel. Deux sentinelles se rencontrèrent à l'angle le plus proche du camp, et elle les entendit chuchoter pendant quelques instants. Puis elles se séparèrent, et quand l'une passa près d'elle, Elizabeth vit la silhouette d'un chapeau à large bord se découper sur le ciel nocturne.

Il devait être à présent plus de minuit, et la bougie brûlait toujours dans la tente. La flamme l'attira comme si elle avait été un papillon de nuit. Elle se leva et se dirigea vers la tente, sans bruit, presque furtivement. Elle souleva le rabat, se glissa à l'intérieur et laissa retomber la bâche derrière elle.

Sur le lit de camp, Ralph gémissait doucement dans son sommeil. La bougie coulait, réduite à une petite flaque de cire fondue, et l'odeur du whisky renversé était forte et écœurante. Elizabeth alla jusqu'à la caisse et remit droite la bouteille. Le journal ouvert attira alors son attention et elle lut ce qui y était gribouillé : « La guerre fait de nous des monstres. »

Elle en éprouva une telle pitié qu'elle referma rapidement le journal et regarda celui qui avait eu ce cri du cœur déchirant. Elle eut envie de tendre la main et de toucher sa joue mal rasée, mais finalement retroussa sa chemise de nuit pour être plus à l'aise et s'agenouilla près du lit de camp. Elle défit les lanières des bottes de Ralph, puis, les coinçant l'une après l'autre entre ses genoux, les lui retira. Ralph marmonna, écarta d'un seul coup son bras de son visage et se détourna de la lueur de la bougie. Elizabeth leva doucement ses jambes et les posa sur le lit. Il grogna et se recroquevilla en position fœtale.

« Gros bébé », murmura-t-elle en se souriant à elle-même. Puis, n'y tenant plus, elle écarta d'un geste caressant la lourde mèche de cheveux châtains qui tombait sur le front brûlant et moite de Ralph. Elle posa sa paume contre la joue de Ralph. Au contact de sa barbe de la veille, raide et dure, elle sentit des picotements électriques tout le long de son bras. Elle retira sa main et remonta sur Ralph la couverture pliée au pied du lit.

Elle se pencha pour l'arranger autour de son menton, mais il se retourna de nouveau, et avant qu'elle ait pu se reculer, son bras enlaça son épaule. Elle perdit l'équilibre et tomba sur sa poitrine, immobilisée par le bras musclé.

Elle ne bougeait pas et son cœur battait la chamade. Après une minute, l'étreinte du bras se desserra, et elle essaya doucement de se libérer. Tout de suite, le bras se referma sur elle avec une telle force qu'elle en eut le souffle coupé.

Ralph marmotta, remonta son autre main, et Elizabeth sursauta quand elle se posa en haut de sa cuisse. Elle n'osait pas

313

bouger. Elle savait qu'elle ne pouvait se libérer de l'emprise de son bras. Elle n'avait jamais pensé qu'il pût être si fort et se sentait aussi impuissante qu'un petit enfant non sevré, totalement en son pouvoir. Elle sentait la chaleur de son corps traverser sa chemise de nuit, sentait la main sur sa cuisse commencer à remonter en tâtonnant, puis elle perçut le moment où il redevenait conscient.

La main glissa jusqu'à sa nuque, et sa tête fut tirée en avant doucement mais avec une force irrésistible. Elle perçut bientôt la chaleur et l'humidité des lèvres de Ralph sur les siennes. Il sentait le whisky, mais une autre odeur se dégageait, virile, musquée et âcre. Ses lèvres s'ouvrirent malgré elle.

Des roues enflammées semblaient tournoyer derrière ses paupières. Ses sensations étaient si tumultueuses qu'elle mit longtemps à se rendre compte que Ralph avait relevé sa chemise de nuit jusqu'à ses omoplates. Ses doigts chauds comme du feu, après avoir couru en une longue et lente caresse entre ses fesses nues, s'arrêtèrent sur la courbe douce où elles rejoignent les cuisses. Cela la galvanisa.

Elle poussa un gémissement et se débattit pour se libérer, pour échapper à la torture de son propre désir, au besoin violent qu'elle avait de lui, à l'insistance de ses doigts agiles. Il la retint sans difficulté, sa bouche contre son cou, et dit d'une voix rauque :

— Cathy ! Ma Cathy ! Comme tu m'as manqué !

Elizabeth cessa de se débattre. Elle resta étendue contre lui, immobile comme une morte. Elle ne luttait plus, ne respirait même plus.

— Cathy !

Ralph cherchait Cathy désespérément, mais elle était morte. À présent, il était entièrement réveillé. Il prit le visage d'Elizabeth entre ses mains, le leva vers lui et le regarda un long moment sans comprendre, puis celle-ci vit le vert de ses yeux changer.

— Ce n'est pas Cathy ! murmura-t-il.

Elizabeth se dégagea doucement et se mit debout à côté du lit.

— Non, ce n'est pas Cathy, dit-elle d'une voix douce. Cathy s'en est allée, Ralph.

Elle se pencha sur la bougie qui coulait, la souffla puis se redressa dans l'obscurité soudaine. Elle défit le haut de sa chemise de nuit, s'en débarrassa d'un coup d'épaule et la laissa tomber autour de ses chevilles. Puis elle vint s'étendre à côté de Ralph, prit sa main qui ne résista pas et la remit où elle était.

314

— Ce n'est pas Cathy. Ce soir, c'est Elizabeth. Ce soir et pour toujours, murmura-t-elle en collant ses lèvres aux siennes.

Quand enfin elle sentit qu'il avait comblé les vides, les abîmes de tristesse et de solitude qu'elle avait en elle, sa joie fut si violente qu'elle sembla la broyer.

— Je vous aime. Je vous ai toujours aimé... et je vous aimerai toujours.

Jordan Ballantyne se trouvait aux côtés de son père sur le quai de la gare du Cap. Tous deux se montrèrent gauches et distants au moment de se quitter.

— N'oubliez pas de transmettre... (Jordan hésita sur le choix des mots) mon bon souvenir à Louise.

— Je suis sûr que cela lui fera plaisir, répondit Zouga. Voilà si longtemps que je ne l'ai vue...

Il avait été séparé de sa femme pendant les longs mois de son procès devant le Banc de la reine de la Haute Cour de justice présidée par le baron Pollock et M. le juge Hawkins. Le président Pollock avait poussé le jury réticent vers un verdict inévitable ! « Eu égard aux preuves et aux réponses que vous avez faites aux questions que je vous ai posées, je vous impose un verdict de coupable contre tous les accusés », et il avait eu gain de cause.

« La Cour condamne donc Leander Starr Jameson et John Willoughby à quinze mois de prison sans travaux forcés, et le major Zouga Ballantyne à trois mois de prison sans travaux forcés. »

Zouga avait purgé quatre semaines de sa condamnation à Holloway et, après avoir bénéficié d'une remise de peine pour le reste, avait été libéré pour apprendre que les Matabélé s'étaient soulevés en Rhodésie et que Bulawayo était assiégée.

Zouga avait été tenaillé par l'angoisse pendant toute la traversée nord-sud de l'Atlantique. Il n'avait aucune nouvelle de Louise ni de King's Lynn, et s'imaginait le pire, surtout après les récits d'atrocités qu'il avait entendus. C'est seulement après l'arrivée le matin même au port du Cap du navire postal de l'Union Castle qu'il avait été libéré de ses craintes.

— Elle est saine et sauve à Bulawayo, avait répondu Jordan à sa première question.

Envahi par l'émotion, Zouga avait embrassé son fils cadet en répétant : « Dieu merci, oh Dieu merci ! »

Ils avaient déjeuné au restaurant de l'hôtel Mount Nelson, et Jordan avait rapporté à son père les dernières nouvelles arrivées du nord.

— Napier et le comité de siège semblent avoir stabilisé la

situation. Ils ont rassemblé tous les survivants à Bulawayo. Grey, Selous et Ralph, et leurs irréguliers, ont tenu les rebelles à distance en leur portant quelques bons coups.

» Naturellement, les Matabélé circulent comme bon leur semble dans tout le territoire en dehors des laagers de Bulawayo, de Gwelo et de Belingwe. Ils y font ce qu'ils veulent, bien que, curieusement, ils n'aient pas bloqué la route du sud. Si vous arrivez à Kimberley à temps pour vous rallier à la colonne commandée par Spreckley, vous pouvez être à Bulawayo à la fin du mois... et M. Rhodes et moi ne tarderons pas à vous rejoindre.

» Spreckley n'emportera que le ravitaillement indispensable et quelques centaines d'hommes pour renforcer la défense de Bulawayo en attendant que les troupes impériales puissent parvenir là-bas. Comme vous le savez probablement, le général de divisions Sir Frederick Carrington a été choisi pour en prendre le commandement. M. Rhodes et moi partirons avec son état-major. Je ne doute pas que nous obligerons les rebelles à rendre des comptes très vite.

Jordan poursuivit son monologue pendant tout le repas pour dissimuler la gêne causée par les regards et les messes basses des autres dîneurs, à la fois scandalisés et émoustillés par la présence parmi eux d'un des flibustiers de Jameson. Zouga ignorait l'émoi qu'il provoquait et consacrait toute son attention au repas et à sa conversation avec Jordan, jusqu'au moment où un jeune journaliste du *Cape Times* s'approcha de la table avec son bloc-notes.

— Auriez-vous l'amabilité de me dire ce que vous pensez de l'indulgence des sentences prononcées par le président du tribunal ?

Zouga leva la tête, l'air morne.

— Dans les années à venir, on décernera des médailles et des titres de noblesse aux hommes qui auront accompli exactement la même tâche que celle que nous avons tenté de mener à bien, dit-il à voix basse. Voulez-vous maintenant avoir la bonté de nous laisser finir notre déjeuner en paix.

À la gare Jordan s'affaira pour s'assurer que la malle de son père était bien dans le fourgon et qu'il avait une place dans le sens de la marche dans la dernière voiture. Puis, quand le chef de gare siffla, les deux hommes se firent face, embarrassés.

— M. Rhodes m'a chargé de vous demander si vous acceptiez toujours d'être son représentant à Bulawayo.

— Dis à M. Rhodes que je suis honoré par la confiance indéfectible qu'il me témoigne.

Ils se serrèrent la main et Zouga monta dans le train.

— Si vous voyez Ralph...

— Oui ? demanda Zouga.

— Non, rien, répondit Jordan en secouant la tête. J'espère que vous arriverez sans encombre, papa.

Penché à la fenêtre, Zouga observa le visage de son fils pendant que le train s'éloignait. Il a belle allure, pensa-t-il, grand et athlétique, habillé à la dernière mode mais avec une discrétion parfaite... et pourtant, il y a en lui quelque chose d'incongru, un petit air d'enfant abandonné, un air profondément malheureux, une incertitude.

« Tout cela n'a aucun sens », se dit-il finalement en abaissant la fenêtre.

La locomotive prit de la vitesse dans les plaines du Cap pour attaquer le rempart montagneux qui garde le bouclier continental africain.

Jordan remonta au petit galop l'allée qui conduisait à la vaste maison blanche tapie au milieu des chênes et des pins tiniers sur les premières pentes de l'imposante montagne de la Table. Il éprouvait un sentiment de culpabilité. Voilà des années qu'il n'avait pas négligé son travail un jour entier. Un an plus tôt, il eût été pour lui impensable d'agir ainsi. M. Rhodes avait toujours besoin qu'il soit à portée de la main, dimanches et jours de fête compris.

Le subtil changement dans leur relation ajoutait à son sentiment de culpabilité et éveillait en lui une émotion plus obscure et corrosive. Il n'était pas nécessaire qu'il passe la journée entière avec son père, depuis l'entrée du bateau postal dans la baie de la Table jusqu'au départ vers le nord du train express. Il aurait pu s'échapper au bout de quelques heures et retourner à son bureau, mais il avait voulu provoquer une réaction chez M. Rhodes, voulu qu'il reconnaisse qu'il était indispensable.

— Prenez quelques jours si cela vous fait plaisir, Jordan. Arnold sera capable de faire face en cas de besoin, lui avait dit M. Rhodes en levant à peine les yeux de son journal.

— Nous n'avons pas encore achevé de rédiger la nouvelle version de la clause 27 de votre testament..., avait objecté Jordan, mais il avait reçu la réponse qu'il redoutait le plus.

— Oh, confiez cela à Arnold. Il est temps qu'il se mette au courant de ces histoires de bourses. Et puis cela lui donnera l'occasion d'utiliser sa nouvelle Remington.

Le plaisir infantile qu'avait M. Rhodes à voir sa correspondance tapée proprement à la machine était pour Jordan une autre source d'inquiétude. Lui-même n'avait pas encore pleinement acquis la maîtrise de cet engin bruyant, avant tout parce qu'Arnold le monopolisait. Jordan avait passé commande d'une machine à écrire à New York, mais elle ne lui serait pas livrée avant plusieurs mois.

Il serra la bride de son grand cheval bai au bas des marches de la véranda arrière de Groote Schuur, mit pied à terre, lança les rênes au valet d'écurie et entra à la hâte dans la maison. Il monta au deuxième étage par l'escalier de service, alla directement à sa chambre, sortit de son pantalon et déboutonna les pans de sa chemise en refermant la porte derrière lui d'un coup de pied.

Il versa de l'eau dans la cuvette, s'aspergea le visage puis s'essuya avant de se donner un coup de brosse. Il allait s'éloigner du miroir pour prendre une chemise propre mais s'arrêta et se regarda pensivement dans la glace.

Il se pencha lentement vers le miroir et se toucha le visage. Il tenta d'effacer les petites rides à la commissure des paupières en tendant la peau avec ses doigts mais elles persistèrent. Il tourna légèrement la tête, la lumière qui tombait de la fenêtre fit ressortir les poches qu'il avait sous les yeux.

« On ne les voit que sous cet angle », pensa-t-il avant de tirer ses cheveux en arrière au-dessus de son front. On apercevait son cuir chevelu à travers, et il se hâta de les faire gonfler de nouveau.

Il avait envie de se détourner, mais le miroir exerçait une terrible fascination. Il sourit : ce fut une grimace qui retroussa sa lèvre supérieure. Sa canine gauche avait pris une teinte grisâtre depuis qu'il l'avait fait dévitaliser un mois plus tôt, et Jordan se sentit soudain envahi par un sombre désespoir.

« Dans moins de deux semaines, je vais avoir trente ans... oh, mon Dieu, je deviens vieux, vieux et laid. Comment quelqu'un pourrait-il encore m'aimer ? »

Il réprima avec peine le sanglot qui menaçait de l'étouffer et détacha ses yeux du miroir cruel.

Une note était posée sur le dessus en maroquin repoussé de son bureau, maintenue en place par l'encrier en argent.

« Passez me voir dès que possible. C.J.R. »

Elle était griffonnée dans cette écriture vigoureuse qu'il connaissait si bien, et son moral remonta brusquement. Il ramassa son bloc-notes et frappa à la porte de communication.

— Entrez ! commanda la voix haut perchée.

— Bonsoir, monsieur Rhodes. Vous vouliez me voir ?

M. Rhodes ne répondit pas tout de suite, mais continua d'apporter des corrections à la feuille dactylographiée qu'il avait devant lui, barrant un mot et le remplaçant par un autre, changeant une virgule en point-virgule, et pendant ce temps-là, Jordan examina son visage.

La détérioration était frappante. Ses cheveux étaient à présent presque entièrement gris, et les poches sous ses yeux, violacées. Ses bajoues s'étaient épaissies et pendaient comme des fanons sous sa mâchoire. Il avait le blanc des yeux rouge, et leur bleu messianique s'était affadi et brouillé. Tout cela au cours des six mois écoulés depuis le raid désastreux de Jameson, et Jordan se remémora le jour où les nouvelles étaient arrivées. Jordan les lui avait apportées dans cette même bibliothèque.

Il y avait eu trois télégrammes. L'un, de Jameson lui-même, avait été adressé au bureau de M. Rhodes au Cap et non au manoir de Groote Schuur, et il était resté tout le week-end dans la boîte à lettres de l'immeuble désert. Il commençait par ces mots : « N'ayant pas reçu de vous de consignes contraires... »

Le deuxième télégramme émanait de M. Boyes, le juge de Mafeking. Il disait notamment : « Le colonel Grey est parti à la tête de détachements de la police pour épauler le Dr Jameson... »

Le dernier était du préfet de police de Kimberley. « J'estime qu'il est de mon devoir de vous informer que le Dr Jameson, à la tête d'un corps d'hommes armés, a franchi la frontière du Transvaal... »

M. Rhodes les avait lus l'un après l'autre avant de les ranger méticuleusement sur son bureau.

« Je croyais pourtant l'avoir arrêté. Je pensais qu'il avait compris qu'il devait attendre », n'avait-il cessé de marmonner pendant sa lecture.

Lorsqu'il eut fini, il était pâle comme cire et sa chair donnait l'impression de pendre des os de son visage comme de la pâte non levée.

« Pauvre Jameson, avait-il murmuré enfin. Après vingt ans d'amitié, il va maintenant provoquer ma ruine. » Il était resté de longues minutes les coudes sur le bureau, les mains sur le visage, puis il avait dit à haute voix : « Eh bien, Jordan, je vais voir maintenant qui sont mes vrais amis. »

M. Rhodes n'avait pas dormi pendant cinq nuits. Jordan restait allongé tout éveillé dans sa chambre au bout du couloir et l'entendait aller et venir de son pas lourd sur le parquet. Puis, bien avant les premières lueurs de l'aube, M. Rhodes le sonnait, et ils partaient chevaucher pendant des heures sur les pentes de la montagne de la Table avant de revenir au manoir pour prendre connaissance des derniers reniements et désaveux, pour voir avec une espèce de fascination impuissante la vie se désagréger inexorablement autour du grand homme.

Puis Arnold était venu prendre ses fonctions d'assistant de Jordan. Son titre officiel était celui de deuxième secrétaire, et Jordan avait accueilli avec plaisir cette aide qui le soulageait des questions d'intendance les plus secondaires, la direction d'une maison comme Groote Schuur n'étant pas une mince affaire. Arnold les avait accompagnés lors de leur voyage à Londres à la suite de la mésaventure de Jameson, et avait pris fermement position aux côtés de M. Rhodes durant le long voyage de retour par le canal de Suez, Beira et Salisbury.

Arnold était à présent debout, attentif, près du bureau de M. Rhodes ; il lui tendait une page dactylographiée, attendait qu'il l'ait lue et corrigée avant de lui soumettre la suivante. Avec une bouffée amère de jalousie, Jordan concéda une nouvelle fois qu'Arnold, avec ses cheveux blonds, avait l'allure soignée que M. Rhodes appréciait le plus. Il avait une attitude modeste et franche, et quand il riait, son être tout entier semblait rayonner intérieurement. Il avait été à Oriel, le respectable collège d'Oxford où avait étudié M. Rhodes, et il était de plus en plus évident que sa présence procurait plaisir et réconfort à ce dernier, comme l'avait fait naguère celle de Jordan.

— Ah, Jordan, je voulais vous dire que j'ai avancé la date de mon départ pour Bulawayo. Je pense que mes Rhodésiens ont besoin de moi. Je dois aller à eux.

— Je vais faire immédiatement le nécessaire, acquiesça Jordan. Avez-vous arrêté une date, monsieur Rhodes ?

— Lundi prochain.

— Nous prendrons l'express de Kimberley, naturellement ?

— Vous ne viendrez pas avec moi, répondit tout net M. Rhodes.

— Je ne comprends pas, fit Jordan avec un petit geste à l'avenant.

— J'exige de mes employés une fidélité et une honnêteté scrupuleuses.

— Oui, monsieur Rhodes, je le sais, dit Jordan en hochant la tête, puis lentement il prit un air hésitant et incrédule. Vous ne sous-entendez pas que j'ai été déloyal ou malhonnête...

— Voulez-vous prendre ce dossier, Arnold, ordonna M. Rhodes, et après que le jeune homme soit allé le chercher sur la table de la bibliothèque, il ajouta : Donnez-le-lui.

Arnold s'approcha silencieusement de Jordan sur l'épais tapis en soie et laine, et lui tendit la boîte à archives. Lorsque Jordan avança la main pour prendre celle-ci, il perçut pour la première fois dans les yeux d'Arnold autre chose que de la franchise et un intérêt amical. C'était une lueur de triomphe vindicative et malveillante, aussi cuisante qu'un coup de fouet en plein visage.

Elle ne dura qu'une fraction de seconde et disparut si vite qu'elle sembla ne pas avoir été, mais elle laissa à Jordan l'impression d'être vulnérable et en proie à un terrible danger.

Il posa le dossier sur la table près de lui et l'ouvrit. Il contenait au moins une cinquantaine de feuilles. La plupart étaient dactylographiées et toutes portaient la mention « copie d'original ».

Il y avait des ordres d'achat et de vente d'agents de change pour des actions de la De Beers et de la Consolidated Goldfields. Les transactions portaient sur d'énormes quantités d'actions et des millions de livres sterling. La société courtière était la Silver & Co., dont Jordan n'avait jamais entendu parler, bien qu'elle ait eu des succursales à Johannesburg, Kimberley et Londres.

Venaient ensuite des copies de relevés de comptes provenant d'une demi-douzaine de banques, dans les différents centres où opérait la société Silver. Une dizaine d'écritures avaient été soulignées à l'encre rouge : « Virement à la Rholands : 86 321 £ 7 s 9 d ; virement à la Rholands : 146 821 £ 9 s 11 d. »

Jordan eut un choc en lisant le nom de la société de Ralph, et sans qu'il comprît pourquoi, cela aviva son sentiment d'être en péril.

— Je ne vois pas ce que cela a à voir avec moi..., dit-il en levant les yeux vers M. Rhodes.

Votre frère a joué et lui-même et à ont investi dans une série de grosses transactions sur les sociétés les plus gravement touchées par l'échec de l'entreprise de Jameson.

— Il semble..., commença Jordan en hésitant.

— Il semble, coupa M. Rhodes, qu'il ait fait des profits dépassant un million de livres, et que lui et ses agents se soient donnés beaucoup de mal pour déguiser et dissimuler ces manœuvres.

— Pourquoi me dites-vous cela, monsieur Rhodes, pourquoi prenez-vous ce ton ? C'est mon frère, mais je ne peux être tenu responsable...

M. Rhodes leva la main pour le faire taire.

— Personne ne vous a encore accusé de quoi que ce soit. Votre empressement à vous justifier est malséant.

Il ouvrit ensuite l'exemplaire relié pleine peau des *Vies parallèles* de Plutarque posé sur un coin de son bureau. Trois feuilles de papier écrites à la main étaient insérées entre les pages. Il les prit et tendit la première à Jordan.

— Vous reconnaissez cela ?

Jordan se sentit rougir affreusement et, en cet instant, se haït d'avoir écrit cette lettre. Il l'avait fait au cours de ces moments terriblement pénibles après la nuit où Ralph l'avait surpris et accusé dans le wagon particulier de M. Rhodes.

— C'est le double d'une lettre que j'ai écrite à mon frère...

répondit Jordan sans oser soutenir le regard de M. Rhodes. Je ne sais pas ce qui m'a pris de conserver ce double.

Un paragraphe l'attira et il ne put s'empêcher de le relire :

Il n'est rien que je ne ferais pour te convaincre que je t'ai conservé toute mon affection, car maintenant seulement, alors qu'il semble que j'ai perdu la tienne, je me rends compte combien elle m'importe.

— C'est une lettre personnelle et intime, dit-il doucement d'une voix tremblante d'indignation et de honte, en conservant la lettre par-devers lui. En dehors de mon frère, à qui elle est adressée, personne n'a le droit de la lire.

— Vous ne niez donc pas en être l'auteur ?

— Comment le pourrais-je ?

— En effet, acquiesça M. Rhodes avant de lui tendre la deuxième lettre.

Jordan la lut avec une stupéfaction croissante. L'écriture était bien la sienne, mais le texte n'était pas de lui. Cependant, il faisait suite si naturellement et adroitement aux sentiments exprimés dans la première lettre que Jordan se prit presque à douter de sa mémoire. Il disait accepter de transmettre à Ralph des informations confidentielles et privilégiées concernant le déroulement de l'intervention de Jameson dans le Transvaal. *Je suis d'accord sur le fait que l'aventure envisagée est totalement contraire au droit des peuples civilisés, et cela, ainsi que la dette morale que j'ai le sentiment d'avoir envers toi, m'a convaincu de te prêter assistance.*

Alors seulement il remarqua que la forme et l'inclinaison d'une lettre ne correspondaient pas à son écriture. La page tout entière était une habile falsification. Il secoua la tête sans mot dire. Il avait l'impression que le tissu même de son existence avait été déchiré.

— Votre conspiration a réussi, l'abondante moisson engrangée par votre frère le montre bien, dit M. Rhodes du ton las d'un homme si habitué à la trahison que celle-ci ne l'affecte plus. Je vous félicite, Jordan.

— D'où cela vient-il ? demanda celui-ci en tenant la lettre d'une main tremblante. Où...

Il s'interrompit et leva les yeux vers Arnold, debout près de son maître. Il n'y avait plus trace en lui de cette expression vindicative et triomphante. Il avait l'air grave et préoccupé... et était d'une beauté insupportable.

— Je vois, dit Jordan en hochant la tête. C'est un faux, bien entendu.

M. Rhodes eut un geste d'impatience.

— Allons, Jordan. Qui prendrait la peine de falsifier des relevés de comptes bancaires aisément vérifiables ?

— Je ne parle pas des documents bancaires, mais de la lettre.

— Vous avez reconnu qu'elle était bien de vous.

— Pas celle-ci, pas cette...

Monsieur Rhodes avait l'air distant, le regard froid et dur.

— Le comptable du bureau va venir vérifier avec vous les comptes de la maison et procéder à un inventaire. Vous remettrez naturellement vos clés à Arnold. Quand cela sera fait, je donnerai pour instruction au comptable de vous remettre un chèque représentant trois mois de salaire qui tiendront lieu de congé. Je suis certain que vous comprendrez ma répugnance à vous donner une lettre de recommandation. Je vous serais obligé de bien vouloir quitter les lieux avec vos affaires personnelles avant mon retour de Rhodésie.

— M. Rhodes...

— Nous n'avons plus rien à nous dire.

M. Rhodes et son entourage, dont Arnold, étaient partis trois semaines plus tôt pour Kimberley et le Matabeleland avec l'express du nord. Il avait fallu tout ce temps-là à Arnold pour finir les inventaires et boucler les comptes de la maison.

M. Rhodes n'avait plus parlé à Jordan après leur dernière rencontre. Arnold lui avait transmis de sa part deux brèves instructions ; Jordan avait conservé sa dignité et résisté à la tentation d'adresser de vaines récriminations à son rival triomphant. Depuis ce soir fatidique, il n'avait vu M. Rhodes qu'à trois reprises : deux fois depuis la fenêtre de son bureau alors qu'il revenait de ses longues chevauchées sans but dans les pinèdes qui couvraient le pied de la montagne, la troisième et dernière, lorsqu'il était monté dans sa voiture pour se rendre à la gare.

À présent, comme il l'avait été pendant ces trois longues semaines, Jordan était seul dans le grand manoir désert. Il avait donné l'ordre aux domestiques de s'en aller de bonne heure et avait personnellement vérifié l'état des cuisines et des pièces de derrière avant de fermer les portes. Vêtu de la robe de chambre en brocart que M. Rhodes lui avait offerte pour ses vingt-cinq ans, il parcourut à pas lents les couloirs moquettés en portant la lampe à pétrole des deux mains. Il se sentait vide, noirci comme une forêt après le passage d'un incendie.

C'était un pèlerinage d'adieu à la grande maison et aux souvenirs qu'elle renfermait. Il avait été là dès les tout premiers jours du projet de rénovation et de décoration de la vieille bâtisse. Il avait passé tant d'heures à écouter Herbert Baker, l'architecte, et M. Rhodes, prenant note de leurs conversations et émettant une suggestion, de temps à autre, quand M. Rhodes l'y invitait.

C'était lui qui avait proposé le motif symbolisant le manoir, une représentation stylisée du faucon du Zimbabwe, la statue d'oiseau provenant de ruines antiques découvertes en Rhodésie. Le grand prédateur, perché sur un socle décoré de motifs en forme de dents de requin, ornait la rampe de l'escalier principal. Il était sculpté dans le granit poli de l'énorme baignoire de la suite de M. Rhodes, formait une fresque sur les murs de la salle à manger et quatre répliques de l'étrange oiseau servaient de pieds au bureau de M. Rhodes.

Le faucon avait fait partie de la vie de Jordan aussi loin que remontaient ses souvenirs. Son père avait rapporté la statue d'origine des ruines d'une cité. Sur les sept qu'il y avait découvertes, il n'avait pu en transporter qu'une seule, la mieux conservée, et avait dû laisser les autres.

Près de trente ans plus tard, Ralph était retourné au grand Zimbabwe, guidé par les notes de son père et la carte qu'il avait dessinée. Ralph avait trouvé les six statues restantes là où Zouga les avait laissées, mais lui s'était équipé. Il les avait chargées sur les bœufs de trait qu'il avait amenés avec lui et, malgré les tentatives des gardes-frontières matabélé pour l'en empêcher, il avait réussi à s'échapper vers le sud avec son trésor et à retraverser la Shashi. Au Cap, un groupe d'hommes d'affaires dirigé par le millionnaire Barney Barnato avait acheté les reliques à Ralph pour une somme appréciable et les avait présentées au musée sud-africain du Cap. Les six statues y étaient encore exposées. Jordan avait visité les lieux et passé une heure, fasciné, à les contempler.

Cependant, c'était pour lui la statue rapportée à l'origine par son père qui possédait une magie particulière, celle qui, pendant toute son enfance, avait servi à lester le train arrière du chariot familial durant leurs pérégrinations à travers l'immense veld africain. Jordan avait dormi mille fois à côté de l'oiseau, et l'esprit de celui-ci avait en quelque sorte pénétré le sien et pris possession de lui. Lorsque Zouga avait conduit sa famille sur le champ diamantifère de Kimberley, ils avaient déchargé la statue pour l'installer sous l'alhagi qui signalait leur dernier campement. Lorsque Aletta, la mère de Jordan, avait été frappée par la redoutable épidémie qui balayait le camp, et avait finalement succombé à la maladie, la statue en était arrivée à jouer un rôle encore plus important dans la vie de Jordan.

Il avait baptisé l'oiseau Panès, nom d'une déesse des Indiens d'Amérique du Nord, et étudié avec avidité la légende de Panès que Frazer rapporte en détail dans le *Rameau d'or*, son œuvre monumentale sur la magie et la religion. Dans l'esprit de l'adolescent, Panès et la statue de l'oiseau s'étaient confondues avec l'image de sa mère défunte. Il avait mis au point en secret une forme d'invocation à la déesse, et au milieu de la nuit, quand tous les autres membres de la famille dormaient, il sortait furtivement pour lui offrir un petit sacrifice de nourriture et l'adorer suivant son rituel personnel.

Lorsque Zouga, dans une mauvaise passe financière, avait été contraint de vendre l'oiseau à M. Rhodes, Jordan avait été bouleversé. Jusqu'à ce que l'occasion d'entrer au service de M. Rhodes et de suivre la statue eût comblé le vide de son existence non par une divinité, mais par deux : Panès et M. Rhodes. Même après que, toujours auprès de M. Rhodes, il eut atteint l'âge adulte, la statue avait continué d'occuper une large place dans la conscience de Jordan, bien que ce fût seulement en périodes de crise qu'il recourait à ses rituels puérils.

Maintenant qu'il avait perdu l'aimant naturel de sa vie, il était encore une fois irrésistiblement attiré par la statue. Il descendit lentement la courbe du grand escalier. En passant, il caressa les balustres sculptés en copies fidèles de l'antique oiseau.

Au-dessous de lui, le dallage en marbre du grandiose hall d'entrée formait un damier noir et blanc. La porte était en teck massif, avec serrure et charnières en cuivre poli. La lanterne que portait Jordan projetait des ombres monstrueuses qui glissaient sur le sol en marbre ou voltigeaient comme de gigantesques chauves-souris sur le haut plafond en stuc. Sur une lourde table au centre du hall étaient posés les plateaux en argent destinés à recevoir les cartes de visite et le courrier.

Jordan posa la lampe en porcelaine de Sèvres sur la table comme une lanterne rituelle sur un autel païen, puis se recula et leva lentement la tête. Dans sa niche de pierre, le faucon de pierre original rapporté du Zimbabwe gardait l'entrée de Groote Schuur. En le voyant ainsi, on ne pouvait douter du pouvoir magique dont était investie l'idole sculptée. On avait l'impression que les prières et les incantations des anciens prêtres du Zimbabwe flottaient encore autour d'elle, que le sang des sacrifices était encore fumant dans les ombres vacillantes sur le sol en marbre, et que les prophéties de l'Umlimo, l'Élue des esprits, lui insufflaient une vie propre.

Zouga Ballantyne avait entendu ces prophéties de la bouche même de l'Umlimo et les avait fidèlement retranscrites dans son journal. Jordan les avait relues cent fois et pouvait les répéter par cœur, il les avait intégrées à son rituel personnel et à son invocation à la déesse.

« Il n'y aura pas de paix dans le royaume des Mambos et des Monomatapas, tant qu'ils ne seront pas de retour. Car l'aigle blanc sera en guerre contre le buffle noir jusqu'à ce que les faucons de pierre reviennent sur leur perchoir. »

Jordan regarda la tête cruelle et fière de l'oiseau, les yeux vides au regard fixe tourné vers le nord, vers le pays des Mambos et des Monomatapas, appelé à présent Rhodésie, où l'aigle blanc et le buffle noir étaient toujours engagés dans une lutte à mort. Il éprouva un sentiment d'impuissance, une sensation de vide, comme s'il était pris dans une spirale dont il ne pouvait se libérer.

— Aie pitié de moi, grande Panès, dit-il en tombant à genoux. Je ne peux m'en aller. Je ne peux vous quitter, ni toi ni lui. Je ne sais où diriger mes pas.

À la lumière de la lampe son visage prenait un lustre verdâtre, comme s'il avait été sculpté dans de la glace. Il saisit la lampe et la tint levée au-dessus de sa tête des deux mains.

— Pardonne-moi, grande Panès, murmura-t-il, et il lança la lampe contre les panneaux en lambris.

Sa flamme vacilla, sur le point de s'éteindre, plongeant le hall dans l'obscurité pendant quelques instants. Puis une lueur bleue fantomatique vola à la surface de la flaque d'huile, et soudain les flammes jaillirent et léchèrent le bas des longues tentures en velours qui couvraient les murs.

Toujours agenouillé devant la statue de pierre, Jordan se mit à tousser lorsque les premières bouffées de fumée l'enveloppèrent. Il était un peu étonné que, après la première sensation de brûlure dans ses poumons, la douleur fût aussi légère. Tout là-haut, la forme du faucon s'estompa peu à peu, brouillée par les épaisses volutes de fumée et les larmes qui emplissaient ses yeux.

Le feu prit dans les lambris et les flammes bondirent jusqu'au plafond avec un grondement sourd. Embrasée, l'une des lourdes tentures tomba en se déployant comme les ailes d'un énorme vautour sur Jordan et son poids le projeta à plat ventre contre le dallage en marbre.

Déjà à moitié asphyxié par l'épaisse fumée, il ne se débattit même pas ; en quelques secondes la masse de velours se transforma en bûcher funéraire, et les flammes s'élevèrent joyeusement jusqu'au faucon de pierre.

— Bazo est enfin revenu de la vallée de l'Umlimo, dit Isazi à voix basse.

— Vous en êtes sûr ? demanda Ralph, incapable de contenir son impatience.

Isazi acquiesça.

— Je me suis assis autour des feux de camp de son régiment et je l'ai vu de mes yeux, les cicatrices brillant comme des pièces d'argent sur sa poitrine, je l'ai entendu haranguer ses *amadoda* pour les armer de courage en prévision du combat qui s'annonce.

— Où est-il, Isazi ? Dites-moi où je puis le trouver.

— Il n'est pas seul, reprit Isazi sans répondre à la question, désireux de ne pas gâcher l'effet dramatique de son rapport en révélant prématurément l'essentiel. Bazo est avec la sorcière, sa femme. Si Bazo est belliqueux, alors cette femme, Tanase, la favorite des esprits des ténèbres, est intrépide et impitoyable, animée d'une telle cruauté sanguinaire que lorsque les *amadoda* la regardent pour admirer sa beauté, ils frissonnent comme si elle était d'une indicible laideur.

— Où sont-ils ? insista Ralph.

— Bazo a avec lui Zama et Kamuza, les indunas les plus violents et les plus téméraires, et ils ont amené leurs *amadoda*, trois mille parmi les meilleurs et les plus féroces. Avec Bazo et Tanase à leur tête, ces régiments sont aussi dangereux qu'un lion blessé, qu'un vieux buffle lorsqu'il s'approche du chasseur imprudent en décrivant des cercles dans la brousse...

— Bon sang, Isazi, ça suffit comme ça ! rugit Ralph. Dites-moi où ils sont !

Isazi prit l'air peiné et prisa délibérément avec délectation. Ses yeux se mouillèrent, et il s'essuya les narines avec sa paume.

— Gandang, Babiaan et Somabula ne sont pas avec lui, poursuivit-il en reprenant son compte rendu au point précis où Ralph l'avait interrompu si grossièrement. J'ai entendu les *amadoda* parler d'une réunion qui s'est tenue il y a plusieurs semaines dans la vallée de l'Umlimo. Ils disaient que les vieux indunas ont décidé d'attendre l'intervention divine des esprits, de laisser libre la route du sud pour que les Blancs puissent quitter le Matabeleland et de rester assis sur leurs boucliers jusqu'à ce que tout cela ait lieu.

Ralph eut un geste de résignation dégoûtée.

— Ne vous pressez pas, grand sage, encouragea-t-il Isazi d'un ton sarcastique. Ne nous épargnez surtout aucun détail.

Isazi hocha la tête avec gravité, mais ses yeux sombres pétillaient et il tira sur sa barbichette de bouc pour s'empêcher de rire.

— Le ventre des vieux indunas se refroidit, ils n'ont pas oublié les batailles de la Shangani et de la Bambesi. Leurs espions leur ont appris que le laager de Bulawayo est défendu par les fusils à trois pieds. Je vous le dis, Henshaw, Bazo est la tête du serpent. Coupez-la et le corps mourra, conclut Isazi.

— Allez-vous maintenant me dire, mon sage et bon ami, où se trouve Bazo ?

Isazi hocha la tête derechef pour montrer qu'il appréciait le changement de ton de Ralph.

— Il est tout près. À moins de deux heures de marche d'ici, dit-il avec un grand geste qui embrassait le laager plongé dans l'obscurité. Il est avec trois mille *amadoda* dans la vallée aux Chèvres.

Ralph leva les yeux vers le petit bout de vieille lune suspendu bas dans le ciel.

— Nouvelle lune dans quatre jours, murmura-t-il. Si Bazo projette d'attaquer le laager, ce sera d'ici-là, pendant les nuits sans lune.

— Trois mille hommes, murmura Harry Mellow. Et nous sommes cinquante.

— Trois mille, répéta le sergent Ezra en secouant la tête. Les Taupes, les *Insukamini*, les Nageurs. Et comme l'a dit Isazi, les plus féroces et les meilleurs.

— Nous les aurons, dit Ralph calmement. Nous les attaquerons dans la vallée aux Chèvres pendant la nuit d'après-demain, et voilà comment nous allons procéder...

Bazo, fils de Gandang, qui avait renié son père et défié le plus grand induna des Kumalo, passa d'un feu de camp au suivant, accompagné de Tanase, son épouse à la silhouette mince et gracieuse.

Debout près du feu, il avait le visage éclairé par en dessous de sorte que ses orbites faisaient songer à des cavernes sombres dans les profondeurs desquelles ses yeux brillaient comme les écailles de quelque redoutable reptile. Les marques laissées sur son visage par les épreuves ressortaient avec précision. Son front était ceint du simple bandeau en fourrure de taupe ; il n'avait pas besoin des plumes de héron et d'oiseau de paradis pour affirmer sa majesté. Les muscles puissants de sa poitrine et de ses bras luisaient, et ses cicatrices étaient les seuls insignes honorifiques qu'il portait.

Par contraste avec son visage ravagé, la beauté de Tanase paraissait encore plus éclatante. Ses seins nus semblaient étrangement incongrus dans ces conseils de guerre, mais sous leur apparence de rondeurs satinées, ils étaient fermes comme des muscles forgés au combat, et leurs mamelons ressortaient comme les ombons au centre d'un bouclier.

Son regard était aussi féroce que celui des guerriers alentour. Debout aux côtés de son époux, elle leva les yeux vers lui avec une fierté farouche quand il prit la parole.

— Je vous donne le choix, dit Bazo. Vous pouvez rester tels que vous êtes maintenant, les chiens des Blancs. Vous pouvez rester des *amaholi*, les plus vils des esclaves, ou redevenir des *amadoda*...

Il n'élevait pas la voix, elle semblait monter de sa gorge comme un grondement, mais portait distinctement jusqu'aux parties les plus hautes de l'amphithéâtre rocheux, et les cohortes sombres des guerriers qui l'occupaient s'agitèrent.

— Le choix vous appartient, mais vous devez vous décider vite. Des messagers sont arrivés du sud ce matin.

Bazo marqua une pause, et ses auditeurs penchèrent la tête en avant pour mieux écouter. Ils étaient trois mille, accroupis en rangs serrés, mais c'était dans un silence total qu'ils attendaient les paroles de Bazo.

— Les pusillanimes vous ont dit que si nous laissions libre la piste du sud, les Blancs qui se trouvent à Bulawayo allaient charger leurs chariots, emmener leurs femmes et prendre la route bien gentiment jusqu'à la mer.

Les guerriers écoutaient toujours dans un silence religieux.

— Ils se trompent, et nous en avons maintenant la preuve. Lodzi est arrivé. (Il y eut un soupir pareil à celui du vent dans la prairie.) Lodzi est arrivé, répéta Bazo. Et avec lui les soldats et les fusils. Ils se rassemblent en ce moment au bout du chemin d'acier construit par Henshaw. Bientôt, très bientôt, ils vont remonter la route que nous leur avons laissée libre. Avant que la nouvelle lune soit à moitié pleine, ils seront à Bulawayo, et alors vous serez pour de bon des *amaholi*. Vous et vos fils et leurs fils après eux travaillerez dans les mines des Blancs et garderez leurs troupeaux.

Un grondement, pareil à celui d'un léopard qui s'éveille, parcourut les rangs des guerriers jusqu'à ce que Bazo lève haut la main qui tenait sa sagaie.

— Cela ne doit pas être. L'Umlimo nous a promis que cette terre sera un jour de nouveau nôtre, mais il nous appartient de faire en sorte que sa prophétie s'accomplisse. Les dieux ne favorisent pas ceux qui attendent la bouche ouverte que les fruits y tombent de l'arbre. Nous allons secouer l'arbre, mes enfants.

— Djii ! lança une voix dans la masse humaine, et immédiatement le cri de guerre fut repris par tous en un terrible bourdonnement.

— Djii ! s'écria à son tour Bazo en frappant le sol de son pied droit et le ciel, de sa sagaie à large lame.

Le cri fut repris encore par ses hommes.

Tanase se tenait près de lui, statue d'ébène immobile, les lèvres entrouvertes, ses immenses yeux bridés flamboyant à la lumière du feu.

Finalement, Bazo étendit une nouvelle fois sa main, et attendit qu'ils fassent silence.

— Voilà ce qu'il en sera, dit-il, et ses guerriers tendirent à nouveau l'oreille pour ne pas manquer ses paroles. Nous commencerons par anéantir le laager de Bulawayo. Il a toujours été dans la manière des Matabélé de fondre sur l'ennemi dans l'heure qui précède l'aube, juste avant la première lumière du jour. (Il y eut un murmure d'assentiment.) Et les Blancs le savent. Chaque matin, dans la dernière obscurité profonde, ils se tiennent prêts avec leurs fusils, attendant que le léopard tombe dans le piège. « Les Matabélé attaquent toujours avant l'aube », se répètent-ils. « Toujours ! » disent-ils. Mais moi, mes enfants, je vous dis que cette fois-ci ce sera différent.

Bazo marqua une pause et regarda attentivement les visages des hommes accroupis au premier rang.

— Cette fois-ci, nous attaquerons une heure avant minuit, quand l'étoile blanche se lève à l'est.

Debout devant eux à la façon traditionnelle, Bazo leur donna leur ordre de bataille. Accroupi dans la masse noire des corps à demi nus, ses épaules touchant celles des *amadoda* de chaque côté de lui, les cheveux cachés par la coiffe en plumes, le visage et le corps enduits du mélange de graisse et de suie, Ralph Ballantyne l'écoutait donner ses instructions détaillées.

— À cette saison, le vent se lèvera en même temps que l'étoile blanche. Il viendra de l'est. De l'est nous viendrons donc nous aussi. Chacun de vous portera sur sa tête un paquet d'herbe sèche et de feuilles de msasa, leur expliqua Bazo.

Imaginant ce qui devait arriver, Ralph sentit des picotements nerveux à l'extrémité de ses doigts. « Un écran de fumée, pensa-t-il. Une tactique navale. »

— Dès que le vent se lèvera, nous allumerons un grand feu, confirma immédiatement Bazo. Chacun de vous y jettera au passage son paquet d'herbe sèche, et nous avancerons dans l'obscurité et la fumée. Il ne leur servira à rien de tirer leurs fusées dans le ciel car la fumée aveuglera les tireurs.

Ralph se représenta la scène : les guerriers jusque-là invisibles émergeant des nuages de fumée impénétrable et se précipitant en masse sur le mur de chariots à portée de sagaie ou rampant entre les roues. Trois mille guerriers attaquant sans bruit et sans pitié. Même si le laager était averti et en alerte, il serait impossible de les arrêter. Les Maxim seraient pratiquement inutiles dans la fumée, et les sagaies les armes les plus efficaces à si courte portée.

Une image de tuerie traversa son esprit, et il se souvint du cadavre de Cathy, imagina ceux, mutilés, de Jonathan et d'Elizabeth, leur chair blanche aussi cruellement profanée. Sa fureur monta en force armer son courage, et il regarda en contrebas, au centre de l'amphithéâtre, la haute figure héroïque au visage ravagé qui décrivait en détail le terrible massacre.

— Nous ne devons pas laisser un seul survivant. Nous devons retirer à Lodzi toute raison de conduire ici ses soldats. S'il tente de le faire, il ne trouvera que cadavres, bâtiments calcinés et lames d'acier.

Dans sa rage, Ralph poussa le cri de guerre avec les *amadoda*, le visage déformé, les yeux fous, comme les leurs.

— L'*indaba* est terminée, déclara enfin Bazo. Allez vous reposer sur vos nattes. Quand vous vous lèverez avec le soleil, votre première tâche sera de couper un paquet d'herbe sèche et de feuilles, autant que vous en pourrez porter.

Étendu sous sa couverture en fourrure sur une natte en roseaux tressés, Ralph écoutait le camp s'endormir autour de lui. Les guerriers s'étaient retirés dans les recoins les plus étroits de la vallée. Il voyait s'éteindre doucement les feux de bivouac, leur halo de lumière orangée rapetisser. Il entendait décroître le murmure des voix, et la respiration des guerriers proches de lui devenir plus profonde et plus régulière.

Là où ils étaient, la vallée aux Chèvres se rétrécissait en un défilé accidenté, encombré d'épais buissons épineux, de sorte que les régiments ne pouvaient camper au même endroit. Ils s'étaient dispersés par petits groupes le long de la vallée, une cinquantaine dans chaque clairière. De grands arbres formaient un dais au-dessus d'eux et jetaient une ombre épaisse sur les sentiers étroits qui serpentaient à travers les broussailles.

Tandis que les derniers feux mouraient, l'obscurité devint plus dense. Toujours étendu sous sa couverture, Ralph empoigna la hampe de sa sagaie, attendant le moment propice.

Il arriva enfin et Ralph repoussa sans bruit la couverture. À quatre pattes, il rampa jusqu'à l'endroit où était couché le guerrier le plus proche et le chercha à tâtons. Ses doigts touchèrent la peau nue de son bras. Le guerrier se réveilla en sursaut et se dressa brusquement sur son séant.

— Qui est là ? demanda-t-il d'une voix gutturale ensommeillée.

Pour toute réponse, Ralph lui donna un coup de sagaie dans le ventre. L'homme poussa un hurlement de douleur atroce qui éclata dans le silence de la nuit, répercuté par les versants rocheux de la vallée.

— Des démons ! Des démons sont en train de me tuer ! beugla Ralph en se retournant et frappant un autre guerrier, qui à son tour cria de douleur et de surprise.

— Les démons sont là !

À cinquante autres endroits dans la vallée, les Scouts Ballantyne frappaient et criaient avec Ralph.

— Défendez-vous, des fantômes attaquent !

— *Tagati !* Sorcellerie ! Attention aux sorcières !

— Tuez les sorcières !

— Sorcellerie ! Défendez-vous !

— Fuyez ! Fuyez ! Les démons sont parmi nous !

Trois mille guerriers, tous imprégnés depuis l'enfance de superstition et d'histoires de sorcières, furent réveillés par les hurlements des agonisants et les cris de panique d'hommes confrontés aux légions du diable. Ils s'éveillèrent dans une obscurité oppressante, saisirent leurs armes en poussant des cris de terreur et frappèrent leurs camarades, qui, blessés, hurlaient à leur tour et leur rendaient leurs coups.

— Je suis touché. Défendez-vous des démons. Aaah ! Les démons sont en train de me tuer !

Des silhouettes affolées couraient dans la nuit, se heurtaient, frappaient et criaient.

— La vallée est hantée !

— Les démons vont tous nous tuer !

— Fuyez ! Fuyez !

Puis, au bout de la vallée, on entendit un monstrueux beuglement, un vacarme si discordant qu'il ne pouvait être que la voix du grand démon lui-même, Tokoloshé, le mangeur d'hommes. Ce bruit épouvantable anéantit le peu de raison qui restait aux guerriers terrifiés.

Passant au-dessous des coups de sagaie, Ralph avançait à quatre pattes sur l'étroit sentier, et dans cette position basse il voyait la silhouette des guerriers en fuite se découper sur le ciel à peine étoilé. Quand il les frappait de sa lance, au lieu de chercher à leur porter un coup mortel, il visait l'aine ou le ventre afin que les blessés ajoutent leurs hurlements au vacarme général.

Au bout de la vallée, Harry Mellow donna un autre coup de corne de brume assourdissant auquel firent écho les cris des hommes qui escaladaient à l'aveuglette les versants de la vallée et s'échappaient dans la prairie au-delà.

Ralph continuait d'avancer, s'efforçant de distinguer une voix parmi des milliers. Dans les premières minutes, des centaines de guerriers, la plupart sans armes, s'étaient échappés de la vallée. Ils avaient disparu dans la nuit tous azimuts et, chaque seconde, d'autres les suivaient. Des hommes qui auraient chargé sans broncher les gueules fumantes des mitrailleuses Maxim étaient pris de panique et transformés par peur du surnaturel en gamins stupides. Leurs cris s'évanouissaient au loin, et enfin Ralph entendit la voix qu'il attendait.

— Tenez bon, les Taupes ! rugissait-elle. Restez avec Bazo. Ce ne sont pas des démons !

Ralph se dirigea vers l'endroit d'où provenait la voix. Devant lui, dans une clairière, un feu de camp alimenté en bois frais reprit brusquement et Ralph reconnut la haute silhouette aux larges épaules et la femme mince à son côté.

— C'est une fourberie des Blancs, cria-t-elle. Attendez, mes enfants.

Ralph se leva d'un bond et courut vers eux à travers les épaisses broussailles.

— Nkosi, lança-t-il sans avoir besoin de déguiser sa voix rendue rauque par la poussière, la tension et l'excitation. Seigneur Bazo, je suis avec toi ! Luttons ensemble contre la fourberie.

— Brave camarade ! l'accueillit Bazo avec soulagement lorsqu'il émergea de l'obscurité. Tenons-nous dos à dos afin de nous protéger mutuellement et appelons pour que d'autres hommes courageux viennent nous rejoindre.

Bazo tourna le dos à Ralph et tira Tanase à ses côtés. C'est elle qui jeta un coup d'œil derrière elle et reconnut Ralph.

— C'est Henshaw ! s'écria-t-elle, mais son avertissement venait trop tard.

Avant que Bazo ait eu le temps de se retourner pour lui faire face, Ralph avait changé sa prise de main sur la sagaie et, s'en servant comme d'un couperet de boucher, portait un coup à l'arrière des chevilles de Bazo, sectionnant les tendons d'Achille. Estropié, Bazo tomba à genoux.

Ralph prit Tanase par le poignet et la projeta brusquement par terre tête la première. Tout en la maintenant sans peine, il lui arracha son pagne en cuir et plaça la pointe de sa sagaie contre son aine.

— Bazo ! murmura-t-il. Jette ta sagaie dans le feu ou j'évente ta femme comme tu as éventré la mienne.

Dans les premières lueurs du jour, les Scouts déployés en tirailleurs ratissèrent lentement la vallée pour achever les Matabélé blessés. Pendant ce temps, Ralph envoya Jan Cheroot à l'endroit où ils avaient laissé les chevaux pour aller chercher les cordes. Quelques minutes après, il était de retour avec les lourds rouleaux de corde de chanvre attachés sur les selles des chevaux qu'il tirait par la longe.

— Les Matabélé se sont égaillés dans les collines, annonça-t-il. Il leur faudra une semaine pour se regrouper.

— Nous n'attendrons pas aussi longtemps.

Ralph prit les cordes et commença à faire les nœuds. Les Scouts arrivaient et essuyaient la lame de leur sagaie avec des poignées d'herbe séchée. Le sergent Ezra dit à Ralph :

— Nous avons perdu quatre hommes, mais nous avons trouvé Kamuza, l'induna des Nageurs, et nous avons compté plus de deux cents morts chez l'ennemi.

— Préparez-vous à partir, ordonna Ralph. Ce qui reste à faire ne prendra pas longtemps.

Bazo était assis près des restes du feu. Il avait les bras attachés dans le dos avec un lacet de cuir, les jambes allongées devant lui. Il n'avait plus la maîtrise de ses pieds ; ils étaient inertes comme des poissons en train de crever sur le sable et du sang coulait lentement des profondes entailles au-dessus de ses talons.

Tanase était à côté de lui, toute nue et les bras attachés dans le dos comme lui.

Le sergent Ezra la regarda et chuchota :

— Nous avons travaillé dur toute la nuit. Nous avons droit à un peu de bon temps. Laissez-nous, mes *kanka* et moi, emmener cette femme dans les buissons pendant un petit moment.

Ralph ne prit pas la peine de répondre et se tourna vers Jan Cheroot.

— Amène les chevaux, ordonna-t-il.

Tanase parla à Bazo sans remuer les lèvres, à la manière des initiés.

— Que font-ils avec ces cordes, Seigneur ? Pourquoi ne nous fusillent-ils pas, qu'on en finisse ?

— C'est comme ça que les Blancs expriment leur manque de respect le plus profond. Ils fusillent les ennemis qu'ils honorent et pendent les criminels.

— Seigneur, le jour où j'ai rencontré celui que tu appelles Henshaw, j'ai rêvé que tu te balançais aux branches hautes d'un arbre et qu'il te regardait en souriant. Il est curieux que dans ce rêve je ne me sois pas vue pendue à côté de toi.

— Ils sont prêts, dit Bazo en tournant la tête vers elle. Je t'embrasse de tout mon cœur. Tu as été la source de ma vie.

— Je t'embrasse, mon mari. Je t'embrasse, Bazo, qui sera le père des rois.

Elle garda les yeux fixés sur son visage ravagé, à la fois beau et très laid, et elle ne tourna pas la tête lorsque Henshaw, debout près d'eux, dit d'une voix cassée :

— Je vous réserve une mort plus douce que celle que vous avez donnée à celles que j'aimais.

Les cordes étaient de longueurs légèrement différentes, de sorte que Tanase était pendue un peu plus bas que son seigneur. Ses plantes de pied, à deux mètres du sol, étaient très blanches et ses orteils pointaient droit vers la terre, comme ceux d'une petite fille dressée sur la pointe des pieds. Son long cou de cygne était tordu violemment d'un côté, si bien qu'elle semblait toujours écouter Bazo.

Le visage enflé de celui-ci était levé vers le ciel jaune de l'aube, car le nœud était remonté sous son menton. Debout au pied du grand acacia au fond de la vallée aux Chèvres, Ralph Ballantyne avait lui aussi le visage levé pour les regarder.

Sur un autre point, la vision de Tanase ne s'était pas réalisée : Ralph Ballantyne ne souriait pas.

Loban était donc venu, et avec lui le général de division Carrington et le major Robert Stephenson Smyth Baden-Powell, qui allait un jour forger la devise « Toujours prêt », suivis par les canons et les soldats. Les femmes et les enfants, sortis en gambadant du laager de Bulawayo avec des bouquets de fleurs sauvages pour les accueillir, chantaient et pleuraient de joie.

Les aînés des indunas Kumalo, trahis par la promesse d'une intervention divine faite par l'Umlimo, hésitants, leur ardeur refroidie, se chamaillaient entre eux. Impressionnés par ce massif déploiement de forces qu'ils avaient suscité, ils se retirèrent lentement du voisinage de Bulawayo avec leurs régiments.

Les troupes impériales effectuaient des sorties en longues et lourdes colonnes pour balayer les vallées et la plaine. Elles incendiaient les villages désertés et les récoltes sur pied, emmenaient le peu de bétail que la peste bovine avait épargné. Elles bombardaient les collines où elles soupçonnaient que les Matabélé avaient pu se cacher et éreintaient les chevaux en donnant la chasse aux ombres insaisissables qui voltigeaient devant elles dans la forêt. Les Maxim tiraient jusqu'à ce que l'eau bouille dans les chemises de refroidissement du canon, mais les hausses étaient réglées à la portée maximale et les cibles étaient aussi rapides que des lapins.

Les mois succédant aux semaines, les soldats tentèrent d'affamer les Matabélé et de les contraindre à une bataille rangée, mais les indunas refusèrent l'affrontement et se replièrent sur un terrain accidenté, prenant refuge dans les collines des Matopos, où les soldats et leurs canons ne pouvaient les suivre.

De temps à autre, les Matabélé tombaient sur une patrouille isolée ou un homme seul — une fois même, ils faillirent tuer Frederick Selous, le célèbre chasseur d'éléphants et aventurier. Celui-ci avait mis pied à terre pour abattre un des rebelles qui disparaissait par-dessus une crête lorsqu'une balle perdue effleura sa monture, et son poney, au comportement d'ordinaire irréprochable, s'emballa et le laissa en plan. Seulement alors, il se rendit compte qu'il avait devancé le gros de ses Scouts, et que les Matabélé avaient immédiatement perçu dans quelle mauvaise passe il se trouvait. Ils firent demi-tour et le prirent en chasse.

Ce fut une course effrénée comme Selous n'en avait pas connue depuis l'époque où il chassait l'éléphant. Pieds nus et légers, les *amadoda* gagnaient rapidement du terrain. Ils furent si près enfin qu'ils détachèrent les courroies qui retenaient leur sagaie à leur bouclier et entonnèrent leur terrible chant de guerre. C'est alors que le lieutenant Windley, le commandant en second de Selous, arriva à bride abattue et libéra son étrier gauche pour que Selous puisse s'y accrocher ; il rejoignit ensuite au galop les rangs des Scouts.

À d'autres moments, la chance était du côté des soldats ; ils surprenaient une patrouille de Matabélé à un gué ou dans la brousse, et les pendaient à l'arbre le plus proche.

C'était une petite guerre cruelle qui n'en finissait pas. Les officiers qui menaient la campagne n'étaient pas des hommes d'affaires, ils ne pensaient pas en termes de rentabilité. Pour les trois premiers mois, la facture s'éleva à un million de livres sterling, soit cinq mille livres par Matabélé tué, et c'était M. Cecil John Rhodes et sa British South Africa Company qui payaient.

Dans les collines des Matopos, les indunas allaient bientôt être réduits à la famine, et à Bulawayo, M. Rhodes se dirigeait tout aussi inexorablement vers la faillite.

Trois cavaliers progressaient prudemment, à distance les uns des autres pour se protéger mutuellement. Ils ne quittaient pas le milieu de la piste et portaient leur fusil haut, chargé et armé.

Jan Cheroot chevauchait en tête, cinquante mètres en avant. Il tournait inlassablement la tête d'un côté et de l'autre pour fouiller la brousse du regard. Derrière lui venait Louise Ballantyne, heureuse, après tant de mois, d'échapper à l'atmosphère confinée et à l'ennui du laager de Bulawayo. Elle chevauchait à califourchon comme les hommes, avec l'allant d'une cavalière née. Elle avait une plume plantée dans sa petite casquette verte, et elle se retournait à intervalles réguliers, les lèvres entrouvertes en un sourire aimant. Elle n'était pas encore habituée à avoir de nouveau Zouga à ses côtés, et elle avait besoin d'être rassurée sans cesse.

Zouga était à une cinquantaine de mètres derrière elle, et la façon dont il répondait à son sourire la remuait profondément. Il se tenait droit sur sa selle, avec aisance, son chapeau à large bord incliné sur un œil. Le soleil avait chassé la pâleur laissée sur son visage par son séjour à Holloway, et sa barbe or et argent lui donnait l'air d'un chef viking.

Après avoir quitté la plaine herbeuse, ils gravissaient les premières pentes des collines sous la voûte formée par les hautes branches de msasa. Lorsqu'il atteignit la première fausse crête, Jan Cheroot se dressa sur ses étriers et poussa un cri de soulagement et de plaisir. Incapables de se retenir, Louise et Zouga s'élancèrent au petit galop et serrèrent la bride à leur monture en arrivant près de lui.

— Dieu merci, murmura Louise d'une voix rauque en prenant la main de Zouga.

— C'est un miracle, dit-il doucement en pressant ses doigts dans les siens.

Devant eux, le chaume velouté des toits de King's Lynn se dorait paisiblement au soleil. Il leur semblait n'avoir jamais rien vu d'aussi beau.

— Intacte, fit Louise en secouant la tête avec incrédulité.

— C'est probablement la seule ferme du Matabeleland à ne pas avoir été incendiée.

— Allons, mon chéri, s'écria-t-elle avec une extase soudaine. Retournons chez nous.

Zouga l'arrêta au pied des marches du large porche et lui demanda de rester en selle, le fusil prêt à tirer, en tenant les rênes de leurs chevaux, pendant que Jan Cheroot et lui fouillaient la maison pour s'assurer que les Matabélé ne leur avaient pas tendu un piège.

Lorsque Zouga réapparut sur la véranda, il portait son fusil à la main et lui souriait.

— Pas de danger !

Il l'aida à mettre pied à terre.

Pendant que Jan Cheroot conduisait les chevaux à l'étable pour les nourrir avec les sacs de grain qu'il avait apportés, Zouga et Louise gravirent les marches de la véranda main dans la main.

Les grandes défenses d'éléphant encadraient toujours la porte de la salle à manger, et Zouga en caressa une au passage.

— Vos chères amulettes, dit-elle avec un petit rire indulgent.

— Les pénates, corrigea-t-il.

Ils entrèrent. La maison avait été pillée. Ils ne pouvaient s'attendre à moins, mais les livres étaient encore là, jetés à bas de leurs rayonnages, certains le dos arraché, la reliure en peau endommagée ou rongée par les rats, mais ils étaient tous là.

Zouga ramassa ses journaux de voyage et les épousseta superficiellement avec son foulard. Il y en avait des dizaines, les annales de toute sa vie, méticuleusement écrits de sa main et illustrés de dessins à l'encre et de cartes coloriées.

— Ça m'aurait vraiment brisé le cœur de les perdre, murmura-t-il en les rangeant avec soin sur la table, puis en caressant une des reliures en maroquin rouge.

L'argenterie était éparpillée sur le plancher de la salle à manger, certaines pièces abîmées, mais la plupart intactes. Elle n'avait aucune valeur aux yeux des Matabélé.

Ils errèrent à travers la maison, dans les pièces que Zouga avait ajoutées au petit bonheur à la construction d'origine, et ils trouvèrent de menus trésors au milieu du fatras : un peigne en argent qu'il lui avait offert pour leur premier Noël ensemble, les boutons de col en diamant et émail qu'elle lui avait donnés pour son anniversaire. Elle les lui tendit et se dressa sur la pointe des pieds pour recevoir un baiser.

Il y avait encore de la vaisselle et des verres sur les étagères de la cuisine, mais les casseroles et les couteaux avaient été volés, les portes du garde-manger et des réserves arrachées de leurs gonds.

— Ce ne sera pas difficile de réparer tout ça, dit Zouga. Je n'arrive pas à croire à la chance que nous avons eue.

Louise entra dans la cuisine et y trouva quatre de ses poules de Rhode Island occupées à gratter dans la poussière. Elle appela Jan Cheroot et lui demanda d'apporter quelques poignées de grain de l'écurie. Quand elle gloussa pour faire venir les poules, elles arrivèrent dans un froufrou d'ailes pour recevoir la nourriture.

Les carreaux des fenêtres de la grande chambre étaient cassés, et des oiseaux étaient venus percher entre les chevrons. Le couvre-lit était taché par leurs fientes, mais, dessous, le linge et le matelas étaient propres et secs.

Zouga passa un bras autour de sa taille, la serra et la regarda de la façon qu'elle connaissait si bien.

— Vous êtes un coquin, major Ballantyne, dit-elle haletante. Mais il n'y a pas de rideaux aux fenêtres.

— Heureusement, il y a encore des volets.

Il alla les fermer pendant que Louise repliait le drap et déboutonnait le bouton du haut de son corsage. Zouga revint à temps pour l'aider à défaire les autres.

Lorsque, une heure plus tard, ils revinrent sur la véranda, ils constatèrent que Jan Cheroot avait épousseté les chaises et la table, et déballé le pique-nique apporté de Bulawayo. Ils burent du bon vin de Constantia et mangèrent du pâté en croûte, servis par Jan Cheroot qui les régalait d'anecdotes et du récit des exploits accomplis par les Scouts Ballantyne.

— Nous n'avions pas notre pareil, déclara-t-il modestement. Les Scouts de Ralph ! Les Matabélé ont appris à bien nous connaître, ça oui !

— Oh, ne parlons plus de guerre, implora Louise.

Mais Zouga demanda sur un ton sarcastique et bon enfant :

— Que sont devenus tous ces héros ? La guerre continue, et nous avons besoin d'hommes comme vous.

— Maître Ralph a changé d'attitude. Il a changé comme ça, répondit sombrement Jan Cheroot avec un claquement de doigts. Du jour où il a capturé Bazo dans la vallée aux Chèvres, il s'est désintéressé de la guerre. Il n'a plus jamais chevauché avec les Scouts, et une semaine après, il est retourné au chantier pour achever la construction de la voie ferrée. À ce qu'on dit, le premier train arrivera à Bulawayo avant Noël.

— Assez ! s'exclama Louise. C'est notre première journée à King's Lynn depuis près d'un an. Je ne veux plus entendre un seul mot sur la guerre. Versez-nous du vin, Jan, et servez-vous un petit verre. (Puis, se tournant vers Zouga :) Chéri, ne pouvons-nous pas quitter Bulawayo et revenir ici ?

Zouga secoua la tête avec regret.

— Je suis désolé, mon amour, je ne veux pas mettre en péril votre précieuse vie. Les Matabélé sont toujours en rébellion, et King's Lynn est trop isolé...

On entendit soudain le caquètement affolé des poules à l'arrière de la maison. Zouga s'interrompit et se leva d'un bond. Tout en prenant son fusil appuyé contre le mur, il dit à voix basse mais pressante :

— Jan, faites le tour de l'écurie. Je vais passer par l'autre côté. Louise, restez là, mais tenez-vous prête à courir aux chevaux si vous entendez un coup de feu.

Les deux hommes s'éloignèrent sans bruit sur la véranda. Quand Zouga atteignit l'angle de la maison près de la grande chambre, il y eut une autre tempête de caquetages, de gloussements et de battements d'ailes. Il se baissa, franchit le coin, longea en courant le mur blanchi à la chaux de la cour et se plaqua contre lui près de la porte de la cuisine. Au-dessus de la cacophonie, il entendit une voix dire :

— Attrape celle-là ! Ne la laisse pas s'échapper !

C'était la voix d'un Matabélé, et presque tout de suite, à côté de Zouga, un personnage à demi nu franchit la porte en se baissant, une poule dans chaque main.

Une seule chose empêcha Zouga de faire feu : les seins nus qui battaient contre les côtes de la Matabélé. Il l'envoya à terre d'un coup de crosse entre les épaules et, d'un bond, vint se placer au-dessus d'elle.

Jan Cheroot était debout près de la porte. Il tenait son fusil d'une main, et de l'autre un petit Noir tout nu et tout maigre qui se débattait.

— Est-ce que je dois lui enfoncer le crâne ? demanda-t-il.

— Vous ne faites plus partie des Scouts de Ralph. Ne le laissez pas s'échapper mais ne lui faites pas de mal, répondit Zouga avant de se retourner vers sa prisonnière.

C'était une vieille femme, à deux doigts de mourir de faim. Elle avait dû être corpulente, car sa peau pendait en longs plis. Ses seins avaient dû avoir la taille de pastèques, mais ils lui tombaient à présent presque jusqu'au nombril comme de grandes poches vides. Zouga lui prit le poignet, la remit debout et la ramena dans la cour de la cuisine, sentant distinctement les os de son bras décharné.

Zouga examina rapidement l'enfant, que Jan Cheroot tenait toujours. Il était lui aussi d'une maigreur squelettique, les côtes et les vertèbres saillantes, sa tête semblait trop grosse pour son corps, ses yeux trop grands par rapport à son visage.

— Ce gamin crève de faim, dit-il.

— C'est une façon de se débarrasser d'eux, commenta Jan Cheroot.

À cet instant, Louise apparut à la porte de la cuisine, son fusil encore à la main, et elle changea d'expression dès qu'elle vit la Matabélé.

— Jouba ! s'exclama-t-elle. Est-ce toi, Jouba ?

— Oh, Balela, sanglota la femme. Je pensais que je ne reverrais jamais le soleil de ton visage.

— Eh bien, dit Zouga, sardonique. Nous avons fait une belle prise, Jan. La première épouse du grand et noble Gandang, et ce petiot doit être son petit-fils ! Je ne les avais pas reconnus, ils sont au bout du rouleau.

Assis sur les genoux osseux de sa grand-mère, Tungata Zebiwe mangea avec une frénésie tranquille, l'attention totale d'un animal affamé. Il termina le pâté qui restait, puis la croûte laissée par Zouga. Louise fouilla dans les sacoches de selle et trouva

340

une boîte cabossée de corned-beef ; l'enfant la mangea aussi, fourrant dans sa bouche la viande grasse avec ses deux mains.

— Excellente idée. Engraissez-le maintenant, et il nous faudra l'abattre plus tard, dit Jan Cheroot avant de sortir d'un air maussade afin de seller les chevaux pour le retour à Bulawayo.

— Jouba, Petite Colombe, demanda Louise, est-ce que tous les enfants sont dans le même état ?

— Il n'y a plus rien à manger, confirma Jouba. Ils sont tous comme lui, et certains des plus petits sont déjà morts.

— Jouba, n'est-il pas temps que nous, les femmes, mettions un terme aux sottises de nos maris avant que tous les enfants soient morts ?

— Si, Balela, il est temps, plus que temps.

— Qui est cette femme ? demanda M. Rhodes sur ce ton exaspéré qui trahissait son agitation, et il regarda Zouga d'un air interrogateur.

Ses yeux semblaient plus protubérants, comme s'ils avaient été pressés hors de son crâne.

— C'est la première épouse de Gandang.

— Gandang... le commandant du régiment qui a massacré la patrouille de Wilson près de la Shangani ?

— Le demi-frère de Lobengula. Avec Babiaan et Somabula, c'est l'aîné de tous les indunas.

— Je ne crois pas que nous ayons quoi que ce soit à perdre à parlementer avec eux, dit M. Rhodes avec un haussement d'épaules. Cette histoire va finir par nous détruire tous si elle s'éternise. Dites à cette femme de repartir avec un message demandant aux indunas de déposer les armes et de venir à Bulawayo.

— Je crains, monsieur Rhodes, qu'ils n'en fassent rien. Ils ont eu une *indaba* dans les collines, tous les indunas ont pris la parole, et je ne vois qu'une issue.

— Laquelle, Ballantyne ?

— Ils veulent que vous alliez à eux.

— Moi... en personne ? demanda M. Rhodes à voix basse.

— « Nous ne parlerons qu'à Lodzi, et il doit venir à nous sans arme. Il doit venir dans les Matopos sans ses soldats. Il peut emmener deux ou trois hommes avec lui, mais aucun ne doit être armé. S'ils le sont, nous les tuerons sur-le-champ. »

Zouga répéta le message que Jouba avait transmis. M. Rhodes ferma les yeux et les couvrit de sa paume.

— En leur pouvoir. Seul et sans arme, entièrement en leur

pouvoir, dit-il d'une voix sifflante, de sorte que Zouga dut se pencher pour saisir ses paroles.

M. Rhodes laissa retomber sa main et se leva. Il s'approcha d'un pas lourd de l'ouverture de la tente et se balança sur ses talons, les mains jointes dans le dos. Au-dehors, dans l'atmosphère étouffante et poussiéreuse de midi, un clairon sonna la marche, et on entendit au loin une compagnie de cavaliers quitter le laager, le bruit des sabots et des lances dans leur fourreau en cuir.

M. Rhodes se retourna vers Zouga.

— Pouvons-nous leur faire confiance ? demanda-t-il.

— Pouvons-nous ne pas le faire, monsieur Rhodes ?

Ils laissèrent les chevaux à l'endroit convenu, dans l'une des innombrables vallées creusées dans les collines de granit cabrées en crêtes dentelées et effondrées en profondes dépressions comme des vagues figées, soulevées par un vent violent. À partir de là, Zouga Ballantyne prit la tête du petit groupe et le conduisit sur l'étroit sentier qui serpentait à travers la brousse épaisse. Il marchait lentement et regardait sans cesse en arrière le personnage à l'allure d'ours qui le suivait en traînant les pieds.

Lorsque le sentier commença à grimper, Zouga s'arrêta et attendit M. Rhodes pour lui laisser le temps de souffler. Le visage marbré de traînées bleuâtres, M. Rhodes transpirait à grosses gouttes. Pourtant, après quelques minutes, il fit signe à Zouga de continuer avec un geste d'impatience.

Derrière M. Rhodes suivaient les deux autres hommes dont la présence avait été autorisée par les indunas. L'un était journaliste — M. Rhodes aimait trop se mettre en avant pour rater une occasion pareille —, l'autre, médecin, car il savait que les sagaies des Matabélé ne représentaient pas le seul danger qui le menaçait au cours de cet épuisant périple.

La chaleur étouffante qui régnait dans les collines des Matopos faisait trembloter l'air au-dessus des roches granitiques comme au-dessus des plaques d'un poêle. Le silence était d'une épaisseur suffocante, presque palpable, et les cris d'oiseaux qui le déchiraient à intervalles réguliers ne faisaient qu'en souligner la lourdeur.

Le sentier était bordé de chaque côté par d'épaisses broussailles, et, à un certain moment, alors qu'il n'y avait pas le moindre souffle de vent, Zouga vit une branche bouger. Il continuait de grimper à une allure mesurée, comme s'il conduisait la garde d'honneur à des funérailles militaires. Le sentier tournait brusquement pour s'enfoncer dans une étroite gorge verticale qui s'ouvrait là où la muraille de granit était la plus haute. Zouga s'arrêta et attendit de nouveau.

M. Rhodes le rejoignit et, l'épaule appuyée contre la roche surchauffée, s'épongea le visage et le cou avec son mouchoir. Il fut incapable de parler pendant plusieurs minutes.

— Vous pensez qu'ils vont venir, Ballantyne ? dit-il enfin d'une voix haletante.

Plus bas dans la vallée, du plus profond des fourrés, un rouge-gorge poussa son cri. Zouga pencha la tête pour mieux écouter. L'imitation était presque convaincante.

— Ils sont déjà là, monsieur Rhodes. Devant nous. Les collines regorgent de Matabélé. (Il regarda les yeux bleu pâle de son interlocuteur pour y déceler de la peur, mais n'en trouva aucune.) Vous êtes un homme courageux, monsieur, murmura-t-il presque timidement.

— Un homme pragmatique, Ballantyne, répondit M. Rhodes. (Un sourire déforma son visage gonflé, ravagé par la maladie.) Mieux vaut toujours discuter que de se battre.

— J'espère que les Matabélé seront du même avis, dit Zouga en lui rendant son sourire.

Ils s'engagèrent dans la pénombre de la gorge étroite et débouchèrent rapidement de l'autre côté. À leurs pieds s'ouvrait une vallée circulaire bordée par de hauts remparts de granit dénudés.

Zouga regarda dans le fond de la cuvette et son instinct de soldat s'offusqua.

— C'est un piège, dit-il. Un lieu idéal pour une mise à mort, il n'y a aucune issue.

Au milieu de la cuvette une fourmilière formait une petite plate-forme d'argile durcie, et le petit groupe se dirigea instinctivement vers elle.

— Autant se mettre à l'aise, dit M. Rhodes haletant en s'y laissant choir.

Les deux autres s'assirent à ses côtés, seul Zouga resta debout. Il gardait un visage impénétrable, mais des picotements de terreur parcouraient son échine. Ils se trouvaient au cœur des Matopos, les collines sacrées des Matabélé, leur bastion, là où ils se montreraient sans doute les plus courageux et impitoyables. C'était de la folie de venir là sans armes, de se mettre à la merci de la tribu la plus sauvage et sanguinaire du continent africain. Les mains jointes dans le dos, Zouga tourna lentement sur ses talons en inspectant la muraille rocheuse qui les cernait. Il n'avait pas achevé son tour qu'il dit à voix basse :

— Eh bien, messieurs, les voilà !

Sans un bruit, sans qu'aucun ordre n'ait été donné, les régiments sortirent de leurs cachettes et formèrent une barrière vivante tout le long de la crête, les guerriers sur plusieurs rangs, épaule contre épaule. Il était impossible d'évaluer leur nombre, de dire seulement combien de milliers ils étaient, et pourtant le silence persistait comme si Zouga et ses compagnons avaient eu de la cire dans les oreilles.

— Ne bougez pas, messieurs, avertit celui-ci.

Ils attendirent en plein soleil, sous la garde des régiments silencieux et impassibles. Aucun oiseau ne chantait et pas la moindre brise n'agitait la forêt de coiffes emplumées et les pagnes de fourrure.

Enfin les rangs s'ouvrirent pour laisser passer un petit groupe d'hommes avant de se refermer derrière eux, tandis qu'ils descendaient le sentier. C'étaient les grands princes Kumalo, les Zanzi de sang royal, mais leur nombre était à présent réduit.

Tous étaient âgés, les années avaient semé de givre leur chevelure laineuse et leur barbe. Ils étaient maigres comme des chiens errants, leurs muscles de guerriers avaient fondu et on voyait leurs os. Certains portaient des pansements tachés de sang et sales, tandis que d'autres avaient les membres et le visage couverts de croûtes dues aux privations.

Gandang était à leur tête, flanqué légèrement en retrait de ses deux demi-frères, Babiaan et Somabula ; puis venaient les autres fils de Machobane, tous portant leur anneau d'induna, leur sagaie à large lame et leur long bouclier en cuir vert auquel ils devaient le nom de Matabélé, les « Hommes aux Longs Boucliers ».

Gandang s'arrêta à dix pas de Zouga et ficha l'extrémité de son bouclier dans le sol. Les deux hommes se regardèrent dans les yeux, et tous deux songèrent au jour de leur première rencontre, quelque trente ans plus tôt.

— Je te vois, Gandang, fils de Mosélékatsé, dit enfin Zouga.

— Je te vois, Bakela, celui qui frappe avec le poing.

Derrière Zouga, M. Rhodes ordonna calmement :

— Demandez-lui s'il va y avoir la paix ou la guerre.

Zouga ne quitta pas des yeux le grand induna au visage émacié.

— Les yeux voient-ils encore rouge ? questionna-t-il.

La réponse de Gandang fut un grondement grave, mais sa voix porta distinctement jusqu'aux indunas qui le suivaient et s'éleva vers les guerriers massés sur les hauteurs.

— Dis à Lodzi que les yeux voient blanc, dit-il, puis il se baissa et posa son bouclier et sa sagaie à ses pieds.

Deux Matabélé vêtus d'un simple pagne de tissu poussaient le wagonnet le long de la voie ferrée à faible écartement. Lorsqu'ils arrivèrent au bout, l'un d'eux fit sauter la goupille, la benne bascula sur le côté et répandit ses cinq tonnes de quartz bleu dans la cheminée en entonnoir. La roche dégringola dans le calibreur et s'arrêta sur le crible classeur, où une douzaine d'autres Matabélé équipés de masses la brisèrent pour qu'elle puisse passer à travers le tamis et tomber dans les auges des bocards.

Les lourds bocards en fonte, auxquels une machine à vapeur imprimait un mouvement de haut en bas au rythme monotone, broyaient le minerai jusqu'à le réduire en poudre. Le vacarme était assourdissant. De l'eau, pompée dans le ruisseau au-dessous, circulait en permanence, emportait le minerai hors des auges et le charriait le long de gouttières en bois jusqu'aux tables de tri.

Dans la case basse ouverte sur le côté, Harry Mellow se tenait à côté de la table n° 1 et regardait le flot épais chargé de boue balayer la lourde feuille de cuivre qui recouvrait le dessus de la table. Celui-ci était incliné pour permettre à la boue sans valeur de s'écouler dans l'égout, une came agitait la table doucement pour étaler le flot et permettre à toute particule de minerai de toucher le cuivre. Harry ferma la valve, dévia le flot vers la table n° 2, poussa la manette, et le mouvement de la table cessa.

Harry leva les yeux vers Ralph Ballantyne et Vicky qui l'observaient avec avidité, il dressa le pouce pour les rassurer — le bruit de tonnerre des bocards interdisait toute conversation — et se pencha de nouveau sur la table. Le dessus était recouvert d'une épaisse couche de mercure ; à l'aide d'une large spatule, Harry commença à gratter le mercure sur la feuille de cuivre pour l'enlever et en faire une grosse boule sombre. Une des propriétés particulières du mercure est d'absorber les particules d'or, de la même façon qu'un buvard aspire l'encre.

Lorsqu'il eut fini, Harry avait une boule de mercure amalgamé deux fois plus grosse qu'une balle de base-ball et pesant près de vingt kilos. Il dut se servir de ses deux mains pour la soulever et la porter jusqu'à la construction à toit de chaume qui faisait office de laboratoire et de raffinerie de la mine Harkness. Ralph et Vicky se précipitèrent à sa suite dans la petite pièce.

Tous trois regardèrent fascinés la boule d'amalgame commencer à se dissoudre en bouillonnant dans la cornue au-dessus de la flamme bleu intense du fourneau.

— Nous éliminons le mercure par chauffage, expliqua Harry, et le condensons à nouveau, mais il nous reste ceci.

Le liquide argenté bouillant réduisit en quantité et commença à changer de couleur. Ils entraperçurent alors les premiers feux, la lueur mordorée qui ensorcelle les hommes depuis plus de six mille ans.

— Regardez ! applaudit Vicky tout excitée, les yeux brillants comme s'ils avaient reflété le précieux liquide qu'elle regardait.

Le reste de mercure disparut et laissa une petite flaque d'or pur rutilant.

— De l'or, dit Ralph. Le premier or sorti de la mine Harkness.

Il renversa alors la tête en arrière et éclata de rire. Harry et Vicky sursautèrent. Ils ne l'avaient pas entendu rire depuis le départ de Bulawayo. Pendant qu'ils le dévisageaient, surpris, il les prit tous les deux par le bras, un de chaque côté, et les entraîna dehors en dansant.

Ils dansèrent en rond, et les deux hommes poussaient des cris, Ralph comme un Écossais, Harry comme un Peau-Rouge. Les Matabélé interrompirent leur travail et les regardèrent, d'abord avec étonnement, puis en riant par sympathie.

Vicky rompit le cercle la première, haletante, tenant à deux mains son ventre qui commençait à s'arrondir.

— Vous êtes fous ! s'écria-t-elle en riant. Fous à lier ! Tous les deux ! Mais c'est pour ça que je vous aime.

Le mélange était à parts égales, moitié argile ramassée sur les berges de la Khami, moitié argile jaune provenant de termitières, dont les propriétés adhésives avaient été améliorées par la salive des termites qui l'avaient remontée jusqu'à la surface par leurs galeries souterraines. Les deux terres différentes avaient été entassées près du puits artésien, ce même puits que Clinton Codrington, le premier mari de Robyn, et Zouga Ballantyne avaient creusé ensemble de longues années plus tôt, avant même que les pionniers de la compagnie à charte soient arrivés au Matabeleland.

Deux convertis de la mission remontaient les seaux d'eau du puits et les renversaient dans la fosse de malaxage, deux autres pelletaient l'argile et une douzaine de petits Noirs tout nus, entraînés par Robert Saint John, s'amusaient à la piétiner pour l'amener à la consistance voulue. Robyn aidait à tasser l'argile dans des moules en bois de cinquante centimètres sur vingt-cinq. Des garçons et des filles de la mission emportaient les moules remplis jusqu'à l'aire de séchage, où ils retournaient soigneusement les briques humides sur un lit d'herbe sèche avant de revenir en vitesse avec les moules vides pour les faire remplir de nouveau.

Des milliers de briques ocre jaune étaient alignées au soleil, mais Robyn avait calculé qu'il en fallait déjà au moins vingt mille pour la nouvelle église. Il leur faudrait ensuite couper et fumer le bois de charpente, et un mois plus tard, l'herbe du marais serait assez haute pour couper le chaume.

Robyn se redressa et posa ses mains couvertes d'argile sur ses reins pour soulager ses muscles ankylosés. Une mèche de cheveux grisonnants s'était échappée du foulard qu'elle avait noué sur sa tête, et une marque boueuse maculait sa joue et son cou, à moitié emportée par la sueur qui venait tacher le col de son chemisier.

Elle leva les yeux vers les ruines de la mission ; les poutres calcinées s'étaient effondrées et les pluies violentes de la dernière saison humide avaient réduit les murs en briques crues à l'état de monticules informes. Ils allaient devoir reposer les briques une à une, remonter toutes les solives, et la perspective de ce labeur incessant excitait Robyn. Elle se sentait aussi forte et pleine d'entrain que la jeune missionnaire-médecin qui avait posé le pied sur l'implacable sol africain près de quarante ans plus tôt.

— Que Ta volonté soit faite, Seigneur, dit-elle à haute voix, et la jeune Matabélé qui était près d'elle s'écria joyeusement :

— Amen, Nomousa !

Robyn lui sourit et s'apprêtait à se pencher de nouveau sur les moules à briques quand elle soudain se protégea les yeux du soleil, puis remonta ses jupes et se précipita sur la piste qui menait à la rivière en courant comme une petite fille.

— Jouba ! cria-t-elle. Où étais-tu ? Je t'attends depuis si longtemps !

Jouba posa le lourd fardeau qu'elle portait en équilibre sur sa tête et vint à sa rencontre d'un pas pesant.

— Nomousa !

Quand elle serra Robyn contre son sein, elle sanglotait. De grosses larmes coulaient le long de ses joues et se mêlaient à la sueur et à la boue sur le visage de son amie.

— Cesse de pleurer, idiote. Regarde-toi ! Comme tu es maigre, il va falloir qu'on t'engraisse ! Et qui est ce jeune homme ?

Le petit Noir vêtu d'un pagne en tissu sale s'approcha timidement.

— C'est Tungata Zebiwe, mon petit-fils.

— Je ne le reconnais pas, il a tellement grandi.

— Nomousa, je te l'ai amené pour que tu puisses lui apprendre à lire et écrire.

— Parfait. La première chose à faire est de lui donner un nom civilisé. Appelons-le Gédéon et oublions cet horrible nom revanchard.

347

— Gédéon, répéta Jouba. Gédéon Kumalo. Et tu lui apprendras à écrire ?

— Nous avons beaucoup de travail à faire d'abord, répondit Robyn avec fermeté. Gédéon peut aller dans la mare d'argile avec les autres enfants et toi, tu peux m'aider à remplir les moules. Il faut tout recommencer, Jouba, et tout reconstruire.

J'aime la splendeur et la solitude des Matopos, et je désire donc y être enterré, sur la colline où j'allais et que j'appelais la « Vue du Monde ». Je voudrais que ma tombe soit creusée dans le roc au sommet de la colline et recouverte d'une plaque en cuivre avec ces mots gravés : « Ici repose CECIL JOHN RHODES ».

Lorsque son cœur malade finit par s'arrêter, il revint donc encore une fois à Bulawayo par la voie de chemin de fer que Ralph Ballantyne avait construite. Son wagon salon particulier où se trouvait son cercueil avait été drapé de violet et de noir, et à chaque ville et aiguillage le long du trajet, ceux qu'il appelait « mes Rhodésiens » apportaient des couronnes qu'on déposait sur la bière. De Bulawayo, le cercueil fut transporté dans les collines des Matopos sur une prolonge d'artillerie et les bœufs noirs qui le tiraient gravissaient à pas lents le dôme de granit arrondi où il avait élu sa dernière demeure.

Au-dessus de la fosse avait été dressé un portique à trois pieds, avec poulie et chaîne, et autour se pressait une foule de messieurs élégants, d'officiers et de dames avec des rubans noirs au chapeau. Plus loin, s'étendait la marée humaine des Matabélé à demi nus : ils étaient vingt mille à être venus pour le voir descendre en terre, avec à leur tête les indunas qui l'avaient rencontré près de cette même colline pour traiter. Il y avait Gandang, Babiaan et Somabula, tous très vieux à présent.

Près de la tombe s'étaient rassemblés les hommes qui détenaient alors le réel pouvoir : Milton et Lawley, les administrateurs de la compagnie sous charte, et les membres du premier Conseil de Rhodésie. Ralph Ballantyne se trouvait parmi eux avec sa jeune épouse.

Ralph garda un visage grave pendant que le cercueil était descendu avec les chaînes au fond du trou béant et que l'évêque lisait l'oraison funèbre composée par M. Rudyard Kipling.

> *Selon sa dernière volonté*
> *Il garde le regard fixé*
> *Sur ce monde qu'il a conquis,*
> *Le granit de l'ancien nord,*
> *Les grands espaces baignés de soleil.*

Ayant osé la mort affronter,
Il installe ici sa demeure
Attendant que soient foulés au pied
Les chemins qu'il a ouverts.

Lorsque la lourde plaque de cuivre fut mise en place, Gandang sortit des rangs des Matabélé et leva la main.

— Le père est mort, s'écria-t-il.

Alors, comme un coup de tonnerre, le peuple matabélé lança d'une seule voix le salut qu'il n'avait jamais encore adressé à un Blanc.

— *Bayété ! Bayété !*

Le salut réservé aux rois.

La foule se dispersa, lentement, comme à regret. Les Matabélé s'évanouirent au loin comme la fumée se dissipe dans les vallées des collines sacrées, et les Blancs reprirent le sentier qui descendait le long du dôme de granit. Ralph sourit à Elizabeth, qu'il aidait à avancer sur ce terrain difficile.

— C'était un gredin, et vous versez des larmes sur lui, la taquina-t-il gentiment.

— Tout a été si émouvant, dit elle en s'essuyant les yeux. Lors que Gandang a lancé ce...

— Oui. Il les a pourtant tous bernés, même ceux qu'il a amenés à la captivité. C'est une bonne chose qu'on l'ait inhumé dans de la roche dure et enfermé avec ce couvercle. Il aurait été fichu de graisser la patte au diable ou de ressortir au dernier moment.

Ralph entraîna Elizabeth à l'écart de la foule qui suivait le sentier.

— J'ai demandé à Isazi d'amener la voiture de l'autre côté de la colline. Je n'ai pas envie que nous soyons pris dans la cohue.

Sous leurs pieds, le lichen colorait la roche d'orange vif ; les petits lézards à tête bleue s'enfuyaient précipitamment pour se mettre à l'abri dans des fissures, puis les regardaient, la gorge palpitante, la crête surmontant leur tête monstrueuse hérissée. Ralph marqua une pause dans le bas de la colline à l'ombre d'un msasa tordu qui avait réussi à prendre racine dans une fente, et il regarda vers le haut du dôme granitique.

— Le voilà donc enfin mort, mais sa société continue de nous diriger. Un travail m'attend cependant, un travail qui pourrait bien m'occuper jusqu'à la fin de mes jours.

Brusquement Ralph frissonna malgré la chaleur étouffante.

— Qu'y a-t-il, mon chéri ? demanda Elizabeth avec inquiétude.

349

— Rien. J'ai peut-être tout simplement marché sur ma tombe.
(Il eut un petit rire.) Nous ferions mieux d'y aller avant que Jon-
Jon ne fasse tourner en bourrique ce pauvre Isazi.

Il la prit par le bras et la conduisit à l'endroit ombragé où
le petit Zoulou avait garé la voiture. À une centaine de pas, ils
entendirent la voix perçante de Jonathan qui accablait le
conducteur de questions, ponctuant chacune d'elles d'un
« *Uthini*, Isazi ? Que dis-tu, Isazi ? », suivie de la réponse
patiente : « *Eh-eh*, Bawu. Oui, oui, petit Taon. »

DEUXIÈME PARTIE

1977

La Land Rover quitta la route goudronnée et s'engagea sur la piste dans un tourbillon de poussière. C'était un véhicule ancien, la peinture beige était éraflée par les épines et les branches, les pneus à crampons, usés.

Les portières et le toit avaient été enlevés, le pare-brise fendu couché sur le capot, de sorte que le conducteur et son passager étaient en plein vent. Derrière leurs têtes était installé un râtelier, avec une formidable batterie d'armes à feu retenues par des fourches recouvertes de caoutchouc Mousse : deux F-M semi-automatiques avec peinture de camouflage marron et vert, une mitraillette Uzi courte de 9 mm avec chargeur extra-long enclenché pour un usage immédiat, et, encore dans son étui, un lourd Colt Sauer « Grand African », dont les cartouches .458 magnum pouvaient abattre un éléphant d'un seul coup. Des havresacs suspendus aux montants du râtelier contenaient des chargeurs de rechange et une thermos, et se balançaient au rythme des secousses et embardées de la Land Rover.

Craig Mellow conduisait pied au plancher. La carrosserie bringuebalait, mais il avait toujours révisé et réglé le moteur lui-même, et l'aiguille du compteur de vitesse était au maximum. La seule façon d'échapper à une embuscade, c'est de rouler à toute vitesse en se souvenant que ceux qui la tendent se répartissent sur au moins un demi-kilomètre. Même à cent cinquante à l'heure, on est sous le feu pendant douze secondes, temps suffisant à un bon tireur équipé d'un AK 47 pour vider trois chargeurs de trente cartouches.

Oui, le seul moyen c'est de foncer, mais, naturellement, une mine, c'est une tout autre histoire. Quand ils farcissent ces charmants petits engins avec dix kilos de plastic, ça vous envoie val-

353

dinguer à quinze mètres de haut, vous et votre véhicule, et ça vous catapulte la colonne vertébrale à travers le crâne.

Ainsi, tout en se prélassant confortablement sur la banquette en cuir mal rembourrée, Craig parcourait la route du regard. À cette heure tardive, des voitures étaient déjà passées avant eux, et il cherchait à suivre les traces qu'elles avaient laissées dans la poussière, mais il était à l'affût d'une touffe d'herbe suspecte, d'un vieux paquet de cigarettes ou même d'une bouse de vache susceptibles de cacher les marques de coups de bêche. Si près de Bulawayo, il risquait sans doute davantage de tomber sur un conducteur en état d'ivresse que sur des terroristes, mais il était sage d'entretenir les bonnes habitudes.

Craig jeta un coup d'œil en coin à son passager et fit un geste du pouce par-dessus son épaule. L'autre se retourna sur son siège et fouilla dans la glacière. Il en ressortit deux boîtes de bière Lion pendant que Craig accordait de nouveau toute son attention à la route.

Craig Mellow avait vingt-neuf ans, bien que ses cheveux qui lui battaient le front, l'innocente candeur de ses yeux noisette et son air vulnérable lui aient donné l'allure d'un petit garçon s'attendant à être injustement réprimandé à tout moment. Il portait toujours sur sa chemise kaki les épaulettes vertes brodées des gardes forestiers du ministère de l'Environnement.

Samson Kumalo arracha les pattes des boîtes de bière. Il portait le même uniforme, mais c'était un grand Matabélé au front intelligent et à la forte mâchoire rasée de près. Il inclina la tête pour éviter un jet de mousse, tendit une des boîtes à son voisin et garda l'autre pour lui. Craig leva sa boîte à sa santé, but un coup, essuya la mousse sur sa lèvre supérieure et bifurqua sur la piste qui montait vers les collines de Khami.

Avant d'arriver à la crête, Craig jeta la boîte vide dans le sac-poubelle en plastique accroché au tableau de bord, puis ralentit en cherchant du regard l'embranchement.

De l'herbe haute jaunie cachait le petit panneau à moitié effacé :

MISSION ANGLICANE DE KHAMI
Logements du personnel — Voie sans issue

Cela faisait au moins un an qu'il n'était pas venu là, et il faillit rater la piste.

— C'est là ! l'avertit Samson.

Craig donna un coup de volant, et la Land obliqua sur la piste secondaire qui zigzaguait à travers la forêt puis débouchait dans l'allée de spathodéas conduisant aux habitations du personnel.

Les troncs étaient plus gros qu'un torse d'homme et les frondaisons se rejoignaient pour former un dais vert sombre. Au bout de l'allée, à moitié caché par les arbres et l'herbe haute, courait un muret blanchi à la chaux avec une porte en fer forgé rouillée. Craig se gara à côté et coupa le contact.

— Pourquoi t'arrêtes-tu ici ? demanda Samson.

Ils parlaient toujours anglais quand ils étaient seuls, et ndébélé lorsque quelqu'un écoutait, de même que Samson appelait son ami Craig en privé, Nkosi ou Mambo quand il y avait du monde. C'était entre eux un accord tacite, car dans ce pays déchiré par la guerre civile, certains considéraient Samson comme un de ces « petits impertinents de la mission » parce qu'il parlait anglais, et voyaient dans l'étroite amitié entre les deux hommes le signe que Craig était peut-être de l'autre côté de la barricade, un ami des Cafres[1].

— Pourquoi nous arrêtons-nous au vieux cimetière ? répéta Samson.

— Toute cette bière, répondit Craig qui descendait de la Land Rover et s'étirait. Il faut que j'aille pisser.

Il se soulagea contre la roue avant, puis alla s'asseoir sur le muret du cimetière, ses longues jambes bronzées ballantes. Il portait un short kaki et des desert boots en daim sans chaussettes, car les graines barbelées de troscart s'accrochent dans la laine.

Craig baissa les yeux vers les toits de la mission qui s'étendait au pied des collines boisées. Certains des bâtiments les plus anciens, qui dataient du début du siècle, étaient couverts de chaume, tandis que la nouvelle école et l'hôpital avaient un toit en tuiles rouges. Par contre, celui des logements des Noirs était en plaques ondulées de fibrociment. Ces toits faisaient une tache grise qui déparait le paysage et offusquait le sens de l'esthétique de Craig.

— Allez, Sam, allons-y... (Il s'interrompit et fronça les sourcils.) Qu'est-ce que tu fabriques ?

Samson était entré dans le cimetière et urinait avec désinvolture sur une tombe.

— Bon sang, Sam, c'est de la profanation.

— Une vieille coutume familiale, répondit celui-ci en refermant sa braguette. C'est mon grand-père Gédéon qui m'a appris ça. Arroser la fleur pour qu'elle repousse, ajouta-t-il en ndébélé.

---

1. « Cafre » est dérivé du mot arabe *kafir* signifiant « infidèle ». Au XIXᵉ siècle, le mot désignait les membres des tribus d'Afrique australe. Sans nuance péjorative, il était employé par des hommes d'État, d'éminents auteurs, des missionnaires et des défenseurs des populations indigènes. Aujourd'hui, dans les pays du sud de l'Afrique, c'est un terme raciste.

— Qu'est-ce que c'est que cette histoire ?

— Celui qui est enterré là a tué une Matabélé qui s'appelait Imbali, la Fleur. Chaque fois qu'il passe par ici, mon grand-père pisse sur la tombe.

La stupéfaction de Craig fit place à la curiosité. Il se laissa tomber du mur, vint à côté de Samson et lut l'inscription sur la tombe :

> À la mémoire du général Mungo Saint John.
> Tué pendant la rébellion matabélé de 1896.
>
> *Nul n'aime plus que celui qui sacrifie*
> *sa vie pour autrui.*
> *Marin intrépide, soldat courageux,*
> *mari fidèle et père généreux.*
> *Son souvenir à jamais gravé dans la mémoire*
> *de son épouse Robyn et de son fils Robert.*

— À en juger par la pub, ça devait être un sacré bonhomme, conclut-il en écartant les cheveux de ses yeux.

— Un type sans scrupules et un assassin, oui. C'est lui qui a provoqué la rébellion — dans la mesure où un homme seul en avait le pouvoir.

— Vraiment ?

Craig passa à la tombe suivante et lut encore l'inscription.

> Ici repose la dépouille mortelle
> du Dr Robyn Saint John, née Ballantyne.
> Fondatrice de la mission de Khami.
> Décédée le 16 avril 1931 à l'âge de 94 ans.
> Tu as été une bonne et fidèle servante.

— Tu sais qui c'était ? demanda-t-il en se tournant vers Samson.

— Mon grand-père l'appelle Nomousa, la Fille de Miséricorde. Il n'y a pas eu beaucoup de femmes comme celle-là.

— Jamais entendu parler d'elle.

— Tu aurais dû, c'est ta trisaïeule.

— Je ne me suis jamais vraiment penché sur l'histoire de la famille. Mon père et ma mère étaient cousins au second degré, c'est tout ce que je sais. Des générations de Mellow et de Ballantyne... Je n'ai pas fait le tri.

— « Un homme sans passé est un homme sans avenir. »

— Tu sais, Sam, parfois tu me portes sur le système, dit Craig avec un sourire. Tu as réponse à tout.

Il continua de parcourir la rangée de vieilles tombes, certaines avec des pierres très élaborées — colombes et groupes d'anges éplorés — et décorées de fleurs artificielles défraîchies sous cloche de verre. D'autres étaient couvertes d'une simple plaque en béton où l'inscription était aux trois-quarts effacée. Craig lisait celles qu'il pouvait déchiffrer.

Robert Saint John. 54 ans.
Fils de Mungo et de Robyn.

Jouba Kumalo. 83 ans.
Vole petite Colombe.

Il s'arrêta en voyant son nom de famille.

Victoria Mellow née Codrington.
Décédée le 8 avril 1936 à l'âge de 63 ans.
Fille de Clinton et de Robyn, épouse de Harold.

— Dis donc, Sam, si tu ne t'es pas trompé avec les autres, celle-ci doit être mon arrière-grand-mère.

Craig se baissa et arracha une touffe d'herbe qui avait poussé dans une fissure de la plaque. Il sentit un lien d'affinité avec la poussière qui reposait sous la pierre. Elle avait ri et aimé, et c'est parce qu'elle avait enfanté qu'il était en vie.

— Salut, grand-mère, murmura-t-il. Je me demande à quoi tu ressemblais.

— Craig, il est près d'une heure.

— J'arrive, j'arrive.

Mais Craig s'attarda quelques instants de plus, envahi par une nostalgie inhabituelle. « Je vais demander à Bawu », décida-t-il en retournant à la Land Rover.

Il s'arrêta près de la première petite maison du hameau. La petite cour avait été ratissée récemment et des pétunias en bacs décoraient la véranda.

— Écoute, commença-t-il d'un ton un peu embarrassé. Je ne sais pas ce que tu vas faire maintenant. Tu pourrais entrer dans la police comme moi. On pourrait peut-être se débrouiller pour être de nouveau ensemble.

— Peut-être, admit Sam d'une voix sans expression.

— Ou je pourrais demander à Bawu s'il peut te trouver un boulot à King's Lynn.

— Pour faire la paye ?

— Oui, je sais, c'est pas très excitant, dit Craig en se grattant l'oreille. Mais c'est mieux que rien.

— Je vais y réfléchir, murmura Sam.

— Bon Dieu, je me sens responsable. Mais tu n'étais pas obligé de me suivre, tu aurais pu rester au ministère.

— Pas après ce qu'ils t'ont fait, objecta Sam en secouant la tête.

— Merci, vieux.

Ils restèrent silencieux un moment, puis Sam descendit et prit son sac à l'arrière de la Land Rover.

— Je passerai te voir dès que j'aurai commencé mon travail. On va trouver une solution, promit Craig. Téléphone-moi, Sam.

— Bien sûr.

Ils se serrèrent la main.

— *Hamba gashlé*, va en paix, dit Sam.

— *Shala gashlé*, sois en paix.

Craig démarra et repartit. En parcourant l'allée de spathodéas, il jeta un coup d'œil dans le rétroviseur. Debout au milieu du chemin, le sac en bandoulière, Sam le regardait s'éloigner. Craig sentit un grand vide dans sa poitrine. Cela faisait si longtemps qu'ils faisaient route commune.

— On va trouver une solution, répéta-t-il avec détermination.

Craig ralentit au sommet de la côte comme il le faisait toujours avant que la ferme s'offre à son regard, mais cette fois-ci il éprouva une petite déception.

Bawu avait enlevé le chaume qui recouvrait la construction et l'avait remplacé par des plaques de fibrociment. Le travail devait être fait, bien sûr — si une roquette tirée en dehors du périmètre avait atterri sur le toit, ça aurait fait un sacré feu d'artifice —, mais le changement contrariait quand même Craig, tout comme l'abattage des beaux jacarandas. Ils avaient été plantés par le grand-père de Bawu, le vieux Zouga Ballantyne qui avait construit King's Lynn au début des années 1890. Au printemps, leurs pétales tombaient doucement en pluie sur la pelouse et formaient un tapis bleu, mais Bawu les avait coupés pour dégager les abords de la maison et permettre un tir défensif. À leur place se dressait maintenant une clôture de sécurité de trois mètres de haut en grillage et barbelés.

Craig descendit la petite déclivité sous la maison principale en direction des bureaux, des magasins et des ateliers de réparation des tracteurs qui formaient le cœur du vaste ranch. Avant même qu'il soit parvenu à mi-pente, un homme grand et maigre apparut dans l'embrasure de la porte d'un atelier et, les poings sur les hanches, le regarda arriver.

— Salut, grand-père, lança Craig en sautant de la Land Rover. Le vieillard fronça les sourcils pour dissimuler son plaisir.

— Combien de fois t'ai-je dit de ne pas m'appeler ainsi ! Tu veux qu'on me prenne pour un vieux ?

Brûlé et desséché par le soleil, Jonathan Ballantyne faisait penser à du *biltong*, ces lanières de viande séchée si appréciées en Rhodésie. On avait l'impression que s'il s'était coupé, de la poussière et non du sang serait sorti de la blessure, mais le vert de ses yeux pétillants était toujours aussi vif et il avait une épaisse tignasse blanche qui tombait sur le col de sa chemise. C'était l'une de ses nombreuses coquetteries. Il se lavait les cheveux tous les jours et les brossait avec une paire de brosses à manche en argent rangées sur sa table de nuit.

— Excuse-moi, Bawu, dit Craig en l'appelant par son nom matabélé, le Taon, et lui serrant la main.

Ce n'était plus que des os recouverts d'une peau sèche, mais la poigne était étonnamment énergique.

— Tu t'es donc encore fait flanquer à la porte, accusa Jonathan.

Il avait des fausses dents, mais elles étaient bien alignées et il entretenait leur blancheur éclatante assortie à sa chevelure et à sa moustache argentées. Une autre de ses coquetteries.

— J'ai donné ma démission, contesta Craig.

— Tu t'es fait virer !

— C'était pas loin, admit Craig. Mais je les ai battus de vitesse, j'ai donné ma démission avant.

Il n'était pas vraiment surpris que son grand-père soit déjà au courant de son dernier malheur. Personne ne savait au juste quel âge avait Jonathan — on disait cent ans, quatre-vingts et quelque, estimait plutôt Craig —, mais ce qui était certain, c'est que rien ne lui échappait.

— Tu peux me déposer à la maison, dit Jonathan en grimpant avec aisance sur le siège du passager. (Puis il montra avec satisfaction les nouveaux aménagements défensifs de la propriété.) J'ai installé une vingtaine de Claymore supplémentaires sur la pelouse.

Les « Claymore » de Jonathan étaient des mines qui consistaient en un bidon en ferraille contenant dix kilos de plastic et suspendu à un trépied en tube. Il pouvait les faire exploser électriquement de sa chambre.

Jonathan était insomniaque, et Craig l'imaginait en pyjama passant ses nuits debout droit comme un « i », le doigt sur le bouton en priant qu'un terroriste vienne se mettre à portée. La guerre l'avait fait vivre vingt ans de plus. Il n'avait jamais eu autant de bon temps qu'à la première bataille de la Somme, où il avait gagné sa croix de guerre un beau matin d'automne en faisant sauter à la grenade trois nids de mitrailleuses allemands les uns à la suite des autres. Craig était à deux doigts de penser que la première chose qu'on enseignait aux nouvelles recrues de la ZIPRA, l'Armée révolutionnaire du peuple zimbabwéen, était de se tenir à une distance respectueuse de King's Lynn et du vieux fou qui y habitait. Tandis qu'ils franchissaient la porte de la grille de sécurité et étaient entourés par une meute de rottweilers et de dobermans, Jonathan expliquait les derniers raffinements de son plan de bataille.

— S'ils passent par-derrière le kopje, je les laisse pénétrer sur le champ de mines et je les prends en enfilade...

Quand ils montèrent les marches de la véranda, il était encore lancé dans ses explications et continuait de gesticuler. Il ajouta d'un air mystérieux et sinistre :

— Je viens d'inventer une arme secrète. Je vais la tester demain matin. Tu pourras regarder, si tu veux.

— Avec plaisir, Bawu, remercia Craig sans conviction.

Les derniers tests accomplis par Jonathan avaient en effet soufflé les fenêtres de la cuisine et blessé le cuisinier.

Craig suivit son grand-père le long de la large véranda ombragée. Le mur était tapissé de trophées de chasse, de cornes de buffle, de koudou et d'éland, et la porte vitrée à deux battants était encadrée par deux énormes défenses d'éléphant, si hautes et incurvées que leurs pointes se rejoignaient presque au-dessus de la porte, à hauteur du plafond.

Jonathan en caressa une au passage d'un geste machinal. À cet endroit, l'ivoire avait été poli au fil des décennies par le contact de ses doigts.

— Sers-nous un gin, ordonna-t-il.

Jonathan avait cessé de boire du whisky le jour où le gouvernement de Harold Wilson avait imposé des sanctions à la Rhodésie. C'était sa manière à lui de prendre des mesures de rétorsion pour tenter de déstabiliser l'économie britannique.

— Bon sang, tu l'as noyé, se plaignit-il en goûtant le breuvage.

Craig reprit consciencieusement le verre et augmenta la dose de gin.

— C'est un peu mieux.

Jonathan s'installa derrière son bureau et posa son verre en cristal sur le sous-main en cuir.

— Alors, explique-moi ce qui s'est passé cette fois-ci, dit-il en fixant Craig de ses yeux vifs.

— Tu sais, Bawu, c'est une longue histoire. Je ne veux pas t'importuner.

Craig s'enfonça dans le profond fauteuil en cuir et se plongea dans la contemplation du mobilier de la pièce qu'il connaissait depuis son enfance. Il lut les titres sur le dos des volumes reliés en maroquin rouge rangés sur les étagères et examina la multitude de cocardes en soie bleue remportées par les taureaux afrikaners de King's Lynn à toutes les foires agricoles au sud du Zambèze.

— Tu veux que je te dise ce qu'on raconte ? J'ai entendu dire que tu as refusé d'obéir à l'ordre de ton supérieur, en l'occurrence le responsable de la faune, et qu'ensuite tu as usé de violence contre ce brave homme ou, pour être plus précis, que tu lui as flanqué un coup de poing. Lui donnant ainsi le prétexte pour te renvoyer qu'il cherchait sans doute désespérément depuis ton arrivée au Parc.

— Tout cela est exagéré.

— Ne me fais pas ton sourire de petit garçon, jeune homme. Ce n'est pas une affaire à prendre à la légère, lui dit Jonathan d'un ton sévère. As-tu, oui ou non, refusé de participer à cet abattage ?

— As-tu déjà participé à un abattage, Jon-Jon ? demanda doucement Craig. (Il n'appelait son grand-père par son diminutif que lorsqu'il parlait à cœur ouvert.) L'avion de repérage choisit une petite troupe, disons une cinquantaine de bêtes, et nous guide vers elle par radio. Nous parcourons le dernier mile à pied en courant ventre à terre. Nous arrivons tout près, à une dizaine de pas, et nous pouvons donc tirer vers le haut. Nous utilisons du 458s pour les canarder. On commence par les vieilles femelles parce que les animaux plus jeunes les aiment et les respectent tant qu'ils ne les abandonnent pas. Nous abattons les femelles d'abord, en tirant dans la tête, bien entendu, ce qui nous laisse tout le temps pour nous occuper ensuite des autres. Nous sommes passés maîtres dans ce genre d'exercice. On les descend si vite qu'il faut des tracteurs pour défaire les amoncellements de cadavres. Restent alors les petits. Il est intéressant de regarder un éléphanteau essayer de remettre debout sa mère morte avec sa petite trompe.

— Il faut que ce soit fait, Craig. Les parcs sont surpeuplés par des milliers d'animaux, dit calmement Jonathan, mais Craig sembla ne pas avoir entendu.

— Si les éléphanteaux orphelins sont trop petits pour survivre, nous les abattons aussi, mais s'ils ont l'âge convenable, nous les capturons et les cédons à un vieux monsieur très bien qui les revend à un zoo de Tokyo ou d'Amsterdam, où ils passent leur vie derrière des barreaux, chaîne au pied, à manger les cacahuètes que leur lancent les touristes.

— Il faut que ce soit fait, répéta Jonathan.

— Les revendeurs lui versaient un pourcentage. Il nous a ordonné de ne pas abattre des petits qui n'avaient qu'une chance sur deux de survivre. Nous nous sommes donc mis à la recherche de troupes comportant un pourcentage élevé d'éléphanteaux. Il touchait des pots-de-vin.

— Qui ça ? Pas Tomkins, le responsable de la faune ? s'exclama Jonathan.

— Si, Tomkins, dit Craig en se levant pour aller remplir leurs verres.

— Tu as des preuves ?

— Bien sûr que non, répondit Craig avec irritation. Si j'en avais eu, je serais allé voir directement le ministre.

— Tu as donc tout simplement refusé de participer l'abattage.

Craig se laissa retomber dans le fauteuil, ses longues jambes nues étalées, les cheveux dans les yeux.

— Ce n'est pas tout. Ils volent l'ivoire. Nous sommes censés épargner les grands mâles, mais Tomkins nous a donnés l'ordre d'abattre toutes les bêtes équipées de belles défenses, et l'ivoire disparaît.

— Pas de preuve de ça non plus, je suppose ?

— J'ai vu un hélicoptère faire le ramassage.

— Tu as le numéro d'immatriculation ?

— Il était caché, mais c'était un appareil de l'armée. Ils sont très organisés.

— Tu as donc envoyé un marron à Tomkins ?

— C'était magnifique, répondit Craig rêveur. Il était à quatre pattes à essayer de ramasser ses dents éparpillées sur le plancher de son bureau. Je me suis toujours demandé ce qu'il allait en faire.

— Qu'est-ce que tu espérais, Craig ? Crois-tu que cela va les arrêter, même si tes soupçons sont fondés ?

— Non, mais ça m'a fait du bien. Ces éléphants ont quelque chose de presque humain. J'éprouve pour eux une grande affection.

Ils se turent pendant un moment, puis Jonathan soupira.

— Combien de jobs as-tu eus jusqu'à présent, Craig ?

— Je n'ai pas compté, Bawu.

— Je n'arrive pas à croire qu'un individu avec du sang Ballantyne dans les veines manque totalement de talent ou d'ambition. Bon Dieu de bon Dieu, mon garçon, nous, les Ballantyne, sommes des battants. Regarde Douglas, regarde Roland...

— Je suis un Mellow, à moitié Ballantyne seulement.

— C'est vrai, ça doit compter. Ton grand-père a gaspillé ses actions de la mine Harkness, de sorte que lorsque ton père a épousé ma Jean, il était presque indigent. Bon sang, ces actions vaudraient aujourd'hui dix millions de livres.

— C'était pendant la grande dépression des années 30... beaucoup de gens ont perdu de l'argent à ce moment-là.

— Pas nous. Les Ballantyne n'en ont pas perdu.

Craig haussa les épaules.

— Non, les Ballantyne ont doublé leur fortune pendant la crise.

— Nous sommes des battants, répéta Jonathan. Mais qu'est-ce que tu vas devenir ? Tu connais ma règle, tu ne recevras plus un sou de moi.

— Je sais, Jon-Jon, je sais.

— Tu veux essayer de retravailler ici ? Si je me souviens bien, ça ne s'était pas très bien passé la dernière fois.

— Tu es un vieux bouc insupportable, répondit Craig affectueusement. Je t'aime beaucoup, mais je préférerais travailler pour Idi Amin Dada que de recommencer avec toi.

Jonathan avait l'air immensément satisfait de sa personne. L'image qu'il se faisait de lui-même, un homme dur, impitoyable, prêt à tuer, était une autre de ses coquetteries. Il se serait senti profondément insulté si quelqu'un l'avait trouvé accommodant ou généreux. Les dons anonymes importants qu'il faisait à des œuvres de bienfaisance, méritantes ou non, étaient toujours assortis d'effroyables menaces à quiconque révélerait son identité.

— Tu vas donc te débrouiller tout seul cette fois-ci ?

— J'ai reçu une formation d'armurier quand j'ai fait mon service militaire, et il y a un poste vacant d'armurier dans la police. De toute façon, je vais être rappelé, je le sens venir, alors autant prendre les devants et m'engager.

— La police, réfléchit Jonathan tout haut, ça a au moins l'avantage d'être une des rares choses que tu n'as jamais essayées. Verse-moi encore un verre.

Tandis que Craig versait le gin et le Schweppes, son grand-père prit son air le plus féroce pour dissimuler son embarras et grogna :

— Écoute, mon gars, si tu es vraiment à court, j'enfreindrai la règle exceptionnellement et te prêterai quelques dollars pour te renflouer. Un prêt, j'insiste bien.

— C'est très chic de ta part, Bawu, mais une règle est une règle.

— Les règles, c'est moi qui les édicte et c'est moi qui les abroge, rétorqua Jonathan en le foudroyant du regard. Combien te faut-il ?

— Tu te souviens de ces journaux dont tu avais envie ? murmura Craig en rapportant le verre à son grand-père, et une expression rusée apparut dans les yeux de Jonathan, qu'il essaya en vain de cacher.

— Quels journaux ? demanda-t-il avec une innocence feinte.

— Ces vieux journaux, tu sais bien.

— Ah, ça !

Jonathan jeta malgré lui un coup d'œil aux rayonnages près de son bureau où était rangée sa collection de journaux intimes rédigés par les membres de sa famille. Ils remontaient à plus d'un siècle, depuis l'arrivée en Afrique de son grand-père, Zouga Ballantyne, en 1860, jusqu'à la mort de son père, sir Ralph Ballantyne, en 1929, mais quelques années étaient manquantes. Trois volumes avaient échu à la famille de Craig par l'intermédiaire du vieux Harry Mellow, qui avait été l'associé et l'ami intime de Ralph.

Pour une obscure raison que lui-même n'aurait pu expliquer, Craig avait jusqu'alors résisté aux flatteries et aux tentatives de son grand-père pour mettre la main dessus. C'était vraisemblablement parce qu'ils représentaient le seul petit moyen de pression qu'il avait sur lui depuis qu'ils étaient entrés en sa possession le jour de ses vingt et un ans, seul bien de quelque valeur dans l'héritage de son père depuis longtemps décédé.

— Oui, c'est ça, acquiesça Craig. J'ai pensé que je pourrais te les laisser.

— Tu dois vraiment être à sec, observa le vieillard sans essayer de dissimuler sa joie.

— Encore plus que d'habitude, reconnut Craig.

— Tu gaspilles...

— OK, Bawu. Nous avons déjà parlé de tout ça, coupa Craig. Est-ce que tu les veux ?

— Combien tu en demandes ? s'enquit Jonathan méfiant.

— La dernière fois tu m'en as proposé mille chaque.

— J'étais généreux.

— Comme il y a eu cent pour cent d'inflation...

Jonathan adorait marchander. Cela renforçait son image d'homme dur et intraitable. Craig estimait sa fortune à une dizaine de millions. Il était propriétaire de King's Lynn et de quatre autres ranchs, de la mine Harkness, qui, après quatre-vingts ans d'exploitation, continuait de produire cinquante mille onces d'or par an, et il avait des capitaux à l'étranger, qu'il avait prudemment sortis de son pays en état de siège pour les mettre en lieu sûr, à Johannesburg, Londres et New York. Et encore, dix millions devait être au-dessous de la vérité, se dit Craig, qui entreprit de marchander aussi ferme que son grand-père.

Ils se mirent finalement d'accord sur un chiffre.

— Ils n'en valent pas la moitié, trouva le moyen de grommeler Jonathan.

— Il y a deux autres conditions, Bawu. (Jonathan se remit immédiatement sur la défensive.) Primo, tu me les laisses dans ton testament. Toute la collection, ceux de Zouga Ballantyne et ceux de Sir Ralph, tous.

— Tu oublies Roland et Douglas...

— Tu vas leur léguer King's Lynn, la mine Harkness et tout le reste. C'est ce que tu m'as dit.

— Très juste, grogna Jonathan. Ils ne ficheront pas tout par la fenêtre comme tu le ferais.

— Je le leur laisse volontiers, dit Craig en souriant. Comme tu le dis, ce sont des Ballantyne. Mais je tiens à avoir les journaux.

— Quelle est ta deuxième condition ?

— Je désire y avoir accès dès maintenant.

— Qu'est-ce que tu veux dire par là ?

— Je veux pouvoir les lire et les étudier quand j'en ai envie.

— Qu'est-ce que c'est que cette histoire, Craig. Jusqu'à présent tu t'en es fichu comme de ta première chemise. Je suis persuadé que tu n'as même pas lu les trois qui t'appartiennent.

— Je les ai parcourus, admit Craig d'un air penaud.

— Et alors ?

— J'étais à la mission de Khami ce matin. Je suis entré dans le vieux cimetière. Il y a une tombe, celle de Victoria Mellow...

— Tante Vicky, la femme de Harry, acquiesça Jonathan. Continue.

— J'ai eu un étrange sentiment. Presque comme si elle m'appelait, dit Craig en tripotant la mèche qui lui tombait dans les yeux sans pouvoir regarder son grand-père. Brusquement, j'ai eu envie d'en savoir davantage sur elle et les autres.

Ils restèrent silencieux un moment, puis Jonathan hocha la tête.

— Très bien, mon garçon, j'accepte tes conditions. Toute la collection te reviendra un jour, et en attendant, tu pourras la consulter quand tu voudras.

Un marché avait rarement fait autant plaisir à Jonathan. Au bout de trente ans, il complétait enfin sa collection, et si les intentions de Craig étaient sérieuses, à sa mort elle tomberait en de bonnes mains. Dieu savait que ni Douglas ni Roland ne s'y intéressaient, et dans l'intervalle, peut-être les journaux réussiraient-ils à attirer Craig plus souvent à King's Lynn. Il remplit le chèque et le signa avec un paraphe pendant que Craig allait à la Land Rover et fouillait au fond de son sac pour en sortir les trois manuscrits reliés pleine peau.

— J'imagine que tout ça va passer dans ton bateau, dit-il d'un ton accusateur quand son petit-fils revint.

— En partie, reconnut Craig en déposant les journaux devant le vieillard.

— Tu es un rêveur, dit Jonathan en posant le chèque sur le bureau.

— Il m'arrive de préférer le rêve à la réalité.

Craig examina brièvement les chiffres avant de fourrer le chèque dans sa poche de poitrine.

— C'est ton point faible, dit Jonathan.

— Bawu, si tu commences à me faire la leçon, je repars illico en ville.

Jonathan leva les mains en signe de capitulation.

— Bon, bon, fit-il avec un petit rire. Ta vieille chambre est telle que tu l'as laissée. Si tu veux l'utiliser...

— J'ai rendez-vous lundi avec le responsable du recrutement à la police, mais je vais passer le week-end ici, si tu veux bien.

— J'appellerai Trevor ce soir pour qu'il arrange ça.

Trevor Pennington était l'adjoint du préfet de police. Jonathan pensait qu'il valait toujours mieux commencer par le haut.

— Je préfère que tu ne le fasses pas, Jon-Jon.

— Ne sois pas stupide. Tu dois apprendre à utiliser tous tes atouts, mon garçon, c'est la vie.

Jonathan prit le premier des trois volumes et, aux anges, le caressa de ses doigts noueux.

— Maintenant, laisse-moi un peu, dit-il en dépliant ses lunettes à monture métallique et les posant sur son nez. Ils font une partie de tennis à Queen's Lynn. Je t'attends pour l'apéritif.

Craig jeta un coup d'œil depuis la porte, mais, penché sur les pages à l'écriture à moitié passée, Jonathan Ballantyne était déjà transporté dans son enfance.

Malgré une limite mitoyenne de dix kilomètres de long avec King's Lynn, Queen's Lynn était un ranch séparé. Jonathan Ballantyne l'avait ajouté à ses possessions pendant la grande dépression des années 1930 en l'achetant au vingtième de sa valeur. Il formait maintenant la partie orientale des terres de la Rholands Ranching Company.

C'était là qu'habitaient Douglas Ballantyne, le seul fils survivant de Jonathan, et sa femme Valérie. Douglas était le directeur de la Rholands et de la mine Harkness. Il était aussi ministre de l'Agriculture dans le gouvernement conservateur de Ian Smith, et avec un peu de chance, il serait absent, appelé par quelque mystérieuse affaire, politique ou autre.

Douglas Ballantyne avait un jour dit à Craig ce qu'il pensait : « Au fond, Craig, tu n'es qu'un hippie. Tu devrais te faire couper les cheveux et te reprendre. Tu ne peux pas continuer à flâner toute ta vie et espérer que Bawu et le reste de la famille te soutiennent indéfiniment. »

À ce souvenir, Craig prit une mine renfrognée en longeant les parcs à bétail, où flottait une forte odeur d'ammoniaque.

Les énormes bestiaux afrikaners étaient tous de la même couleur brun-roux, les mâles avec une bosse sur le dos, leurs fanons pendant presque jusqu'à terre. Cette race avait rendu le bœuf de Rhodésie presque aussi fameux que celui de Kobé. En tant que ministre de l'Agriculture, il incombait à Douglas Ballantyne de faire en sorte que, en dépit des sanctions économiques, le monde ne soit pas privé de cette nourriture de choix. La route qui la conduisait sur les tables des grands restaurants du monde entier passait par Johannesburg et Le Cap, où par nécessité elle changeait de nom, mais les gourmets la reconnaissaient et la demandaient sous son nom de guerre, leurs papilles gustatives probablement excitées à l'idée qu'ils goûtaient à un fruit défendu. Le tabac, le nickel, le cuivre et l'or de Rhodésie suivaient le même chemin, alors que l'essence et le gasoil l'empruntaient en sens inverse. L'autocollant qu'on voyait sur le pare chocs des voitures portait simplement ces mots : « Merci, Afrique du Sud. »

Au-delà des enclos à bétail et du bloc vétérinaire, là encore défendus par une clôture de sécurité en grillage et fil de fer barbelé, s'étendaient les pelouses, les massifs de fleurs et les flamboyants margousiers des jardins de Queen's Lynn. Les fenêtres étaient protégées par des écrans anti-grenades et les domestiques allaient abaisser les volets anti-balles avant la nuit, mais ici les défenses n'avaient pas été aménagées avec autant de délectation que par Bawu à King's Lynn. Elles s'intégraient avec discrétion à l'élégant environnement.

La ravissante vieille maison était presque comme dans le souvenir d'avant la guerre qu'en avait Craig, brique rouge rosé et vastes vérandas fraîches. Les jacarandas qui bordaient la longue allée courbe étaient en pleine floraison, pareils à un banc de brume bleu pâle. Deux bonnes douzaines de voitures étaient garées sous leur ombrage, Mercedes, Jaguar, Cadillac et BMW, leur peinture recouverte d'une fine couche de poussière rouge, la terre du Matabeleland. Craig cacha sa vénérable Land Rover derrière la cascade de bougainvilliers rouge et mauve, afin de ne pas ternir un samedi à Queen's Lynn. Par habitude, il mit un F-M en bandoulière et fit le tour de la maison.

Il entendit des voix d'enfants, gais comme des pinsons, et les gentilles réprimandes de leurs nounous noires, ponctuées par le « Poc ! Poc ! » de longs échanges sur les courts de tennis.

Craig s'arrêta en haut des pelouses en terrasses. Des enfants faisaient des cabrioles et se couraient après sur l'herbe comme des chiots. Plus près des courts en terre battue, leurs parents se prélassaient sur des tapis de bain ou étaient assis à des tables de jardin blanches sous des parasols aux couleurs vives. Hommes et femmes jeunes et bronzés buvaient du thé ou de la bière fraîche en adressant des commentaires grivois ou des conseils aux joueurs. Seule note incongrue : la rangée de pistolets-mitrailleurs et d'armes à feu automatiques à côté du service à thé et des scones à la crème.

Quelqu'un le reconnut et lança : « Salut, Craig, ça faisait longtemps. » D'autres le saluèrent d'un signe de main, mais chez tous il y avait cette pointe de condescendance qu'on réserve à un parent pauvre. C'étaient les familles de grands propriétaires, le club fermé des riches dont, malgré toute leur cordialité, Craig ne ferait jamais tout à fait partie.

Valérie Ballantyne vint à sa rencontre, gracieuse comme une jeune fille avec ses hanches étroites et sa jupette blanche de tennis.

— Craig, tu es mince comme un fil !

Il éveillait systématiquement les instincts maternels de toutes les femmes entre huit et quatre-vingts ans.

— Bonjour, tante Val.

Elle lui présenta une joue qui sentait la violette. En dépit de son allure délicate, Valérie était présidente de l'Institut des femmes, faisait partie du comité d'une douzaine d'écoles, œuvres de charité et hôpitaux, et était une hôtesse charmante et accomplie.

— Oncle Douglas est à Salisbury. Smithy l'a fait appeler hier. Il sera désolé de t'avoir manqué. Comment se porte le service de protection de la faune ? s'enquit-elle en le prenant par le bras.

— Il survivra probablement à mon départ.

— Oh, non, Craig, encore une fois !

— J'ai bien peur que si, tante Val. (Il n'avait pas vraiment envie d'engager une discussion sur sa carrière en ce moment.) Tu permets que j'aille me servir une bière, je meurs de soif.

Une demi-douzaine d'hommes bavardaient autour de la longue table à tréteaux qui faisait office de bar. Le groupe s'ouvrit pour l'accueillir, mais ses membres reprirent tout de suite leur conversation sur le dernier raid effectué par les forces de sécurité rhodésiennes au Mozambique.

— Je vous assure, lorsque nous avons attaqué le camp, il y avait encore des marmites sur le feu, mais ils s'étaient tous carapatés. Nous avons attrapé quelques traînards, les autres avaient été avertis.

— Bill a raison, je le tiens d'un colonel des renseignements. On n'a pas de noms, il n'y a pas eu de punitions, mais il y a des fuites. Il y a un traître haut placé, les terroristes sont avertis jusqu'à douze heures à l'avance.

— Nous n'avons pas vraiment fait de bonnes chasses depuis août dernier où nous avons flingué six cents bonshommes.

Ces éternelles discussions sur la guerre ennuyaient Craig. Il sirota sa bière et s'intéressa à la partie qui se jouait sur le court le plus proche.

C'était un double mixte, dont les joueurs changèrent à ce moment-là de côté.

Roland Ballantyne fit le tour du filet en tenant sa partenaire par la taille. Il riait, ses dents régulières et d'un blanc éclatant ressortant sur son visage bronzé. Ses yeux étaient de ce vert particulier aux Ballantyne qui faisait penser à la menthe à l'eau, et ses cheveux courts, épais et ondulés étaient décolorés en or pâle par le soleil.

Il se déplaçait avec la souplesse d'un léopard, une démarche nonchalante et légère, et son excellente condition physique, préalable nécessaire à l'entrée dans les Scouts, donnait de l'éclat aux muscles de ses avant-bras et de ses jambes nus. Il n'avait qu'un an de plus que Craig, mais une telle assurance qu'en sa présence celui-ci avait toujours l'impression d'être un grand dadais un peu godiche. Craig avait un jour entendu une fille qu'il trouvait à son goût, une demoiselle du genre blasé qui affectait l'indifférence, dire de Roland Ballantyne qu'il était le plus bel étalon actuellement sur le marché.

Roland l'aperçut et lui fit signe avec sa raquette.

— Un Craig, sinon rien ! lança-t-il en guise de salut à travers le court avant de dire quelque chose à voix basse à sa partenaire.

La fille eut un petit rire et se tourna vers Craig. Ce dernier sentit au creux de l'estomac un choc qui se propagea en ondes concentriques dans tout le corps. Il la regardait fixement, pétrifié, incapable de détourner les yeux de son visage. Elle cessa de rire et lui rendit son regard pendant un moment, puis elle se libéra du bras de Roland et gagna la ligne de fond en faisant rebondir légèrement la balle sur sa raquette. Craig était certain que ses joues étaient devenues un peu plus roses que ne les avait rendues la partie.

Il n'arrivait toujours pas à la quitter des yeux. Il n'avait jamais rien vu d'aussi parfait. Elle était grande, arrivait presque à l'épaule de Roland, qui mesurait un mètre quatre-vingt-cinq. Sa chevelure, sur laquelle jouait le soleil, passait de l'iridescence de l'obsidienne au sombre rougeoiement d'un vin de Bourgogne à la lumière d'une bougie.

Elle avait le visage plutôt carré, avec la ligne de la mâchoire volontaire, presque têtue, mais sa bouche pulpeuse et tendre était celle d'une femme pleine d'humour. Ses yeux largement espacés étaient inclinés de telle façon qu'elle semblait atteinte d'un léger strabisme. Cela lui donnait un air vulnérable très séduisant, mais quand elle regarda Roland, une lueur malicieuse y brilla.

— On va leur donner une bonne leçon ! s'écria-t-elle.

Au son de sa voix, Craig fut parcouru d'un petit frisson. La fille fit alors pivoter ses épaules et ses hanches, lança la balle à la verticale et servit. La balle jaune rasa le filet et frôla la ligne centrale. Elle monta au filet d'un pas rapide et gracieux, rattrapa la balle à la volée et l'expédia dans le coin, puis jeta un coup d'œil à Craig.

— Point ! cria celui-ci en ayant l'impression que sa voix sonnait creux.

Un petit sourire satisfait plissa la commissure des lèvres de la jeune fille. Puis elle se détourna et se pencha pour ramasser une balle perdue. Elle tournait le dos à Craig, les pieds légèrement écartés, et se baissa sans plier les genoux. Elle avait les jambes longues et fuselées ; sa jupe courte plissée rebiqua, et il entrevit son slip et la rondeur de ses fesses, si fermes et symétriques qu'elles lui firent penser à deux œufs d'autruche dans le désert du Kalahari.

Craig baissa les yeux d'un air coupable comme s'il avait regardé par le trou de la serrure. Il était pris de vertige et étrangement oppressé. Il s'obligea à ne plus regarder le court, mais son cœur battait la chamade. Il avait l'impression que la conversation autour de lui se faisait dans une langue étrangère ou était retransmise par un appareil défectueux, car elle n'avait aucun sens.

Des heures semblaient s'être écoulées lorsqu'un bras musclé fut passé autour de ses épaules et que la voix de Roland lui claironna dans les oreilles :

— Tu as l'air en forme, fiston.

Alors seulement Craig s'autorisa à regarder autour de lui.

— Les terroristes ne t'ont pas encore attrapé, Roly ?

— Impossible, Sonny ! répondit Roland en l'étreignant. Permets-moi de te présenter une fille qui est amoureuse de moi.

(Lui seul pouvait dire des choses pareilles sur un ton apparemment spirituel et raffiné.) Bugsy. Mon cousin préféré, Craig, l'obsédé sexuel bien connu.

— Bugsy ? répéta Craig en regardant les yeux curieusement inclinés de la jeune fille et se rendant compte qu'ils n'étaient pas noirs mais bleu indigo. Ça ne vous va pas.

— Janine, Janine Carpenter, dit-elle en lui tendant la main.

Celle-ci était fine, chaude et moite après sa partie de tennis. Il n'avait pas envie de la lâcher.

— Je t'avais avertie, lança Roland à Janine en riant. (Puis il s'adressa à Craig.) Cesse de violenter ma « fiancée » et viens faire un set avec moi, Sonny.

— Je n'ai pas de tenue.

— Tu n'as besoin que de chaussures. Nous avons la même pointure. Je vais t'en faire amener une paire.

Craig n'avait pas joué depuis plus d'un an. Cette interruption sembla avoir fait des merveilles. Il n'avait jamais aussi bien joué. La balle rebondissait si vite sur le centre de sa raquette qu'il avait l'impression de l'avoir manquée, et le lift l'amenait tout près de la ligne de fond qui semblait l'attirer comme un aimant.

Sans effort, il faisait courir Roland d'un côté à l'autre, ou envoyait la balle si près du filet que Roland restait cloué au milieu du court. Ses services, réussis au premier coup, venaient frôler la ligne et il renvoyait des balles qu'il n'aurait même pas cherché à rattraper en temps normal, puis montait au filet pour fusiller Roland sur ses meilleurs coups droits.

Il était en état de grâce, si pénétré du sentiment inhabituel de sa force et de son invulnérabilité qu'il n'avait pas remarqué que le badinage désinvolte de Roland s'était tari depuis longtemps — jusqu'au moment où celui-ci annonça : « Cinq jeux à zéro. »

Quelque chose dans le ton de sa voix atteignit Craig, et pour la première fois depuis le début du jeu, ce dernier regarda vraiment son adversaire. Son visage était gonflé et affreusement rouge, la mâchoire si serrée que ses muscles étaient noués sous ses oreilles. Le vert de ses yeux avait pris une nuance assassine. Il était dangereux comme un léopard blessé.

Ils changèrent de côté, et Craig s'aperçut que leur partie avait fasciné tout le monde. Même les femmes les moins jeunes avaient quitté les tables et s'étaient rapprochées du court. Il vit tante Val, un petit sourire nerveux aux lèvres. Elle savait d'expérience de quelle humeur était son fils. Craig vit aussi les hommes rire par en dessous. Roland avait représenté Oxford aux championnats universitaires de tennis, et il avait été trois fois de suite champion du Matabeleland en simple messieurs. Ils appréciaient la tournure prise par la partie autant que Craig lui-même.

Celui-ci fut soudain effrayé par son succès. Il n'avait jamais battu Roland à quoi que ce soit, pas même au Monopoly ou aux fléchettes, pas une seule fois en vingt-neuf ans. Ses jambes perdirent brusquement leur force et leur souplesse, et il se retrouva sur la ligne de fond tel qu'il était d'habitude, un grand échalas dégingandé en short kaki passé au soleil, nu-pieds dans des chaussures de tennis usées. Il avala sa salive, écarta les cheveux de ses yeux et se baissa pour attendre le service.

De l'autre côté du filet, grand et athlétique, Roland lui lança un regard furieux. Craig savait que Roland ne le voyait pas ; il voyait un ennemi à abattre.

« Nous autres, les Ballantyne, sommes des battants, avait dit Bawu. D'instinct, nous visons la jugulaire. »

Roland paraissait encore plus grand. Il servit. Craig commença à se déplacer vers la gauche, vit que la balle arrivait de l'autre côté et essaya de repartir en sens inverse. Il s'empêtra dans ses longues jambes et s'étala sur la terre battue. Il se releva, le genou taché de sang, récupéra sa raquette et se remit en position. Le service suivant de Roland fut foudroyant, et Craig ne réussit pas à toucher la balle.

Quand vint son tour de servir, il envoya la première balle dans le filet et fit un bois sur la deuxième. Roland lui prit le service trois fois de suite, et cela continua ainsi.

— Balle de match, annonça Roland.

De nouveau souriant, gai, beau et cordial, il fit rebondir la balle à ses pieds et se mit en position pour son dernier service. Craig se sentit envahi par cette sensation de lourdeur dans les membres qu'il connaissait bien, le désespoir du perdant-né.

Il jeta un coup d'œil hors du court. Janine Carpenter le regardait, et dans la fraction de seconde qui précéda son sourire d'encouragement, Craig lut de la pitié dans ses yeux indigo. La colère monta brusquement en lui.

Tenant la raquette à deux mains, il renvoya le service de Roland à toute volée, et ce dernier réexpédia la balle aussi fort. Il croisa son coup droit, et Roland renvoya en souriant. Craig rattrapa la balle sans bavures, et Roland fut forcé de lober. La balle retomba doucement ; Craig, toujours en proie à sa colère froide, et en position, tapa de toutes ses forces. C'était un coup sans réplique. Pourtant, Roland prit la balle au rebond. Elle passa tout près de la hanche droite de Craig, déséquilibré par la puissance de son propre coup.

Roland se mit à rire et sauta avec aisance par-dessus le filet.

— Pas mal, Sonny, dit-il en passant avec condescendance un

bras autour des épaules de Craig et en l'entraînant hors du court. À l'avenir, je saurai qu'il ne faut pas te laisser prendre de l'avance.

Ceux qui avaient attendu en jubilant l'humiliation de Roland se pressaient maintenant autour de lui servilement.

— Bien joué, Roly.

— Du grand jeu.

Craig s'esquiva discrètement. Il prit une serviette blanche sur la pile et s'essuya le cou et le visage. S'efforçant de ne pas paraître aussi déçu qu'il l'était, il alla jusqu'au bar et sortit une bière du bac de glace pilée. Il en avala une gorgée — si âpre qu'il en eut les larmes aux yeux — et se rendit compte alors que Janine Carpenter était à côté de lui.

— Vous auriez pu gagner, dit-elle doucement. Mais vous avez baissé les bras.

— Ça a été comme ça toute ma vie, dit-il d'un ton qu'il voulait enjoué et spirituel, à l'instar de Roland, mais qui s'avéra être celui de la platitude et de l'apitoiement sur soi-même.

Elle sembla sur le point de parler encore, puis secoua la tête et s'éloigna.

Craig utilisa la douche de Roland et sortit avec la serviette autour de la taille. Roland était debout devant le miroir en pied et ajustait l'angle de son béret.

Il était marron foncé avec, au-dessus de l'oreille gauche, un insigne en cuivre qui représentait une tête humaine bestiale avec un front et un nez épaté de gorille. Les yeux louchaient grotesquement et la langue sortait entre les lèvres négroïdes, comme sur les idoles guerrières sculptées par les Maori.

« Lorsque l'arrière-grand-père Ralph a recruté ses Scouts pendant la rébellion, avait un jour expliqué Roland à Craig, l'un de ses exploits les plus fameux a été de prendre le chef des rebelles, qu'il a ensuite pendu à un acacia. Nous avons choisi cela comme emblème — la tête de Bazo pendu. Comment trouves-tu ça ?

— Tout à fait charmant. Tu as toujours eu un goût exquis, Roly. »

Roland avait pensé créer les Scouts trois ans auparavant, lorsque le conflit sporadique des premiers jours avait commencé à s'intensifier pour devenir une guerre sans merci. L'idée avait été de constituer une force d'intervention composée de jeunes Rhodésiens blancs parlant couramment le ndébélé, appuyés par de jeunes Matabélé au service d'un employeur blanc depuis leur enfance, dont la loyauté était indiscutable. Ils feraient subir aux uns comme aux autres un entraînement afin de créer une milice d'élite capable de se déplacer facilement dans les territoires sous tutelle tribale parmi les cultivateurs noirs, parlant leur langue et comprenant leurs mœurs, capable aussi de se faire passer pour d'innocents indigènes ou des terroristes de la ZIPRA, d'affronter l'ennemi à la frontière ou de tomber sur lui du ciel en l'attaquant dans les conditions les plus favorables.

Il était allé voir le général Peter Walls au quartier général des services interarmes. Bawu avait bien entendu passé ses coups de fil habituels pour déblayer le terrain, et l'oncle Douglas en avait touché un mot à Smithy à l'occasion d'un conseil ministériel. Roland avait reçu le feu vert, et les Scouts Ballantyne renaquirent donc, soixante-dix ans après que la milice d'origine eut été dissoute.

Au cours des trois années écoulées depuis, les Scouts Ballantyne étaient déjà entrés dans la légende — six cents hommes qui avaient été crédités de deux mille ennemis abattus, qui avaient fait une incursion de huit cents kilomètres à l'intérieur de la Zambie pour attaquer une base d'entraînement de la ZIPRA ; des hommes qui s'étaient assis autour des feux de camp dans les villages des territoires sous tutelle tribale et avaient écouté les femmes jacasser après avoir apporté dans les collines des paniers de grains aux cadres de la ZIPRA, des hommes capables de tendre des embuscades pendant cinq jours d'affilée, enfouissant leurs excréments à côté d'eux, attendant patiemment leur proie, aussi immobiles qu'un léopard près d'un point d'eau.

Quand Craig entra dans la chambre, Roland se détourna du miroir. Les galons de colonel étincelaient à ses épaules, et, sous son matricule, la croix de guerre était épinglée sur sa chemise kaki impeccablement repassée.

— Si tu veux te changer, sers-toi, Sonny, proposa-t-il.

Craig alla jusqu'à la penderie et choisit un pantalon de flanelle et un pull blanc de cricket avec les couleurs d'Oriel College autour du cou. Porter de nouveau les vêtements mis au rebut par Roland lui donnait l'impression de revenir plusieurs années en arrière, lorsque celui-ci, avec un an d'avance, grandissait plus vite que lui.

— Maman m'a dit que tu t'étais encore fait virer.

— C'est exact, répondit Craig, sa voix étouffée par le pull qu'il était en train d'enfiler.

— Tu peux entrer quand tu veux chez les Scouts.

— Roly, l'idée d'enrouler une corde de piano autour du cou de quelqu'un pour le lui couper ne me dit pas grand-chose.

— Nous ne faisons pas ça tous les jours, objecta Roland avec un sourire. Personnellement, je préfère de beaucoup le couteau : quand tu n'es pas en train de trancher des gorges, tu peux tou-

jours t'en servir pour couper des tranches de *biltong*. Sérieusement, Sonny, tu serais le bienvenu. Tu parles leur baragouin
comme l'un des leurs, et tu es champion question explosifs.
Nous manquons de poseurs de bombes.

— Quand j'ai quitté King's Lynn, je me suis juré de ne plus
jamais travailler pour quelqu'un de la famille.

— Les Scouts ne sont pas la famille.

— Les Scouts, c'est toi, Roly.

— Tu aurais pu être mon second, tu le sais ?

— Ça ne marcherait pas.

— C'est vrai, admit Roland. Tu as toujours été un entêté. Bon,
si tu changes d'avis, préviens-moi. (D'une pichenette, il éjecta à
moitié une cigarette de son paquet et la coinça entre ses lèvres.)
Comment tu trouves Bugsy ?

La cigarette tressautait pendant qu'il parlait et il l'alluma avec
son Ronson en or.

— Elle est pas mal, répondit Craig prudemment.

— Pas mal ! protesta Roland. Merveilleuse, sensass, extraordinaire, tu veux dire ! Un peu plus d'enthousiasme, tu es en train
de parler de la femme que j'aime.

— De la mille et unième sur la liste des femmes que tu as
aimées, corrigea Craig.

— Du calme, vieux frère, celle-là, je vais l'épouser.

Craig sentit un froid l'envahir, et il se détourna pour peigner
ses cheveux mouillés devant le miroir.

— Tu as entendu ce que j'ai dit : je vais l'épouser.

— Elle le sait ?

— Je la laisse mûrir un peu avant de le lui dire.

— « De le lui demander » serait plus juste.

— Le bon vieux Roly le leur dit, il ne le leur demande pas.
Maintenant, tu es censé dire : « Félicitations, je vous souhaite
beaucoup de bonheur. »

— Félicitations, je vous souhaite beaucoup de bonheur.

— C'est bien. Allez, viens, je t'offre un verre.

Ils parcoururent le long couloir central qui traversait la maison, mais avant qu'ils aient atteint la véranda, un téléphone
sonna dans l'entrée et ils entendirent tante Val répondre :

— Je vais le chercher. Ne quittez pas, je vous prie. (D'une voix
plus forte elle appela son fils :) Roland, mon chéri. Cheetah au
téléphone.

Cheetah était l'indicatif de la base des Scouts.

— J'arrive, maman.

Roland se dirigea vers l'entrée à grandes enjambées et Craig
l'entendit répondre « Ballantyne », puis, après quelques instants : « Vous êtes sûrs que c'est lui ? Bon sang, c'est l'occasion

375

qu'on attendait. Quand pouvez-vous m'envoyer un hélico ? Il est déjà en route ? Parfait ! Bouclez le coin, mais n'intervenez pas avant mon arrivée. Je veux cueillir le bonhomme moi-même. »

Lorsqu'il réapparut dans le couloir, ce n'était plus le même. Il était comme Craig l'avait vu sur le court, froid, dangereux et impitoyable.

— Tu peux ramener Bugsy en ville à ma place, Sonny ? Il va y avoir du grabuge.

— Je m'occupe d'elle.

Roland sortit en hâte sur la véranda. Les derniers invités regagnaient leurs voitures en battant le rappel des nounous et des enfants et en se lançant des au revoir et des invitations de dernière minute pour la semaine à venir. À une époque, ce genre de réunion se serait éternisée jusqu'après minuit, mais à présent personne ne s'aventurait sur les routes après quatre heures, la nouvelle heure du loup.

Janine Carpenter serrait la main en riant à un couple venu d'un ranch voisin.

— Je viendrai avec plaisir, dit-elle, puis elle leva les yeux, vit l'expression de Roland et se hâta vers lui.

— Que se passe-t-il ?

— Nous avons une intervention. Sonny va s'occuper de toi. Je t'appellerai.

Déjà lointain et détaché, il scrutait le ciel. Puis on entendit le bruit des rotors et l'hélicoptère apparut au-dessus du kopje. Il était peint en marron de l'armée, et on apercevait deux hommes dans la cabine ouverte, un Blanc et un Noir, tous deux en tenue de camouflage et entièrement équipés.

Roland traversa la pelouse en courant pour venir à sa rencontre. Avant que l'engin ait touché le sol, il sauta pour s'accrocher aux bras de son sergent matabélé et grimpa dans la cabine. Tandis que l'hélicoptère reprenait de la hauteur et s'éloignait en frôlant le kopje, Craig entraperçut Roland une dernière fois. Il avait déjà remplacé son béret par un chapeau de brousse et son sergent l'aidait à enfiler son treillis.

— Roly m'a demandé de vous reconduire chez vous. Je suppose que vous habitez à Bulawayo ? demanda Craig pendant que l'hélico disparaissait et que le bruit des rotors s'évanouissait au loin.

Il sembla qu'elle faisait effort pour ramener son attention à lui.

— Oui, Bulawayo. Merci.

— Nous ne pouvons pas y être avant la nuit, et je ne tiens pas à prendre de risque. Je pensais coucher chez mon grand-père.

— Bawu ?

— Vous le connaissez ?

— Non, mais j'aimerais le connaître. Roly m'en a donné envie en me racontant des histoires sur lui. Vous pensez qu'il pourrait aussi m'héberger ?

— Il y a vingt-deux lits à King's Lynn.

Elle grimpa dans la Land Rover à côté de lui. Ses cheveux flottaient et chatoyaient au vent.

— Pourquoi vous appelle-t-il Bugsy ? demanda Craig en parlant fort pour se faire entendre malgré le bruit du moteur.

— Je suis entomologiste, répondit-elle en criant elle aussi. Vous savez, ceux qui s'occupent d'insectes et de bestioles[1].

— Où travaillez-vous ?

Le vent frais du soir plaquait son chemisier sur sa poitrine et elle ne portait manifestement pas de soutien-gorge. Elle avait de petits seins bien fermes et le froid faisait pointer leurs mamelons à travers la fine cotonnade. Craig avait du mal à ne pas les regarder.

— Au musée. Saviez-vous que nous avons la plus belle collection au monde d'insectes tropicaux et subtropicaux. Plus importante que celle du Smithsonian Institute ou du Muséum d'histoire naturelle de Kensington.

— Épatant !

— Pardon, je vous ennuie.

— Jamais de la vie.

Elle le remercia d'un sourire, mais changea malgré tout de sujet.

— Depuis combien de temps connaissez-vous Roland ?

— Vingt-neuf ans.

— Et quel âge avez-vous ?

— Vingt-neuf ans.

— Parlez-moi de lui.

— Que dire à propos de quelqu'un de parfait ?

— Essayez quand même.

— Responsable de la classe à Michaelson. Capitaine des équipes de rugby et de cricket. Bourse de la Fondation Rhodes pour Oxford, diplômé d'Oriel. A représenté son université aux championnats d'aviron, de cricket et de tennis. Colonel des Scouts, croix de guerre, héritier de vingt millions de dollars au bas mot. Vous savez, le pedigree habituel, conclut-il en haussant les épaules.

— Vous ne l'aimez pas.

— Je l'adore. D'une certaine manière.

— Vous n'avez plus envie de parler de lui ?

---

1. *Bug* signifie « punaise », « insecte » ou « bestiole » en anglais. *(N.d.T.)*

— Je préférerais parler de vous.

— Ça me va. Que voulez-vous savoir ?

Il avait envie de la faire sourire de nouveau.

— Commencez le jour de votre naissance et ne me cachez rien.

— Je suis née dans un petit village du Yorkshire — mon père est le vétérinaire du coin.

— Quand ça ? Je vous ai dit de ne rien me cacher.

Elle plissa les yeux malicieusement.

— Comment dit-on ici quand on veut parler d'une date indéterminée... avant la peste bovine, c'est ça ?

— L'épidémie a éclaté dans les années 1890.

— Bon. Alors je suis née après la peste bovine.

Ça marche, se dit Craig. Elle l'appréciait, souriait plus facilement, et leur badinage était léger et facile. Peut-être était-ce seulement un effet de son imagination, mais il lui semblait percevoir dans son attitude, la manière dont elle penchait la tête, ses mouvements, la façon dont elle... brusquement, il pensa à Roland et sentit un froid désespoir l'envahir.

Jonathan Ballantyne sortit sur la véranda de King's Lynn, jeta un coup d'œil sur Janine et entra immédiatement dans son rôle de vieux beau.

— Vous êtes la plus jolie jeune fille que Craig ait jamais dénichée... et de loin, dit-il en lui baisant la main.

Craig éprouva le besoin de démentir.

— Janine est l'amie de Roland, Bawu.

— Ah, j'aurais dû m'en douter, fit le vieillard en hochant la tête. Trop de classe à ton goût, mon garçon.

Le mariage de Craig avait tenu un peu plus d'un an, à peine plus que la moyenne de ses emplois, mais Bawu n'avait pas approuvé son choix, et ne s'était pas privé de le dire, avant et après les noces, avant et après le divorce, et depuis lors, à chaque fois que l'occasion s'en présentait.

— Merci, monsieur Ballantyne.

— Vous pouvez m'appeler Bawu, dit Jonathan en lui donnant le bras. Venez, ma chère, je vais vous montrer mes mines Claymore.

Craig les regarda faire le tour des installations défensives, autre marque de faveur exceptionnelle.

— Il a trois femmes enterrées sur le kopje, marmonna Craig, et c'est encore un chaud lapin.

Craig se réveilla en entendant la porte de sa chambre s'ouvrir en grinçant et son grand-père crier :

— Tu ne vas tout de même pas dormir toute la journée ? Il est déjà quatre heures et demie.

— Tu dis ça parce que tu n'as pas fermé l'œil depuis vingt ans, Bawu.

— Trêve de bavardage, mon garçon, aujourd'hui, c'est le grand jour. Va chercher la jolie petite amie de Roland et nous allons tous aller tester mon arme secrète.

— Avant le petit déjeuner ? protesta Craig, mais excité comme un enfant à la perspective d'un pique-nique, le vieillard était déjà parti.

L'engin était garé à une distance prudente du bâtiment le plus proche — le cuisinier avait menacé de donner sa démission si d'autres expériences étaient effectuées à portée de sa cuisine —, en bordure d'un champ de maïs mûrissant, et entouré par une petite foule d'ouvriers agricoles, conducteurs de tracteur et employés de bureau.

— Qu'est-ce que c'est que ça ? demanda Janine perplexe tandis qu'ils se dirigeaient vers l'engin à travers le champ labouré, mais avant que quelqu'un ait pu lui répondre, un homme en salopette bleue tachée de graisse se détacha du groupe et vint précipitamment à leur rencontre.

— Monsieur Craig, Dieu soit loué, vous êtes là ! Il faut absolument que vous l'arrêtiez.

— Assez de radotage, Okky, lança Jonathan d'un ton impérieux.

Okky van Rensburg était chef mécanicien à King's Lynn depuis vingt ans. Derrière son dos, Jonathan se glorifiait de ce que Okky était capable de fabriquer une Cadillac et deux Rolls-Royce Silver Cloud avec les pièces détachées d'un tracteur John Deere. C'était un petit homme maigre et nerveux aux allures simiesques. Il ignora l'injonction de Jonathan.

— Bawu va se tuer si personne ne l'arrête, dit-il en tordant pitoyablement ses mains noires et couvertes de cicatrices.

Jonathan était déjà en train d'attacher sous son menton la courroie de son casque, celui-là même qu'il avait porté ce jour de 1916 où il avait gagné la croix de guerre — le trou sur le côté avait été fait par un éclat d'obus allemand. Il s'avança vers le monstrueux véhicule avec une lueur impie dans les yeux.

— Okky a transformé un trois-tonnes Ford, expliqua-t-il à Janine. Il a surélevé le châssis (comme s'il avait été sur des échasses, le corps du véhicule était haut perché sur ses énormes roues à crampons), installé des déflecteurs ici (il désigna les lourdes plaques d'acier qui, comme les lames d'un chasse-neige, étaient destinées à dévier le souffle d'une mine), blindé la cabine (on aurait dit un tank, avec des écoutilles en acier, une fente pour permettre au conducteur de voir à l'extérieur et des sabords pour une lourde mitrailleuse Browning), mais regardez ce que nous avons sur le toit !

Au premier coup d'œil, cela ressemblait au kiosque d'un sous-marin nucléaire. Okky continuait de se tordre les mains.

— Vingt tubes en acier galvanisé bourrés chacun de plastic et de quinze kilos de billes de plomb.

— Bon sang, Bawu, s'exclama Craig, lui aussi horrifié. Tout ce bastringue va exploser !

— Il a coulé les tubes dans du béton, gémit Okky, et les a orientés de chaque côté comme sur un des navires de Nelson. Dix de chaque côté.

— Un vingt-canons Ford ! dit Craig impressionné.

— Si je tombe dans une embuscade, j'appuie sur le bouton... et boum, une bordée de trois cents kilos de plomb sur ces salauds, jubila ouvertement Jonathan. Une bouffée de mitraille, comme disait Bonaparte.

— Il va se faire sauter en enfer, se lamenta Okky.

— Oh, cesse de jouer les vieilles femmes, le rabroua Jonathan, et aide-moi plutôt à grimper là-haut.

— Bawu, cette fois-ci, je suis vraiment de l'avis d'Okky.

Le vieux ignora la mise en garde, grimpa à l'échelle métallique avec l'agilité d'un singe et posa théâtralement dans l'écoutille comme un commandant de division blindée.

— Je vais tirer une bordée à la fois en commençant par tribord. (Il tourna vers Janine un regard illuminé.) Cela vous ferait plaisir d'être mon copilote, ma chère ?

— C'est tout à fait aimable de votre part, Bawu, mais je crois que je verrai mieux depuis le fossé d'irrigation qui est là-bas.

— Alors, écartez-vous tous, lança-t-il avec un geste impérieux.

Les ouvriers et conducteurs matabélé, qui avaient déjà assisté au test précédent de Jonathan, se replièrent. Certains couraient encore après avoir franchi la crête du kopje.

Okky atteignit le fossé d'irrigation avec une demi-douzaine de pas d'avance sur Craig et Janine. Tous trois levèrent alors la tête au-dessus du bord. À deux cents mètres de là, le Ford se dressait comme un monstrueux monument au milieu du champ ; Jonathan agita joyeusement la main par l'écoutille et disparut à l'intérieur.

Ils se couvrirent les oreilles avec les mains et attendirent. Rien ne se passa.

— Il se dégonfle, dit Craig avec espoir.

L'écoutille s'ouvrit de nouveau, la tête casquée de Jonathan réapparut, le visage rouge d'indignation.

— Okky, enfant de salaud, tu as débranché les fils, rugit-il. Tu es viré, tu m'entends ? Viré !

— C'est la troisième fois qu'il me flanque à la porte cette semaine, bougonna Okky morose. C'est le seul moyen que j'ai trouvé pour l'arrêter.

— Attendez, ma chère, hurla Jonathan en s'adressant à Janine. Je vais rebrancher ça en moins de deux.

— Ne vous mettez pas en peine pour moi, Bawu, cria-t-elle en réponse, mais il disparut une nouvelle fois.

Les minutes passèrent avec une effroyable lenteur, et ils reprirent peu à peu espoir.

— Ça ne va pas marcher.

— Allons le sortir de là.

— Bawu, nous venons te chercher, beugla Craig en mettant ses mains en porte-voix. Et tu ferais bien de venir sans faire d'histoires.

Il sortit lentement du fossé, et à ce moment précis, le Ford blindé disparut dans un tourbillon de fumée et de poussière. Une nappe de flammes blanches se répandit au ras du champ de maïs et le faucha d'un seul coup comme si une gigantesque moissonneuse batteuse l'avait balayé en une seconde. Ils furent enveloppés par une explosion soudaine et épouvantable que Craig retomba sur Okky et Janine.

Ils se débattirent frénétiquement pour se démêler les uns des autres au fond du fossé puis regardèrent avec appréhension le champ dévasté. L'effrayant silence n'était rompu que par le bourdonnement de leurs oreilles et les jappements de la meute de rottweilers et de dobermans qui, pris de panique, s'enfuyaient vers la maison. Le champ était obscurci par un épais rideau de fumée bleue et de poussière rougeâtre.

Ils sortirent du fossé et scrutèrent des yeux le nuage que la brise chassait doucement. Le Ford était sur le dos, ses quatre grosses roues pointées vers les cieux comme dans une pitoyable capitulation.

— Bawu ! cria Craig en se précipitant.

Des gueules béantes des tubes s'échappaient encore des volutes d'épaisse fumée, mais il n'y avait aucun autre mouvement.

— Bawu !

Il le trouva recroquevillé au fond de la cabine et vit immédiatement que le vieillard était à la dernière extrémité. Son visage était déformé et sa voix inintelligible.

Craig prit le vieil homme à bras-le-corps pour le relever et essaya de le traîner vers l'écoutille, mais celui-ci le repoussa avec l'énergie du désespoir ; Craig comprit enfin ce qu'il disait.

— Mes dents, ça m'a soufflé mes dents ! (Il était reparti à quatre pattes et cherchait comme un fou son appareil.) Faut pas qu'elle me voie comme ça. Retrouve-les, retrouve-les !

Craig retrouva le dentier sous le siège du conducteur. Après l'avoir remis en place, Jonathan émergea de l'écoutille et insulta Okky van Rensburg.

— Tu ne l'as pas assez lesté, espèce de vieux gâteux.

— Vous n'avez pas le droit de me parler comme ça, Bawu, je ne travaille plus pour vous. Vous m'avez fichu à la porte.

— Je t'engage, beugla Jonathan. Et tu vas me remettre ça à l'endroit et en vitesse.

Une vingtaine de Matabélé suant et chantant redressèrent lentement le véhicule qui retomba lourdement sur ses roues.

— Il ressemble maintenant à une banane, fit remarquer Okky avec une satisfaction évidente. Le recul de vos canons l'a presque plié en deux. Vous n'arriverez jamais à redresser le châssis.

— Il n'y a qu'une seule façon d'y arriver, déclara Jonathan en commençant à renouer la sangle de son casque.

— Qu'est-ce que tu vas faire, Jon-Jon ? demanda Craig anxieusement.

— Tirer l'autre bordée, évidemment, répondit Jonathan avec détermination. Ça va le remettre droit d'un seul coup d'un seul.

Craig le prit par un bras, Okky par l'autre, et Janine lui murmura des paroles apaisantes pendant qu'ils l'entraînaient vers la Land Rover.

— Imaginez Bawu en train de tendre la main vers l'allume-cigares, se trompant de bouton pendant qu'il descend la rue principale au volant de son char d'assaut, gloussa Craig, et faisant partir ses orgues de Staline sur la porte d'entrée de l'hôtel de ville.

Ils plaisantèrent et rirent de l'épisode pendant tout le trajet du retour, et tandis qu'ils longeaient les belles pelouses des jardins municipaux, Craig suggéra avec légèreté :

— Passer un dimanche soir à Bulawayo, c'est risquer de faire une dépression nerveuse. Laissez-moi vous préparer un de mes fameux repas sur mon bateau.

— Votre bateau ? demanda Janine intriguée. Ici ? À deux mille cinq cents kilomètres de la côte ?

— Je ne vous en dirai pas davantage, déclara Craig. Ou vous venez avec moi, ou votre curiosité insatisfaite vous consumera jusqu'à la fin de vos jours.

— Sort plus terrible que la mort, admit-elle. Et en plus, je suis bon marin. Allons-y !

Craig prit la route de l'aéroport, mais avant qu'ils aient quitté la zone urbaine, il bifurqua pour entrer dans l'un des plus vieux quartiers de la ville. Entre deux maisons délabrées, il y avait un petit terrain vague, caché de la route par une haie de vieux manguiers. Craig se gara sous l'un d'eux, et la précéda à travers une jungle de bougainvilliers et d'acacias, jusqu'au moment où elle s'arrêta brusquement et s'exclama :

— Ce n'était pas une plaisanterie. C'est un vrai voilier.

— Il n'y en a pas de plus vrai, admit Craig fièrement. Dessiné par Livranos, quarante-cinq pieds hors tout, entièrement construit avec ces petites mains blanches que voilà.

— Il est superbe, Craig.

— Il le sera un jour quand il sera fini.

Posé sur sa grande quille, le voilier reposait dans un ber, étayé sur les flancs par des madriers, le bastingage à près de cinq mètres de haut.

— Comment fait-on pour monter ? demanda Janine avec enthousiasme.

— Il y a une échelle de l'autre côté.

Elle grimpa sur le pont, et de là-haut, demanda :

— Comment s'appelle-t-il ?

— Il n'a pas encore été baptisé, répondit-il avant de la rejoindre dans le cockpit.

— Quand allez-vous le lancer, Craig ?

— Dieu seul le sait, dit-il en souriant. Il reste encore beaucoup de travail, et chaque fois que je suis à sec, tout s'arrête.

Tout en parlant, il ouvrit l'écoutille, et Janine se baissa pour descendre par l'échelle.

— Ça a l'air très confortable.

— C'est là que j'habite.

Il descendit à sa suite dans le carré et déposa son sac.

— J'ai fini l'intérieur. La cuisine est là. Il y a deux cabines doubles et une douche.

— C'est très beau, répéta Janine en caressant le teck verni et éprouvant le moelleux des couchettes.

— C'est mieux que de payer un loyer, non ?

— Qu'est-ce qui manque encore ?

— Pas grand-chose : le moteur, les winchs, le gréement, les voiles, à peu près pour dix mille dollars. Mais je viens d'obtenir la moitié de la somme grâce à Bawu.

Il alluma le réfrigérateur à gaz, puis mit une cassette dans le lecteur. Janine écouta un moment les trilles fluides du piano, puis dit :

— C'est du Beethov ?

— Bien sûr. Quel morceau ?

— La *Pathétique* ? hasarda-t-elle avec un peu moins d'assurance.

— Bravo, s'exclama-t-il en prenant une bouteille de riesling dans le placard. Et l'interprète ?

— Je ne vois pas du tout.

— Essayez.

— Kentner ?

— Pas mal, mais c'est Pressler.

Elle fit la grimace pour montrer sa déconvenue. Craig déboucha la bouteille et remplit deux verres.

— À la vôtre, ma belle !

Elle but une petite gorgée.

— Mmm ! C'est bon.

— Passons aux choses sérieuses ! lança Craig en fouillant de nouveau dans le placard. Du riz et des conserves. Les pommes de terre et les oignons sont là depuis trois mois et commencent à germer.

— Tout à fait macrobiotique, excellent pour la santé ! commenta-t-elle. Je peux vous aider ?

Ils préparèrent le repas gaiement épaule contre épaule dans la minuscule cuisine, se frôlant chaque fois qu'ils faisaient un geste. Elle sentait le savon parfumé, et ses cheveux ondulés étaient si épais et brillants qu'il eut une envie irrépressible d'y enfouir son visage. Il n'en fit rien et se mit à la recherche d'une autre bouteille de vin.

Il vida quatre boîtes de conserve différentes dans la casserole, hacha des oignons et des pommes de terre sur le mélange, saupoudra un peu de curry et servit sur un lit de riz.

— Délicieux ! déclara Janine. Comment appelez-vous ça ?

— Ne posez pas de questions embarrassantes.

— Quand il sera en état de naviguer, où irez-vous ?

Craig prit une carte et les *Instructions nautiques de l'océan Indien* sur l'étagère au-dessus de lui.

— Bon. Ici, dit-il en montrant un point sur la carte, nous sommes au mouillage dans une petite crique des Seychelles. Quand nous regardons par le hublot, nous voyons des palmiers et des plages de sable blanc. L'eau est si claire qu'on a l'impression de flotter dans les airs.

— C'est vrai ! dit Janine en regardant par le hublot. Je vois des palmiers et j'entends des guitares.

Quand ils eurent fini de manger, ils écartèrent les assiettes et se penchèrent sur les cartes et les livres de navigation.

— Et ensuite ? Pourquoi pas les îles grecques ?

— Trop touristiques, remarqua-t-elle en secouant la tête.

— L'Australie et la grande barrière de corail ?

— Que c'est beau ! Puis-je enlever le haut de mon maillot, mon vieux ? dit-elle en imitant l'accent australien.

— Le bas aussi si ça vous fait plaisir.

— Vilain garçon.

Le vin avait coloré leurs pommettes et allumé une étincelle dans leurs yeux. Elle lui donna une petite tape sur la joue, et il savait qu'elle allait le laisser l'embrasser, mais avant qu'il ait pu le faire, elle dit :

— Roland m'a dit que vous étiez un rêveur.

Cela coupa son élan. Il sentit un froid envahir sa poitrine et lui en voulut soudain d'avoir rompu la magie du moment. Il eut envie de la blesser comme elle venait de le faire.

— Est-ce que vous couchez avec lui ?

Elle se recula, et le regarda choquée. Elle ferma ses yeux à demi comme une chatte, et ses narines devinrent blanches de colère.

— Qu'avez-vous dit ?

Au lieu de faire machine arrière, il sauta à pieds joints dans le précipice.

— Je vous ai demandé si vous couchiez avec lui.

— Vous êtes sûr que vous voulez le savoir ?

— Oui.

— Bon. La réponse est « oui », et c'est le pied. Ça vous va ?

Il baissa les yeux pitoyablement.

— Maintenant, vous pouvez me raccompagner chez moi.

Ils ne dirent pas un mot pendant tout le trajet, si ce n'est les indications laconiques qu'elle lui donna. En se garant devant chez elle, il remarqua que l'immeuble s'appelait Beau Vallon, comme la crique des Seychelles sur laquelle ils avaient fantasmé.

Elle descendit de la Land Rover, le remercia et remonta l'allée pavée vers l'entrée du petit immeuble en brique.

Avant d'y arriver, elle revint sur ses pas.

— Vous savez que vous êtes un enfant gâté ? Et que vous renoncez toujours avant d'arriver au bout, comme vous l'avez fait hier sur le court ?

Cette fois-ci, elle disparut dans l'entrée de l'immeuble sans se retourner.

Quand il arriva à son bateau, Craig rangea les cartes et les livres, lava les assiettes, les essuya et les remit à leur place. Il lui sembla qu'il avait laissé une bouteille de gin dans l'un des placards mais n'arriva pas à la trouver. Il ne restait même plus une goutte de vin. Il s'assit sur la banquette, la lampe à gaz sifflait doucement au-dessus de sa tête, il se sentait inerte et vide. Pas la peine d'aller se coucher, il savait qu'il ne parviendrait pas à fermer l'œil.

Il prit son sac. Le journal relié pleine peau que lui avait prêté son grand-père se trouvait sur le dessus. Il l'ouvrit et en commença la lecture. Il avait été rédigé en 1860 par Zouga Ballantyne, son trisaïeul.

Après un moment, il ne se sentit plus ni inerte ni vide. Il était sur la plage arrière d'un grand clipper qui fendait les flots de l'Atlantique sud en direction d'un continent sauvage et enchanté.

Debout au milieu de la piste poussiéreuse, Samson Kumalo regarda la vieille Land Rover déglinguée de Craig s'éloigner bruyamment dans l'allée de spathodéas. Quand elle eut franchi le virage près du cimetière et disparu, il ramassa son sac et ouvrit le portillon du jardin du logement de fonction. Il fit le tour de la petite maison et s'arrêta devant le porche de derrière.

Assis sur une chaise de cuisine inconfortable, les deux mains posées sur sa canne sculptée en forme de serpent lové, Gédéon Kumalo, son grand-père, s'était assoupi en plein soleil.

« Il n'y a que comme ça que je peux me réchauffer », avait-il dit à Samson.

Ses cheveux crépus étaient blancs comme du coton et sa barbichette tremblait à chacun de ses ronflements. Sa peau paraissait si fine et fragile qu'elle donnait l'impression de devoir se déchirer comme un vieux parchemin, dont elle avait la couleur, celle de l'ambre foncé.

Attentif à ne pas lui cacher son soleil, Samson grimpa les marches sans bruit, posa son sac et s'assit en face de lui sur le parapet. Il examina son visage couvert de rides et se sentit envahi par une bouffée d'affection. Ce n'était pas seulement ce sentiment de commande que tout jeune Matabélé apprend à témoigner à ses parents ; il existait entre eux un véritable lien mystique.

Pendant près de soixante ans Gédéon Kumalo avait été directeur adjoint de l'école de la mission. Des milliers de garçons et filles matabélé avaient grandi sous sa gouverne, mais aucun ne lui avait été plus cher que son petit-fils.

Le vieillard sursauta soudain et ouvrit les yeux. Ils étaient bleu clair et aveugles comme ceux d'un chiot. Il pencha la tête pour tendre l'oreille. Samson retint sa respiration et resta immobile, craignant que son grand-père ait perdu ce sixième sens presque miraculeux. Gédéon tourna lentement la tête de l'autre côté et écouta de nouveau. Samson vit ses narines se dilater légèrement.

— C'est toi ? demanda-t-il d'une voix rouillée qui évoquait le craquement d'une charnière mal graissée. Oui, c'est toi, Vundla. Oui, c'est toi, mon petit Lièvre !

Gédéon avait donné à son petit-fils le nom de cet animal vif et intelligent, qui avait toujours occupé une place importante dans le folklore africain, le Jeannot Lapin de la légende que les esclaves avaient emporté avec eux en Amérique.

— Baba ! lâcha Samson en s'agenouillant devant lui.

Gédéon chercha sa tête à tâtons et la caressa.

— Tu n'es jamais parti, dit-il, car tu vis toujours dans mon cœur.

Samson avait la gorge nouée par l'émotion. Sans rien dire, il prit dans les siennes les mains fragiles de son grand-père et les porta à ses lèvres.

— On devrait prendre une tasse de thé, murmura Gédéon. Tu es le seul à savoir le faire comme je l'aime.

Le vieillard aimait bien le sucre, et Samson en mit six cuillerées pleines dans le gobelet émaillé avant d'y verser le breuvage avec la bouilloire en fer-blanc. Gédéon prit le gobelet à deux mains, but une petite gorgée, puis sourit et hocha la tête.

— Alors, petit Lièvre, raconte-moi ce qui t'est arrivé ? Je sens en toi quelque chose, une incertitude... comme lorsqu'on a perdu son chemin et qu'on cherche à le retrouver.

Il écouta parler Samson en sirotant son thé et opinant. Lorsqu'il eut fini, il dit :

— Il est temps que tu reviennes à la mission pour enseigner. Tu m'as dit un jour que tu ne te sentais pas capable d'apprendre la vie aux jeunes tant que tu n'avais pas, toi-même, appris à vivre. As-tu l'impression d'avoir appris maintenant ?

— Je ne sais pas, Baba. Que puis-je leur dire ? Que la mort rôde dans le pays, que la vie ne vaut que le prix d'une balle ?

— Vas-tu passer ta vie à douter, mon cher petit-fils ? Faut-il toujours que tu te poses des questions qui n'ont pas de réponses ? Les hommes forts sont ceux qui sont toujours certains de la justesse de leur attitude.

— Alors, peut-être ne serai-je jamais un homme fort, grand-père.

Quand ils eurent fini le thé, Samson en prépara encore. Même la mélancolie de leur conversation ne parvenait pas à tempérer le plaisir qu'ils éprouvaient à être ensemble, et ils s'y complurent jusqu'au moment où Gédéon demanda :

— Quelle heure est-il ?

— Quatre heures.

— Constance est de garde jusqu'à cinq heures. Pourquoi ne vas-tu pas l'attendre à la sortie de l'hôpital ?

Samson enfila un jean et une chemise bleu ciel, puis il laissa

387

son grand-père sur la véranda et descendit la colline. À la porte de la grille de sécurité qui entourait l'hôpital, il se laissa fouiller par les gardes en uniforme, puis dépassa les pavillons des opérés devant lesquels les convalescents en robe de chambre bleue étaient assis au soleil sur la pelouse. Beaucoup avaient subi une amputation, car l'hôpital de Khami accueillait de nombreux blessés de guerre et civils qui avaient été victimes de l'explosion d'une mine. Tous étaient des Noirs. L'hôpital était réservé aux Africains.

À la réception de l'entrée principale, les deux petites infirmières matabélé le reconnurent et pépièrent de plaisir comme des moineaux. Samson leur fit raconter les derniers potins de la mission — liaisons, mariages, naissances et décès qui marquaient la vie de cette petite communauté étroitement soudée. Ils furent interrompus par une voix autoritaire.

— Samson ! Samson Kumalo !

Il se retourna et vit la directrice de l'hôpital venir à sa rencontre d'un pas décidé. Le Dr Leila Saint John portait une blouse blanche, une rangée de stylos bille dans la poche de poitrine, un stéthoscope suspendu à son cou, et sous sa blouse ouverte, un pull bordeaux sans forme et une longue jupe de coton imprimé de motifs ethniques voyants. Elle avait aux pieds de grosses chaussettes d'homme en laine verte et des sandales avec une boucle sur le côté. Ses cheveux châtains, raides et ternes, étaient attachés par deux lacets de cuir en couettes qui pointaient au-dessus de ses oreilles décollées.

Elle avait hérité de la pâleur de son père, Robert Saint John, et sa peau portait d'anciennes marques d'acné. Ses lunettes à monture en corne étaient de forme carrée et masculine. Une cigarette pendait à ses lèvres minces. Elle avait un visage sérieux et vieux jeu, mais le regard de ses yeux verts était direct et vif. Elle s'arrêta devant Samson et lui serra la main avec fermeté.

— Le fils prodigue est donc de retour... avant de repartir avec une de mes meilleures infirmières, j'en suis persuadée.

— Bonsoir, docteur Leila.

— Est-ce que vous jouez toujours les boys de votre colonisateur ? demanda-t-elle.

Leila Saint John avait été détenue pendant cinq ans à la prison politique de Gwelo, aussi longtemps qu'il avait plu au gouvernement rhodésien. Elle y était en même temps que Robert Mugabe qui, en exil, dirigeait à présent la fraction ZANU de l'armée de libération.

— Craig Mellow est rhodésien depuis trois générations, des deux côtés de sa famille. Il est également mon ami. Ce n'est pas un colonisateur.

388

— Samson, vous êtes un homme cultivé et extrêmement capable. Tout autour de vous, le monde est en train de fondre dans le creuset du changement, l'Histoire se forge sur l'enclume de la guerre. Êtes-vous satisfait de gaspiller les talents que Dieu vous a donnés et de laisser des hommes médiocres vous confisquer l'avenir ?

— Je n'aime pas la guerre, docteur Leila. Votre père a fait de moi un chrétien.

— Seuls les fous aiment la guerre, mais existe-t-il un autre moyen pour venir à bout de la violence aveugle du système impérialiste capitaliste ? Par quelle autre voie satisfaire les aspirations nobles et légitimes des pauvres, des faibles et des opprimés politiques ?

Samson jeta un rapide coup d'œil autour de l'entrée, et elle sourit.

— Ne vous inquiétez pas, Samson. Nous sommes entre amis, ici. De vrais amis. (Leila Saint John regarda sa montre.) Il faut que j'y aille. Je vais dire à Constance de vous emmener dîner. Nous reprendrons notre conversation.

Elle s'éloigna rapidement en direction d'une porte à deux battants marquée « Consultations », les talons de ses sandales claquant sur le carrelage.

Samson trouva une place sur l'une des longues banquettes installées près de la porte et attendit au milieu des malades et des éclopés. Il avait l'impression que la forte odeur d'antiseptique imprégnait ses vêtements et sa peau.

Constance sortit enfin. L'une des infirmières avait dû l'avertir, car elle tourna la tête d'un côté et de l'autre pour le chercher, les yeux brillants d'excitation à l'idée de le revoir. Il savoura le plaisir de la regarder pendant quelques instants encore avant de se lever.

L'uniforme de Constance était amidonné et repassé de frais, son tablier blanc tout raide sur les rayures rose pâle de la blouse, son bonnet incliné avec désinvolture. Les badges de ses grades — infirmière de la salle d'opération, sage-femme et d'autres — luisaient sur sa poitrine. Ses cheveux étaient tirés et tressés à l'africaine en motifs complexes, coiffure qui exigeait de longues heures d'un travail patient. Elle avait le visage lisse et rond comme une lune noire, la beauté classique des femmes ngoni, d'immenses yeux sombres et des dents étincelantes, que découvrit son sourire de bienvenue.

Elle avait le dos bien droit, les épaules étroites mais solides. Ses seins étaient fermes sous son tablier, sa taille fine et ses hanches larges et pleines. Elle avait dans ses mouvements cette

389

grâce particulière aux Africaines, comme si elle avait dansé au son d'une musique qu'elle était seule à entendre.

Elle s'arrêta devant lui.

— Je te vois, Samson, murmura-t-elle, puis, soudain timide, elle baissa les yeux.

— Je te vois, mon cœur, répondit-il à voix basse.

Ils ne se touchèrent pas, car il était contraire à la coutume de s'afficher en public et toute démonstration de ce genre leur répugnait.

Ils gravirent lentement la colline en direction de la maison. Constance n'était pas parente de Gédéon Kumalo, mais elle avait été pourtant une de ses élèves préférés avant que sa cécité ne l'oblige à prendre sa retraite. Lorsque sa femme était morte, Constance était venue s'installer chez lui pour tenir la maison et s'occuper de lui. C'est là qu'elle avait rencontré Samson.

Bien qu'elle ait bavardé volontiers, lui rapportant les petits événements survenus en son absence, Samson perçut en elle une certaine réserve, et par deux fois, elle regarda en arrière avec quelque chose qui ressemblait à de la peur dans les yeux.

— Qu'est-ce qui te préoccupe ? demanda-t-il lorsqu'ils arrivèrent au portillon du jardin.

— Comment as-tu su... Bien sûr que tu le sais. Tu sais tout de moi.

— Dis-moi ce qui te préoccupe.

— Les « boys » sont là, dit simplement Constance.

Samson fut parcouru d'un frisson. Les « boys » et les « girls » étaient les guérilleros de l'armée révolutionnaire du Zimbabwe.

— Ici ? À la mission ?

Elle hocha la tête.

— Ils représentent un danger et une menace de mort pour tous ceux qui sont ici, dit-il avec amertume.

— Samson, mon cœur, murmura-t-elle. Il faut que je te dise quelque chose. Je ne pouvais me dérober à mon devoir plus longtemps. J'ai fini par rejoindre leurs rangs : je fais maintenant partie des « girls ».

Ils dînèrent dans la pièce centrale de la petite maison, qui faisait office à la fois de cuisine, de salle à manger et de salon.

En guise de nappe, Constance couvrit la table en planches de feuilles de journaux — entre les colonnes du *Rhodesian Herald* s'intercalaient des blancs, protestation muette du rédacteur en chef contre les décrets draconiens de la censure gouvernementale. Au milieu, elle posa une grande casserole de farine de maïs bien cuite, et à côté une petite assiette de tripes et de haricots de Lima. Puis elle remplit le bol du vieillard, le posa devant lui et plaça sa cuillère dans sa main. Assise à côté de lui pendant tout le repas, elle guida sa main avec tendresse et essuya ce qu'il faisait tomber.

Sur une étagère fixée au mur la petite télévision en noir et blanc leur renvoyait l'image floue du présentateur du journal.

« Au cours des dernières quarante-huit heures, trente-six terroristes ont été abattus par les forces de sécurité lors de quatre affrontements dans le Mashonaland et le Matabeleland. Par ailleurs, seize civils pris dans des affrontements ont été tués et huit autres l'auraient été par l'explosion d'une mine sur la route de Mrewa. Le quartier général des opérations interarmes a le regret d'annoncer la mort de deux membres des forces de sécurité. Il s'agit du sergent John Sinclair des Scouts Ballantyne... »

Constance se leva et éteignit la télévision, puis se rassit et servit encore un peu de viande et de haricots à Gédéon.

— C'est comme les nouvelles sportives, dit-elle avec une amertume que Samson n'avait jamais perçue dans sa voix. Chaque soir, ils nous donnent le score. Terroristes : 2 ; forces de sécurité : 26. Nous devrions remplir des fiches de pari.

Samson vit qu'elle pleurait et ne trouva rien à dire pour la réconforter.

— Ils donnent le nom et l'âge des militaires blancs, précisant le nombre d'enfants qu'ils laissent, mais les autres ne sont que des « terroristes » ou des « civils noirs ». Pourtant, eux aussi ont une mère, un père, une femme et des enfants, dit-elle en reniflant. Ce sont des Matabélé comme nous, ils font partie de notre peuple. La mort est devenue banale dans ce pays, et ceux qui ne meurent pas arrivent ici les jambes arrachées ou le cerveau atteint.

— La guerre est toujours plus cruelle quand elle touche les femmes et les enfants, dit Gédéon de sa voix voilée. Nous tuons leurs femmes, ils tuent les nôtres.

On entendit gratter doucement à la porte. Constance se leva et se dirigea précipitamment vers elle. Elle éteignit la lumière avant d'ouvrir. Il faisait nuit, mais Samson vit les silhouettes de deux hommes dans l'embrasure de la porte. Ils entrèrent discrètement, la porte se referma et Constance ralluma la lumière.

Deux hommes se tenaient contre le mur. Un seul coup d'œil suffit à Samson pour savoir qui ils étaient. Ils portaient un jean et une chemise assortie, mais il y avait une vigilance animale dans leurs mouvements, dans leurs yeux vifs toujours en alerte.

Le plus âgé des deux fit un signe de tête à l'autre, qui se hâta vers les chambres, les fouilla rapidement puis revint s'assurer qu'il n'y avait pas de jour entre les rideaux des fenêtres. Il fit à son tour un signe de tête et retourna se placer près de la porte. Le plus âgé prit place sur la banquette en face de Gédéon Kumalo. Il avait des traits fins, le crâne rasé, le nez busqué comme les Arabes, mais sa peau était d'un noir d'encre.

— Je suis le camarade Tébé, dit-il à voix basse. Comment t'appelles-tu, vieux père ?

— Gédéon Kumalo, répondit l'aveugle, la tête légèrement inclinée sur l'épaule.

— Ce n'est pas le nom que t'a donné ta mère, ce n'est pas sous ce nom-là que t'a connu ton père.

Le vieillard commença à trembler, et il essaya trois fois de parler avant que les mots puissent franchir ses lèvres.

— Qui es-tu ? murmura-t-il.

— C'est sans importance, répondit l'homme. Nous essayons de savoir qui tu es. Dis-moi si tu as déjà entendu le nom de Tungata Zebiwe. Celui-qui-cherche-ce-qui-a-été-volé, celui qui cherche la justice.

Le vieillard se mit à trembler si fort qu'il fit tomber son bol, et le récipient tinta en décrivant des cercles concentriques à ses pieds sur le sol en béton.

— Comment connais-tu ce nom ? demanda-t-il à voix basse. Comment es-tu au courant de ces choses ?

— Je sais tout, vieux père. Je connais même une chanson. Nous allons la chanter ensemble, toi et moi.

Et le visiteur se mit à chanter d'une voix de baryton, douce mais prenante :

> *Comme une taupe dans les entrailles de la Terre,*
> *Bazo a trouvé le passage secret...*

C'était l'ancien hymne de guerre du régiment des « Taupes », et les souvenirs affluèrent brusquement dans l'esprit de Gédéon Kumalo. Comme tous les vieillards, il pouvait se remémorer avec précision le temps de son enfance alors qu'il avait du mal à se rappeler les événements de la semaine précédente. Il se souvint d'une caverne dans les collines des Matopos, du visage de son père à la lumière du feu de camp, et les paroles du chant lui revinrent :

> *Les taupes sont sous la terre.*
> *« Sont-elles mortes ? » demandaient les filles de Machobane.*

Gédéon chanta de sa voix éraillée, ses yeux aveugles se remplirent de larmes qui coulèrent sur ses joues.

« Écoutez, jolies jeunes filles, n'entendez-vous pas
Quelque chose remuer dans l'obscurité ? »

Le visiteur resta silencieux pendant que Gédéon, qui avait fini, essuyait ses larmes, puis il dit doucement :

— Les esprits de tes ancêtres t'appellent, camarade Tungata Zebiwe.

— Je suis vieux, aveugle et faible, je ne peux leur répondre.

— Alors, tu dois envoyer quelqu'un à ta place, dit l'étranger. Quelqu'un en qui coule le sang de Bazo, la Hache, et de Tanase, la sorcière.

L'étranger se tourna lentement vers Samson, assis au bout de la table, et le regarda dans les yeux.

Samson lui rendit son regard. Il était en colère, sachant d'instinct pourquoi l'étranger était venu. Rares étaient les Matabélé à avoir des diplômes universitaires ou à posséder ses autres talents. Il savait depuis longtemps à quel point ils voulaient qu'il rejoigne leurs rangs, et il lui avait fallu toute son ingéniosité pour les éviter. Ils avaient donc fini par le trouver, et il était furieux contre eux et contre Constance. C'était elle qui les avait conduits à lui. Il avait remarqué qu'elle n'avait cessé de jeter des coups d'œil vers la porte pendant tout le repas. Il savait qu'elle leur avait dit qu'il était là.

Par-dessus sa colère il sentait le poids d'une lassitude résignée. Il n'ignorait pas qu'il ne pouvait plus leur résister. Il savait quels risques cela entraînerait, et pas seulement pour lui. C'étaient des hommes durs, leur caractère trempé dans le sang était devenu d'une cruauté inimaginable. Il comprenait pourquoi l'étranger s'était d'abord adressé à Gédéon Kumalo. C'était pour le marquer. Si Samson refusait de se plier à leur volonté, il courait un terrible danger.

— Tu dois envoyer quelqu'un à ta place.

Un marché vieux comme le monde, une vie contre une autre. Si Samson n'acceptait pas le marché, son grand-père était condamné, et même cela ne conclurait pas l'affaire. Ils le voulaient et ils l'auraient.

— Je m'appelle Samson Kumalo, dit-il. Je suis chrétien, et j'abhorre la guerre et la cruauté.

— Je sais qui tu es, dit l'étranger. Et nous savons aussi que de nos jours il n'y a pas de place pour la clémence.

L'étranger s'interrompit. La porte s'était entrouverte, et son second qui était de garde à l'extérieur passa la tête par l'entrebâillement et lança alarmé : « *Kanka !* » Il ne prononça que ce mot — « Les chacals ! » — et disparut.

L'étranger se leva, tira un Tokarev 7,62 mm de la ceinture de son jean en éteignant en même temps la lumière. Dans l'obscurité, il chuchota à l'oreille de Samson :

— Rendez-vous à la gare des cars de Bulawayo après-demain matin, huit heures.

Puis Samson entendit claquer le verrou de la porte et ils se retrouvèrent tous les trois. Ils attendirent dans l'obscurité.

— Ils sont partis, dit Constance au bout de cinq minutes.

Elle ralluma la lumière et débarrassa la table.

— Les « boys » se sont inquiétés pour rien. Le village est tranquille. Apparemment, les forces de sécurité ne sont pas là.

Aucun des deux hommes ne répondit, et elle leur prépara un chocolat.

— Il y a un film à la télé à neuf heures, *Les Enfants du rail.*

— Je suis fatigué, dit Samson, toujours furieux contre elle.

— Moi aussi, murmura Gédéon.

Samson aida son grand-père à regagner la chambre de devant. Il se retourna sur le pas de la porte, et Constance lui lança un appel d'un regard si pathétique qu'il sentit sa colère retomber.

Étendu sur le petit lit en fer qui se trouvait à l'opposé de celui du vieillard, il écoutait les bruits légers que faisait Constance en nettoyant la cuisine et préparant le petit déjeuner du lendemain. Puis la porte de sa chambre se referma.

Samson attendit que son grand-père commence à ronfler, puis il se leva sans bruit. Il passa la couverture en grosse laine sur ses épaules nues, sortit de la chambre et se dirigea vers celle de Constance. La porte n'était pas fermée. Elle s'ouvrit sous sa poussée. Il entendit Constance se dresser brusquement sur son séant.

— C'est moi, dit-il.

— Oh, je craignais que tu ne viennes pas.

Il tendit la main et toucha sa peau nue. Elle était fraîche et douce comme du velours. Elle prit ses doigts, l'attira vers elle et il sentit s'évanouir les derniers vestiges de son ressentiment.

— Pardonne-moi, murmura-t-elle.

— Cela n'a pas d'importance. Je n'aurais pas pu me cacher éternellement.

— Tu vas y aller ?

— Si je n'y vais pas, non seulement ils prendront mon grand-père, mais cela ne leur suffira pas.

— Ce n'est pas pour ça que tu iras. Tu vas y aller pour la même raison que moi. Parce que tu le dois.

Elle était entièrement nue comme lui. Quand elle remuait, ses seins se cognaient contre sa poitrine, et il sentit qu'elle commençait à s'échauffer.

— Est-ce qu'ils t'emmènent dans la brousse ? demanda-t-il.

— Non, pas encore. J'ai reçu l'ordre de rester là. Du travail m'y attend.

— J'en suis content.

Il effleura son cou avec ses lèvres. Dans la brousse, ses chances de survie auraient été minces. Les forces de sécurité avaient toujours trente fois moins de morts que les rebelles.

— J'ai entendu le camarade Tébé te donner un rendez-vous. Tu crois qu'ils vont t'envoyer dans la brousse ?

— Je n'en sais rien. Je pense qu'ils vont d'abord me soumettre à un entraînement.

— C'est peut-être la dernière nuit que nous passons ensemble avant longtemps, murmura-t-elle.

Il ne répondit pas mais parcourut du doigt jusqu'à ses fesses le sillon de sa colonne vertébrale.

— Je veux que tu laisses un enfant dans mon ventre, chuchota-t-elle. Je veux que tu me donnes quelque chose à chérir pendant que nous serons séparés.

— C'est contraire à la loi et à la coutume.

— Il n'y a d'autre loi en ce pays que celle de la poudre, d'autre coutume que celle que nous voulons bien respecter, dit-elle en se glissant sous lui et l'étreignant de ses membres longs et fermes. Et pourtant, au milieu de toute cette mort, nous devons préserver la vie. Donne-moi ton enfant, mon cœur, donne-le-moi cette nuit même, car nous n'en aurons peut-être plus d'autres.

Samson fut réveillé par une lueur cauchemardesque. La lumière inondait la pièce à travers les rideaux de l'unique fenêtre et projetait des ombres mouvantes sur le mur nu blanchi à la chaux. Constance se serra contre lui, le corps encore chaud et humide après leurs ébats et les yeux ensommeillés. Dehors, une voix monstrueusement déformée beugla des ordres.

« Ici l'armée rhodésienne. Sortez immédiatement de chez vous. Ne fuyez pas. Ne vous cachez pas. Il ne sera fait aucun mal aux innocents. Sortez de chez vous immédiatement, les mains en l'air. Ne fuyez pas, ne cherchez pas à vous cacher. »

— Habille-toi, dit Samson, et viens m'aider à emmener mon grand-père dehors.

Encore à moitié endormie, elle alla en titubant jusqu'au placard et passa une robe droite en coton rose uni. Puis, pieds nus, elle suivit Samson jusque dans la chambre de devant. Vêtu d'un simple short kaki, celui-ci aidait Gédéon à se lever. Dehors, le mégaphone continuait de hurler de sa voix métallique de stentor.

« Sortez immédiatement. Il ne sera fait aucun mal aux innocents. Ne fuyez pas. »

Constance enveloppa les épaules du vieillard dans une couverture, puis ils le conduisirent, lui au milieu, à travers le séjour jusqu'à la porte d'entrée. Samson ouvrit le verrou et sortit les deux mains en l'air. Le faisceau aveuglant d'un projecteur se fixa sur lui, et il dut se protéger les yeux d'une main.

— Fais sortir grand-père.

Constance amena Gédéon sur la véranda, et ils se tinrent serrés en un trio pathétique, aveuglés par la lumière et désorientés par les beuglements répétés du mégaphone.

« Ne fuyez pas. Ne tentez pas de vous cacher. »

La rangée des logements du personnel avait été encerclée. Les faisceaux des projecteurs déchiraient l'obscurité et éclairaient les petits groupes formés par les instituteurs, les infirmières et les membres de leurs familles blottis les uns contre les autres, la plupart en pyjama, chemise de nuit, ou enveloppés dans une couverture.

De l'obscurité impénétrable derrière les projecteurs émergèrent des silhouettes d'hommes qui se déplaçaient comme des panthères. L'un sauta par-dessus la balustrade de la véranda et se plaqua contre le mur, se servant du corps de Samson pour se couvrir par rapport à la porte et aux fenêtres.

— Vous n'êtes que trois ? demanda-t-il en ndébélé.

Il était grand, d'allure puissante, vêtu d'un treillis et d'un chapeau de jungle. Son visage et ses mains étaient barbouillés de noir, et il était donc impossible de dire si c'était un Blanc ou un Africain.

— Oui, seulement trois, répondit Samson.

L'homme avait un F-M sur la hanche et il en tournait lentement le canon d'un côté et de l'autre pour les tenir en respect tous les trois.

— S'il y a quelqu'un d'autre à l'intérieur, dites-le tout de suite, sinon ils vont être abattus.

— Il n'y a personne.

Le militaire lança un ordre et ses hommes pénétrèrent dans la maison simultanément par la porte de devant, celle de derrière et les fenêtres latérales. Ils fouillèrent les lieux en quelques secondes, se couvrant mutuellement en hommes rompus à la manœuvre. Satisfaits par leur inspection, ils s'égaillèrent dans la nuit, les laissant tous les trois sur la véranda.

« Restez où vous êtes, hurla le mégaphone. Ne bougez pas. »

Dans l'obscurité sous les spathodéas, le dépit du colonel Roland Ballantyne augmentait au fur et à mesure qu'il recevait les rapports de ses unités, tous négatifs. L'information était exacte et la piste encore chaude. Ce n'était pas la première fois qu'il la suivait. Le camarade Tébé était l'une de ses cibles principales, un responsable de la ZIPRA qui opérait depuis sept mois à l'intérieur du Matabeleland. À trois autres reprises, ils avaient été à deux doigts de le coincer. C'était toujours la même chose. Un tuyau d'un de ses informateurs ou d'un membre des Scouts en civil. *Tébé est dans tel village.* Ils arrivaient en silence, encerclaient l'endroit, bloquaient méthodiquement toutes les issues. Puis, à l'heure la plus sombre de la nuit, ils passaient à l'action. Ils avaient pris une fois deux de ses lieutenants, mais Tébé n'était pas avec eux. Ésaü Gondélé, le sergent-major des Scouts, avait interrogé les deux terroristes en présence de Roland. À l'aube, les deux hommes s'étaient effondrés, mais aucun n'avait parlé.

— Utilisez l'hélico, avait ordonné Roland.

Tandis qu'ils faisaient du sur-place à deux mille pieds, le sergent-major Gondélé attacha le plus récalcitrant des deux terroristes avec une sangle passée sous les aisselles et le tint suspendu à l'extérieur de l'appareil.

— Dis-moi, mon ami, où nous pouvons trouver le camarade Tébé.

L'homme tourna la tête de côté et essaya de cracher sur Ésaü Gondélé, mais le souffle des rotors chassa le crachat. Le sergent-major avait jeté un coup d'œil à Roland qui avait répondu par un hochement de tête. Il lâcha la sangle. L'homme tomba en tournoyant sur lui même. Peut-être n'avait-il pas eu la force de crier ou bien avait-il voulu lancer un dernier défi, toujours est-il qu'il ne proféra aucun son pendant toute sa chute.

Le sergent-major passa une sangle sous les bras de l'autre terroriste. Après qu'il l'eut suspendu hors de la cabine, les pieds dans le vide, à sept cents mètres au-dessus de la prairie dorée, l'homme leva les yeux et dit : « Je vais parler. »

Cependant, ils avaient tenu bon trente minutes de trop. Lorsque les Scouts étaient arrivés à son refuge du côté de Hillside, le camarade Tébé s'était déjà enfui.

Le dépit de Roland Ballantyne était immense. La semaine précédente, Tébé avait déposé un engin explosif dans un chariot de supermarché. Il avait tué sept personnes — cinq femmes et deux fillettes de moins de dix ans. Roland voulait absolument lui mettre le grappin dessus. Aussi, lorsqu'il se rendit compte qu'il lui avait échappé une fois de plus, un sentiment de colère envahit la moitié de son cerveau.

— Amenez-moi l'informateur, ordonna-t-il.

Esaü Gondélé avait parlé à voix basse dans la radio portative. Quelques minutes après, ils entendirent la Land Rover monter la colline et aperçurent la lumière de ses phares danser entre les arbres de la forêt.

— Très bien, sergent. Faites-les mettre en rang.

Ils étaient une soixantaine alignés au bord de la route devant la longue rangée de petites maisons, piégés dans la lumière éblouissante et impitoyable des projecteurs. Le colonel Roland Ballantyne sauta à l'arrière de la Land Rover et les harangua en un ndébélé impeccable.

— Les méchants ont été parmi vous. Ils ont laissé l'odeur de la mort dans ce village. Ils sont venus ici pour vous détruire, pour vous tuer, vous estropier, vous et vos enfants. Vous auriez dû venir nous voir afin qu'on vous protège. Parce que vous avez eu peur de nous demander notre aide, vous avez attiré sur vous des épreuves encore plus pénibles.

Les hommes, les femmes et les enfants étaient harcelés par les guérilleros d'un côté, les forces de sécurité de l'autre. Imperturbables et stoïques comme du bétail, ils écoutaient.

— Le gouvernement est votre père. Comme un bon père, il cherche à protéger ses enfants. Il y a cependant parmi vous des enfants stupides — ceux qui conspirent avec les méchants, ceux qui les nourrissent, les renseignent et les avertissent de notre arrivée. Nous savons tout cela. Nous savons qui les avertit.

Quelqu'un était assis sur la banquette de la Land Rover, enveloppé de la tête aux pieds dans un drap, de sorte qu'il était impossible de dire si c'était un homme ou une femme. Des trous pour les yeux étaient percés dans le drap.

— Nous allons voir maintenant qui sont les traîtres parmi vous, ceux qui soutiennent les méchants.

La Land Rover avança doucement le long de la file. Un soldat éclairait avec une torche électrique le visage de chaque Noir, homme ou femme, quand la voiture arrivait à sa hauteur. À l'arrière du véhicule, assis immobile, le mystérieux personnage voilé regardait à travers les trous de sa cagoule, ses yeux sombres brillant dans le reflet de la lampe tandis qu'il examinait les visages.

Roulant au pas, la Land Rover se dirigeait vers l'endroit où se trouvaient Samson, Constance et le vieillard.

— Tu crois qu'ils te connaissent ? demanda Samson sans bouger les lèvres.

— Je ne sais pas, répondit-elle.

— Que pouvons-nous faire...

Mais la Land Rover arrivait et Constance n'eut pas le temps de répondre.

À l'arrière du véhicule, le personnage masqué bougea pour la première fois. Un long bras noir jaillit de dessous le drap et pointa en direction du visage levé de Constance. Aucune parole ne fut prononcée, mais deux Scouts en treillis émergèrent de l'obscurité derrière elle et l'empoignèrent par les bras.

— Constance !

Samson se précipita vers elle. Il reçut un coup de crosse dans les reins et une violente douleur lui déchira la moelle épinière et vint éclater contre son crâne. Il tomba à genoux.

La douleur déformait sa vision, la torche électrique lui éclaira le visage et l'aveugla. Il se releva avec un terrible effort pour se retrouver avec la gueule d'un F-M enfoncée dans son estomac.

— Ce n'est pas toi que nous voulons, mon ami. Ne te mêle pas de ce qui ne te regarde pas.

Les Scouts emmenaient Constance. Elle marchait docilement et semblait toute petite et vulnérable entre les deux soldats en treillis. Elle se retourna et regarda Samson. Ses grands yeux doux restaient rivés sur son visage et ses lèvres remuèrent.

Pendant un instant, la masse de la Land Rover coupa le faisceau du projecteur. L'obscurité enveloppa le groupe, et une seconde plus tard, quand le projecteur l'éclaira de nouveau, Constance avait faussé compagnie à ses ravisseurs et s'enfuyait en courant.

— Non ! Arrête-toi, Constance, arrête ! hurla Samson épouvanté, sachant ce qui allait se passer.

Elle fuyait dans la lumière comme un joli papillon de nuit, sa robe rose flottant entre les troncs des spathodéas, puis les balles arrachèrent des éclats de bois blanc autour d'elle, et brusquement, elle cessa d'être limpide et gracieuse, comme si un enfant malveillant avait arraché les ailes du papillon.

Quatre militaires ramenèrent son corps, chacun la tenant par un bras ou une jambe. Sa tête pendait en arrière et touchait presque le sol, le sang qui coulait de ses narines et de sa bouche sur ses joues semblait épais et noir comme de la mélasse à la lumière des projecteurs. Ils la jetèrent à l'arrière de la Land Rover, où elle resta étendue dans un enchevêtrement de membres comme une gazelle abattue par des chasseurs.

Samson descendait la rue principale de Bulawayo. La fraîcheur de la nuit n'avait pas encore disparu et les ombres des jacarandas sur le macadam bleuté faisaient penser à des rayures de tigre. Il se fondait facilement dans le flot paresseux des passants et ne fit aucun effort pour se cacher le visage en croisant au coin du parc un agent de la police de la BSA en uniforme bleu et kaki et casque colonial.

Tout en attendant aux feux pour traverser, il observa les visages autour de lui : l'expression vide et sans curiosité des Matabélé, leur regard voilé d'individus sur la défensive, des jeunes Blanches en jolies robes à fleurs qui faisaient leurs courses avec leur sac à main en bandoulière d'un côté, un pistolet automatique de l'autre. Il y avait très peu d'hommes blancs dans les rues, et la plupart étaient trop vieux pour être mobilisés — les autres étaient en uniforme et armés.

Les véhicules qui franchissaient le croisement devant lui étaient presque tous de l'armée. Depuis que des sanctions économiques avaient été imposées à la Rhodésie, l'essence avait été rationnée à quelques litres par mois. Les agriculteurs qui venaient en ville pour la journée étaient au volant de leurs camionnettes blindées équipées de déflecteurs anti-mines.

Depuis la mort de Constance, pour la première fois Samson prenait conscience de toute sa haine en regardant leurs visages blancs. Jusque-là, une sorte de torpeur l'avait en quelque sorte anesthésié, mais elle se dissipait.

Il n'avait aucun bagage, car un sac eût immédiatement attiré l'attention et on l'aurait fouillé. Il portait un jean, une chemise à manches courtes et des chaussures de sport — pas de veste susceptible de cacher une arme, et, comme les autres Matabélé, il gardait un visage impassible. Il n'était armé que de sa haine.

Le feu passa au rouge, il traversa sans se presser et se dirigea vers la gare routière. Même à cette heure matinale, il y avait affluence. Des paysans faisaient patiemment la queue en attendant le car qui les ramenait sur les terres sous tutelle tribale. Tous étaient chargés d'emplettes, sacs de farine et de sel, bidons de pétrole pour les réchauds ou les lampes, étoffes, boîtes d'allumettes, de savon, de bougies ou autres luxes. Accroupis sous les abris en tôle ondulée, ils bavardaient et riaient en mâchonnant des épis de maïs grillés ou buvant du Coca, des mères donnaient le sein à leur bébé ou grondaient leurs petits enfants.

Par intervalles, un car arrivait dans un nuage noir de gaz d'échappement, déchargeait une horde de passagers et était immédiatement rempli par une nouvelle fournée. Samson s'appuya contre le mur des toilettes publiques qui occupaient la position la plus centrale et se prépara à attendre.

Tout d'abord il ne reconnut pas le camarade Tébé. Il portait une salopette bleue déchirée et tachée avec l'inscription « BOU-CHERIE COHEN » brodée dans le dos. Sa tenue avachie dissimulait sa haute taille, et il avait pris un air de brave crétin qui le faisait paraître inoffensif.

Il dépassa Samson sans regarder dans sa direction et entra dans les latrines. Samson patienta quelques secondes avant de le suivre. L'édicule bondé sentait le tabac bon marché et l'urine. Tébé bouscula un peu Samson et lui glissa un ticket bleu dans la main.

Samson entra dans l'un des cabinets et l'examina. C'était un

400

ticket aller de troisième classe Bulawayo — chutes Victoria. Il prit sa place dans la queue correspondante, cinq rangs derrière Tébé. Le car avait trente-cinq minutes de retard, et il y eut la ruée habituelle pour monter les bagages sur la galerie et prendre les sièges d'assaut.

Tébé était assis à une place côté fenêtre à trois rangées devant Samson. Il ne tourna pas une seule fois la tête pendant que le car rouge lourdement chargé sortait de la ville par les faubourgs nord. Ils suivirent la longue avenue bordée de jacarandas plantés par Cecil Rhodes qui conduisait au palais du gouvernement, un bâtiment à pignons construit sur la colline au-dessus de la ville, là où se dressait jadis le kraal royal de Lobengula, roi des Matabélé. Ils dépassèrent l'embranchement de l'aéroport et arrivèrent au premier barrage routier.

Tous les passagers furent obligés de descendre pour identifier leurs bagages, qui furent ouverts et fouillés par les policiers. Ceux-ci désignèrent ensuite au hasard quelques hommes et quelques femmes pour la fouille corporelle. Ni Tébé ni Samson ne faisaient partie du lot. Un quart d'heure plus tard, tous remontèrent à bord et le car fut autorisé à passer.

Tandis qu'il poursuivait sa route vers le nord, les acacias et la savane firent place à une forêt majestueuse. Tassé sur la banquette inconfortable, Samson la regardait défiler par la fenêtre. Devant, Tébé semblait assoupi. Ils arrivèrent un peu avant midi à l'arrêt de la mission St. Matthew près de la rivière Gwaai et de la réserve forestière de Sikumi. La plupart des passagers allèrent récupérer leurs bagages sur la galerie et s'égaillèrent en traînant les pieds sur le réseau de sentiers qui s'enfonçaient dans la forêt.

— Nous allons nous arrêter là pendant une heure, annonça aux autres le conducteur en uniforme. Vous pouvez faire du feu et vous préparer un repas.

Tébé accrocha le regard de Samson et se dirigea nonchalamment vers la petite épicerie générale. Samson le suivit à l'intérieur et ne le trouva pas. Puis il vit que la porte derrière le comptoir était entrebâillée et que le propriétaire lui faisait un petit signe d'invitation dans cette direction. Tébé l'attendait dans l'arrière-boutique au milieu d'amoncellements de sacs de maïs et de peaux, de cartons de savons et de caisses de boissons fraîches.

Il s'était débarrassé de sa salopette déchirée et, avec elle, de son personnage de travailleur indolent.

— Je te vois, camarade Samson, dit-il à voix basse.

— Je ne m'appelle plus ainsi, répondit Samson.

— Quel est ton nouveau nom ?

— Tungata Zebiwe.

— Je te vois, camarade Tungata, fit Tébé en hochant la tête

avec satisfaction. Tu as travaillé au service de protection de la faune. Tu sais donc ce qu'est une arme à feu, n'est-ce pas ?

Tébé n'attendit pas la réponse. Il ouvrit un des coffres de farine qui se trouvaient contre le mur du fond et en sortit un long paquet. Il épousseta la farine sur le sac d'engrais en plastique vert servant d'enveloppe, défit la ficelle qui le retenait et tendit l'arme qu'il contenait à Tungata Zebiwe, qui la reconnut tout de suite. Dans les premiers jours de la guerre de brousse, les forces de sécurité avaient lancé une campagne — spots télévisés et publicité dans les journaux — pour amener d'éventuels informateurs à signaler la présence d'armes de guérilla dans leur village. Dans les zones écartées sous tutelle tribale, elles avaient lâché des tracts par avion, offrant une récompense de cinq mille dollars pour tout renseignement qui permettrait de récupérer une seule de ces armes.

C'était un fusil d'assaut Kalachnikov, une arme automatique de 7,62 mm. Tungata le prit et le trouva étonnamment lourd pour sa dimension. Contrairement aux armes des forces de l'OTAN, il n'était pas en alliage métallique mais en acier massif, la crosse et le fût en contreplaqué.

— Voilà les magasins. (Les Rhodésiens appelaient le Kalachnikov la « Banane » à cause de ses chargeurs de forme incurvée caractéristique.) Et voilà comment on les charge, dit Tébé en poussant à l'intérieur deux cartouches en cuivre avec son pouce. Essaie.

Tungata sut immédiatement comment faire, chargeant le deuxième magasin de ses trente cartouches en une demi-minute.

— Parfait, acquiesça de nouveau Tébé, le bien-fondé de son choix confirmé. Je te montre maintenant comment charger le fusil.

Il enfonça l'extrémité avant du magasin dans la fente puis tira l'extrémité postérieure vers le haut. Le dispositif d'arrêt s'enclencha avec un déclic. En moins de trois minutes, Tébé démontra pourquoi le Kalachnikov était le fusil préféré des guérilleros du monde entier. Son maniement facile et sa robustesse en faisaient l'arme idéale. Avec un air entendu, les Rhodésiens disaient que c'était la seule arme assez solide pour résister aux Cafres.

— Le sélecteur aussi haut que possible sans risque, expliqua Tébé en achevant sa démonstration. Tout en bas, c'est la position semi-automatique, au milieu, entièrement automatique. (Il montra à Tungata les deux lettres cyrilliques gravées sur le bloc.) AB pour « automatique » en russe. Tiens, prends. (Il tendit l'arme à Tungata et le regarda pendant que celui-ci chargeait, armait, déchargeait avec des gestes rapides et précis.) Oui, c'est bien. Le fusil est lourd, mais souviens-toi qu'en automatique, le canon monte rapidement. Tiens-le fermement.

Tébé enveloppa le Kalachnikov dans une couverture grossière d'où il était possible de le sortir instantanément.

— Le propriétaire du magasin est l'un des nôtres, dit Tébé. Il est en ce moment même en train de charger des provisions pour nous sur le car. Il est temps maintenant que je te dise pourquoi nous sommes ici et où tu vas.

Lorsque Tungata et Tébé sortirent de l'épicerie et se dirigèrent sans se presser vers le car, les enfants étaient déjà arrivés. Ils étaient près de soixante, les garçons en chemise et pantalon court kaki, les filles en chemise bleue, avec l'écharpe verte de l'école de la mission St. Matthew autour de la taille. Tous étaient nu-pieds. Ils bavardaient et riaient à la perspective de cette sortie inattendue qui leur permettait d'échapper à l'ennui de la salle de classe. Tébé avait dit que c'étaient des élèves de troisième, c'est-à-dire âgés en moyenne de quinze ans. Chez toutes les filles, les seins apparaissaient déjà pleinement développés sous l'étoffe rude de leur uniforme. Sous la conduite de leur professeur, un jeune Matabélé à lunettes, les adolescents firent la queue près du car avec ordre et discipline. Dès qu'il vit Tébé, le professeur se précipita à sa rencontre.

— Tout a été fait comme tu l'as ordonné, camarade.

— Qu'ont ils dit aux pères de la mission ?

— Que c'était pour des manœuvres et que nous ne serions pas de retour avant la nuit, camarade.

— Fais-les monter dans le car.

— Immédiatement, camarade.

Le conducteur, casquette relevée de manière autoritaire, commença à protester à cet afflux de jeunes passagers sans billets, mais Tébé monta derrière lui et lui enfonça le canon de son Tokarev entre les côtes. Il se tassa sur son siège, le visage gris comme la cendre. Les enfants se disputèrent les places près des fenêtres, puis, dans l'expectative et la figure rayonnante, levèrent les yeux vers leur professeur.

— Nous allons faire un voyage excitant, leur expliqua-t-il. Nous devons faire exactement ce qu'on nous demande. Vous avez compris ?

— Nous avons compris, répondirent-ils en chœur.

Tébé toucha l'épaule du conducteur avec le canon de son pistolet.

— Va vers le nord en direction du Zambèze et des chutes Victoria, ordonna-t-il à voix basse. Si nous rencontrons un barrage, arrête-toi immédiatement et comporte-toi comme d'habitude, tu as compris ?

— Oui, bredouilla le conducteur.

— J'ai compris, camarade, et j'obéirai, corrigea Tébé.

— J'ai compris, camarade, et j'obéirai.

— Si tu ne le fais pas, tu seras le premier à mourir. Je t'en donne ma parole.

Tungata s'assit sur la banquette à l'arrière du car, le Kalachnikov enveloppé dans la couverture à ses pieds. Il avait compté les enfants et fait une liste. Ils étaient cinquante-sept, dont vingt-sept filles. En leur demandant leur nom, il évalua l'intelligence et la capacité de commandement de chacun, marquant d'une étoile les meilleurs. Il fut content que le professeur confirme son choix. Il avait sélectionné quatre garçons et une fille. Elle avait quinze ans, s'appelait Miriam ; c'était une belle enfant, mince, le sourire vif, le regard pétillant d'intelligence, et quelque chose en elle lui rappelait Constance. Elle était assise à côté de lui sur la banquette, de sorte qu'il put observer ses réactions au cours de la première séance d'endoctrinement.

Tandis que, sur la route goudronnée toute droite le car poursuivait son chemin vers le nord sous le dais magnifique de la forêt, le camarade Tébé se leva près du siège du conducteur face aux jeunes visages tournés vers lui.

— Je suis le camarade Tébé. Comment est-ce que je m'appelle ? demanda-t-il.

— Camarade Tébé, crièrent-ils.

— Qui est le camarade Tébé ? Le camarade Tébé est votre ami et votre chef.

— Le camarade Tébé est notre ami et notre chef.

Questions et réponses se succédaient.

— Qui est le camarade Tungata ?

— Le camarade Tungata est notre ami et notre chef.

Les voix des enfants prenaient des accents de ferveur et il y avait une lueur hypnotique dans leurs yeux.

— Qu'est-ce que la révolution ?

— La révolution, c'est la prise du pouvoir par le peuple, s'écrièrent-ils d'une voix aiguë comme les jeunes Occidentaux du même âge à un concert pop.

— Qui est le peuple ?

— Nous sommes le peuple.

— Qui a le pouvoir ?

— Nous avons le pouvoir.

Ils se balançaient sur leur siège dans un état extatique. La plupart des filles pleuraient d'une joie farouche.

— Qui est le camarade Inkunzi ?

— Le camarade Inkunzi est le père de la révolution.

— Qu'est-ce que la révolution ?

— La révolution, c'est le pouvoir donné au peuple.

Le catéchisme recommençait, et ils étaient emportés toujours plus haut sur les ailes du fanatisme politique.

Tungata, lui-même curieusement exalté, s'émerveillait de l'habileté et de l'aisance avec lesquelles le processus était orchestré. Soudain il se prit à crier avec les enfants en une étonnante catharsis de haine et de chagrin, de ces sentiments qui avaient couvé en lui depuis l'assassinat de Constance. Il tremblait comme un homme en proie à la fièvre, aussi, quand le car fit une embardée et projeta le corps menu et à peine mature de Miriam contre lui, il fut pris immédiatement d'une violente excitation sexuelle. Ils étaient envahis par une folie étrange, presque religieuse. À la fin, le camarade Tébé leur apprit le chant.

— C'est ce que vous chanterez quand vous irez au combat, c'est le chant de votre gloire, le chant de la révolution.

Ils l'entonnèrent de leurs voix d'enfant douces et justes, les filles harmonisaient et marquaient le rythme spontanément en frappant dans leurs mains.

> *Il y a des fusils de l'autre côté de la frontière*
> *Et vos pères assassinés s'agitent.*
> *Il y a des fusils de l'autre côté du fleuve*
> *Et vos enfants nés dans l'esclavage sanglotent.*
> *Une lune sanglante se lève.*
> *Combien de temps encore la liberté dormira-t-elle ?*

Tungata sentit lui aussi des larmes brûlantes jaillir de ses yeux et couler sur son visage.

> *Il y a des fusils en Angola*
> *Et un murmure porté par le vent.*
> *Il y a des fusils à Maputo,*
> *Une abondante moisson pourpre à faucher.*
> *Une lune sanglante se lève,*
> *Combien de temps encore la liberté dormira-t-elle ?*

Ils étaient étourdis et épuisés comme les survivants de quelque terrible épreuve. Le camarade Tébé parla à voix basse au conducteur, et ils obliquèrent, quittant la route principale pour s'engager sur une piste à peine visible qui s'enfonçait dans la forêt. En roulant au pas, le car suivait la piste sinueuse qui zigzaguait entre les arbres et plongeait dans le lit des rivières. Lorsqu'ils s'arrêtèrent, la nuit était tombée. Ils étaient arrivés au bout de la piste, et la plupart des enfants s'étaient endormis. Tungata parcourut le car pour les réveiller et les faire descendre.

On envoya les garçons ramasser du bois et les filles préparer un repas frugal à base de farine de maïs et de thé sucré. Tébé prit Tungata à part et lui donna des explications.

— Nous sommes entrés dans la zone libérée. Les Rhodésiens ne patrouillent plus sur cette bande de territoire. À partir de là, nous allons continuer à pied. Nous sommes à deux jours des gués. Tu marcheras à l'arrière de la colonne et veilleras à ce qu'il n'y ait pas de déserteurs. Tant que nous n'aurons pas atteint le fleuve, le risque demeure. Je vais m'occuper du conducteur.

Tébé emmena l'homme soumis et terrifié à l'écart du camp, un bras passé autour de ses épaules. Il ne revint que vingt minutes plus tard. La plupart des enfants avaient alors déjà mangé et s'étaient blottis comme des chiots à même le sol autour des feux.

Miriam vint timidement apporter de la galette de maïs à Tébé et Tungata, et les deux s'assirent l'un à côté de l'autre pour manger.

— Tu les considères comme des bébés, fit Tébé, la bouche pleine, en montrant les enfants endormis. Cependant, ils apprennent vite, et croient ce qu'on leur dit sans poser de questions. Ils n'imaginent pas la mort et n'éprouvent donc aucune peur. Ils obéissent, et s'ils meurent, il n'y a pas de perte d'hommes entraînés, difficiles à remplacer. Les Simba les ont utilisés au Congo, les Viêt-cong contre les Américains ; ils constituent le fourrage idéal dont se nourrit la révolution. (Tébé acheva ce qui restait dans le bol.) Si l'une des filles te plaît, tu peux la prendre. Cela fait partie de leurs devoirs.

Tébé se leva.

— Tu assureras le premier tour de garde. Je prendrai la relève à minuit.

Il s'éloigna la bouche encore pleine. Arrivé au feu de camp le plus proche, il s'accroupit près de l'endroit où Miriam était couchée et lui chuchota quelques mots. Elle se leva immédiatement et le suivit avec confiance dans l'obscurité.

Un peu plus tard, lorsque Tungata effectua une patrouille autour du camp endormi, il entendit un petit gémissement de douleur dans le noir, là où Tébé et la fille avaient disparu. Puis il y eut un bruit de coup, et le gémissement fut étouffé en un sanglot. Tungata alla de l'autre côté du camp pour ne pas entendre.

Avant l'aube, Tungata conduisit le car au bord de la berge escarpée du cours d'eau, puis, avec des cris de joie, les garçons le poussèrent en contrebas. Les filles les aidèrent à ramasser des branches et à les entasser sur le véhicule afin de le rendre invisible, même d'un hélicoptère volant à basse altitude.

Dès qu'apparurent les premières lueurs du jour, ils poursuivirent leur périple vers le nord. Tébé prit la tête, marchant à un demi-kilomètre en avant de la colonne. Le maître d'école restait avec ses élèves, les obligeant à conserver le silence complet imposé par Tébé. Avant qu'ils aient parcouru deux kilomètres, le dos de sa chemise était trempé de sueur et ses lunettes couvertes de buée. Tungata fermait la marche, le Kalachnikov à la main ; il évitait le sentier et restait dans l'ombre tachetée de la forêt, s'arrêtant de temps à autre pour écouter. Toutes les heures, il revenait sur ses pas et se couchait près du sentier pour s'assurer qu'ils n'étaient pas suivis.

Il n'avait rien perdu de son savoir-faire de garde forestier. Il était parfaitement à l'aise et, dans une certaine mesure, heureux. L'avenir se dessinait tout seul. Tungata s'était finalement engagé. Il n'éprouvait plus aucun doute, ne se sentait plus coupable de négliger son devoir, et le sang de guerrier de Gandang et de Bazo coulait avec impétuosité dans ses veines.

À midi, ils s'arrêtèrent pendant une heure pour se reposer. Ils n'allumèrent pas de feu et mangèrent des galettes de maïs froides qu'ils firent descendre avec de l'eau recueillie dans une mare au milieu de la forêt de mopanis. Elle sentait l'urine des éléphants qui s'y étaient baignés pendant la nuit. Lorsque Miriam apporta sa ration à Tungata, elle ne put le regarder en face, puis s'éloigna en marchant avec précaution comme si elle avait ménagé une blessure.

Dans l'après-midi, ils entamèrent la descente vers le Zambèze, et la brousse changea d'aspect. La forêt majestueuse fit place à la savane, et les signes de la présence de gibier étaient innombrables. En explorant les parages à l'arrière de la colonne, Tungata surprit une vieille antilope mâle au pelage noir comme l'ébène semé de blanc, aux cornes élégamment incurvées vers l'arrière, au port altier et fier. Il perçut une étrange affinité entre lui et l'animal, et quand celui-ci flaira son odeur portée par le vent et s'éloigna au galop, Tungata se sentit enrichi et plus fort.

Tébé arrêta la colonne au milieu de l'après-midi et dit :

— Nous allons marcher de nuit. Nous devons nous reposer.

Puis, avec un morceau de bois, il dessina par terre une carte sommaire à l'intention de Tungata.

— Voilà le Zambèze. Au-delà commence la Zambie, un pays allié. C'est là que nous allons. À l'ouest se trouvent le Botswana et les régions sans eau. Nous nous déplaçons parallèlement à cette frontière, mais pour arriver au Zambèze, il nous faut traverser la route qui relie les chutes Victoria à Kazungula. Les Rhodésiens la patrouillent et nous devons la franchir de nuit. Au-delà, le long de cette berge du fleuve, ils ont installé leur cordon sanitaire : un champ de mines destiné à nous empêcher d'utiliser les gués. Il est nécessaire d'y arriver à l'aube.

— Comment allons-nous traverser le champ de mines ?

— L'un des nôtres nous y attendra pour nous guider. Maintenant, repose-toi.

Tungata se réveilla au contact d'une main posée sur son épaule.

— La fille, chuchota Tébé. Miriam. Elle s'est enfuie.

— Le maître d'école ne l'en a pas empêchée ?

— Elle lui a dit qu'elle allait faire ses besoins.

— Sa présence n'est pas essentielle. Laisse-la filer.

— Sa présence n'est pas essentielle, admit Tébé, mais elle donne aux autres un mauvais exemple. Rattrape-la, ordonna Tébé.

Miriam devait connaître cette extrémité nord-ouest du Matabeleland. Au lieu de revenir en arrière, elle était partie hardiment vers le nord, dans la direction qu'ils suivaient. Elle espérait manifestement atteindre la route de Kazungula avant la nuit et, là, rencontrer une patrouille rhodésienne.

— Nous avons bien fait de la suivre, chuchota Tébé dès qu'ils eurent trouvé les traces de son passage. Cette garce aurait envoyé les *kanka* à nos trousses dans l'heure qui suit.

La fille n'avait pas tenté d'effacer les empreintes de ses pas, et Tungata les suivit en courant. Il était très entraîné, ayant participé aux côtés de Craig Mellow aux abattages des éléphants, et quinze kilomètres de course parvenaient à peine à l'essouffler. Rapide comme un léopard, Tébé le suivit au même rythme, ses yeux cruels et mornes scrutant la savane devant eux.

Ils rattrapèrent Miriam trois kilomètres avant la route. Quand elle les vit derrière eux, elle baissa les bras. Elle tomba à genoux et tremblait si fort que ses dents s'entrechoquaient. Ils étaient debout au-dessus d'elle et elle n'osait pas lever les yeux vers eux.

— Tue-la, ordonna Tébé à voix basse.

Tungata avait pressenti instinctivement que cela se passerait ainsi, et pourtant il sentit un poids et un froid dans sa poitrine.

— Nous ne répétons jamais un ordre, dit Tébé.

Tungata déplaça sa main sur la crosse du Kalachnikov.

— Pas avec le fusil. La route est juste derrière ces arbres. Les Rhodésiens pourraient entendre, objecta Tébé en sortant de sa poche un couteau à cran d'arrêt qu'il tendit à Tungata.

Celui-ci vit que la pointe avait cassé et, quand il passa son pouce sur le tranchant, il constata que Tébé l'avait délibérément émoussé en le frottant avec une pierre.

Il était épouvanté et écœuré par ce qu'on attendait de lui, et par la manière dont il était censé le faire. Il s'efforça de cacher son émotion car Tébé le regardait avec curiosité. Il comprit qu'il lui faisait passer un test, et que s'il échouait il était condamné comme l'était Miriam. Le visage impassible, Tungata retira la ceinture de son jean et s'en servit pour attacher les mains de la fille derrière le dos.

Il se tenait derrière elle afin de ne pas voir ses yeux terrifiés. Il appuya son genou contre son dos et tira son menton en arrière pour dégager sa gorge. Puis il jeta un dernier coup d'œil à Tébé en espérant qu'il ferait grâce à la fille, mais il n'y avait aucune merci à attendre de lui et il commença à œuvrer.

La lame était émoussée et l'adolescente se débattait violemment, il lui fallut donc plusieurs minutes pour accomplir sa besogne, mais le sang jaillit finalement de la carotide. Il laissa Miriam s'effondrer en avant face contre terre. Il haletait et baignait dans sa sueur âcre, mais il avait brûlé définitivement ce qui restait en lui de Samson Kumalo. Il était à présent véritablement Tungata Zebiwe, celui-qui-cherche-ce-qui-a-été-volé — qui cherche la vengeance.

Il arracha les feuilles d'un jeune mopani et s'essuya les mains, puis nettoya la lame du couteau en le plantant dans la terre. Lorsqu'il le rendit au camarade Tébé, il soutint son regard sans ciller et vit dans ses yeux une lueur de compassion et de compréhension.

Il n'y a plus de retour en arrière possible maintenant, dit celui-ci à voix basse. Tu es enfin véritablement des nôtres.

Ils atteignirent la route un peu après minuit, et pendant que le maître d'école gardait les enfants regroupés en silence dans un taillis tout proche, Tébé et Tungata exploraient les parages sur une distance d'un kilomètre dans les deux sens, au cas où les Rhodésiens auraient tendu une embuscade. Quand ils eurent constaté que l'endroit était sûr, ils firent traverser les enfants à un point choisi par Tungata, où les abords étaient couverts de gravier et ne risquaient pas de conserver la trace de leur passage. Tungata revint ensuite en arrière pour balayer soigneusement la chaussée avec un bouquet d'herbe.

Ils parvinrent au cordon sanitaire avant l'aube. Le champ de mines s'étendait sur soixante kilomètres de long et cent mètres de large. Plus de trois millions d'engins explosifs de divers types y étaient installés : Claymore sur des fils tendus et mines antipersonnel à charge de plastic, qui arrachaient un membre mais tuaient rarement. Le but recherché était de laisser à l'ennemi un blessé de plus dont il devait s'occuper, un blessé hors d'état de combattre.

La limite du champ de mines était indiquée par une ligne de disques émaillés fixés à des piquets ou cloués sur les troncs des arbres. Y figuraient une tête de mort et des tibias croisés de couleur rouge, ainsi que les mots « Danger — Champ de mines ». Tébé ordonna aux enfants de se coucher dans l'herbe haute et de ramener les tiges au-dessus d'eux pour ne pas être vus du ciel. Ils se préparèrent alors à attendre et Tébé expliqua à Tungata :

— Les mines antipersonnel sont disposées suivant un certain schéma, mais il est très difficile de le découvrir et il comporte souvent des irrégularités volontaires. Il faut une grande habileté et des nerfs d'acier pour pénétrer sur le champ de mines et comprendre le schéma, pour identifier avec précision dans quelle partie on est entré et prévoir la séquence. Les Claymore se présentent différemment et exigent d'autres parades.

— Lesquelles ?

— Tu le sauras à l'arrivée de notre guide.

Mais celui-ci n'arriva pas à l'aube comme prévu.

— Nous ne pouvons qu'attendre, dit-il à midi. Entrer seuls sur le champ de mines, c'est aller au-devant d'une mort certaine.

Il n'y avait ni nourriture ni eau, mais il ne voulut pas que les enfants bougent.

— Il leur faudra de toute façon apprendre à être patients, dit-il avec un haussement d'épaules. La patience est notre arme.

Le guide arriva en fin d'après-midi. Même Tungata ne s'aperçut de sa présence que lorsqu'il fut au milieu d'eux.

— Comment nous as-tu trouvés ?

— J'ai longé la route jusqu'à ce que je tombe sur l'endroit où vous avez traversé.

Le guide était à peine plus âgé que les enfants kidnappés, mais ses yeux étaient ceux d'un vieux à qui la vie ne réservait plus aucune surprise.

— Tu es en retard, accusa Tébé.

— Les Rhodésiens ont tendu une embuscade près des gués, répondit le garçon. Il a fallu que je fasse le tour.

— Quand peux-tu nous faire traverser ?

— Pas avant que la rosée ne soit tombée. Pas avant le matin, dit le guide en s'allongeant près de Tungata.

— Peux-tu m'expliquer suivant quel schéma sont disposées les mines ? demanda celui-ci.

Le garçon jeta un coup d'œil à Tébé, qui donna sa permission d'un signe de tête.

— Imagine les veines d'une feuille de mopani.

Le guide commença ses explications et dessina des lignes par terre. Il parla pendant près d'une heure ; Tungata hochait la tête et posait une question de temps à autre.

Quand il eut fini de parler, le garçon posa sa tête sur ses bras croisés et ne bougea plus jusqu'au lendemain matin. Ils apprenaient tous à le faire : s'endormir et se réveiller instantanément. Ceux qui n'y arrivaient pas ne faisaient pas de vieux os.

Dès qu'il fit assez jour, le guide rampa jusqu'au bord du champ de mines, suivi de près par Tungata. Dans sa main droite, le garçon tenait un rayon de roue de bicyclette, dans l'autre, une liasse de bandes en plastique jaune découpées dans un sac de supermarché. Il était accroupi, la tête inclinée comme un moineau.

— La rosée, chuchota-t-il. Tu la vois ?

Devant eux, Tungata aperçut à quelques centimètres du sol comme un collier de diamants, une guirlande de gouttes étincelantes qui semblaient suspendues en l'air. La présence du fil leur était révélée par ce chapelet de gouttes de rosée et les rayons rasants du soleil matinal. Le guide signala le fil par une bande jaune et commença à sonder la terre meuble avec son rayon de roue de vélo. Au bout de quelques secondes, il toucha quelque chose et dégagea avec d'infinies précautions le dessus d'une mine antipersonnel. Il se redressa, la mine entre ses pieds, et tendit le bras pour recommencer ses sondages. Il travaillait avec une rapidité stupéfiante et découvrit trois autres mines.

— Nous avons trouvé la lé, lança-t-il à Tungata toujours à la lisière du champ. Maintenant, il faut aller vite avant que la rosée se dissipe.

Le jeune guide rampait hardiment le long du passage dont il avait découvert l'entrée. Il signala la présence de deux autres fils de détente avant d'arriver au coude invisible du passage. Là, il effectua d'autres sondages. Dès qu'il eut confirmation de la justesse du schéma, il entra dans la chicane suivante.

Il lui fallut vingt-six minutes pour ouvrir et marquer le passage jusqu'à l'autre bord du champ de mines. Puis il revint sur ses pas et sourit avec satisfaction à Tungata.

— Tu crois que vous allez pouvoir y arriver maintenant ? demanda-t-il.

— Oui, répondit Tungata sans prétention, et le sourire du garçon s'évanouit.

— Je pense en effet que vous pouvez y arriver, mais faites attention de ne pas tomber sur une mine hors schéma. Ils en mettent exprès. Il n'y a aucun moyen de s'en protéger, si ce n'est en restant toujours attentif.

Tungata et lui firent traverser les enfants par groupes de cinq, en leur demandant de se prendre par la main. À chaque Claymore, Tungata ou le guide se tenait debout au-dessus du fil de

411

détente, un pied de chaque côté, pour veiller à ce qu'aucun ne le touche au passage.

À la dernière traversée, Tungata se trouvait à moins d'une douzaine de pas de l'autre bord, à califourchon au-dessus du dernier fil, quand tous entendirent le vrombissement d'un moteur d'avion. L'appareil venait des chutes Victoria et suivait le fleuve vers l'amont. Le bruit augmentait rapidement. Tungata et les trois derniers enfants étaient en terrain découvert. La tentation de se mettre à courir était presque irrésistible.

— Ne bougez pas, cria désespérément le jeune guide. Restez immobiles, baissez-vous.

Ils s'accroupirent donc au milieu du champ de mines, le mince fil d'acier marqué par sa bande en plastique jaune entre les cuisses de Tungata. Il était littéralement à deux doigts d'une mort violente.

L'avion passa en grondant au-dessus de la cime des arbres, entre eux et le fleuve. C'était un Beechcraft Baron à peinture argentée avec « RUAC » en lettres noires sur le fuselage.

— Rhodesian United Air Carriers, commenta le guide. Ils emmènent ces porcs de touristes capitalistes voir « la Fumée qui tonne ».

L'avion passa si bas et si près qu'ils purent voir le pilote bavarder avec la passagère assise à côté de lui, puis l'engin effectua un virage sur l'aile et fut de nouveau caché par les frondaisons des arbres à ivoire qui poussaient le long des berges du Zambèze. Tungata se releva lentement, sa chemise collée au corps par la sueur.

— Avance, mais fais bien attention, dit-il à l'enfant qui se trouvait près de lui.

Aux chutes Victoria, le Zambèze fait une plongée vertigineuse et tombe avec un grondement assourdissant dans une étroite gorge en dégageant une brume de gouttelettes, d'où le nom africain de « Fumée qui tonne ».

À quelques kilomètres en amont de ce site grandiose commencent les gués. Sur soixante kilomètres, depuis le petit poste frontière de Kazungula, le large fleuve franchit une succession de rapides puis s'étale et lambine sur des hauts-fonds. En douze endroits différents les bœufs peuvent tirer un char jusqu'à la rive nord ou un homme peut traverser en pataugeant s'il n'a pas peur des crocodiles, dont certains pèsent une tonne et sont capables d'arracher la patte d'un buffle et de l'avaler tout entier.

— Ils ont tendu une embuscade à la hauteur des gués, expliqua le petit guide à Tungata. Mais ils ne peuvent pas les garder tous. Je sais où ils étaient ce matin ; il est possible qu'ils aient changé de place. Nous verrons bien.

— Va avec lui, ordonna Tébé, et Tungata y vit une marque de confiance.

Le matin même, il avait appris du jeune guide que pour survivre il était nécessaire de mettre à contribution tous ses sens, et pas seulement la vue et l'ouïe. Tous deux arrivèrent aux abords du premier gué. Ils avançaient à pas comptés, scrutant du regard les épaisses broussailles qui bordaient le fleuve et le fouillis de lianes suspendues aux troncs d'arbres gorgés d'eau.

Le guide toucha Tungata pour l'alerter et ils s'aplatirent épaule contre épaule sur un lit humide de feuilles à moitié décomposées, parfaitement immobiles mais tendus comme des vipères lovées. Quelques minutes après seulement, Tungata s'aperçut que le garçon humait l'air. Puis il plaça ses lèvres contre son oreille et murmura de manière à peine audible :

— Ils sont là.

Il tira doucement Tungata en arrière, et quand ils furent à bonne distance, il lui demanda :

Tu les avais sentis ?

Tungata secoua la tête.

— De la menthe, fit le guide en souriant. Les officiers blancs ne se rendent pas compte que l'odeur de dentifrice persiste plusieurs jours.

Le gué suivant n'était pas gardé. Ils attendirent la nuit pour faire traverser les enfants, lesquels se tenaient par la main, formant ainsi une chaîne vivante. Sur l'autre rive, le guide ne leur laissa pas le temps de se reposer. Alors que les enfants tremblaient de froid dans leurs vêtements trempés, il les obligea à continuer.

— Nous sommes en Zambie, mais pas encore tirés d'affaire, expliqua-t-il. Le danger n'est pas moins grand ici que sur l'autre berge. Les *kanka* traversent quand ça leur chante, et s'ils suspectent notre présence, ils vont nous donner la chasse.

Il les fit marcher toute la nuit et jusqu'au milieu de la journée du lendemain. Les enfants se traînaient et pleuraient de faim et de fatigue. Dans l'après-midi, le sentier sortit brusquement de la forêt et déboucha sur la large trouée de la ligne principale du chemin de fer. À côté, il y avait une demi-douzaine de cabanes rudimentaires en toile et piquets grossièrement équarris, et sur une voie de garage, deux wagons à bestiaux.

— Voilà le poste de recrutement de la ZIPRA, expliqua le guide. Pour l'instant, vous êtes en sécurité.

Le lendemain matin, pendant que les enfants montaient dans l'un des wagons, le petit guide vint auprès de Tungata.

— Va en paix, camarade. Je sais d'instinct lesquels survivront et lesquels mourront dans la brousse. Je pense que tu vivras pour voir le rêve de gloire se réaliser, dit-il. (Il lui serra la main en prenant alternativement sa paume et son pouce en signe de respect.) Je crois que nous nous reverrons, camarade Tungata.

Il se trompait. Un mois plus tard, Tungata apprit que le jeune guide était tombé dans une embuscade. La moitié du ventre arrachée, il avait rampé jusque dans un trou de fourmilier et avait résisté jusqu'à sa dernière cartouche. Puis il avait dégoupillé une grenade et l'avait tenue contre sa poitrine.

Le camp se trouvait à trois cents kilomètres au nord du Zambèze. Quinze cents recrues étaient hébergées dans les casernes à toit de chaume. La plupart des instructeurs étaient chinois, celui de Tungata une jeune femme nommée Wan Lok. Elle était petite et râblée, avec des membres solides de paysanne. Elle avait le visage plat et jaunâtre, les yeux bridés et vifs d'un mamba, et portait une casquette en toile et un uniforme de coton flottant comme un pyjama.

Le premier jour, elle les fit courir pendant quarante kilomètres en pleine chaleur avec un chargement de quarante kilos. Aussi chargée qu'eux, elle trottait avec facilité, toujours en avance sur les plus rapides, sauf quand elle revenait en arrière pour haranguer et harceler les traînards. Le soir, Tungata ne trouvait plus déshonorant d'avoir une femme pour instructeur et avait perdu son attitude hautaine et dédaigneuse.

Ils couraient chaque jour, puis s'entraînaient au combat avec de lourdes perches en bois et s'initiaient à la discipline chinoise de la boxe à vide. Ils s'exerçaient avec les fusils d'assaut Kalachnikov jusqu'à être capables de les démonter les yeux bandés et de les remonter en moins de quinze secondes. Ils s'entraînaient au maniement des lance-roquettes RPG-7 et au lancer de grenade, à la baïonnette et au couteau de tranchée. Ils apprenaient à poser des mines terrestres et à les charger avec du plastic pour qu'elles puissent détruire même des véhicules blindés. Ils apprenaient à poser une mine sous le bitume des routes en creusant un tunnel depuis le bas-côté, à tendre une embuscade sur un sentier forestier ou le long d'une grande route. Ils s'initiaient à la tactique défensive qui consiste à fuir devant un ennemi disposant d'une force de feu supérieure tout en le retardant et le harcelant. Et tout cela, ils le faisaient avec pour ration quotidienne un petit bol de farine de maïs et une poignée de *kapenta*, les petits poissons du lac Kariba.

La Zambie, leur pays hôte, avait payé cher le fait de soutenir leur cause. La ligne de chemin de fer en direction du sud, qui franchissait le pont au-dessus des chutes Victoria, était fermée depuis 1973, et les corps expéditionnaires rhodésiens avaient attaqué et détruit les ponts qui reliaient le pays à la Tanzanie et à Maputo, et constituaient pour la Zambie enfermée à l'intérieur des terres un lien vital avec le monde extérieur. Les rations offertes aux guérilleros étaient somptueuses en comparaison de celles du Zambien moyen.

Sous-alimentés au point de ressembler à des lévriers, le corps endurci par l'exercice, les guérilleros passaient la moitié de leurs nuits dans des réunions politiques à psalmodier des chants interminables et à crier en chœur les répons du catéchisme enseigné par un commissaire.

— Qu'est-ce que la révolution ?

— La révolution, c'est le pouvoir donné au peuple.

— Qui est le peuple ?

— Qui détient le pouvoir ?

À minuit passé, ils étaient autorisés à retourner en titubant de fatigue à leurs baraquements pour dormir... jusqu'à quatre heures du matin, moment où les instructeurs les réveillaient.

Après trois semaines, Tungata fut conduit dans la sinistre case isolée à la périphérie du camp. Entouré par les instructeurs et les commissaires politiques, il fut déshabillé et contraint de faire son autocritique. Tandis qu'ils l'injuriaient en le traitant de « chien des capitalistes racistes », de « contre révolutionnaire » et de « réactionnaire impérialiste », Tungata devait mettre son âme à nu comme l'était son corps.

Il se confessait en criant, leur disait qu'il avait travaillé pour les tyrans capitalistes, qu'il avait renié ses frères, qu'il avait douté, récidivé, qu'il avait eu des pensées réactionnaires et contre-révolutionnaires, qu'il avait convoité de la nourriture, désiré dormir et trahi ses camarades. Ils le laissèrent complètement épuisé et brisé, étendu à même le sol, puis Wan Lok le prit par la main comme si elle avait été sa mère et lui son petit garçon, et elle le reconduisit à son baraquement.

Le lendemain, on le laissa dormir jusqu'à midi, et il se réveilla frais et dispos. Le soir, à la réunion politique, on lui fit prendre place dans la rangée de devant avec les chefs de section.

Un mois après, Wan Lok le convoqua dans sa chambre individuelle dans le quartier des instructeurs. Elle se tenait devant lui, courtaude dans son uniforme de coton froissé.

— Demain, tu vas passer à l'action, lui annonça-t-elle en retirant sa casquette en toile.

Il n'avait pas encore vu ses cheveux. Ils lui tombaient jusqu'à la taille, aussi épais, noirs et fluides que du pétrole brut.

— Tu ne me reverras plus, dit-elle avant de déboutonner le devant de son uniforme.

Son corps était de la couleur du beurre frais, dur et incroyablement puissant, mais c'est surtout les poils de son pubis qui surprirent et intriguèrent Tungata ; ils étaient raides comme ses cheveux, sans la moindre boucle. Cela l'excita beaucoup.

— Viens, dit-elle en l'entraînant sur le mince matelas posé à même le sol en terre battue de la case.

Pour revenir en Rhodésie, ils ne passèrent pas à gué mais traversèrent le Zambèze dans des pirogues là où le fleuve se jette dans l'immense lac Kariba. Au clair de lune, les silhouettes argentées et torturées des arbres à moitié noyés se découpaient sur le ciel étoilé comme des membres de lépreux.

Ils étaient quarante-huit dans le cadre, sous les ordres d'un commissaire politique et de deux jeunes capitaines, jeunes mais aguerris. Tungata était l'un des quatre chefs de section, à la tête de dix hommes. Tous, y compris le commissaire, ployaient sous un chargement de soixante kilos. Il n'y avait pas de place pour des provisions de bouche dans leur paquetage ; ils se nourrissaient donc de lézards, de mulots et d'œufs d'oiseaux à moitié incubés. Ils disputaient aux hyènes et aux vautours les lambeaux en putréfaction des proies tuées par le lion, et, la nuit, ils entraient dans les villages de paysans noirs et vidaient leurs coffres à grains.

Ils traversèrent les collines de Chizarira et prirent vers le sud à travers une forêt dépourvue de pistes et une région sans eau jusqu'au moment où ils arrivèrent à la rivière Shangani. Ils la longèrent, toujours vers le sud, passant à quelques kilomètres du monument solitaire qui commémorait, dans une forêt de mopanis, la résistance héroïque mais vaine d'Allan Wilson contre le régiment de Gandang, fils de Mosélékatsé et frère de Lobengula, le dernier roi des Matabélé.

Lorsqu'ils arrivèrent sur les terres occupées par les agriculteurs blancs, leur travail commença. Ils posèrent les lourdes mines qu'ils avaient portées jusque-là sur les routes en terre battue. Libérés de ce lourd fardeau, ils attaquèrent les fermes isolées.

Ils en attaquèrent quatre en une semaine, assurés que les forces de sécurité ne volaient plus de nuit au secours de la ferme assiégée, sachant que les assaillants minaient les voies d'approche avant de passer à l'offensive. Les guérilleros disposaient donc de la nuit entière pour finir leur besogne et s'échapper.

La technique s'était perfectionnée avec le temps. Au crépuscule, ils empoisonnaient les chiens et coupaient les fils du télé-

416

phone. Ensuite ils tiraient des roquettes dans les fenêtres et les portes, puis se précipitaient à travers les brèches ainsi pratiquées. Les occupants de deux des quatre fermes leur opposèrent une résistance acharnée, mais ils réussirent à pénétrer dans les deux autres. Les horreurs qu'ils laissèrent derrière eux constituaient une provocation délibérée adressée aux sauveteurs qui arriveraient le lendemain à la première heure. Ils espéraient ainsi pousser les forces de sécurité à passer leur rage sur la population noire locale, et donc amener celle-ci dans le camp du ZIPRA.

Après six semaines de campagne, à court de munitions et d'explosifs, ils commencèrent à se retirer en tendant des embuscades en chemin. Ils abandonnèrent la première embuscade après deux jours infructueux. À la seconde, en revanche, tendue sur une route écartée, ils eurent de la chance.

Ils prirent un agriculteur blanc qui amenait de toute urgence à l'hôpital sa femme atteinte d'une péritonite consécutive à une crise d'appendicite. Il avait aussi avec lui ses deux filles adolescentes. Il réussit presque à s'échapper, mais lorsque la voiture blindée passa à la hauteur de Tungata, celui-ci se leva d'un bond et courut après le véhicule. Il le toucha à bout portant dans la partie arrière, la plus vulnérable, avec une roquette RPG-7 antiblindage.

Le père et sa fille aînée furent tués par l'explosion, mais l'épouse malade et la fille cadette étaient encore en vie. Le commissaire politique laissa les « boys » violer les deux femmes agonisantes. Ils faisaient la queue près de la voiture fracassée et les prenaient à tour de rôle.

Comme Tungata ne se joignait pas aux autres, le commissaire condescendit à expliquer :

— Quand un oiseau indicateur te conduit à l'essaim, tu dois lui laisser un peu de miel. Depuis la nuit des temps, le viol a toujours été l'une des récompenses des conquérants. Il les rend plus combatifs et exaspère l'ennemi.

Cette même nuit, ils quittèrent la route et rentrèrent dans les collines pour regagner le lac et leur position de repli. Les Scouts de Ballantyne les trouvèrent le lendemain au milieu de l'après-midi. Il n'y eut guère d'avertissement, en dehors d'un avion de repérage, un petit Cessna 210, qui décrivait des cercles haut dans le ciel. Puis, alors que le commissaire et les capitaines étaient encore en train de donner l'ordre à leurs hommes de se déployer et de définir un périmètre, les Scouts attaquèrent.

Le véhicule de livraison était un vieux bimoteur Dakota de la Seconde Guerre mondiale. Il était peint en gris avec une peinture non réfléchissante pour déjouer les systèmes autodirecteurs des missiles SAM-7. L'appareil volait si bas qu'il semblait frôler les crêtes rocheuses des kopjes ; au moment où il projetait son ombre sur les rebelles, son ventre vomit un flot de soldats.

Les corolles vert olive de leurs parachutes s'ouvraient quelques secondes seulement avant qu'ils touchent le sol. Elles n'étaient pas plus tôt déployées qu'ils avaient atterri. Ils se recevaient sur leurs pieds, et avant même que leur parachute se soit couché mollement en des tourbillons de soie, ils avaient arraché leur harnais d'un coup sec et se précipitaient à l'assaut en faisant feu.

Le commissaire et les deux capitaines vétérans furent abattus au cours des trois premières minutes. Poursuivant leur offensive, les Scouts acculèrent les guérilleros paniqués au pied d'un kopje. Sans réfléchir, Tungata rassembla les hommes qui se trouvaient le plus près de lui et les entraîna dans une contre-attaque désespérée en suivant un ravin peu profond qui coupait la ligne d'attaque des Scouts.

Il entendit leur commandant lancer un ordre dans le porte-voix : « Les verts et les rouges, restez en position ; les bleus, nettoyez-moi ce fossé. » La voix déformée se répercuta contre les collines, mais Tungata la reconnut. Il l'avait entendue à la mission de Khami la nuit où Constance avait été assassinée. Cela eut pour effet de lui éclaircir les idées, et il eut de nouveau la tête froide.

Il attendit le moment opportun et sortit du ravin sous le crépitement des F-M. Son calme rendit leur aplomb à ses hommes, et il appliqua la tactique de fuite défensive que Wan Lok lui avait enseignée. Le contact avec les troupes d'élite dura trois heures, trois heures pendant lesquelles Tungata tint sa petite troupe bien en main. Ils contre-attaquaient, posaient des mines antiper-sonnel derrière eux et résistaient chaque fois qu'ils trouvaient un bastion naturel, et cela dura jusqu'à la tombée de la nuit. Alors Tungata rompit le contact et emmena ses hommes. Ils n'étaient plus que huit, et trois d'entre eux étaient blessés.

Sept jours plus tard, avant que la rosée du matin eût séché, Tungata ouvrit un passage à travers le cordon sanitaire en sondant avec une baïonnette jusqu'à trouver la clé du schéma, puis il fit traverser ses hommes à gué. Ils n'étaient plus que cinq. Aucun des blessés n'avait pu suivre l'allure, et Tungata les avait achevés lui-même avec le Tokarev du commissaire pour leur épargner d'être interrogés par leurs poursuivants.

À Livingstone, sur la rive nord du Zambèze, face aux chutes Victoria, Tungata fit son rapport au quartier général du ZIPRA, au grand étonnement du commissaire.

— Mais les Rhodésiens ont annoncé à la télévision que vous aviez été abattus...

Un chauffeur en Mercedes noire avec le drapeau du parti flottant sur le capot conduisit Tungata à Lusaka, la capitale zambienne. On l'emmena dans une maison d'une rue tranquille, et, là, on l'introduisit dans une pièce à peine meublée où un homme seul était assis à un bureau en pin bon marché.

— Baba ! s'exclama Tungata en le reconnaissant immédiatement. *Nkosi nkulu !* Grand chef !

L'homme éclata d'un grand rire de gorge.

— Tu peux m'appeler ainsi quand nous sommes tous les deux, mais sinon, tu dois dire « camarade Inkunzi ».

Inkunzi signifiait « buffle » en ndébélé. Ce nom lui convenait admirablement. Il était énorme. Il avait la poitrine grosse comme un tonneau de bière, le ventre comme un sac de grains, une épaisse toison blanche, toutes choses que les Matabélé vénéraient : la corpulence et la force physique, la blancheur des cheveux que procurent l'âge et la sagesse.

— Je t'ai observé avec intérêt, camarade Tungata. En fait, c'est moi qui t'ai envoyé chercher.

— J'en suis honoré, Baba.

— Et toi, tu as honoré ma confiance au centuple.

Le vieil homme s'enfonça légèrement sur sa chaise et croisa ses doigts sur son estomac. Il examina silencieusement le visage de Tungata pendant un moment, puis demanda à brûle-pourpoint :

— Qu'est-ce que la révolution ?

La réponse, si souvent répétée, vint instantanément sur les lèvres de Tungata.

— La révolution, c'est le pouvoir donné au peuple.

Le rire tonitruant du camarade Inkunzi éclata de nouveau.

— Le peuple est un bétail stupide. Il ne saurait que faire du pouvoir si quelqu'un était assez insensé pour le lui laisser ! Non, non ! Il est temps que tu apprennes quelle est la vraie réponse. (Il marqua une pause et cessa de sourire.) La vérité est que la révolution est le pouvoir pris par quelques élus. La vérité est que je suis à la tête de ces élus et que toi, camarade Tungata, tu es maintenant l'un d'entre eux.

Craig Ballantyne gara sa Land Rover et coupa le contact. Il orienta vers lui le rétroviseur et ajusta la casquette de son uniforme, puis se tourna vers l'élégant bâtiment neuf qui abritait le musée. Il se dressait au milieu du jardin botanique, entouré par de grands palmiers, des pelouses et des massifs de géraniums et de pois de senteur.

Craig se rendit compte qu'il retardait le moment d'y aller et serra la mâchoire avec détermination. Il laissa la Land Rover au parking et monta les marches du musée.

— Bonjour, sergent, dit la fille au bureau d'information en reconnaissant les trois galons sur la manche de son uniforme kaki et bleu marine de la police.

Craig se sentait encore vaguement honteux d'avoir reçu une promotion si rapide. « Ne sois pas stupide, mon garçon. Sergent armurier, c'est une nomination purement technique », avait grondé Bawu lorsqu'il avait élevé une protestation contre l'influence familiale dont il bénéficiait.

— Salut ! répondit Craig en la gratifiant de son sourire d'adolescent, et la fille prit une expression plus chaleureuse. Je cherche Mlle Carpenter.

— Désolée, je ne connais pas, dit-elle, apparemment contrariée de le décevoir.

— Pourtant elle travaille ici, protesta Craig. Janine Carpenter.

— Ah, le Dr Carpenter ! Elle vous attend ?

— Oh, je suis sûr qu'elle s'attend à ma visite, assura Craig.

— Elle est au bureau 211. En haut des escaliers, tournez à gauche, la porte « Réservé au personnel », puis troisième porte à droite.

Craig frappa et entra après y avoir été invité. C'était une longue pièce étroite avec un éclairage zénithal et des néons, les murs occupés jusqu'au plafond par des meubles à tiroirs bas, chacun équipé de deux poignées en cuivre.

Janine était assise à la longue table qui occupait le milieu de la pièce. Elle portait un jean, une chemise de bûcheron à gros carreaux de couleurs vives, et des lunettes qui lui donnaient l'air érudit.

— Je ne savais pas que vous portiez des lunettes, dit Craig.

Elle les enleva prestement et les cacha derrière son dos.

— Tiens ! Qu'est-ce que vous faites là ?

— Je voulais seulement savoir à quoi les entomologistes passent leurs journées. Je n'arrivais pas à vous imaginer autrement qu'en train de lutter contre les mouches tsé-tsé et de battre à mort des sauterelles à coup de gourdin. (Il referma doucement la porte derrière lui puis continua de parler en se glissant jusqu'à la table, à côté d'elle.) Ça a l'air intéressant ce que vous faites là.

Elle faisait le gros dos, le poil hérissé comme une chatte agressée, mais se détendit peu à peu.

— Des diapos. Je suis en train de trier des diapositives prises au microscope, expliqua-t-elle à contrecœur, puis avec une

420

pointe d'irritation dans la voix : Vous avez les idées toutes faites des profanes. Dès qu'on parle d'insectes, vous imaginez tout de suite des insectes nuisibles comme les sauterelles ou vecteurs de maladie comme les mouches tsé-tsé.

— C'est une erreur ?

— Les hexapodes forment la classe la plus nombreuse du phylum le plus important, les arthropodes. Elle comporte littéralement des centaines de milliers d'espèces, dont la plupart sont bénéfiques à l'homme, alors que les nuisibles représentent une vaste minorité.

Il eut envie de lui faire remarquer que les termes « vaste » et « minorité » étaient contradictoires, mais, pour une fois, son bon sens prévalut.

— Je n'avais jamais pensé à ça. Qu'entendez-vous par bénéfiques à l'homme ?

— Ils pollinisent les plantes, se nourrissent de détritus, régulent les espèces nuisibles et servent eux-mêmes de nourriture...

Elle était partie, et après quelques minutes, l'intérêt de Craig n'était plus feint. Comme tous ceux qui se passionnent pour leur spécialité, elle était fascinante quand elle parlait de ce qu'elle connaissait. Quand elle se rendit compte qu'elle avait un auditeur réceptif, elle s'exprima avec encore plus de facilité.

Les rangées de tiroirs contenaient la collection qu'elle avait vantée lors de leur première rencontre comme étant la plus importante au monde. Elle montra à Craig des coléoptères microscopiques de la famille des ptiliidés, longs d'un centième de pouce, et les compara aux goliaths géants d'Afrique. Elle lui montra des insectes d'une beauté exquise et d'autres d'une laideur repoussante, des insectes qui imitent les orchidées, des bâtonnets, l'écorce des arbres ou la peau des serpents, une guêpe qui se sert d'un petit caillou comme d'un outil et une mouche qui, comme le coucou, dépose ses œufs dans le nid d'une autre. Il y avait des fourmis qui élèvent des pucerons comme l'homme élève des vaches laitières, et qui cultivent des champignons. Elle lui montra des insectes qui vivent dans les glaciers, d'autres qui vivent au cœur du Sahara, d'autres encore qui vivent dans l'eau de mer et même des larves qui subsistent dans des mares de pétrole brut, où elles dévorent les insectes piégés dans ce liquide visqueux.

Elle lui montra des libellules équipées de vingt mille yeux et des fourmis capables de soulever mille fois leur propre poids ; elle lui décrivit des modes étranges de nutrition et de reproduction, et elle était à tel point emportée par ses explications qu'elle en oublia toute vanité et remit ses lunettes à monture d'écaille.

Elle était si charmante que Craig avait envie de la prendre dans ses bras.

Au bout de deux heures, elle retira ses lunettes et lui fit face d'un air de défi.

— Voilà. Je suis avant tout la conservatrice de la collection des hexapodes, mais en même temps conseillère auprès des ministères de l'Agriculture, de la Santé publique et de l'Environnement. Voilà ce que font les entomologistes, monsieur. Et vous, que diable faites-vous ?

— Je rends visite aux entomologistes pour les inviter à déjeuner.

— Déjeuner ? dit-elle d'un air distrait. Quelle heure est-il ? Mon Dieu, vous m'avez fait perdre toute ma matinée !

— T-bone steaks au menu. Je viens de recevoir ma paye.

— Je vais peut-être déjeuner avec Roly, objecta-t-elle avec cruauté.

— Roly est dans la brousse.

— Comment le savez-vous ?

— J'ai téléphoné à tante Val à King's Lynn pour m'en assurer.

— Petit malin ! (Elle rit pour la première fois.) D'accord, je renonce. Emmenez-moi déjeuner.

Les steaks étaient épais et tendres, la bière bien fraîche, et ils rirent beaucoup.

— Que font les entomologistes le samedi après-midi ? demanda-t-il à la fin du repas.

— Et les sergents de police ?

— Ils vont fouiner pour essayer de retrouver les antécédents de leur famille dans des endroits étranges et merveilleux... Vous voulez m'accompagner ?

Connaissant la Land Rover, elle noua un foulard en soie autour de sa tête et mit des lunettes noires pour se protéger du vent pendant que Craig réapprovisionnait la glacière en bières et glace pilée, puis ils sortirent de la ville en direction du Rhodes Matopos National Park, des collines enchantées où l'Umlimo exerçait jadis son empire et où les Matabélé venaient chercher conseil et refuge en périodes de crise.

La beauté des lieux frappa Janine.

— Les collines ressemblent à ces châteaux de contes de fées qui dominent les rives du Rhin, dit-elle.

Dans les vallées paissaient des troupeaux d'antilopes noires géantes et de koudous, aussi apprivoisés que des moutons. Ils levaient à peine la tête au passage de la Land Rover.

Ils avaient l'impression d'avoir les collines pour eux seuls, car rares étaient ceux qui osaient s'aventurer sur ces pistes au cœur du bastion traditionnel des Matabélé. Quand Craig gara la voiture à l'ombre d'un bosquet situé au pied d'un dôme de granit chauve et massif, un vieux gardien matabélé, vêtu de l'uniforme beige et coiffé du chapeau à large bord du personnel du parc, vint à leur rencontre et les escorta jusqu'aux portes où on lisait l'inscription : « Ici reposent des hommes qui ont bien mérité de leur pays. »

Ils grimpèrent au sommet de la colline. Là, gardée par des sentinelles de granit à l'état naturel et couverte d'une lourde plaque de bronze, ils trouvèrent la tombe de Cecil John Rhodes.

— Je sais bien peu de choses de lui, confessa Janine.

— Je crois que tout le monde est dans votre cas. C'était un homme peu ordinaire, mais quand on l'a enterré, les Matabélé l'ont gratifié du salut royal. Il exerçait un pouvoir incroyable sur autrui.

Ils descendirent la colline de l'autre côté jusqu'au mausolée carré en pierres de taille rehaussé d'une frise en bronze représentant des personnages héroïques.

— Allan Wilson et ses hommes, expliqua Craig. On a exhumé leurs corps du champ de bataille près de la Shangani pour les transférer ici.

Sur le mur nord du mausolée étaient gravés les noms des morts et Craig parcourut la liste et s'arrêta sur un nom.

Révérend Clinton Codrington, lut-il à haute voix. C'est mon [...] [...] personnage, et son épouse, mon arrière-arrière-grand-mère, était une femme remarquable. Ce sont eux qui ont fondé la mission de Khami. Quelques mois après que son mari eut été tué par les Matabélé, Robyn Codrington a épousé le commandant de la colonne qui l'avait envoyé à la mort, un Américain nommé Saint John. Je parie qu'il y a eu là-dessous des manœuvres louches.

— Même à cette époque ? Je croyais que c'était une invention récente.

Ils continuèrent leur promenade autour de la colline et arrivèrent à une autre tombe au-dessus de laquelle un msasa rabougri et difforme avait pris racine dans une fissure de la roche granitique. Comme celle de Rhodes, cette tombe était recouverte d'une lourde plaque de bronze patinée par le temps. Elle portait cette inscription :

Ici repose
SIR RALPH BALLANTYNE,
PREMIER MINISTRE DE RHODÉSIE DU SUD.
Il a bien mérité de son pays.

— Ballantyne, dit-elle. Ce doit être un ancêtre de Roly.

423

— Un ancêtre commun à lui et à moi, corrigea Craig, notre arrière-grand-père, le papa de Bawu. C'est pour voir sa tombe que je voulais venir ici.

— Que savez-vous de lui ?

— Beaucoup de choses. Je viens d'achever la lecture de ses journaux intimes. C'était un sacré gaillard. Si on ne l'avait pas anobli, on l'aurait probablement pendu. Selon ses propres confessions, c'était un fieffé coquin, mais haut en couleur.

— Vous avez donc de qui tenir, dit-elle en riant. Dites-m'en davantage.

— Chose amusante, il était l'ennemi juré de l'autre vieux gredin qui est là-haut, poursuivit Craig en indiquant la direction de la tombe de Rhodes. Et les voilà maintenant enterrés presque côte à côte. Grand-papa Ralph écrit dans son journal qu'il a découvert le gisement de charbon de Wankie, mais que Rhodes le lui a pris en recourant à la tromperie. À la suite de ça, il a prêté serment de le détruire, lui et sa société — il l'écrit textuellement dans son journal ! Je vous le montrerai. Et il se glorifie d'y avoir réussi. En 1923, l'administration de la British South Africa prend fin, la Rhodésie du Sud devient colonie britannique et le vieux Sir Ralph, son Premier ministre. Il avait bel et bien mis sa menace à exécution.

Ils étaient assis côte à côte au bord de la tombe et il lui rapporta les anecdotes les plus amusantes et les plus intéressantes qu'il avait lues dans les journaux intimes, et elle écoutait fascinée.

— Cela fait un drôle d'effet de penser qu'ils font partie de nous et que nous faisons partie d'eux, murmura-t-elle. Que tout ce qui se passe maintenant trouve son origine dans ce qu'ils ont dit et fait.

— Sans passé il n'y a pas de futur, dit Craig, paraphrasant les paroles de Samson Kumalo. Cela me fait penser que j'ai quelque chose à faire avant que nous retournions en ville.

Cette fois-ci Craig reconnut facilement l'embranchement et il s'engagea sur la piste qui conduisait au vieux cimetière, à l'allée de spathodéas et aux bungalows peints à la chaux du personnel de la mission de Khami. La première petite maison de la rangée était déserte. Il n'y avait pas de rideaux aux fenêtres, et quand Craig monta sur la véranda et jeta un coup d'œil à l'intérieur, il vit que les pièces étaient vides.

— Qui cherchez-vous ? demanda Janine lorsqu'il revint à la Land Rover.

— Un ami.

— Un bon ami ?

— Mon meilleur ami.

Il continua la descente vers l'hôpital et s'arrêta de nouveau. Il laissa Janine dans la voiture et entra dans le hall. Une femme vint à sa rencontre à grandes enjambées. Elle portait une blouse blanche, avait le visage anormalement pâle et fronçait les sourcils de manière belliqueuse.

— J'espère que vous n'êtes pas venu ici pour harceler et effrayer nos gens, commença-t-elle. Ici, police est synonyme d'ennuis.

— Je suis désolé, dit Craig en jetant un coup d'œil à son uniforme. Je viens à titre privé et suis seulement à la recherche d'un de mes amis. Sa famille habite ici. Samson Kumalo...

— Oh, fit la femme en hochant la tête. Je vous reconnais maintenant. Vous étiez l'employeur de Samson. Eh bien, il est parti.

— Parti ? Savez-vous où ?

— Non, répondit-elle sèchement et de manière peu serviable.

— Son grand-père, Gédéon...

— Il est mort.

— Mort ? s'exclama Craig avec consternation. Comment cela ?

— Le cœur brisé... lorsque les vôtres ont assassiné quelqu'un qui lui était cher. Si c'est tout ce que vous désirez savoir... Nous n'aimons pas les uniformes ici.

Ils arrivèrent en ville en fin d'après-midi. Craig alla directement à son bateau sans demander l'avis de Janine, et quand il se gara sous les manguiers, elle ne fit aucun commentaire, descendit de voiture et le suivit jusqu'à l'échelle.

Craig mit une cassette, ouvrit une bouteille de vin et prit le journal de Sir Ralph que Bawu lui avait prêté. Puis ils s'assirent côte à côte sur la banquette du carré et se plongèrent dans la lecture. L'encre passée et les dessins qui décoraient les marges firent les délices de janine, et elle fut captivée par la description de l'invasion de sauterelles des années 1890.

— Le vieux avait l'œil aiguisé, remarqua-t-elle en examinant son dessin d'une sauterelle. C'est digne d'un naturaliste chevronné, regardez les détails.

Elle leva les yeux vers Craig, assis tout près d'elle. Il avait l'air d'un gamin en adoration. Elle ferma délibérément le livre sans le quitter des yeux. Il se pencha vers elle et elle ne se recula pas. Il posa ses lèvres sur les siennes, et il les trouva douces et entrouvertes. Elle ferma ses immenses yeux en amande, ses cils étaient longs et délicats comme des ailes de papillon.

— Pour l'amour du ciel, ne dis rien de stupide, murmura-t-elle

425

d'un ton rauque après un long moment. Continue de faire ce que tu es en train de faire en ce moment.

Il obéit, et c'est elle qui rompit de nouveau le silence.

— J'espère que tu as été assez prévoyant pour construire une couchette pour deux, fit-elle, la voix tremblante.

Toujours silencieux, il la prit dans ses bras et l'amena se rendre compte par elle-même.

— Je n'avais jamais imaginé que cela puisse être comme ça, dit-elle après un long moment avec de l'étonnement dans la voix, pendant qu'il la regardait, appuyé sur un coude. C'était si bon, si naturel.

Elle promena son doigt sur la poitrine nue de Craig en décrivant des petits cercles autour de ses mamelons.

— J'aime les poitrines velues, ronronna-t-elle.

— Jusque-là, j'ai toujours eu le sentiment que c'était quelque chose de solennel... qu'on fait après des tas de déclarations et de promesses.

— Les grandes orgues ? gloussa-t-elle.

— Ça aussi, c'est nouveau. C'est la seule fois où je t'ai entendue pouffer de rire... pendant ou juste après.

— C'est le seul moment où j'en ai envie, reconnut-elle en recommençant. Sois gentil, va nous chercher un verre de vin.

— Qu'est-ce qui est si drôle ? demanda-t-il depuis la coursive.

— Tu as les fesses blanches et lisses comme celles d'un bébé... non, ne les cache pas.

Pendant qu'il farfouillait dans le placard de la cuisine, elle lui cria depuis la cabine :

— Est-ce que tu as la *Pastorale* ?

— Je crois.

— Mets-la, s'il te plaît.

— Pourquoi ?

— Je te le dirai quand tu seras revenu au lit.

Elle était assise toute nue sur la couchette dans la position du lotus. Il posa l'un des verres de vin dans sa main, et, après s'être assis face à elle, réussit péniblement à plier ses longues jambes dans la même position.

— Alors, dis-moi.

— Tu n'entends pas ?... Tu ne te rends pas compte que c'est l'accompagnement idéal ?

Un autre ouragan de musique et d'amour s'abattit sur eux et les laissa enlacés, incapables de bouger. Dans le silence douloureux qui suivit, elle écarta d'une main caressante les cheveux tombés dans les yeux de Craig.

C'était trop pour lui.

— Je t'aime, lâcha-t-il. Oh, je t'aime tant !

Elle le repoussa presque rudement et s'assit.

— Tu es un garçon gentil et drôle, et un amant prévenant, mais tu as le chic pour dire des choses stupides au mauvais moment.

Le lendemain matin, elle annonça :

— Tu as fait la cuisine hier soir, c'est moi qui vais préparer le petit déjeuner.

Elle alla dans la cuisine, vêtue seulement d'une vieille chemise de Craig dont elle avait retroussé les manches et qui tombait jusqu'aux genoux.

— Tu as assez d'œufs et de bacon pour ouvrir un restaurant... tu attendais de la visite ?

— Je ne l'attendais pas, je l'espérais. Ça me donnait le moral ! cria-t-il depuis la douche.

Après le petit déjeuner, elle l'aida à installer les gros winchs en acier inoxydable sur le pont. Craig avait besoin de quelqu'un pour maintenir en place les plaques d'éclissage pendant qu'il forait et boulonnait par en dessous.

— Tu es très adroit de tes mains, n'est-ce pas ? dit-elle.

Ils devaient crier pour se faire entendre l'un de l'autre, car il travaillait sous le pont tandis qu'elle était perchée au bord du cockpit.

C'est gentil d'en faire la remarque.

— Je suppose que tu es donc un armurier hors pair.

— Je me débrouille.

— Est-ce que tu répares des fusils ?

— Ça fait partie de mon boulot.

— Comment peux-tu arriver à le faire ? Les armes à feu sont des choses si horribles.

— Tu as les idées toutes faites du profane, répondit-il en lui renvoyant ses propres paroles. Les armes sont des outils extrêmement fonctionnels et utiles sur un certain plan, et elles peuvent être aussi d'extraordinaires œuvres d'art. Les hommes ont toujours manifesté dans la fabrication de leurs armes leurs talents les plus créatifs.

— Mais la façon dont ils les utilisent ! protesta-t-elle.

— Elles ont, par exemple, été utilisées pour empêcher Adolf Hitler d'exterminer tout le peuple juif, fit-il remarquer.

— Allons, Craig. À quoi servent-elles en ce moment dans la brousse ?

— Les armes à feu ne sont pas mauvaises en soi, mais certains de ceux qui les utilisent le sont. Tu peux en dire autant des clés à molette.

Il serra à fond les boulons du winch et passa la tête par l'écoutille.

— Assez pour aujourd'hui : « Au septième jour, Il chôma » — Qu'est-ce que tu penses d'une bonne bière ?

Craig avait installé un haut-parleur dans le cockpit, et ils se prélassèrent au soleil en sirotant de la bière et écoutant de la musique.

— Écoute, Jan, je manque peut-être de doigté en disant ça, mais je ne veux pas que tu voies quelqu'un d'autre... tu comprends ce que je veux dire ?

— Tu remets ça ! dit-elle en plissant les yeux. Je te prie de la boucler, Craig !

— Je veux dire, après ce qu'il y a eu entre nous... poursuivit-il obstinément. Je crois que nous devrions...

— Écoute, mon vieux, tu as le choix : me mettre encore en rogne ou me faire encore rire. Qu'est-ce que tu décides ?

Le lendemain lundi, elle arriva au quartier général de la police à l'heure du déjeuner, et ils mangèrent des sandwiches pendant qu'il lui faisait visiter l'armurerie. Malgré elle, elle fut intriguée par l'étalage d'armes et d'explosifs saisis. Il lui expliqua comment fonctionnaient les différents modèles de mines, comment on pouvait les détecter et les désamorcer.

— Il faut rendre cette justice aux terroristes qu'ils ont du courage, admit Craig. Ces salauds portent ces engins sur leur dos à travers la brousse... quelque chose comme deux cents miles. Essaie d'en soulever une, tu verras ce que je veux dire.

Il l'emmena ensuite dans une petite pièce sur l'arrière.

— Ça, c'est mon initiative : D&I, Dépistage et Identification, expliqua-t-il en montrant les cartes qui couvraient les murs et des grandes boîtes contenant des cartouches vides, empilées près de l'établi. Après chaque contact avec les terroristes, nos armuriers ratissent la région et ramassent toutes les cartouches vides. On commence par relever les empreintes digitales. Si le gars a un casier judiciaire, on l'identifie immédiatement. S'il a essuyé ses cartouches avant de les charger ou si nous n'avons pas de relevé de ses empreintes, nous pouvons toujours établir quelle arme a tiré la cartouche.

Il la conduisit jusqu'à l'établi, et la laissa regarder dans le microscope.

— La bosse laissée sur l'amorce de la cartouche par le percuteur d'un fusil est aussi unique que le sont les empreintes digitales pour un individu. Nous pouvons suivre le parcours de chaque terroriste sur le terrain. Nous pouvons déterminer avec précision combien ils sont et quels sont les plus chauds.

— Les plus chauds ?

— Les neuf dixièmes des terroristes trouvent une planque près d'un village où ils peuvent se fournir en nourriture et en

428

filles, et ils essaient de se tenir à l'écart du danger et d'éviter tout contact avec nos forces. Les « chauds » sont différents : ce sont les tigres, les fanatiques, les tueurs. Ces cartes indiquent leurs évolutions. Regarde celui-là. Nous l'appelons Primevère parce que son percuteur laisse une marque qui évoque une fleur. Ça fait trois ans qu'il court la brousse, et il a eu quatre-vingt-seize contacts avec les Blancs. Presque un tous les dix jours. Il doit être en acier.

Craig promena son doigt sur la carte.

— En voilà un autre. Nous l'appelons Patte de Léopard — tu comprends pourquoi en voyant l'empreinte de son fusil. C'est un nouveau venu, la première fois qu'il traverse le fleuve, mais il a déjà attaqué quatre fermes et tendu une embuscade avant d'entrer en contact avec les Scouts de Roly. Ils sont rares à en réchapper, les gars de Roly sont des durs. Ils ont écrasé la plus grande partie du cadre, mais Patte de Léopard s'est battu comme un vieux de la vieille et a pris la tangente avec une poignée d'hommes. Le rapport de Roly précise qu'il a perdu quatre de ses gars sur des mines antipersonnel posées par Patte de Léopard au cours de sa fuite, et six autres pendant le combat — dix en tout. Les Scouts n'ont jamais subi de telles pertes au cours d'un affrontement. Patte de Léopard est un chaud, dit Craig en tapotant le nom sur la carte. Nous allons encore entendre parler de lui.

Janine frissonna.

— C'est affreux... tous ces morts et ces souffrances. Quand cela finira-t-il ?

— Ça a commencé le jour où l'homme s'est dressé sur ses jambes, ce n'est pas demain que ça va s'arrêter. Mais parlons du dîner de ce soir. Je passerai te chercher chez toi à sept heures, d'accord ?

Elle lui téléphona à l'armurerie un peu avant cinq heures.

— Craig, ne viens pas me chercher ce soir.

— Pourquoi ?

— Je ne serai pas là.

— Qu'est-ce qui se passe ?

— Roly est de retour.

Craig travailla un peu sur l'avant-pont de son voilier où il fixa les taquets des écoutes de foc. Quand il fit trop sombre, il descendit dans le carré et tourna en rond désespérément. Elle avait laissé ses lunettes noires sur la table près de la couchette et un tube de rouge à côté du lavabo. Son parfum flottait encore dans le carré et leurs deux verres étaient posés dans l'évier.

— Je vais prendre une bonne cuite, décida-t-il, mais il n'avait pas de Schweppes, et le gin avec de l'eau plate était imbuvable.

Il vida son verre dans l'évier et mit la *Pastorale*, mais les images qu'elle évoqua étaient trop douloureuses, et il arrêta la musique.

Il prit le journal intime de Sir Ralph sur la table et le feuilleta. Il l'avait déjà lu deux fois. Il aurait dû aller à King's Lynn le week-end dernier pour l'échanger contre le journal suivant de la série. Bawu l'avait probablement attendu. Il commença à le relire et cela apaisa immédiatement son sentiment de solitude.

Au bout d'un moment, il fouilla dans le tiroir de la table à cartes et mit la main sur le cahier de brouillon où il avait fait le plan des cabines et de la cuisine. Il déchira les pages déjà utilisées — il restait encore une bonne centaine de pages blanches — puis s'assit à la table du carré, un crayon à la main, et regarda fixement la page vide pendant près de cinq minutes. Puis il commença à écrire :

« À l'horizon, l'Afrique était tapie comme un lion à l'affût, fauve et dorée dans la lumière du petit matin, brûlée par le froid courant de Benguela.

Debout près du bastingage, Robyn Ballantyne la contemplait... »

Puis il relut ce qu'il avait écrit, et éprouva une étrange excitation, un sentiment qu'il n'avait jamais éprouvé. Il voyait réellement la jeune femme, il la voyait le menton levé, volontaire, ses cheveux fouettés et emmêlés par le vent.

Le crayon se mit à courir sur la page, la femme évoluait dans son espace mental, elle parlait dans ses oreilles. Il tourna la page et continua à écrire. Presque sans s'en rendre compte, il remplit le cahier de son écriture énergique tandis que les premières lueurs du jour filtraient par le hublot au-dessus de sa tête.

Aussi loin que remontaient les souvenirs de Janine, il y avait toujours eu des chevaux dans l'écurie de son père, derrière son cabinet de vétérinaire. À huit ans, son père l'avait emmenée pour la première fois à une chasse à courre. Juste après ses vingt-deux ans, quelques mois avant son départ pour l'Afrique, elle avait gagné ses boutons.

La monture que lui avait offerte Roland Ballantyne était une superbe pouliche alezane. Elle était étrillée à fond et sa robe brillait au soleil comme de la soie humide. Janine l'avait déjà montée souvent. Elle était rapide et forte.

Roland montait son étalon, un énorme cheval noir qu'il avait appelé Mosélékatsé, comme le roi matabélé. Les veines ressortaient sous la peau de ses épaules et de son ventre comme des serpents vivants. L'imposante masse noire de ses testicules donnait une impression irrésistible de puissance masculine brute. Lorsqu'il penchait les oreilles en arrière et montrait les dents, la muqueuse au coin de ses yeux féroces était rouge sang. Il y avait en lui quelque chose d'arrogant et de menaçant qui effrayait Janine mais aussi l'excitait. Chevaux et cavaliers étaient bien assortis.

Roland portait un pantalon marron en whipcord et des bottes de cheval astiquées à la perfection. Les manches courtes de sa chemise blanche impeccablement repassée étaient tendues sur les muscles durs de ses bras. Janine était certaine qu'il portait toujours du blanc pour faire ressortir le bronzage de son visage et de ses bras. Elle trouva qu'il était invraisemblablement beau, que son air cruel et impitoyable le rendait encore plus attirant que ne pouvait le faire la simple beauté.

La nuit dernière, dans le lit de son appartement de célibataire, elle lui avait demandé combien d'hommes il avait tués.

« Autant qu'il a fallu », avait-il répondu.

Bien qu'elle ait pensé haïr la guerre, la mort et la souffrance, cela l'excitait d'une manière irrépressible. Alors, il avait éclaté de rire et dit :

— Tu es une petite garce un peu bizarre, tu sais ça ?

Elle lui en avait terriblement voulu de l'avoir percée à jour, elle était morte de honte et si curieusement qu'elle avait essayé de lui griffer les yeux avec ses ongles. Il l'avait retenue sans effort et, toujours riant, avait murmuré dans son oreille jusqu'à ce qu'elle perde de nouveau le contrôle d'elle-même.

En le regardant à présent chevaucher près d'elle, elle avait encore peur de lui, au point d'en avoir la chair de poule, et toujours cette excitation au creux de l'estomac.

Ils gravirent la colline et, en arrivant au sommet, Roland serra la bride à son étalon. Le cheval tourna sur lui-même en dansant, levant haut ses sabots et essayant de fourrer son nez contre la pouliche, mais Roland l'en écarta et montra l'horizon qui, dans toutes les directions, disparaissait dans des lointains bleutés.

— Tout ce que tu peux voir d'ici, chaque brin d'herbe, chaque motte de terre, tout appartient aux Ballantyne. Nous avons lutté pour l'avoir, nous l'avons gagné... cela nous appartient et celui qui voudra nous le prendre devra d'abord me passer sur le corps.

L'idée que quelqu'un ou quelque chose fasse cela était ridicule. Il était un jeune dieu, l'un des immortels.

Il mit pied à terre, conduisit les chevaux au pied d'un grand msasa, les attacha et leva les bras pour la soulever hors de selle et la déposer par terre. Il la conduisit au bord du précipice et la tint contre lui, son dos contre sa poitrine, afin qu'elle puisse voir.

— C'est tout cela, regarde !

431

Le paysage était splendide, gras pâturages dorés semés d'arbres élégants, eaux claires qui couraient en petits ruisseaux ou miroitaient dans la retenue du barrage, paisibles troupeaux de grands bovins roux, presque rouges comme la terre sous leurs sabots, et au-dessus, l'immense voûte bleue semée de haut nuages du ciel d'Afrique.

— Il faut une femme pour aimer cette terre comme je l'aime, pour donner naissance à de beaux garçons qui aimeront cette terre et la garderont comme je la garderai.

Elle savait ce qu'il allait dire, et maintenant que cela était sur le point d'arriver, elle se sentait paralysée et troublée, et se mit à trembler contre lui.

— Je veux que tu sois cette femme, dit Roland Ballantyne, et elle commença à pleurer de manière incontrôlable.

Les gradés des Scouts Ballantyne se cotisèrent afin de donner une fête pour les fiançailles de leur colonel et de Janine Carpenter.

Ils l'organisèrent dans le mess des sergents de la caserne de Thabas Indunas. Les officiers du régiment et leurs femmes étaient tous invités, de sorte que lorsque Roland arriva avec Janine au volant de sa Mercedes, une petite foule les attendait sur la véranda pour les accueillir. Conduits par le sergent-major Gondélé, ils se lancèrent dans une interprétation joyeuse mais peu harmonieuse de *For they are jolly good fellows*.

— Heureusement que vous ne combattez pas comme vous chantez, leur dit Roland. Vous seriez depuis longtemps transformés en passoires.

Il les traitait avec une affection paternelle mêlée de sévérité bourrue, l'assurance et l'aisance parfaites du mâle dominateur, et ils le vénéraient ouvertement. Janine comprenait cela. Elle aurait été surprise qu'il en ait été autrement. Ce qui l'étonnait en revanche, c'était la fraternité qui régnait parmi les Scouts, la façon dont les officiers et les hommes, noirs et blancs, étaient soudés par un lien presque palpable de confiance et d'entente.

Elle sentait qu'il était plus fort encore que les liens familiaux les plus étroits, et quand elle en parla plus tard à Roland, il répondit simplement : « Quand ta vie dépend d'un autre homme, tu finis par l'aimer. »

Ils traitaient Janine avec un immense respect, presque de la dévotion. Les Matabélé l'appelaient « Donna », et les Blancs « Madame », et elle accrocha immédiatement avec eux.

Le sergent-major Gondélé alla lui chercher lui-même un gin qui aurait assommé un éléphant, et eut l'air peiné quand elle demanda un peu plus de Schweppes. Il la présenta à son épouse, une jeune femme jolie et rondelette, fille d'un grand chef tribal matabélé, « ce qui en fait une sorte de princesse », expliqua Roland. Elle avait cinq fils, le nombre exact d'enfants que Janine et Roly désiraient eux aussi avoir, et elle parlait un anglais excellent, si bien que Janine et elle se lancèrent immédiatement dans une grande conversation. Janine en fut finalement distraite par une voix à côté d'elle.

— Docteur Carpenter, veuillez m'excuser pour mon retard.

Cela fut dit avec l'accent standard et le ton parfaitement modulé d'un commentateur de la BBC ou d'un diplômé de l'Académie royale d'art dramatique. Janine se tourna pour faire face à un élégant personnage en uniforme de lieutenant-colonel de l'armée de l'air rhodésienne.

— Douglas Hunt-Jeffreys, dit-il pour se présenter en lui tendant une main fine et lisse, presque féminine. J'étais désolé à l'idée de ne pas rencontrer la ravissante compagne du vaillant colonel. (Il avait le visage sans expression d'un dilettante cultivé, et son uniforme, malgré sa coupe parfaite, semblait déplacé sur ses épaules étroites.) Le régiment entier est dans tous ses états depuis que nous avons entendu cette immense nouvelle.

En dépit de son apparence et de sa manière de s'exprimer, elle savait instinctivement à sa façon de lui tenir la main et de la dissimuler du regard sans en avoir l'air qu'il n'était pas homosexuel. Son intérêt fut piqué ; cet homme lui faisait penser à une lame de rasoir enveloppée dans du velours. Comme pour la confirmer dans son jugement, Roland apparut presque tout de suite à son côté quand il vit à qui elle parlait.

— Dougie, comment va, vieille noix ? demanda-t-il avec un sourire carnassier.

— *Bonsoir, mon brave*, répondit le lieutenant-colonel en ôtant de ses lèvres son fume-cigarette en ivoire. Je ne m'attendais pas, je dois dire, à ce que vous fassiez preuve d'un goût aussi exquis. Le Dr Carpenter est tout bonnement ravissante. Vous avez mon approbation, cher ami, vraiment.

— Dougie doit approuver tout ce que nous faisons, expliqua Roland. C'est notre intermédiaire avec le quartier général des opérations interarmes.

— Le Dr Carpenter et moi venons de découvrir que nous étions presque voisins. Nous sommes membres de la même chasse à courre, et elle était à l'école avec ma petite sœur. Je n'arrive pas à comprendre que nous ne nous soyons jamais rencontrés avant.

À son grand étonnement, Janine s'aperçut alors que Roland était jaloux. Il la prit par le bras et l'entraîna.

— Excusez-nous, Douglas, je veux présenter mes gars à Bugsy...

— Bugsy ! Par exemple ! Tous ces coloniaux sont des barbares, fit Douglas Hunt-Jeffreys en secouant la tête avec incrédulité avant de s'éloigner pour aller se servir un autre gin tonic.

— Tu ne l'aimes pas ! dit Janine qui ne résista pas à la tentation d'exciter un peu la jalousie de Roland.

— Il fait bien son boulot.

— Je l'ai trouvé plutôt mignon.

— Perfide Albion.

— Qu'est-ce que tu veux dire ?

— C'est un Rosbif.

— Moi aussi, dit-elle avec un sourire légèrement crispé. Et si tu remontes un peu en arrière, toi aussi tu es un Rosbif, Roland Ballantyne.

— La différence, c'est que toi et moi sommes de bons Rosbifs alors que Douglas Hunt-Jeffreys est un con. Doublé d'un cochon.

— Oh, chic ! Encore un.

Il rit avec elle.

— S'il y a quelque chose que j'aime bien, ce sont les nymphomanes qui n'en font pas mystère.

— Alors nous allons bien nous entendre, toi et moi, dit-elle en lui prenant le bras en un geste de conciliation.

Il la conduisit à un groupe de jeunes gens au bout du bar. Avec leurs cheveux courts et leur teint frais, ils avaient l'air de collégiens, mais leur regard avait la froideur de la pierre — des « yeux de mitrailleurs », aurait dit Hemingway.

— Nigel Taylor, Nandélé Zama, Peter Sinclair, les présenta Roland. Ils ont failli rater la fête. Ils sont rentrés de la brousse il y a deux heures à peine. Ce matin, ils sont entrés en contact avec les terroristes près de la Gwaai. Ça s'est bien passé — vingt-six tués chez l'ennemi.

Janine hésita sur le choix des mots, puis dit d'une voix éteinte « Remarquable ! » plutôt que « Félicitations ! », les deux expressions étant tout à fait inappropriées s'agissant de la mort de vingt-six êtres humains. Cela parut cependant suffire.

— Allez-vous monter le colonel ce soir, Donna ? demanda le jeune sergent matabélé avec enthousiasme.

Janine se hâta de regarder Roland en espérant quelques éclaircissements. Même dans cette réunion de famille, la question paraissait passablement indiscrète. Roland sourit de son embarras.

— Tradition du mess. À minuit, le sergent et moi devons faire la course jusqu'à la porte principale, aller-retour. Princesse Gondélé sera son jockey, et on attend de vous, je le crains, que vous me fassiez l'honneur d'être le mien.

— Vous n'êtes pas aussi grosse que Princesse, estima le jeune Matabélé en promenant un regard appréciateur sur Janine. Je parie dix dollars sur vous, Donna.

— Bonté divine. J'espère que nous ne vous décevrons pas.

À minuit, l'excitation était à son comble, avec cette frénésie dont sont pris les hommes qui côtoient la mort quotidiennement et savent que cette heure joyeuse est peut-être la dernière. Ils jetaient des liasses de billets entre les mains de l'adjudant qui recevait les paris et se pressaient autour de leurs favoris pour les encourager par des cris rauques.

Debout sur une chaise de chaque côté de l'entrée du mess, Princesse et Janine avaient enlevé leurs chaussures et retroussé leur jupe pour la rentrer dans leur collant comme font les petites filles au bord de la mer. Dehors, la route goudronnée qui descendait jusqu'aux portes du camp était éclairée par les phares des véhicules de l'armée garés sur les bas-côtés et bordée par la foule sortie du mess, remplie de gin et pleine d'un enthousiasme chahuteur.

Le sergent-major Gondélé et Roland étaient montés sur le bar vêtus uniquement de leur pantalon et de jungle boots — Roland, la poitrine blanche et lisse, malgré sa taille avait l'air d'un petit garçon à côté d'Ésaü Gondélé, géant noir au crâne rasé et aux épaules musculeuses.

— Sergent, faites-moi encore un croche-pied cette fois-ci et je vous arrache la tête.

Ésaü lui tapota l'épaule d'un air paterne.

— Désolé, patron, mais vous n'avez jamais été assez près pour que je vous fasse un croche-pied.

L'adjudant prit les derniers paris, puis, d'un pas incertain, grimpa à son tour sur le bar, son revolver de service dans une main, un verre dans l'autre.

— La ferme, tout le monde. Au coup de pistolet, les deux concurrents devront s'envoyer un litre de bière. Quand leur bouteille sera vide, ils pourront prendre sur leur dos l'une de ces belles dames. (Tonnerre d'applaudissements et de sifflets.) Je vous ai dit de la fermer, les gars ! lança l'adjudant d'un ton qui se voulait sévère en oscillant dangereusement au bord du bar. Vous connaissez tous les règles.

— Abrège !

L'adjudant fit un geste de résignation, pointa son pistolet vers le plafond et pressa sur la détente. Il y eut une détonation et l'une des lampes s'éteignit tandis que les fragments de l'ampoule fracassée pleuvaient sur le crâne rasé de l'adjudant.

435

— Je crois que j'ai oublié de mettre des balles à blanc, murmura-t-il d'un air affolé, mais plus personne ne s'intéressait à lui.

Le sergent-major Gondélé et Roland avaient la tête renversée en arrière, le cul de leur bouteille pointé vers le plafond, et leur gorge battait régulièrement tandis qu'ils ingurgitaient leur bière. Gondélé acheva la sienne une seconde avant Roland, sauta du bar, rota un bon coup et jeta sur ses épaules Princesse qui poussait des cris aigus. Il était sorti de la pièce avant que Janine ait eu le temps de passer ses jambes nues autour du cou de Roland.

Celui-ci méprisa les marches de la véranda et sauta par-dessus la balustrade. Habituée des chasses à courre, Janine ne réussit à rester sur ses épaules que grâce à un miracle d'équilibre et en s'agrippant avec force aux cheveux de Roland, mais ils avaient repris deux mètres sur l'avance du Matabélé. Ils le talonnèrent tout le long de la longue allée, jungle boots martelant le sol, Roland grognant à chaque foulée, Janine rebondissant et se balançant sur ses épaules. Les spectateurs poussaient des hurlements et appuyaient sur les klaxons des camions garés, si bien que le vacarme était assourdissant.

Ils atteignirent l'entrée du camp. La sentinelle noire reconnut Roland et le salua avec un luxe de fioritures.

— Repos ! lança Roland en prenant le virage dans le sillage de Gondélé, puis, haletant, à sa cavalière : Essaie de désarçonner Princesse !

— C'est de la triche ! protesta Janine.

— C'est la guerre, baby !

Gondélé montait la côte à foulées pesantes en soufflant comme un bœuf, ses muscles luisant de sueur dans la lumière des phares, alors que Roland, encore à deux pas derrière lui, courait avec légèreté. Janine sentait la force dégagée par son corps comme de l'électricité, mais s'il commençait à rattraper centimètre par centimètre son retard sur Gondélé, c'était surtout grâce à cette même rage de vaincre qui s'était emparée de lui sur le court de King's Lynn.

Brusquement, ils se retrouvèrent côte à côte, poussant leur cœur et leur corps au-delà des limites de leurs forces. Cela devenait finalement un affrontement de deux volontés — c'était à celui des deux qui serait capable de supporter le plus longtemps la souffrance.

Janine jeta un coup d'œil vers Princesse et vit à son expression déterminée qu'elle s'attendait de sa part à quelque coup bas. Toutes deux savaient que cela faisait partie du jeu, et Princesse avait entendu Roland en donner l'ordre à sa cavalière.

— Ne vous inquiétez pas, lui lança Janine, qui eut droit à un sourire reconnaissant.

Les deux hommes arrivèrent épaule contre épaule dans la courbe de l'allée, la pelouse s'étendant devant eux. Sous elle, Janine sentit Roland faire appel presque mystiquement à des réserves vraisemblablement inexistantes. Il lui semblait inconcevable qu'on puisse fournir un tel effort pour gagner un concours aussi puéril — un homme normal n'aurait pas pu le faire, un homme parfaitement sain d'esprit ne l'aurait pas fait. Il y avait chez Roland Ballantyne une sauvagerie, une folie qui l'effrayait et en même temps la transportait.

Dans la lumière éblouissante des phares et les rugissements de la foule, Roland Ballantyne brûla tout simplement la politesse à son concurrent et le laissa sur place, ahanant à une demi-douzaine de pas derrière lui, tandis qu'il grimpait quatre à quatre les marches de la véranda, entrait en trombe dans le mess et déposait Janine sur le bar.

— Je t'avais dit quelque chose, rugit-il en tendant vers le sien son visage affreusement rouge et enflé de colère. Ne me désobéis plus jamais !

À cet instant, elle eut vraiment peur de lui. Roland se dirigea ensuite vers Ésaü Gondélé ; les deux hommes s'enlacèrent et sanglotèrent de rire et d'épuisement, puis titubèrent en cercle en essayant de se soulever mutuellement.

— Vos gains, mon commandant, dit l'adjudant en lui fourrant dans la main un rouleau de billets.

— Venez, les gars, aidez-moi à les boire, lança-t-il encore essoufflé.

Ésaü Gondélé but une gorgée de sa bière puis versa le reste sur la tête de Roland.

— Excuse-moi, Nkosi, fit-il en éclatant de rire, mais ça faisait longtemps que j'en avais envie.

— Voilà, ma chère, une soirée typique avec les Scouts Ballantyne. (Janine se tourna vers la voix pour se retrouver face à Douglas Hunt-Jeffreys, son fume-cigarette en ivoire entre les dents.) Peut-être qu'un jour, lorsque vous serez lasse de cette atmosphère de club de rugby universitaire et que votre futur sera dans la brousse, un peu de compagnie civilisée vous fera plaisir pour changer.

— La seule chose qui m'intéresse chez vous, c'est de savoir ce qui vous amène à penser que cela pourrait m'intéresser.

— Si vous avez envie de le savoir, c'est que vous êtes déjà intéressée, chérie.

— Vous êtes impertinent. Je pourrais très bien le dire à Roland.

— Vous pourriez, admit-il. Mais j'ai toujours aimé vivre dangereusement. Bonsoir, docteur Carpenter, j'espère que nous nous reverrons.

Lorsqu'ils quittèrent le mess, il était plus de deux heures du matin. Malgré tout l'alcool qu'il avait bu, Roland conduisait comme à l'ordinaire, très vite et très bien. En arrivant devant chez elle, il la porta dans les escaliers en dépit de ses protestations.

— Tu vas réveiller tout l'immeuble !

— S'ils ont le sommeil aussi léger... Attends d'être là-haut. Ils vont t'envoyer des lettres d'avocat ou des cartes de vœux pour te souhaiter un bon rétablissement.

Après lui avoir fait l'amour, il s'endormit instantanément. Allongée près de lui, elle regardait son visage éclairé par la lumière clignotante rouge et orange de l'enseigne au néon de la station-service d'en face. Détendu dans le sommeil, il était encore plus beau qu'éveillé, mais elle se prit brusquement à songer à Craig Mellow, à sa drôlerie et à sa gentillesse.

« Ils sont si différents, pensa-t-elle. Et pourtant je les aime tous les deux, de façon différente. »

Elle était si troublée qu'elle ne s'endormit que lorsque la lumière de l'aube, à travers les rideaux de la chambre, submergea celle du néon.

Elle eut l'impression que Roland la réveillait presque tout de suite.

— Petit déjeuner, jeune fille, ordonna-t-il. J'ai une réunion à neuf heures au quartier général des opérations interarmes.

Ils s'installèrent sur le balcon au milieu de la forêt miniature de plantes en pots et mangèrent une brouillade aux champignons.

— Je sais que c'est généralement une prérogative de la mariée, Bugsy, mais pourrions-nous arrêter une date autour de la fin du mois prochain ?

— Si vite ? Peux-tu m'expliquer pourquoi ?

— En partie. Sache seulement qu'après cela, nous allons entrer en quarantaine, et il se peut que je disparaisse de la circulation pendant quelque temps.

— En quarantaine ? s'étonna-t-elle en posant sa fourchette.

— Lorsque nous commençons à nous préparer et nous entraîner pour une opération spéciale, nous nous isolons complètement. Il y a eu trop de fuites récemment. Nos gars sont trop souvent tombés dans des guets-apens. Un gros coup se prépare, et toute l'équipe va être consignée dans un camp spécial, et personne, pas même moi, ne sera autorisé à avoir des contacts avec l'extérieur avant la fin de l'opération, même avec les membres de sa famille ou sa femme.

— Où se trouve ce camp ?

— Je ne peux pas te le dire, mais ça me va tout à fait de passer notre lune de miel aux chutes Victoria, comme tu le voulais. Ensuite, nous reviendrons ici en avion, et j'entrerai tout de suite en quarantaine.

— Oh, chéri, c'est si précipité. Il y a tant de choses à arranger. Je ne sais pas si papa et maman pourront être là à temps.

— Appelle-les.

— D'accord. Mais je n'aime pas l'idée que tu doives partir si vite ensuite.

— Je le sais. Il n'en sera pas toujours ainsi. (Il regarda sa montre.) Il est temps que j'y aille. Je serai un peu en retard ce soir, je veux parler à Sonny. On m'a dit qu'il s'était réinstallé sur son bateau.

Elle essaya de cacher son trouble.

— Sonny ? Pourquoi veux-tu le voir ?

Quand Roland lui en dit la raison, elle ne trouva rien à dire et garda les yeux fixés sur lui avec consternation.

Dès qu'elle arriva au musée, Jonine lui téléphona à l'armurerie de la police.

— Craig, il faut que je te voie.

— Formidable ! Je préparerai le dîner.

— Non, non... immédiatement. Il faut que tu quittes ton travail.

Il rit.

— Je ne l'ai que depuis quelques mois. Même pour moi, ce serait un record.

— Dis-leur que ta mère est malade.

— Je suis orphelin.

— Je sais, chéri, mais c'est une question de vie ou de mort.

— Comment m'as-tu appelé ?

— Ça m'a échappé.

— Redis-le.

— Craig, ne sois pas stupide.

— Dis-le.

— Chéri.

— On se voit où et quand ?

— Dans une demi-heure au kiosque à musique du jardin public. C'est une mauvaise nouvelle, Craig.

Elle raccrocha sans lui laisser le temps de dire autre chose.

C'est elle qui le vit la première. Il arrivait en bondissant

439

comme un jeune saint-bernard sur ses jambes trop longues, ses cheveux pointant en épi sous sa casquette, les traits froncés par l'inquiétude, mais quand il la vit assise sur les marches du kiosque peint en blanc, son visage se détendit et ses yeux s'éclairèrent. Ce jour-là, elle eut de la peine à soutenir ce regard si doux.

— Bon Dieu, dit-il, j'avais oublié à quel point tu es belle.

— Ne restons pas là, marchons.

Elle ne pouvait le regarder, mais quand il lui prit la main, elle ne put se résoudre à la retirer. Aucun des deux ne parla avant qu'ils arrivent à la rivière. Debout sur la berge, ils regardèrent une petite fille en robe blanche et rubans roses qui jetait des miettes de pain aux canards.

— Il fallait que je te le dise d'abord, dit-elle. Je te dois au moins ça.

Elle le sentit se figer, mais ne pouvait toujours pas le regarder ni retirer sa main de la sienne.

— Avant que tu dises quoi que ce soit, je veux te répéter ce que je t'ai déjà dit. Je t'aime, Jan.

— Oh, Craig.

— Tu me crois ?

Elle hocha la tête et avala sa salive.

— Bon, maintenant vas-y, dis-moi ce que tu as à me dire.

— Roland m'a demandé de l'épouser. (La main de Craig commença à trembler.) Et j'ai dit oui.

— Mais pourquoi, Jan ?

Elle retira sa main brusquement.

— Bon sang, pourquoi faut-il toujours que tu poses les questions qu'il ne faut pas !

— Pourquoi ? insista-t-il.

— Parce que je l'aime plus que toi, répondit-elle, toujours en colère. Qu'aurais-tu fait à ma place ?

— Si c'est comme ça, je pense que tu as raison. (Elle le regarda enfin. Il était tout pâle.) Roly a toujours gagné. Je te souhaite d'être très heureuse, Jan.

— Oh, Craig, je suis désolée.

— Oui, je sais. Moi aussi. Laissons ça, veux-tu. Il n'y a plus rien à ajouter.

— Si. Roland va venir te voir ce soir. Il veut te demander d'être son témoin.

Roland se tenait à côté de la table d'opérations, une immense carte en relief du Matabeleland. La répartition des diverses unités des forces de sécurité était indiquée par des petites fiches

440

amovibles et leur force par des cartes numérotées insérées dans chaque fiche comme sur un porte-menu. Chaque arme avait sa propre couleur : les Scouts Ballantyne étaient bordeaux. D'après les fiches, ils étaient deux cent cinquante cantonnés à la caserne de Thabas Indunas, mais il y avait encore une patrouille de cinquante hommes près de la Gwaai, lancée à la poursuite des survivants des sévères affrontements de la veille.

À l'autre bout de la table, le lieutenant-colonel Douglas Hunt-Jeffreys tapa avec la baguette dans la paume de sa main gauche.

— Entendu ! acquiesça-t-il. L'opération ne vise que les têtes. Revoyons ça depuis le début, si vous le voulez bien.

Ils étaient seulement tous les deux dans la salle d'opérations, et la lumière rouge de sécurité était allumée au-dessus de la porte métallique.

— Le nom de code est Buffalo, dit Roland. L'opération a pour objet d'éliminer Josiah Inkunzi et l'un ou tous ses seconds : Tébé, Chipeto et Tungata.

— Tungata ?

— Un nouveau, expliqua Roland.

— Poursuivez, je vous prie.

— Nous les cueillerons dans leur retraite de Lusaka, à une date indéterminée après le 15 novembre, moment auquel Inkunzi doit normalement revenir d'un voyage en Hongrie et en Allemagne de l'Est.

— Serez-vous informé de son retour ? demanda Douglas, puis, sur l'acquiescement de Roland : Pouvez-vous me dire par quelle source ?

— Non, pas même à vous, mon cher Dougie.

— Soit, dans la mesure où vous avez la certitude qu'Inkunzi est bien là avant de vous mettre en marche.

— À partir de maintenant, nous l'appellerons Buffalo.

— Comment allez-vous pénétrer en Zambie ?

— Par voie de terre. Une colonne de Land Rover avec plaques de la police zambienne, et tous les hommes porteront l'uniforme des policiers locaux.

Douglas leva un sourcil.

— Et que faites-vous de la convention de Genève ?

— Ruse de guerre légitime, riposta Roland.

— Ils vous abattront s'ils vous attrapent.

— Ils le feraient de toute façon, uniformes ou pas. Le tout sera de ne pas nous laisser prendre.

— Bon. Donc, vous partez par la route. Laquelle ?

— Livingstone-Lusaka.

— Un long trajet en territoire hostile, et notre aviation a fait sauter les ponts de Kaleya.

441

— Il y a une autre route en amont. Un guide nous attendra pour nous y conduire à travers la brousse.

— Cette question est réglée, mais comment allez-vous traverser le Zambèze ?

— Il y a un gué en aval de Kazungula.

— Vous vous êtes évidemment assuré qu'il était praticable ?

— Nous avons fait un essai avec un véhicule, en utilisant le treuil et des flotteurs. Neuf minutes pile. Nous ferons passer tout le corps expéditionnaire en moins de deux heures. Puis une piste nous amènera sur la route nationale à cinquante kilomètres au nord de Livingstone.

— Et le réapprovisionnement ?

— Le guide qui nous attendra à Kaleya est un Blanc, un producteur de maïs. Il a du carburant. Et nous serons appuyés par des hélicoptères.

— Je suppose que vous utiliserez aussi les hélicos pour évacuer les hommes si l'opération avorte ?

— Tout juste, Dougie. Prions que ce ne soit pas nécessaire.

— Passons à la question des effectifs. Combien d'hommes allez-vous amener ?

— Quarante-cinq Scouts, y compris le sergent-major et moi-même, plus dix spécialistes.

— Des spécialistes ?

— Nous nous attendons à trouver une masse importante de documents au quartier général de Buffalo. Probablement telle que nous ne pourrons tout emporter. Nous avons besoin d'au moins quatre experts en renseignements pour faire le tri sur place entre ce que nous garderons et ce que nous brûlerons. Vous vous chargerez de les sélectionner.

— Et les autres spécialistes ?

— Deux toubibs. Henderson et son assistant. Nous les avons déjà utilisés.

— Très bien, et les autres ?

— Des spécialistes des explosifs pour débarrasser la maison des objets piégés, en déposer quand nous partirons et faire sauter les ponts derrière nous sur le chemin du retour.

— Des armuriers de Salisbury ?

— Je peux déjà avoir deux types de valeur ici même à Bulawayo. L'un est mon cousin.

— Parfait. Faites-moi parvenir une liste des noms. (Douglas retira soigneusement le mégot de son fume-cigarette et prit une autre Gold Leaf.) Avez-vous déjà choisi le site du camp d'entraînement ?

— J'avais pensé au Wankie Safari Lodge près du marécage de

442

Dete. C'est à quatre heures de route du Zambèze, et il n'y a plus qu'un gardien depuis que la mine a été abandonnée.

— Un quatre étoiles... les Scouts se ramollissent, remarqua Douglas en souriant. C'est d'accord, je vais arranger ça. (Il prit une note, puis leva les yeux vers Roland.) Venons-en aux dates. Quand pouvez-vous être prêts à partir ?

— Le 15 novembre. Cela nous laisse huit semaines pour réunir le matériel et préparer le raid...

— Cela colle probablement aussi avec la date de votre mariage, n'est-ce pas ? coupa Douglas en tapotant son fume-cigarette contre ses dents, réjoui de voir Roland Ballantyne se mettre en colère.

— La date du raid n'a rien à voir avec mes affaires personnelles ; son choix sera uniquement dicté par les déplacements de Buffalo. Quoi qu'il en soit, mon mariage aura lieu une semaine avant le début de la quarantaine. Janine et moi allons passer notre lune de miel au Victoria Falls Hotel, qui se trouve à deux heures de route seulement du Wankie Safari Lodge. Elle rentrera à Bulawayo en avion et moi, je me rendrai directement au camp d'entraînement.

Douglas leva la main en un geste défensif avec un sourire moqueur.

— Du calme, mon vieux, ne vous mettez pas dans tous vos états. Je demandais ça par pure politesse. Soit dit en passant, je pense que la poste a dû égarer mon invitation au mariage...

Mais Roland s'était replongé dans sa liste et l'étudiait avec toute son attention.

Étendu sur le grand lit de la chambre fraîche aux volets clos, Douglas Hunt-Jeffreys examinait la femme nue allongée près de lui. Elle ne l'avait d'abord guère inspiré avec son visage pâlot marqué par l'acné et son regard fixe derrière ses lunettes à monture d'écaille, son comportement brusque, agressif, presque masculin, et sa violence contenue de militante politique. Mais une fois dépouillée de son pull et de sa jupe sans forme, de ses épaisses chaussettes de laine et de ses sandales grossières, elle avait révélé un corps mince, presque d'adolescente, et de jolis petits seins que Douglas avait trouvés tout à fait à son goût. Lorsqu'elle avait retiré ses lunettes, son regard fixe s'était adouci et avait pris ce flou tout à fait charmant qui caractérise les myopes. Enfin, elle avait répondu aux caresses de Douglas avec une fougue qui l'avait d'abord surpris puis enchanté. Il avait constaté qu'il pouvait l'amener à un état d'excitation épileptique, presque catatonique, dans lequel elle était entièrement soumise

443

à sa volonté, sa perversité n'ayant alors d'autres limites que celles dictées par l'imagination féconde de Douglas.

« La peste soit des belles femmes ! pensa-t-il en souriant intérieurement. Ce sont les vilains petits canards qui sont les meilleures affaires ! »

Ils étaient ensemble depuis le milieu de la matinée, et il était à présent... — en faisant attention de ne pas la réveiller, il regarda sa Rolex en or — il était deux heures de l'après-midi, une séance marathon, même pour lui.

« La pauvre est complètement épuisée. » Il avait une envie terrible d'une cigarette, mais décida de la laisser dormir encore dix minutes. Rien ne pressait. Il pouvait s'accorder encore un peu de repos et réfléchir tranquillement à ce qui l'occupait.

Comme beaucoup de bons chefs de réseau, il s'était rendu compte que les relations sexuelles avec ses agents féminins, et occasionnellement avec certains de ses agents masculins, constituaient un moyen efficace de manipulation, un raccourci permettant de créer des liens de dépendance et de fidélité, si indispensables dans son métier. Le cas présent était un bon exemple. Sans cette intimité physique, le Dr Leila Saint John eût été un sujet difficile et imprévisible, alors que grâce à elle, cet agent était devenu un des meilleurs qu'il ait jamais eus.

À la suite d'un hasard de la guerre, Douglas Hunt-Jeffreys était né avec la nationalité rhodésienne. Son père était venu en Afrique au début de la Seconde Guerre mondiale pour prendre le commandement du camp d'entraînement de la Royal Air Force à Gwelo. Il y avait rencontré et épousé une fille du cru, et Douglas avait été mis au monde en 1941 par le médecin de l'armée. La famille était repartie en Angleterre à la fin de la période de service de son père, et Douglas avait suivi la voie familiale toute tracée : Eton d'abord, puis la Royal Air Force.

Sa carrière avait ensuite pris un tour inhabituel, et il s'était retrouvé dans les services secrets de l'armée britannique. En 1964, lorsque Ian Smith était devenu Premier ministre de Rhodésie et avait commencé à faire connaître son intention de rompre avec la Grande-Bretagne en déclarant unilatéralement l'indépendance du pays, Douglas Hunt-Jeffreys était apparu comme l'homme idéal pour devenir sur place l'agent des services secrets britanniques. Il était retourné en Rhodésie, avait repris sa nationalité rhodésienne, intégré l'armée de l'air locale et commencé immédiatement à faire son chemin dans la hiérarchie.

Il était à présent chef coordinateur des services secrets britanniques pour tout le territoire, et le Dr Leila Saint John, l'une de ses recrues. Elle ignorait naturellement pour qui elle travaillait en dernier ressort — toute allusion aux services secrets d'une armée, quelle qu'en fût la nationalité, l'eût fait immédiatement grimper en haut d'un arbre comme un chat effarouché. Douglas sourit paresseusement en évoquant cette image. Leila Saint John pensait faire partie d'un groupuscule gauchiste de guérilleros résolus à arracher de haute lutte le pays où elle était née aux conquérants fascistes et racistes, et à le livrer aux joies du communisme marxiste.

Par contre, le but de Douglas Hunt-Jeffreys et de son gouvernement était de parvenir à un accord satisfaisant pour les Nations unies, les États-Unis, la France et l'Allemagne de l'Ouest, ainsi que leurs autres alliés occidentaux, et de se tirer d'une situation embarrassante, compliquée et coûteuse avec toute la dignité et la promptitude possibles, de préférence en laissant aux affaires les leaders les plus acceptables de la guérilla.

D'après les estimations des services secrets britanniques et américains, en dépit de sa rhétorique d'extrême gauche et de l'aide militaire qu'il avait sollicitée et obtenue de la Chine communiste et des pays du bloc soviétique, Josiah Inkunzi était un pragmatique. Du point de vue des Occidentaux, il était de loin un moindre mal. Son élimination permettrait à une horde de monstres marxistes de la pire espèce de prendre le pouvoir et de livrer le Zimbabwe encore à naître aux griffes du l'ours rouge.

Autre considération, l'assassinat d'Inkunzi par les Rhodésiens aurait pour effet de ranimer l'ardeur combative du gouvernement rhodésien d'alliance conservatrice et de rendre Ian Smith et son équipe de ministres de droite encore moins disposés à entendre raison qu'ils ne l'avaient été jusque-là. Bref, il était essentiel que la vie de Josiah Inkunzi soit protégée à tout prix. Douglas Hunt-Jeffreys chatouilla doucement sa partenaire endormie.

— Réveille-toi, ma chatte, dit-il. Nous avons à discuter.

Leila s'assit et s'étira, puis elle gémit doucement et se palpa avec précaution.

— Ah! murmura-t-elle d'une voix rauque. J'ai mal partout, dedans et dehors, et c'est bigrement agréable.

— Allume-nous une cigarette, ordonna-t-il. (Elle en plaça une avec dextérité dans le fume-cigarette en ivoire, l'alluma et la lui donna.) Quand attends-tu le prochain courrier de Lusaka?

Il souffla un rond de fumée qui flotta autour d'un sein de Leila comme de la brume au sommet d'une colline.

— Il est en retard, dit-elle. Je t'avais parlé de l'Umlimo.

— Oh, oui, c'est exact, acquiesça Douglas. Le médium spirite.

— Les dispositions pour assurer son transfert ont été prises, et Lusaka envoie un haut dirigeant du parti, probablement un commissaire, pour la prendre en charge. Nous l'attendons d'un moment à l'autre.

— Il semble que c'est se donner beaucoup de mal pour une vieille sorcière sénile.

— Elle est le chef spirituel du peuple matabélé, objecta farouchement Leila. Sa présence dans l'armée révolutionnaire aura un effet inestimable sur son moral.

— Oui, je comprends, tu justifies ces superstitions, dit Douglas en lui caressant la joue pour la calmer. Lusaka envoie donc un commissaire du peuple. C'est une bonne chose, bien que je m'étonne toujours de la façon dont ils franchissent la frontière dans les deux sens, entrent et sortent des villes, et sillonnent le pays aussi facilement.

— Aux yeux du Blanc lambda, les Noirs se ressemblent tous, expliqua Leila. Il n'y a pas de système de laissez-passer ou de passeports, chaque village sert de base et presque tous les Noirs sont des alliés. Tant qu'ils ne transportent ni armes ni explosifs, ils peuvent prendre le car ou le train et franchir les barrages routiers en toute impunité.

— C'est très bien. Dans la mesure où les informations que j'ai à te donner partent pour Lusaka dès que possible.

— La semaine prochaine au plus tard, promit Leila.

— Les Scouts Ballantyne sont en train de préparer une opération de grande envergure pour coincer Inkunzi et son état-major à leur quartier général de Lusaka et les éliminer.

— Oh, mon Dieu, ce n'est pas possible ! s'exclama Leila, interdite.

— Je crains que si, à moins que nous ne puissions les avertir à temps. Voici quels sont les détails. Garde bien tout en mémoire.

Le vieux car suivait la route sinueuse entre les collines, laissant derrière lui une longue traînée de fumée noire qui dérivait mollement, emportée par une brise légère. La galerie croulait sous des ballots ficelés, des boîtes en carton, des valises bon marché, des poules caquetantes dans des cages en écorce tressée et baguettes de bois vert recourbées, et d'autres paquets moins aisément identifiables.

Le conducteur écrasa la pédale de frein en voyant le barrage, les bavardages et les rires des passagers se turent pour faire place à un lourd silence. Dès que le car s'arrêta, les passagers noirs sortirent en masse par la porte de devant et, sur ordre des policiers armés, se séparèrent en deux groupes, les hommes d'un côté, les femmes et les enfants de l'autre. Pendant ce temps-là,

446

deux policiers noirs montaient à bord du car pour le fouiller et vérifier qu'il n'y avait pas de fugitifs ou d'armes cachés sous les sièges.

Le camarade Tungata Zebiwe était dans le groupe des passagers. Il portait un chapeau à bord flottant, une chemise en lambeaux, un short kaki et des tennis crasseuses et déchirées à travers lesquelles pointaient ses gros orteils. Il ressemblait de façon parfaite au manœuvre itinérant qui constituait l'immense majorité de la main-d'œuvre du pays. Il ne risquait rien tant que la police procédait à une vérification de routine, mais il avait toute raison de penser que celle-ci ne le serait pas.

Après avoir passé le Zambèze à gué pendant la nuit et franchi le cordon sanitaire, il avait poursuivi son chemin vers le sud à travers la bande de territoire abandonnée par les Blancs et atteint la grand-route près des mines de charbon de Wankie. Il voyageait seul et était muni de faux papiers prouvant qu'il avait été congédié deux jours plus tôt des houillères. Cela devait suffire pour lui permettre de franchir tout barrage ordinaire.

Cependant, deux heures après être monté à bord du car bondé, alors qu'ils approchaient des faubourgs de Bulawayo, il s'était aperçu soudain qu'un autre courrier de la ZIPRA se trouvait parmi les passagers. C'était une Matabélé proche de la trentaine qui avait été en même temps que lui au camp d'entraînement en Zambie. Elle était habillée comme une paysanne et portait un bébé sur son dos à la manière traditionnelle. Tandis que le bus poursuivait sa route vers le sud en vrombissant, Tungata l'observait à la dérobée en espérant qu'elle ne transportait pas de matériel compromettant. Si tel était le cas et si elle se faisait prendre à un barrage, tous les autres passagers du car seraient soumis à un contrôle en règle, avec relevé des empreintes digitales, et, en tant qu'ex-employé de l'administration rhodésienne, Tungata avait ses empreintes fichées.

Bien qu'étant son alliée et sa camarade, la femme représentait pour lui un danger mortel. Elle était un pion sans importance, un simple courrier sacrifiable, mais que transportait-elle en ce moment ? Il la regardait subrepticement pour essayer de trouver un indice révélateur de sa position dans la hiérarchie, puis son attention fut soudain attirée par le bébé qu'elle portait sur son dos, enveloppé dans son boubou. Dans un accès de terreur, Tungata se rendit compte du pire. La femme était en mission. Si elle se faisait prendre, c'en était fait de lui aussi presque certainement.

Et il était là à présent en train de faire la queue avec les autres passagers masculins en attendant d'être fouillé par les policiers, tandis qu'à l'autre bout du car, les femmes formaient une file séparée. Les femmes flics allaient les fouiller à fond. La messagère était au cinquième rang de la queue ; elle secouait doucement le bébé endormi, dont la petite tête oscillait d'un côté et de l'autre. Tungata ne pouvait attendre plus longtemps.

Brusquement, il se fraya un chemin en tête de la queue et s'adressa d'un ton pressant mais calme au sergent noir qui dirigeait la fouille. Tungata désigna délibérément la fille. Elle vit le doigt accusateur pointé vers elle, jeta un regard circulaire puis partit en courant.

— Arrêtez-la ! beugla le sergent.

La fille desserra la bande de tissu qui maintenait le bébé sur son dos et laissa l'enfant tomber par terre. Libérée de son fardeau, elle se précipita vers les épaisses broussailles épineuses qui bordaient la route. Le barrage avait cependant été installé pour empêcher les fuites de ce genre, et deux policiers sortirent de leur cachette dans les fourrés. La fille fit demi-tour mais ils l'avaient prise au piège, et un violent coup de crosse l'envoya s'étaler dans l'herbe. Ils la ramenèrent vers le car. Elle se débattait, donnait des coups de pied, crachait comme une chatte furieuse. Quand elle passa près de Tungata, elle lui cria :

— Espèce de traître, nous te mangerons ! Tu vas mourir, chacal !

Tungata la regardait avec une indifférence bovine.

L'un des policiers ramassa le bébé tout nu là où la fille l'avait laissé tomber, et il s'exclama immédiatement :

— Il est froid ! (Il tourna le corps avec précaution, et les petits membres retombèrent inertes.) Il est mort ! dit-il avec saisissement, puis il sursauta de nouveau. Regardez ! Regardez ça !

Le corps de l'enfant avait été vidé comme celui d'un poisson. L'incision courait de l'aine à la gorge en passant par l'estomac et le sternum, et la plaie avait été recousue avec de la ficelle et des gros points de cordonnier. Écœuré, le capitaine de la police, un Blanc, coupa les points de suture et la cavité s'ouvrit toute grande. Elle était remplie de cordes de plastic brun.

— Très bien, dit-il en se relevant. Gardez-les tous. Nous allons procéder à une fouille complète de tous ces salauds. (Puis il se tourna vers Tungata et lui donna une tape sur l'épaule.) Bien joué, ami. Tu pourras réclamer ta récompense au poste central. Cinq mille dollars... c'est pas mal, hein ! Tu n'auras qu'à leur remettre ça. (Il griffonna quelques mots sur son carnet et arracha la page.) C'est mon nom et mon grade. J'attesterai du bien-fondé de ta demande. L'une de nos Land Rover part pour Bulawayo dans quelques minutes... je leur demanderai de te déposer en ville.

Tungata se soumit docilement à la fouille habituelle à l'entrée de l'hôpital de la mission de Khami. Il était toujours vêtu de ses hardes d'ouvrier et portait sa fausse lettre de congédiement des houillères de Wankie.

— Tu es malade ? demanda l'un des gardes après avoir jeté un coup d'œil au document.

— J'ai un serpent dans l'estomac, répondit Tungata les mains jointes sur le ventre.

Un serpent dans l'estomac pouvait signifier aussi bien une colique qu'un ulcère du duodénum. Le garde éclata de rire.

— Le docteur va te retirer ton mamba. Va au service des consultations, dit-il en indiquant la porte latérale.

Tungata remonta l'allée avec une démarche gauche. La sœur matabélé à la réception du service le reconnut avec une légère réaction de surprise, puis elle reprit un visage de marbre, prépara sa fiche et lui indiqua une des banquettes où attendait déjà une foule de patients. Après une minute ou deux, elle quitta son bureau et se dirigea vers la porte marquée « Médecin de garde ».

Quand elle ressortit, elle désigna Tungata et dit :

— Tu passeras au tour suivant.

Tungata traversa le hall en traînant les pieds et entra. Leila Saint John vint joyeusement à sa rencontre dès qu'il eut refermé la porte derrière lui.

— Camarade commissaire ! murmura-t-elle en l'étreignant. J'étais si inquiète !

Elle l'embrassa sur les deux joues, et quand elle se recula, Tungata avait changé de physionomie : ce n'était plus un paysan obtus, mais de nouveau un redoutable guerrier, à la haute stature et au visage dangereusement impassible.

— Tu as des vêtements pour moi ?

Il se changea derrière le paravent et ressortit en boutonnant une blouse blanche d'infirmier. Sur son revers, il portait un badge avec le titre : « Dr G.J. Kumalo », ce qui évitait tout soupçon.

— J'aimerais savoir quelles dispositions tu as prises, dit-il en s'asseyant face à Leila de l'autre côté du bureau.

— J'héberge l'Umlimo dans notre pavillon de gériatrie depuis qu'elle a été amenée de la réserve des Matopos par ses disciples il y a six mois.

— Comment est-elle ?

— C'est une très vieille dame. Je ne doute pas qu'elle ait cent vingt ans, comme elle le prétend. C'était déjà une jeune femme quand les pirates de Cecil Rhodes sont entrés dans Bulawayo et ont pourchassé Lobengula jusqu'à ce qu'il en meure.

— Je t'ai demandé dans quel état elle est.

— Elle a souffert de malnutrition, mais je l'ai mise sous perfusion et elle va beaucoup mieux, bien qu'elle soit incapable de marcher et de contrôler ses intestins et sa vessie. C'est une albinos, et elle est atteinte d'une allergie cutanée, mais je lui ai prescrit une pommade antihistaminique et cela l'a beaucoup soulagée. Elle n'entend et ne voit presque plus, mais son cœur et ses autres organes vitaux sont remarquablement solides pour son âge. Qui plus est, elle a l'esprit clair et aiguisé, et semble parfaitement lucide.

— Est-elle en mesure de supporter un voyage ? insista Tungata.

— Elle est impatiente de le faire. Selon sa propre prophétie, elle doit traverser les grandes eaux avant que les sagaies du peuple matabélé ne l'emportent.

Tungata eut un geste d'impatience, et Leila Saint John l'interpréta.

— Tu fais peu de cas de l'Umlimo et de ses prédictions, n'est-ce pas, camarade ?

— Et toi, docteur ?

— Il est des domaines que notre science occidentale n'a pas encore pénétré. C'est une femme extraordinaire. Je ne dis pas que je crois tout ce qu'elle affirme, mais je suis consciente de la force qu'elle a en elle.

— Selon toi, elle sera extrêmement précieuse comme arme de propagande. Dans son immense majorité, notre peuple est encore sans instruction et superstitieux. Tu n'as toujours pas répondu à ma question, docteur. Est-elle en mesure de voyager ?

— Je pense que oui. Je lui ai préparé un traitement pour le voyage ainsi que des certificats médicaux qui devraient suffire à lui permettre de franchir les contrôles de sécurité jusqu'à la frontière zambienne. Je la ferai accompagner par l'une de mes meilleures infirmières, une Noire. J'y serais bien allée moi-même, mais je risque de trop attirer l'attention.

Tungata resta silencieux un bon moment, perdu dans ses pensées. Il avait une telle présence et une telle autorité que Leila attendit presque timidement ses prochaines paroles, impatiente de répondre à ses questions ou à ses ordres.

Quand il parla de nouveau, ce fut cependant pour dire d'un air songeur :

— Elle est aussi précieuse morte que vivante, et morte, elle serait plus facile à manier. Je pense que tu pourrais conserver son corps dans du formaldéhyde ou quelque chose de ce genre.

Malgré elle, Leila fut choquée, mais en même temps elle était impressionnée par le caractère impitoyable de Tungata, excitée par sa détermination implacable. Elle n'avait jamais rencontré un tel homme.

450

— Je prie pour que ce ne soit pas nécessaire, murmura-t-elle en le regardant.

— Je vais d'abord la voir et déciderai ensuite. J'aimerais le faire immédiatement.

Trois vieilles ratatinées étaient accroupies devant la porte de la chambre au dernier étage de l'aile gauche de l'hôpital. Elles étaient vêtues de peaux de chat sauvage, de chacal et de python, et portaient suspendus autour du cou et de la taille des gourdes et des fioles, des cornes fermées par un bouchon, des vessies de chèvre, des crécelles en os et des sacs en peaux contenant des os divinatoires.

— Ce sont ses vieilles disciples, expliqua Leila Saint John. Elles ne se sépareront pas d'elle.

— Elles le feront si je le décide, rétorqua Tungata à voix basse.

L'une d'elles se dirigea vers lui en sautillant, gémissant et reniflant, et elle tendit la main pour toucher sa jambe de ses doigts couverts de crasse. Tungata la repoussa du pied, ouvrit la porte de la chambre et entra, suivi par Leila, qui referma la porte derrière eux. C'était une petite pièce au carrelage nu et aux murs laqués blancs. Des médicaments et des instruments médicaux étaient rangés sur un plateau en acier inoxydable posé sur la table de nuit. La tête du lit monté sur roulettes était relevée et le frêle personnage qui y était allongé sous un simple drap n'était guère plus grand qu'un enfant. Au-dessus du lit était suspendu un goutte-à-goutte duquel descendait un tube en plastique transparent.

L'Umlimo dormait. Sa peau dépourvue de pigment, d'une teinte gris-rose poussiéreuse, était couverte de croûtes sombres jusque sur son pâle cuir chevelu. La peau de son crâne était si fine et fragile que l'os semblait luire à travers comme un galet poli sous la surface d'un torrent de montagne. Mais de ses sourcils au bord du drap remonté jusqu'à son menton, la peau était sillonnée d'un incroyable réseau de rides et de plis comme celle de quelque relique de l'âge des grands reptiles. Elle avait la bouche ouverte, ses lèvres couvertes de croûtes tremblaient à chaque respiration et un seul chicot restait sur ses gencives desséchées. Elle ouvrit les yeux, des yeux roses comme ceux d'un lapin blanc, profondément enfoncés dans des replis de peau grise, et baignant dans des mucosités.

— Salutations, vieille Mère, dit Leila en un ndébélé impeccable après s'être approchée d'elle et avoir touché sa joue ravagée par les ans. Vous avez une visite.

Un son funèbre sortit de la gorge de la vieille, et elle se mit à trembler, prise de convulsions en regardant fixement Tungata.

451

— Calmez-vous, vieille Mère, fit Leila inquiète. Il ne vous fera pas de mal.

La vieille femme sortit de dessous le drap un bras squelettique, le coude déformé par l'arthrite, la main pareille à une serre, avec des articulations noueuses et des doigts tordus qu'elle pointa vers Tungata.

— Fils de roi, père de rois, gémit-elle d'une voix étonnamment claire et forte. Roi qui sera au retour des faucons. *Bayété*, toi qui seras roi. *Bayété* !

C'était le salut réservé aux souverains, et Tungata resta pétrifié, envahi par une crainte superstitieuse. Sa peau vira au gris anthracite et des gouttes de sueur perlèrent sur son front. Leila Saint John recula jusqu'au mur, les yeux rivés sur la vieille femme frêle sur son lit haut perché. De la salive écumait sur les lèvres minces de l'Umlimo. Elle fit les yeux blancs et pourtant sa voix gémissante devint encore plus forte.

— Les faucons se sont envolés au loin. Il n'y aura pas de paix dans les royaumes des Mambos et des Monomatapas avant leur retour. Celui qui ramènera les faucons de pierre sur leur perchoir gouvernera ces royaumes. *Bayété*, hurla-t-elle finalement. Nkosi nkulu. Salut, Mambo. Vis éternellement, Monomatapa.

L'Umlimo salua Tungata en lui donnant tous les titres des anciens rois, puis elle retomba sur les oreillers. Leila se précipita à son chevet et plaça ses doigts autour de son poignet décharné.

— Elle va bien, dit-elle après un moment avant de lever les yeux vers Tungata. Que veux-tu que je fasse ?

Il se secoua comme un homme qui s'éveille d'un profond sommeil et avec la manche de sa blouse essuya la sueur glacée sur son front.

— Veille bien sur elle et fais en sorte qu'elle soit prête à partir demain matin. Nous allons l'emmener au nord du grand fleuve, dit-il.

Leila Saint John entra en marche arrière avec sa petite Fiat dans l'entrée des ambulances sur le côté du service des urgences, et, à l'abri des regards indiscrets, Tungata se glissa à l'intérieur par la portière de derrière et s'accroupit entre les sièges. Leila étendit sur lui un plaid en mohair et démarra en direction des portes de l'hôpital. Elle dit quelques mots à l'un des gardes, puis s'engagea dans l'allée transversale qui conduisait à sa résidence.

— Jusqu'ici, on n'a pas eu signe de vie des forces de sécurité, dit-elle sans se retourner ni bouger les lèvres. Il semble que ton arrivée soit passée inaperçue, mais nous ne prendrons néanmoins aucun risque.

Elle gara la voiture dans l'appentis qui avait été rajouté à la vieille bâtisse en pierre et, tout en prenant sa mallette et une pile de dossiers sur le siège, elle s'assura qu'ils n'étaient pas surveillés. Le jardin était caché de la route et de l'église par des buissons en fleur et des treillis couverts de plantes grimpantes.

Elle ouvrit la porte latérale de la maison et dit :

— Baisse-toi, s'il te plaît, et va aussi vite que possible.

Tungata se baissa pour sortir de la Fiat et la suivit dans la salle de séjour. Les volets et les rideaux étaient tirés, et la pièce plongée dans la pénombre.

— Ma grand-mère a construit cette maison après que la bâtisse d'origine eut brûlé pendant les troubles de 1896. Elle a heureusement pris des précautions au cas où ils se renouvelleraient dans l'avenir.

Leila traversa la pièce au plancher en teck couvert de peaux de bêtes et de tapis à gros motifs de couleurs vives.

Elle entra dans la grande cheminée, écarta la grille noircie et se servit de la garniture pour soulever une des grosses dalles d'ardoise qui formaient le sol du foyer. Tungata s'approcha et vit qu'elle avait découvert un puits carré dans l'une des parois duquel étaient taillées des marches.

— C'est là que le camarade Tébé s'est caché la nuit où les Scouts, les *kanka*, n'ont pas réussi à le trouver ? demanda-t-il.

— Oui, c'est là. Mieux vaudrait que tu y ailles tout de suite.

Il descendit prestement dans le trou et se retrouva dans l'obscurité. Leila referma la dalle et le suivit. Elle avança à tâtons le long du mur et appuya sur l'interrupteur. Une ampoule nue s'alluma au plafond de la petite cellule de pierre. Il y avait une table en planches où étaient empilés quelques vieux livres, un tabouret bas et, contre le mur opposé, d'étroits lits gigognes et des W-C chimiques.

— C'est pas très confortable, s'excusa-t-elle, mais personne ne te trouvera là.

— Il m'est arrivé d'être moins bien logé, assura Tungata. Faisons le point.

Elle posa sur la table les certificats médicaux, s'assit sur le tabouret et nota sous sa dictée ses directives concernant le transport de l'Umlimo.

— Mémorise tout cela et détruis le papier, dit-il quand elle eut fini.

— Très bien.

Il la regarda pendant qu'elle relisait soigneusement la liste, puis elle leva les yeux.

— Bon, maintenant, il faut que tu transmettes un message au camarade Inkunzi de la part de notre ami en haut lieu, dit-elle.

— Donne-le-moi.

— Les Scouts Ballantyne, les *kanka*, préparent une opération dans le but d'abattre le camarade Inkunzi et ses proches collaborateurs. Ton nom est en bonne place sur la liste.

Tungata garda un visage impassible.

— Tu as des détails ?

— Tous les détails, assura-t-elle. Voilà ce qu'ils vont faire...

Elle parla posément pendant près de dix minutes, et il ne l'interrompit pas. Quand elle eut terminé, il resta silencieux quelques instants, couché sur le lit, les yeux fixés sur l'ampoule électrique. Elle vit ensuite qu'il serrait les mâchoires et qu'un voile rouge opaque semblait recouvrir ses yeux. Quand il parla, ce fut avec une voix pleine de mépris.

— Le colonel Roland Ballantyne. Si nous pouvions mettre la main dessus ! Il est responsable, lui et ses *kanka*, de la mort de plus de trois mille de nos gens. Dans les camps, on prononce son nom à voix basse, comme s'il était une sorte de démon. Son nom suffit à transformer nos hommes les plus courageux en poltrons. Je l'ai vu à l'œuvre, lui et ses bouchers. Ah ! Si seulement nous pouvions l'attraper ! (Il se dressa sur son séant et se tourna vers elle, son regard plein de fureur.) Peut-être..., commença-t-il d'une voix étranglée et indistincte comme s'il était ivre de haine. C'est peut-être notre chance.

Il saisit Leila par l'épaule, ses doigts s'enfoncèrent profondément dans sa chair. Elle grimaça de douleur et essaya de se dégager, mais il la tint sans effort.

— Sa femme. Tu dis qu'elle rentrera en avion des chutes Victoria ? Peux-tu m'obtenir la date, l'heure et le numéro du vol ?

Elle acquiesça, terrifiée par sa force et sa fureur.

— Nous avons quelqu'un au service des réservations de la compagnie aérienne, murmura-t-elle sans plus chercher à se libérer de sa poigne. Je te procurerai l'information.

— Elle sera l'appât, dit-il, l'agneau qui va attirer le léopard dans le piège.

Elle apporta à manger et à boire à Tungata et attendit pendant qu'il prenait son repas. Pendant un moment, il mangea en silence, puis reparla soudain de l'Umlimo.

— Tu as entendu ce qu'a dit la vieille à propos de ces faucons de pierre ? (Leila hocha la tête.) Dis-moi ce que tu sais là-dessus.

— Eh bien, ces faucons de pierre sont emblématiques ; ils sont représentés sur le drapeau et la monnaie de ce pays.

— Oui, mais encore.

— Ce sont d'antiques sculptures. Elles ont été découvertes dans les ruines du Grand Zimbabwe par les premiers aventuriers blancs et volées par eux. On dit que Lobengula a tenté de les en empêcher, mais il n'y a pas réussi, et elles ont été amenées dans le sud.

— Où sont-elles maintenant ?

— L'une a été détruite dans l'incendie de Groote Schuur, la demeure de Cecil Rhodes. Quant aux autres, je n'en suis pas absolument sûre, mais je crois qu'elles sont au Cap.

— À quel endroit ?

— Au musée de la ville.

Tungata grogna et continua de manger lentement. Lorsque l'assiette et le gobelet furent vides, il les poussa de côté et posa de nouveau sur elle ses yeux vitreux.

— Les paroles de la vieille..., commença-t-il avant de s'interrompre.

— La prophétie de l'Umlimo, poursuivit-elle à sa place, selon laquelle celui qui rapportera les faucons gouvernera ce pays... et tu serais cet homme.

— Tu ne parleras à personne de ce qu'elle a dit... tu m'as compris ?

— Je n'en parlerai à personne, promit-elle.

III sais que si tu ne le fulumu pas, je te tuerais.

— Je le sais, dit-elle simplement en remettant l'assiette et le gobelet sur le plateau.

Elle resta devant lui dans l'expectative, et comme il ne disait rien, elle demanda :

— Y a-t-il autre chose ?

Il continua de la regarder fixement, et elle baissa les yeux.

— Tu veux que je reste ?

— Oui.

Elle tendit la main vers l'interrupteur.

— Laisse la lumière, ordonna-t-il. J'ai envie de voir la blancheur de ton corps.

La première fois, elle cria de peur et de douleur, la seconde et les innombrables qui suivirent, ce fut dans des transports extatiques incohérents et inconscients.

Douglas Ballantyne avait sélectionné une douzaine de bêtes de boucherie parmi les plus belles des troupeaux de King's Lynn et de Queen's Lynn. Les carcasses furent suspendues dans la chambre froide pendant trois semaines jusqu'à ce qu'elles soient parfaites. Elles étaient rôties tout entières sur des fosses remplies de charbon de bois au fond du jardin. Les domestiques attachés à la cuisine de King's Lynn se relayaient pour tourner les broches, arroser les carcasses dorées et grésillantes au milieu de nuages de vapeur odoriférante.

Trois orchestres étaient prévus. Les traiteurs, grassement payés en raison des risques encourus dans la zone en guerre, étaient arrivés en avion de Johannesburg avec tout leur matériel. Les fleurs des jardins de toutes les fermes à quatre-vingts kilomètres à la ronde avaient été pillées, et les tentes étaient pleines de décorations florales, roses, poinsettias, dahlias aux cent nuances éclatantes.

Bawu Ballantyne avait affrété un avion spécial pour transporter la boisson d'Afrique du Sud, un peu plus de quatre tonnes de vins fins et de spiritueux. Après avoir interrogé sa conscience politique, Bawu avait même décidé de suspendre ses sanctions personnelles à l'encontre du Royaume-Uni et de l'Irlande pendant la durée des festivités, et avait fait livrer cent caisses de whisky, du Chivas Regal. C'était sa principale contribution aux préparatifs, mais pas la seule.

Il avait fait transférer quelques-unes parmi les plus puissantes de ses chères mines Claymore de King's Lynn pour les ajouter à la décoration des jardins de Queen's Lynn.

— On n'est jamais trop prudent, avait-il expliqué sinistrement quand on l'avait accusé de trop en faire. Si les terroristes attaquent pendant la cérémonie...

Il fit le geste d'appuyer sur un bouton, et toute la famille frissonna comme si un champignon atomique avait été suspendu au-dessus de la propriété. Il avait fallu tous leurs pouvoirs de persuasion conjugués pour l'amener à retirer ses chouchous.

Il s'était ensuite faufilé dans les cuisines et avait ajouté le contenu de six bouteilles de cognac supplémentaires dans la pâte à gâteau. Heureusement, Valérie avait goûté celle-ci une dernière fois et, après avoir retrouvé sa respiration, elle avait ordonné au chef d'enterrer la mixture et de préparer une nouvelle pâte. Après quoi Bawu avait été interdit de séjour dans les cuisines, et Douglas avait établi un système de roulement pour le surveiller pendant le grand jour.

Craig avait pris le premier tour, de neuf heures du matin, moment auquel les deux mille invités commençaient à arriver, jusqu'à onze heures, où il devait passer le relais à un cousin et assumer ses fonctions de témoin. Craig avait aidé le vieillard à revêtir son uniforme de la Première Guerre mondiale. Un tailleur local était venu à King's Lynn pour effectuer les retouches nécessaires, et le résultat était surprenant. Bawu était tout pimpant et plein d'entrain avec sa ceinture et son baudrier, sa badine et sa double rangée de décorations sur la poitrine.

Craig éprouva de la fierté quand son grand-père prit position sur la véranda et parcourut du regard les pelouses pleines de monde. Il levait sa badine en réponse aux saluts affectueux de « Bonjour, oncle Bawu ! », lissait sa moustache argentée soigneusement gominée et inclinait son képi de manière débonnaire sur un œil.

— Mon garçon, dit-il à Craig, toute cette histoire me redonne du vague à l'âme. Voilà vingt ans que je suis veuf. Je me sens d'attaque pour un dernier tour de piste !

— La veuve Angus est toujours libre, suggéra Craig.

— Cette vieille chouette ! s'exclama son grand-père outragé.

— Bawu, elle est riche et elle n'a que cinquante ans.

— Elle est amortie, mon garçon. Prends-les jeunes et dresse-les bien, telle est ma devise. (Bawu lui fit un clin d'œil.) Qu'est-ce que tu penses de celle-ci ?

Il avait repéré une femme de vingt-cinq ans, déjà deux fois divorcée, qui portait une minijupe démodée et lançait autour d'elle des regards effrontés.

— Tu peux me présenter, déclara magnanimement Bawu.

— Je crois que le Premier ministre veut te voir, Bawu, risqua Craig, qui, ayant déjà vu son grand-père flirter, cherchait désespérément à faire diversion avant que la jeune femme en question ne se fasse pincer les fesses.

Il le laissa un verre de gin à la main, occupé à prodiguer quelques conseils à Ian Smith sur des questions de politique internationale.

— Vous devez vous rappeler, Ian, mon jeune ami, que ces gars-là, Callaghan et ses amis, appartiennent à la classe laborieuse. Vous ne pouvez pas les traiter comme des gentlemen. Ils ne le comprendraient pas...

Et le Premier ministre, fatigué par le poids des responsabilités, la paupière tombante, atteint d'un début de calvitie, s'efforça de cacher un sourire en acquiesçant :

— C'est très juste, oncle Bawu, je m'en souviendrai.

Craig crut pouvoir laisser le vieillard un moment, certain que s'il exprimait son opinion sur le parti travailliste britannique, il était lancé pour dix bonnes minutes. Il se fraya un chemin à travers la foule jusqu'au bout de la véranda, où les parents de Janine étaient mêlés à un petit groupe.

Il s'insinua discrètement dans le cercle et examina du coin de l'œil la mère de Janine. Cela lui fit mal de retrouver chez elle les mêmes traits, l'ovale du visage, le même grand front à peine

457

marqué par les ans. Elle avait aussi les yeux en amande, des yeux de chatte. Elle vit qu'il la regardait et lui sourit.

— Madame Carpenter, je suis un bon ami de Janine. Je m'appelle Craig Mellow.

— Ah oui ! Jan m'a parlé de vous dans ses lettres.

Elle avait un sourire chaleureux, et les mêmes intonations de voix que sa fille. Craig se prit à bavarder à bâtons rompus avec elle, c'était plus fort que lui. Au bout d'un moment, elle dit d'un ton doux et compatissant :

— Elle m'a dit que vous étiez un garçon si charmant. Je suis désolée, vraiment.

— Je ne comprends pas..., fit Craig en se raidissant.

— Vous l'aimez beaucoup, n'est-ce pas ?

Il la regarda d'un air pitoyable, incapable de répondre, et elle lui toucha le bras en signe de compréhension.

— Excusez-moi, bredouilla-t-il. Roland doit être prêt à s'habiller, il faut que j'y aille.

Il trébucha et faillit s'étaler sur les marches de la véranda.

— Bon sang, Sonny, où étais-tu passé ? Je croyais que tu allais me laisser monter seul au créneau, cria Roland de dessous la douche. Est-ce que tu as l'alliance ?

Ils attendirent côte à côte sous la tonnelle de fleurs coupées devant l'autel de fortune, qui croulait aussi sous les bouquets. Roland portait son uniforme de cérémonie : béret bordeaux avec l'écusson représentant la tête pendue de Bazo, couronnes de colonel aux épaules, croix de guerre sur la poitrine, gants blancs, épée dorée et ornée de glands au côté.

Dans son uniforme de la police, Craig se sentait gauche et terne, comme un moineau à côté d'un aigle royal, un chat de gouttière à côté d'un léopard, et l'attente semblait ne jamais devoir finir. Pendant tout ce temps-là, il se raccrocha à l'idée inconcevable que le mariage n'allait pas se conclure, seule façon pour lui de rendre son désespoir supportable.

Puis, de chaque côté du tapis déroulé devant la maison, la foule des invités s'agita et fut parcourue par un murmure d'excitation à l'arrivée triomphante de la mariée. Craig sentit son âme sombrer dans un abîme froid et obscur, et ne put se résoudre à regarder. Il avait les yeux fixés sur le visage du prêtre, qui devenait flou. Il le connaissait depuis son enfance et pourtant il lui semblait ne l'avoir jamais vu.

Puis il perçut l'odeur de Janine ; malgré la fragrance des fleurs de l'autel, il reconnut son parfum et, aux souvenirs qu'il évoqua, faillit s'étouffer. Puis il sentit la traîne de sa robe effleurer sa cheville, se recula légèrement et se tourna pour la voir une dernière fois.

Elle était au bras de son père. Le voile couvrait ses cheveux et son visage, mais sous ses plis légers, il apercevait ses yeux, ses grands yeux en amande, bleu indigo comme une mer tropicale, qui brillaient doucement en regardant Roland Ballantyne.

« Mes très chers frères, nous nous sommes rassemblés ici devant cet autel et à la vue du Seigneur pour unir cet homme et cette femme par les liens sacrés du mariage... »

Craig n'arrivait pas à détacher ses yeux de son visage. Elle n'avait jamais été aussi belle. Elle portait une couronne de violettes, en harmonie avec la couleur de ses yeux. Il espérait encore que les choses n'iraient pas jusqu'au bout, qu'il y aurait un empêchement de dernière minute.

« Par conséquent, si quelqu'un a quelque objection à faire à cette union, qu'il parle maintenant... »

Craig avait envie de crier pour les arrêter. Il avait envie de crier : « Je l'aime, elle m'appartient », mais sa gorge était si sèche et douloureuse qu'il ne pouvait proférer aucun son. Puis tout fut consommé.

« Moi, Roland Morris, accepte de prendre Janine Elizabeth pour épouse... » La voix claire et forte de Roland mit Craig à la torture. Plus rien n'importait désormais. Il avait l'impression d'être un peu en retrait par rapport à la scène, comme s'il en avait été séparé par une cloison de verre ; les voix et les rires joyeux lui semblaient étrangement étouffés, la lumière elle même paraissait terne, comme si un nuage était passé devant le soleil.

Debout sous les jacarandas, à l'arrière de la foule, il regarda Janine apparaître sur la véranda avec un bouquet de violettes et vêtue d'un tailleur bleu pour le voyage, main dans la main avec Roland. Celui-ci la prit dans ses bras et la déposa debout sur la table. Des femmes poussèrent des cris d'excitation quand elle s'apprêta à lancer son bouquet.

À cet instant, elle regarda par-dessus les têtes et vit Craig. Elle continua de sourire, mais une ombre passa dans ses yeux, peut-être de pitié, peut-être même de regret, puis elle lança son bouquet, une de ses demoiselles d'honneur le ramassa, Roland la redéposa par terre et l'emmena. Main dans la main, ils coururent vers l'hélicoptère qui attendait sur la pelouse, rotors tournant déjà. Ils riaient, Janine retenait son chapeau de paille à large bord pour l'empêcher de s'envoler et Roland essayait de la protéger de la tempête de confettis qui tourbillonnaient autour d'eux.

Craig n'attendit pas que l'appareil les emporte. Il retourna à l'endroit où il avait garé sa vieille Land Rover, derrière les écuries, et rentra à son bateau. Il se débarrassa de son uniforme, le jeta sur la couchette et passa un short de jogging. Il alla à la cuisine, prit une boîte de bière dans le réfrigérateur et retourna dans le carré en aspirant la mousse. Ayant vécu seul toute sa vie, il s'était cru à l'abri des tortures de la solitude et se rendait compte qu'il s'était trompé.

Une cinquantaine de cahiers de brouillon étaient déjà empilés sur la table, tous remplis de la première à la dernière page. Il s'assit, prit un crayon et commença à écrire. Peu à peu, la souffrance insupportable commença à s'apaiser et devint une simple douleur sourde.

Le lundi matin, lorsque Craig entra dans le quartier général de la police pour se rendre à l'armurerie, l'inspecteur l'appela dans son bureau.

— Craig, j'ai pour vous un ordre de mission.

— De quoi s'agit-il ?

— Je n'en sais fichtre rien. On ne me dit rien ici. On vous demande seulement de vous présenter le 28 à Wankie devant le commandant de région... (L'inspecteur s'interrompit brusquement et examina le visage de son interlocuteur.) Vous vous sentez bien, Craig ?

— Oui, pourquoi me demandez-vous ça ?

— Vous n'avez pas l'air d'être dans votre assiette. (Il réfléchit quelques instants.) Vous savez, vous pourriez vous échapper discrètement dès le 25 et vous octroyer deux jours de repos avant de vous présenter là-bas.

— Vous êtes la seule étoile dans mon firmament, George, remercia Craig avec un sourire de travers, songeant par-devers lui : Voilà tout ce qu'il me faut, trois jours à ne rien faire d'autre que de me morfondre.

Le Victoria Falls Hotel était l'un de ces monuments magnifiques hérités des beaux jours de l'Empire. Il avait des murs aussi épais que ceux d'un château mais d'un blanc éclatant, un sol en marbre, des plafonds hauts comme ceux d'une cathédrale et ornés de moulures rococo, avec des ventilateurs qui tournaient doucement, des portiques à colonnes et des escaliers qui décrivaient des courbes majestueuses. Les terrasses et les pelouses descendaient jusqu'au bord même des abysses au fond desquels le Zambèze bouillonnait avec fureur et majesté.

La gorge était traversée par la délicate dentelle d'acier du pont en arc au sujet duquel Cecil Rhodes avait ordonné : « Je veux que, lorsqu'il ira vers le nord, mon train passe à travers le nuage de brume dégagé par les chutes. » Suspendu en permanence au-dessus du gouffre, ce nuage se déformait quand la brise le harcelait, et il y avait sans arrêt ce grondement de tonnerre assourdi qui évoquait le bruit lointain de déferlantes un jour de tempête. Lorsque David Livingstone, l'explorateur missionnaire, s'était trouvé pour la première fois au-dessus de la gorge et en avait regardé le fond que n'atteignaient jamais les rayons du soleil, il avait dit : « C'est le genre de spectacle que devaient contempler les anges dans leur vol. » La suite « Livingstone » avait une vue directe sur ce panorama.

— Le roi George a dormi ici, ainsi que Mademoiselle Elizabeth, qui est maintenant la reine, avec sa sœur Margaret, quand elles étaient petites filles, déclara fièrement à Janine l'un des porteurs noirs qui montaient leurs bagages.

Roly éclata de rire.

— Bon sang ! Si cela était suffisant pour le roi George...

Il distribua des pourboires princiers aux porteurs ravis et fit sauter le bouchon de la bouteille de champagne qui les attendait dans un seau à glace en argent.

Ils marchèrent main dans la main le long d'un sentier enchanté au bord du Zambèze tandis qu'un petit guib tacheté s'enfuyait effarouché à travers le sous-bois et que des singes vervets rouspétaient à la cime des arbres. Ils coururent main dans la main en riant dans la forêt tropicale sous une pluie torrentielle d'écume, les cheveux de Janine tombant sur son visage, leurs vêtements trempés collés au corps. Quand ils s'embrassèrent au bord de la falaise vertigineuse, immobilisés par l'air tourbillonnant que déplaçait la chute de l'énorme masse liquide, la brume glacée leur gifla le visage et la roche tremblait sous leurs pieds.

Ils parcoururent en bateau, au crépuscule, les étendues d'eau paisibles en amont des chutes. Ils louèrent un petit avion pour survoler la gorge qui déroulait ses méandres au soleil ; prise d'un délicieux vertige, Janine se serra contre Roland lorsqu'ils rasèrent le bord du précipice. Ils dansèrent sous les étoiles au son d'un steel band africain, et les autres clients de l'hôtel, qui avaient reconnu l'uniforme de Roland, les regardaient avec fierté et affection. « C'est l'un des Scouts Ballantyne, chuchotaient-ils. Des gars pas ordinaires, ces Scouts. » Et, dans la salle à manger seigneuriale, ils faisaient apporter du vin à leur table en gage de leur estime.

Roland et Janine faisaient la grasse matinée et demandaient qu'on leur serve le petit déjeuner au lit. Ils jouaient au tennis — Roland lobait ses services et lui renvoyait des coups droits. Ils se prélassaient au soleil au bord de la grande piscine et se passaient mutuellement de la crème solaire sur le corps. Ils respiraient à tel point la santé et étaient si manifestement amoureux qu'ils semblaient être sous un charme et appartenir à un autre monde.

Le soir, ils s'asseyaient à l'ombre des grands arbres sur la terrasse, buvaient un Pimms et éprouvaient un merveilleux sentiment de défi en s'affichant ainsi à la vue de leurs ennemis mortels de l'autre côté de la gorge.

Puis un soir, au dîner, le directeur de l'hôtel s'arrêta à leur table.

— Je crois savoir que vous nous quittez demain, colonel Ballantyne. Vous nous manquerez tous les deux.

— Oh, non ! s'exclama Janine en riant. Nous restons jusqu'au 26.

— C'est demain, madame Ballantyne.

Le chef porteur avait fait ranger leurs bagages à l'entrée de l'hôtel, Roland était en train de régler la note et Janine l'attendait sous le portique. Elle sursauta en reconnaissant la vieille Land Rover de Craig qui venait de pénétrer dans le parc et se garait au bout du parking.

En le voyant, silhouette familière et gauche, dérouler ses longues jambes et chasser les cheveux de ses yeux en descendant de voiture, sa première réaction fut une réaction de colère.

« Il est venu exprès, pensa-t-elle, pour essayer de tout gâcher. »

Craig se dirigea dans sa direction d'un pas tranquille, les mains dans les poches, mais à moins d'une douzaine de pas, il la reconnut et sa confusion n'était manifestement pas feinte.

— Jan, s'exclama-t-il en devenant tout rouge. Oh, mon Dieu, je ne savais pas que vous étiez là.

Elle sentit sa colère retomber.

— Bonjour, Craig. C'était en effet un secret.

— Je suis terriblement désolé...

— Mais non, de toute façon, nous partons maintenant.

— Sonny ! lança Roland qui arrivait à la porte derrière Janine. (Il passa fraternellement le bras autour des épaules de son cousin.) Tu es en avance ! Comment ça va ?

— Tu savais que j'allais venir ? s'étonna Craig, encore plus troublé.

— Je le savais, admit Roland, mais je ne pensais pas si tôt. Tu étais censé te présenter le 28.

— George m'a accordé deux jours de repos. J'ai eu l'idée de venir les passer ici.

Depuis les premiers mots qu'ils avaient échangés, Craig n'avait pas regardé Janine.

— Ce repos ne te sera pas inutile, mon vieux. Toi et moi allons avoir du pain sur la planche. Allons prendre un verre, Sonny, je vais t'expliquer de quoi il s'agit... en partie du moins.

— Oh, chéri, intervint Janine, qui ne pouvait supporter plus longtemps de voir la douleur et le trouble dans les yeux de Craig. Nous n'avons pas le temps, je vais rater l'avion.

— Tu as raison, dit Roland en jetant un coup d'œil à sa montre. Je te parlerai de tout ça après-demain, Sonny.

Le minibus de la compagnie aérienne remontait l'allée de l'hôtel.

Roland et Janine étaient les deux seuls passagers pour l'aéroport.

— Chéri, quand nous reverrons-nous ?

— Je ne sais pas exactement, Bugsy, ça dépend de tellement de choses.

— Tu me téléphoneras ou tu m'écriras ?

— Tu sais bien que je ne pourrai pas.

— Je sais, mais, à tout hasard, je resterai à l'appartement.

— Je voudrais que tu ailles t'installer à Queen's Lynn... c'est ta maison maintenant.

— Mon travail...

— Au diable ton travail. Les épouses Ballantyne ne travaillent pas.

— Eh bien, voyez-vous, colonel, l'épouse Ballantyne ici présente travaillera jusqu'à ce que...

— Jusqu'à ce que quoi ?

— Jusqu'à ce que j'ai une bonne raison d'arrêter de travailler.

— Par exemple ?

— Par exemple, m'occuper d'un bébé.

— C'est un défi ?

— Je vous serais obligée de le considérer comme tel, mon colonel.

À l'aéroport, une foule joyeuse et chahuteuse de jeunes gens, tous en uniforme, était venue voir partir l'avion. La plupart d'entre eux connaissaient Roland et ils lui offrirent à boire ainsi qu'à Janine, ce qui rendit les dernières minutes plus supportables. Puis les jeunes mariés se retrouvèrent à la porte, et l'hôtesse annonça l'embarquement.

— Tu vas beaucoup me manquer, murmura Janine. Je prierai pour toi.

Roland l'embrassa en la serrant si fort qu'elle en eut le souffle coupé.

— Je t'aime, dit-il.

— Tu ne me l'avais encore jamais dit.

— C'est vrai. Ni à aucune autre. Maintenant, il est temps que tu y ailles, femme... avant que je fasse quelque chose de stupide.

Elle était la dernière de la file des passagers qui montaient à bord du vieux Viscount. Elle portait un chemisier blanc avec une jupe jaune jonquille, un foulard assorti sur la tête, des sandales et un sac en bandoulière. En haut du toboggan, elle regarda en arrière en se protégeant les yeux pour chercher Roland, puis, quand elle le vit, sourit, agita la main et entra dans l'avion. La porte se referma, le toboggan s'écarta de l'avion, les moteurs à réaction Rolls-Royce Dart se mirent en marche en sifflant et le Viscount, avec le faucon emblématique du Zimbabwe sur la queue, commença à rouler vers la piste.

Puis il s'élança pesamment et s'éleva lentement dans les airs. Roland le regarda virer sur l'aile en direction du sud et de Bulawayo, puis rentra dans les bâtiments de l'aéroport, montra son laissez-passer au garde et monta à la tour de contrôle.

— Que pouvons-nous faire pour vous, colonel ? demanda l'aiguilleur du ciel en l'accueillant.

— Un hélicoptère en provenance de Wankie doit venir me chercher...

— Ah, vous êtes le colonel Ballantyne... nous avons en effet votre oiseau sur le planning. Il a décollé il y a vingt minutes. Il sera là dans une heure et dix minutes.

Pendant qu'ils discutaient, assis devant ses écrans, l'autre aiguilleur parlait à voix basse avec le pilote du Viscount.

— OK pour un départ standard, montée normale jusqu'à quinze mille pieds. Passez ensuite sur la tour de contrôle de Bulawayo sur 118,6. Bonne route !

— Reçu, départ standard, montée normale jusqu'à altitude de vol..., confirma la voix calme, presque ennuyée du pilote.

Après un moment, la voix se fit entendre de nouveau en grésillant, avec un accent d'alarme. Roland se retourna brusquement et se précipita vers la console de l'aiguilleur. Il agrippa le dossier de sa chaise et regarda le ciel à travers les grandes baies.

Les nuages hauts annonciateurs de beau temps se teintaient de rose à l'approche du crépuscule, mais le Viscount avait déjà disparu vers le sud. Le visage de Roland se durcit sous l'effet de la colère et de la peur tandis que la voix du pilote sortait en crépitant des haut-parleurs de la radio.

Le lance-missile portable sol-air SAM-7 est une arme d'allure rudimentaire presque indifférenciable d'un bazooka de la Seconde Guerre mondiale. Il ressemble à un tuyau d'un mètre cinquante de long, l'arrière légèrement évasé en entonnoir. Au point d'équilibre, sous le canon, une plaque métallique permet de caler l'engin contre l'épaule, et un système de visée et de mise à feu pareil à une petite radio portative est fixé sur la partie supérieure du canon.

L'arme est servie par deux hommes. Le chargeur place tout simplement le missile dans la culasse d'échappement du canon et, après s'être assuré que les ailettes sont engagées dans les rainures, le pousse en avant jusqu'à ce que le bord s'enclenche dans les terminaux électriques et le bloque en position de tir. Le missile pèse un peu moins de dix kilos. Il a la forme d'une roquette conventionnelle, si ce n'est que l'ogive comporte un œil de verre opaque derrière lequel est installé un détecteur à infrarouge. Les ailettes de queue sont orientables, ce qui permet au missile de suivre une cible en mouvement. L'artilleur pose le canon sur son épaule, place les écouteurs sur sa tête et met le contact. Les écouteurs lui transmettent le son cyclique de l'avertisseur sonore. Il le rend inaudible en le réglant au-dessous du signal infrarouge.

L'arme est à présent chargée et prête à tirer. L'artilleur cherche sa cible à travers la mire hachurée en croisillons. Dès que la source infrarouge est détectée, l'avertisseur sonore se déclenche et de minuscules ampoules s'allument dans l'œilleton de la mire pour confirmer que la cible est captée par le missile. Il ne reste plus à l'artilleur qu'à appuyer sur la détente et le missile se lance alors dans une poursuite impitoyable de sa proie en s'orientant lui-même de façon à suivre avec précision tous ses changements de direction ou d'altitude.

Tungata Zebiwe avait tenu son canon en position pendant quatre jours. En dehors de lui, ils étaient huit, triés sur le volet. C'étaient tous des hommes aguerris au courage et à la détermination éprouvée, mais, surtout, remarquablement intelligents et capables de prendre des initiatives. Tous avaient été entraînés au maniement du lance-missile SAM-7, aussi bien comme artilleur que comme chargeur, et chacun portait une roquette en plus de son fusil d'assaut AK 47 et des grenades et mines antipersonnel habituelles. N'importe lequel d'entre eux était capable de lancer l'attaque et avait reçu des instructions complètes en ce sens.

La direction du vent dictait sa route de départ à tout avion décollant de l'aéroport de Victoria Falls. La vitesse du vent devait également influer sur l'altitude de l'appareil lors de son passage au-dessus de tout point de sa route. Fort heureusement pour Tungata, le vent dominant de nord-est avait soufflé régulièrement à quinze nœuds au cours de ces quatre jours et lui avait épargné de fastidieux calculs.

Il avait choisi un petit kopje avec une végétation suffisamment dense pour qu'ils soient bien à couvert, mais pas abondante au point de boucher la vue sur la forêt environnante. Tôt le matin, avant que la brume de chaleur et de poussière ne s'épaississe,

465

Tungata avait aperçu le nuage argenté stationnaire qui marquait l'emplacement des chutes Victoria à l'horizon septentrional.

Chaque après-midi, ils avaient fait l'exercice pour répéter l'attaque. Une demi-heure avant l'heure prévue du décollage du Viscount, Tungata avait mis ses hommes en position : six répartis sous le sommet pour les protéger de toute attaque surprise des forces de sécurité, et trois autres au-dessus, formant le groupe d'action effectif.

Tungata lui-même faisait office d'artilleur ; son chargeur et le chargeur remplaçant avaient été choisis pour leur acuité auditive et visuelle. Au cours des trois exercices précédents, ils avaient été capables d'entendre les réacteurs Rolls-Royce quelques minutes seulement après le décollage. La plainte stridente des moteurs pendant la montée était caractéristique et attirait l'œil sur la forme minuscule de l'appareil détachée sur le fond du ciel.

Le premier après-midi, au cours de son ascension, le Viscount était passé juste au-dessus de leur kopje, à moins de huit mille pieds d'altitude. Tungata l'avait suivi avec le lance-missile jusqu'à ce qu'il disparaisse de sa vue et que le bruit s'évanouisse au loin. Le deuxième après-midi, l'avion était passé à peu près à la même altitude, mais à cinq miles à l'est de leur position. C'était la portée maximale du missile. Le signal sonore avait été faible et intermittent, et les ampoules témoins de détection ne s'étaient allumées que par à-coups. Dans ces conditions, une attaque aurait probablement échoué. Le troisième jour, le Viscount était de nouveau passé à l'est par rapport à eux, mais à trois miles seulement, les chances d'atteindre la cible étant de deux contre un en leur faveur.

En ce quatrième jour, il avait posté son équipe au sommet du kopje quinze minutes plus tôt, et testé le SAM-7 en visant le soleil déclinant. Excité par cette gigantesque source d'infrarouge, le détecteur hurla dans ses oreilles. Tungata coupa le contact et ils se préparèrent à l'attente, visages levés vers le ciel.

— Ils sont en retard, murmura son chargeur en regardant sa montre.

Tungata le rabroua d'un ton acerbe. Il savait que l'avion était en retard et était déjà assailli par le doute — vol retardé ou annulé, peut-être même les *kanka* déjà en route à la suite d'une fuite.

— Écoutez ! dit le chargeur.

Quelques secondes après, Tungata aussi entendit le sifflement des moteurs, affaibli par la distance.

— Prêt ! ordonna-t-il.

Il sentit le missile entrer dans la culasse et son poids déséquilibrer légèrement le canon vers l'arrière, puis entendit le bord s'enclencher dans les terminaux avec un claquement sec.

— Chargé ! confirma son second en lui tapant sur l'épaule.

Il balaya l'horizon de droite à gauche en s'assurant qu'il était bien campé sur ses pieds.

— *Nansi !* Là ! annonça encore son chargeur en tendant le bras par-dessus son épaule, l'index pointé vers le haut.

Tungata chercha des yeux et aperçut l'éclair argenté du soleil réfléchi par le métal.

— Cible identifiée ! dit-il, et il entendit ses deux chargeurs s'écarter sans bruit pour éviter le jet de flammes de la roquette.

La tache minuscule augmenta rapidement en taille. Tungata vit que l'avion allait passer à moins d'un demi-mile à l'ouest de la colline et qu'il était au moins mille pieds plus bas que les après-midi précédents. Il était en position parfaite. Il le prit dans sa ligne de mire et le missile gronda impatiemment dans ses écouteurs, un grondement mauvais comme celui d'une bande de loups chassant à la pleine lune. Le missile avait détecté les infrarouges émis par les gaz d'échappement des moteurs Rolls-Royce. À l'intérieur de la mire, le signal de détection s'alluma comme l'œil rouge d'un cyclope, et Tungata appuya sur la détente.

Il y eut un bruit de glissement assourdissant, mais presque pas d'effet de recul contre son épaule, toute la force s'échappant par le trou en entonnoir à l'arrière. Il fut enveloppé pendant une fraction de seconde par une fumée blanche et un tourbillon de poussière, chassés par leur propre vitesse, et il vit le petit missile argenté s'élever dans le bleu du ciel sur une fine plume de vapeur. Il évoquait un faucon jaillissant du poing ganté pour venir au-dessus de sa proie. Sa vitesse était stupéfiante et il donna l'impression de disparaître dans le néant, le grondement lointain de sa combustion étant encore seul perceptible.

Tungata savait qu'il ne pouvait pas effectuer un deuxième lancer. Le temps qu'ils rechargent et le Viscount serait déjà hors de portée. Ils avaient les yeux fixés sur l'appareil minuscule et brillant, les secondes passaient avec une lenteur désespérante.

Puis il y eut comme un trait d'argent liquide qui déforma le profil parfait de l'aile de l'avion. Elle éclata comme une capsule de coton, et le Viscount parut faire une embardée avant de se stabiliser de nouveau. Quelques secondes plus tard, le bruit du choc leur confirma ce qu'ils avaient vu, et un rugissement de triomphe s'échappa de la gorge de Tungata Zebiwe.

L'appareil vira lentement sur l'aile, puis brusquement quelque chose de noir et de gros se détacha de l'aile bâbord et tomba vers le sol. L'appareil piqua du nez, et le bruit du moteur se transforma en un gémissement strident.

Dans la tour de contrôle, paralysé d'impuissance et de rage, Roland Ballantyne scrutait le ciel pastel du soir à travers les grandes glaces antireflet et écoutait, impuissant, le dialogue rapide et tendu entre l'aiguilleur du ciel et le pilote du Viscount.

— SOS ! SOS ! SOS ! Ici Viscount 782, m'entendez-vous, tour de contrôle ?

— Viscount 782, qu'est-ce qui se passe ?

— Nous avons reçu un missile dans la coquille du moteur bâbord. Il est hors d'usage.

— Viscount 782, ça me paraît bizarre, vous êtes sûr ?

— Allez vous faire fiche, tour de contrôle ! explosa le pilote. J'ai fait le Vietnam. Je sais ce que je dis, c'est une roquette de SAM. J'ai mis en route les extincteurs et nous avons encore la maîtrise de l'appareil. J'amorce un virage à 180° !

— Nous allons mettre en place un dispositif complet de secours, Viscount 782. Quelle est votre position ?

— Nous sommes à quatre-vingts milles marins de l'aéroport. (La voix du pilote grésilla.) Bon sang ! Le moteur bâbord a été arraché. Il est tombé.

Il y eut un long silence. Ils savaient que le pilote se battait pour conserver le contrôle de l'appareil, luttait pour essayer de contrebalancer l'énorme transfert de poids dû à la perte du moteur bâbord et la poussée asymétrique du moteur restant, qui avait tendance à faire partir le Viscount en spirale. Dans la tour de contrôle, ils étaient tous pétrifiés.

— Vitesse de descente, trois mille pieds à la minute, grésilla de nouveau le haut-parleur. Trop vite. Je ne le maîtrise plus. Nous allons tout droit sur les arbres. Trop vite. Trop d'arbres. Ça y est ! Bon Dieu, on y va.

Puis ce fut le silence.

— Les hélicoptères de secours ! lança Roland d'un ton sec en se précipitant au tableau d'affichage du trafic.

— Il n'y a qu'un seul hélico à trois cents miles à la ronde, c'est celui qui vient de Wankie pour vous chercher, répondit l'aiguilleur adjoint.

— Vous êtes sûr que c'est le seul ?

— Ils ont tous été mobilisés pour une opération dans les montagnes Vumba, le vôtre est actuellement le seul dans la région.

— Mettez-moi en liaison avec lui, ordonna Roland qui arracha le micro des mains de l'aiguilleur dès que la liaison fut établie. Ici Ballantyne. Nous avons perdu un Viscount avec quarante-six personnes à bord.

— J'ai reçu les transmissions, répondit le pilote de l'hélicoptère.

— Vous êtes le seul appareil de secours possible. Dans combien de temps pensez-vous être là ?

— Cinquante minutes.

— Quel personnel avez-vous à bord ?

— Le sergent-major Gondélé et dix hommes.

Roland avait prévu de leur faire faire des sauts d'entraînement de nuit pendant le trajet du retour à Wankie. Gondélé et ses Scouts devaient être en tenue de combat, et ils devaient avoir à bord les armes et le paquetage de Roland.

— Je vous attendrai sur la piste. Je serai avec un médecin, dit-il. Ici Guépard n° 1, je reste en liaison.

Janine Ballantyne avait le siège du couloir à l'avant-dernière rangée du côté gauche. Le siège de la fenêtre était occupé par une adolescente avec un appareil dentaire et des nattes. Ses parents étaient assis juste devant.

— Êtes-vous allés à la ferme aux crocodiles ? demanda t elle à Janine.

— Nous n'avons pas eu le temps, admit celle-ci.

— Ils ont un énorme croco de cinq mètres de long. Il s'appelle Big Daddy.

Le Viscount poursuivait régulièrement son ascension et le signal « Attachez vos ceintures » s'était éteint. Derrière Janine l'hôtesse se leva et s'avança dans l'allée centrale.

Janine regarda par le hublot de droite. L'énorme boule rouge du soleil déclinant portait une moustache de nuages violets. Sous eux, la forêt s'étendait dans toutes les directions comme un océan vert sombre, sa monotonie rompue uniquement de temps à autre par une petite éminence.

— Mon père m'a acheté un T-shirt avec Big Daddy dessus, mais il est dans ma valise...

Il y eut un bruit épouvantable, un tourbillon de fumée argentée obscurcit les hublots, et le Viscount fit une telle embardée que Janine fut poussée violemment en avant, puis retenue par la ceinture de sécurité. Projetée contre le plafond de la cabine, l'hôtesse retomba sur le dossier d'un des sièges vides comme une poupée désarticulée. Une cacophonie de hurlements suivit, et la fille s'accrocha désespérément aux bras de Janine en poussant des cris incohérents. La cabine s'inclina fortement mais en dou-

469

ceur tandis que l'appareil virait sur l'aile, puis soudain le Viscount piqua du nez, ballotté furieusement.

La ceinture de sécurité maintenait Janine sur son siège, mais elle avait l'impression de se trouver sur d'infernales montagnes russes qui dégringolaient du ciel. Elle se pencha et serra l'enfant contre elle pour essayer de faire taire ses cris perçants. Bien que sa tête fût projetée violemment d'un côté et de l'autre, Janine réussit tout de même à jeter un coup d'œil par le hublot. Elle vit que l'horizon tournait comme les rayons d'une roue, et cela lui donna mal au cœur. Soudain, elle distingua sous elle l'aile de l'appareil : à la place du fuseau moteur il y avait un trou déchiqueté à travers lequel elle apercevait le moutonnement de la forêt. L'aile fléchissait et se tordait au point que des pliures apparaissaient sur la surface lisse du métal. Les oreilles de Janine bourdonnaient douloureusement à cause de la brusque augmentation de pression, et les arbres se précipitaient vers eux en une masse vert sombre et floue.

Janine arracha les bras que l'enfant avait passés autour de son cou et poussa sa tête contre son giron.

— Remonte tes genoux ! Baisse la tête ! cria-t-elle en faisant elle-même ce qu'elle avait ordonné.

Puis ce fut le choc et il y eut un fracas assourdissant. Elle fut projetée dans tous les sens avec son siège, meurtrie, à moitié assommée par des projectiles.

Il semblait que ça ne finirait jamais. Le plafond fut arraché, et l'espace d'un instant elle fut aveuglée par le soleil. Quelque chose ensuite lui heurta le tibia. Par-dessus tous les autres bruits, elle entendit distinctement l'os se briser, et la douleur l'élança jusque dans le crâne. Elle était précipitée pieds par-dessus tête. Elle ressentit un autre choc dans sa nuque et sombra dans un gouffre noir au milieu d'une explosion d'étincelles de lumière.

Lorsqu'elle reprit connaissance, elle était toujours sur son siège, mais suspendue la tête en bas à la ceinture de sécurité. Elle avait le visage congestionné, et sa vision était brouillée comme par un mirage. Sa tête lui faisait mal comme si on lui avait enfoncé un clou dans le front à coups de marteau.

Elle se tourna lentement et vit que sa jambe cassée pendait devant son visage, les orteils pointés à l'endroit où aurait dû se trouver le talon.

« Je ne pourrai plus jamais marcher », pensa-t-elle, et à cette idée, elle rassembla son courage.

Elle tendit la main vers la boucle de sa ceinture, puis se souvint que beaucoup de gens s'étaient brisé le cou en se détachant la tête en bas. Elle s'accrocha à l'accoudoir, puis défit la boucle.

Elle lâcha prise et atterrit sur la hanche, sa jambe cassée tordue sous elle. La douleur était insupportable, et elle perdit de nouveau connaissance.

Elle avait dû rester évanouie plusieurs heures, car lorsqu'elle se réveilla, il faisait presque nuit. Le silence était effrayant. Il lui fallut de longues secondes pour comprendre où elle était, car elle ne voyait que de l'herbe, des troncs d'arbres et de la terre sablonneuse.

Elle se rendit compte ensuite que le fuselage de l'avion avait été sectionné juste devant son siège comme par un gigantesque coup de guillotine, et la partie arrière de l'appareil était tout ce qui restait autour d'elle. Au-dessus de Janine, le corps de l'adolescente était encore suspendu à la ceinture de sécurité, les bras ballants sous la tête, ses nattes blondes pointées vers le sol. Elle avait les yeux grands ouverts, et son visage était déformé par la terreur dans laquelle l'avait figé la mort.

Janine se servit de ses coudes pour ramper hors du fuselage, traînant derrière elle sa jambe brisée, et elle se sentit envahie par le froid et la nausée dus au choc. Toujours à plat ventre, elle vomit jusqu'au moment où, trop faible, elle ne put que se laisser sombrer une nouvelle fois dans les ténèbres de l'inconscience. Puis elle entendit un son dans le silence, à peine perceptible d'abord, mais qui augmentait rapidement en volume.

C'était le bruit des rotors d'un hélicoptère. Elle leva les yeux vers le ciel, mais il était caché par le dais de la forêt, et elle s'aperçut que les derniers rayons de lumière avaient disparu et que la nuit africaine tombait rapidement.

— Je vous en prie ! cria-t-elle. Je suis là. Aidez-moi !

Mais le bruit de l'hélicoptère n'augmenta pas davantage. L'appareil passa à quelques centaines de mètres de l'endroit où elle était, puis le vrombissement des rotors s'estompa aussi vite que s'épaississait l'obscurité, avant de se taire tout à fait.

« Un feu, pensa-t-elle. Il faut que j'allume un feu pour indiquer ma présence. »

Elle jeta autour d'elle un coup d'œil fiévreux. Le corps recroquevillé du père de la fille blonde se trouvait presque à sa portée. Elle rampa jusqu'à lui, lui toucha le visage et passa légèrement un doigt sur ses paupières. Il n'y eut pas la moindre réaction. Elle sanglota et se recula, puis rassembla son courage et se rapprocha de nouveau pour fouiller les poches du mort. Elle trouva un briquet jetable Bic dans la poche latérale de sa veste, l'alluma du premier coup et sanglota encore, de soulagement cette fois-ci.

Assis à la place du copilote de l'hélicoptère Super-Frelon, Roland Ballantyne fouillait du regard la cime des arbres, à soixante-dix mètres seulement au-dessous d'eux. L'obscurité était déjà telle que les rares clairières faisaient une simple tache lépreuse plus pâle. La couverture végétale formait une masse informe, sans le moindre relief. Même lorsque la lumière avait été plus forte, les chances de repérer l'épave sous le feuillage avaient été minimes. Il y avait bien sûr toujours la possibilité qu'une aile ou un bout de queue ait été arraché et soit resté suspendu dans les hautes branches, facilement repérable. Ils ne pouvaient cependant pas compter là-dessus.

Au début, ils recherchèrent des cimes d'arbres endommagées, une trouée formée de branches brisées ou les taches blanches révélatrices de l'écorce arrachée et du bois dénudé. Ils étaient à l'affût d'un signal, d'une fumée ou du reflet du soleil couchant sur le métal, puis la lumière commença à baisser. Désespérés, ils attendaient sans y croire de voir un signal lumineux, une torche ou même un feu.

Roland se tourna vers le pilote et cria dans la cabine bruyante :

— Les feux d'atterrissage. Allumez-les.

— Ils vont chauffer et griller avant cinq minutes, beugla le pilote en réponse. C'est pas bon !

— Une minute allumés, une minute éteints pour refroidir, lui dit Roland. Essayez.

Le pilote tendit la main vers la manette et, sous eux, la forêt fut éclairée soudain par la lumière crue blanc bleuté des lampes au phosphore. Le pilote descendit encore plus bas.

Sous les arbres, les ombres étaient noires et tranchées. Dans une clairière, ils surprirent une petite troupe d'éléphants. Avec leurs immenses oreilles déployées en signe d'alarme, les animaux avaient quelque chose de monstrueux et de surnaturel dans le flot de lumière. Puis l'hélicoptère poursuivit sa route et les replongea dans l'obscurité complète.

Ils allaient et venaient, parcourant dans les deux sens le couloir que le Viscount avait dû suivre, mais il avait cent milles marins de long sur dix de large, soit près de mille miles carrés. Il faisait à présent entièrement nuit, et Roland jeta un coup d'œil au cadran lumineux de sa montre. Il était neuf heures, près de deux heures après la chute de l'appareil. S'il y avait eu des survivants, ils devaient maintenant être agonisants à cause du froid et du choc, de la perte de sang et des blessures internes, alors que dans la cabine principale du Super-Frelon, un médecin avait vingt litres de plasma — de quoi les sauver.

L'air sombre, Roland regardait le cercle brillant de lumière blanche danser sur la cime des arbres comme celui d'un projec-

472

teur sur la scène d'un théâtre, et il y avait en lui un froid désespoir qui semblait engourdir lentement ses membres et paralyser
sa détermination. Il savait qu'elle était là, près, très près, et il ne
pouvait rien faire.

Soudain, il ferma le poing droit et frappa la cloison de métal
à côté de lui. La peau se marqua aux articulations et la douleur
le lança jusqu'à l'épaule, mais la souffrance est un stimulant et
au fond de celle-ci, il retrouva sa rage.

À côté de lui, le pilote regarda le temps écoulé sur son chrono-
mètre et éteignit les feux d'atterrissage pour les laisser refroidir.
L'obscurité était plus intense que l'éclat qui l'avait précédée. La
vision nocturne de Roland était défaillante, son champ visuel
plein d'insectes lumineux qui se tortillaient, et il dut se couvrir
les yeux avec les mains pendant quelques secondes pour les
reposer et leur permettre de se réhabituer à l'obscurité.

Il ne vit donc pas la minuscule étincelle rouge qui brilla au-
dessous de lui à travers les cimes des arbres pendant une fraction de seconde, puis disparut tandis que le Super-Frelon repartait en vrombissant.

Janine avait rassemblé un petit tas de feuilles séchées et de
brindilles et se tenait prête à l'enflammer avec le briquet. Cela
n'avait pas été sans mal. Elle s'était lentement traînée en arrière
sur les fesses et les mains, sa jambe cassée glissant à sa suite,
pour ramasser du petit bois dans les buissons les plus proches.
Chaque fois que sa jambe se tordait ou se prenait dans une aspé-
rité du sol, elle manquait de s'évanouir de douleur.

Quand elle eut préparé le feu, elle posa le briquet à côté d'elle
et s'étendit pour se reposer. Presque tout de suite, le froid de la
nuit passa à travers ses vêtements légers et elle se mit à frissonner. Avec un immense effort de volonté pour se remettre en
mouvement, elle se dirigea vers la partie arrière du fuselage. Il
y avait encore assez de lumière pour qu'elle puisse distinguer la
trouée laissée dans la forêt par l'avant de l'avion.

Elle était jonchée de morceaux de métal, de bagages éventrés
et de corps mutilés, bien que, de là où elle était, il fût impossible
à Janine de voir la partie principale de l'épave.

— Y a-t-il quelqu'un encore en vie ? cria-t-elle une nouvelle
fois.

La nuit restant silencieuse, la jeune femme se traîna plus loin.

La queue plus légère de l'avion, où se trouvait son siège, avait
dû heurter un gros arbre contre lequel le fuselage s'était présenté
par le travers, et elle s'était coupée net. La violence du choc avait

brisé les cervicales des passagers qui l'entouraient et Janine n'en avait réchappé qu'en se baissant en avant.

Elle atteignit l'arrière de la carlingue et se souleva pour jeter un coup d'œil à l'intérieur en évitant de regarder le corps de l'adolescente suspendue la tête en bas à son siège renversé. Les placards de service s'étaient ouverts et, dans l'obscurité, elle distinguait des tas de couvertures, de conserves et de boissons. Elle se traîna petit à petit jusque-là. La chaleur de la couverture autour de ses épaules fut une bénédiction et elle but avidement deux boîtes de Schweppes avant de se remettre à fouiller le contenu éparpillé du placard.

Elle trouva la pharmacie d'urgence, éclissa et banda sa jambe le mieux qu'elle put. Le soulagement fut immédiat. Il y avait des seringues jetables et une douzaine d'ampoules de morphine dans le coffret. La perspective d'obtenir un répit à ses souffrances était tentante, mais elle n'ignorait pas que l'opiacé l'engourdirait, et que l'inactivité ou l'incapacité de réagir rapidement serait mortellement dangereuse au cours de la longue nuit qui l'attendait. Elle était encore en train d'hésiter quand elle entendit de nouveau l'hélicoptère.

Il se dirigeait rapidement dans sa direction. Elle laissa tomber la seringue, se porta maladroitement vers le trou béant du fuselage et dégringola sur la terre poussiéreuse, près d'un mètre plus bas. La douleur de sa jambe la cloua là quelques instants. Puis elle entendit le bruit des rotors se rapprocher.

Elle mordit sa lèvre inférieure jusqu'à ce que le goût du sang atténue sa douleur et se traîna jusqu'au tas de brindilles en s'agrippant au sol. Lorsqu'elle l'atteignit, le moteur de l'appareil grondait au-dessus de sa tête et le ciel était illuminé par une lueur blanc bleuté. Elle actionna le briquet et porta la petite flamme sur l'herbe sèche qui s'embrasa immédiatement.

Elle leva les yeux vers le ciel ; la lumière du feu et l'éclat des feux d'atterrissage éclairèrent ses joues maculées de poussière et de sang coagulé provenant de sa coupure au cuir chevelu, mouillées par les larmes de douleur et d'espoir qui coulaient de ses paupières gonflées.

— Mon Dieu, je vous en prie, faites qu'ils me voient, implora-t-elle.

Les feux d'atterrissage devinrent aveuglants puis s'éteignirent brusquement. L'obscurité la frappa comme un coup de gourdin. Le vacarme de l'hélicoptère passa au-dessus d'elle, et elle fut secouée par le déplacement d'air des rotors. Pendant une seconde, elle vit la silhouette de requin de l'hélicoptère se découper sur le ciel étoilé. L'instant d'après l'appareil avait disparu, et le bruit des rotors s'éloigna rapidement.

Janine entendit ses cris de désespoir au milieu du silence.

— Revenez ! Vous ne pouvez pas me laisser ! Je vous en prie, revenez !

Elle perçut l'hystérie dans sa voix, et enfonça son poing dans sa bouche pour l'étouffer, mais de violents sanglots continuaient de la secouer. Le désespoir qui l'étreignait rendit le froid de la nuit insupportable.

Elle s'approcha du feu en rampant. Elle n'avait pu rassembler que quelques poignées de brindilles, et il n'allait pas tarder à s'éteindre, mais les joyeuses flammes jaune et orange lui procurèrent un peu de chaleur et un instant de réconfort qui lui permit de se reprendre. Elle eut un dernier sanglot haletant qu'elle ravala en serrant les dents. Elle ferma les yeux, compta lentement jusqu'à dix et sentit qu'elle retrouvait le contrôle d'elle-même.

Lorsqu'elle les rouvrit elle vit, de l'autre côté du feu, à la hauteur de son visage, une paire de jungle boots en toile. Elle leva lentement les yeux et les protégea d'une main de la clarté du foyer. Il la regardait avec une expression qu'elle fut incapable de saisir, peut-être de la compassion.

— Oh, merci mon Dieu, merci, murmura Janine en se traînant vers l'homme. Aidez-moi, dit-elle d'une voix rauque. J'ai la jambe cassée... Je vous en prie, aidez-moi.

Depuis le sommet du kopje, Tungata Zebiwe regardait l'avion tomber comme un canard abattu en plein vol. Il jeta le lance-roquette vide et brandit les deux poings aux nues en un geste de triomphe.

— Ça y est, rugit-il, ils sont morts.

Il avait le visage gonflé d'un fou furieux et les yeux vitreux. Derrière lui, ses hommes agitaient leurs armes au-dessus de leurs têtes, emportés comme Tungata par la fureur meurtrière, la folie divine des vainqueurs, l'instinct atavique hérité de leurs ancêtres lorsqu'ils refermaient sur l'ennemi les cornes du « buffle », leur formation de combat.

Le Viscount tombait vers la forêt, mais au dernier moment le nez se redressa et l'appareil donna l'impression de se rétablir. Durant quelques brèves secondes il parut voler parallèlement au sol, cependant il continuait de perdre rapidement de l'altitude. Puis il toucha la cime des arbres et disparut instantanément à la vue des guérilleros. Le lieu de l'accident était néanmoins si proche que Tungata avait entendu, affaibli, le choc du métal contre les arbres et le sol.

— Repère l'endroit ! ordonna Tungata, calmé. Camarade, le

compas ! Relève sa position ! Environ six miles, nous pouvons y être à la nuit, dit-il en réévaluant la distance à l'œil nu.

Ils s'éloignèrent du kopje en colonne, les flancs couvrant ceux qui portaient l'équipement lourd, les hommes de tête ouvrant la piste et s'assurant qu'il n'y avait pas d'embuscade. Ils se déplaçaient rapidement, adoptant l'allure des coureurs de brousse qui leur permettait de parcourir dix kilomètres à l'heure. Tungata courait en tête. Il s'arrêtait tous les quarts d'heure et posait un genou à terre pour vérifier leur direction à la boussole. Puis il se relevait et dressait le poing pour donner le signal de départ. Rapidement et inlassablement, ils poursuivaient leur chemin.

Lorsque le jour commença à tomber, ils entendirent l'hélicoptère. Tungata fit signe à ses hommes de se mettre à couvert. Le Super-Frelon passa à un mile à l'est. Tungata fit repartir le groupe. Ils coururent encore dix minutes avant de s'arrêter de nouveau.

Tungata rassembla ses hommes et leur dit à voix basse :

— Nous y sommes. L'appareil est à quelques centaines de mètres de nous.

Ils regardèrent la forêt autour d'eux, les grands troncs tordus semblaient toucher les cieux. Par une ouverture dans le dais de feuillage, on apercevait le point lumineux de l'étoile du soir.

— Nous allons nous déployer et balayer le secteur dans notre ligne de marche.

— Camarade commissaire, si nous nous attardons trop, nous ne pourrons atteindre le fleuve demain matin. Les *kanka* seront là à l'aube, fit timidement remarquer l'un de ses hommes.

— Nous devons retrouver l'épave coûte que coûte, répondit Tungata. C'est dans ce but que nous avons fait tout cela : laisser une piste derrière nous que pourront suivre les *kanka*. Commençons nos recherches tout de suite.

Ils se déplaçaient à travers la forêt comme des loups gris. Tungata les maintenait en ligne et dans la bonne direction en utilisant un code, des cris d'oiseau pareils à ceux de l'engoulevent. Ils progressèrent vers le sud pendant vingt minutes, puis, sur son ordre, revinrent sur leurs pas en silence, courbés sous leur fardeau, mais l'arme haute.

Deux fois encore, Tungata fit pivoter la ligne de ses hommes ; ils ratissaient la forêt dans un sens puis dans l'autre, et les minutes passaient. Il était déjà plus de neuf heures et ils ne pouvaient pas rester indéfiniment dans les parages de l'épave. L'autre avait raison : l'aube allait amener les Blancs en masse.

— Encore une heure, dit-il. Nous allons chercher encore une heure.

Il savait cependant que s'en aller sans laisser une piste toute

476

fraîche que puissent suivre les « chacals » revenait à abandonner la partie la plus importante de l'opération. Il lui fallait entraîner Ballantyne et ses *kanka* sur le terrain qu'il avait si soigneusement choisi pour tendre son embuscade. Il devait retrouver l'épave et y laisser une trace de son passage qui exaspérerait les *kanka*, qui les rendrait fous furieux et les amènerait à se lancer à sa poursuite sans se poser de questions.

Il entendit alors de nouveau l'hélicoptère, encore éloigné mais qui se rapprochait rapidement. Puis il vit la lueur des feux d'atterrissage à la cime des arbres, et il donna à ses hommes l'ordre de se mettre à couvert. L'appareil passa à moins d'un demi-kilomètre d'eux. Sous la lumière aveuglante de ses projecteurs, les ombres dansaient, s'enchevêtraient sous les arbres et filaient sur le sol de la forêt comme des fantômes fugitifs.

La lumière s'éteignit brusquement, mais un point rouge incandescent resta un moment sur la rétine de Tungata. Ils écoutèrent la pulsation du moteur s'évanouir au loin, puis Tungata siffla pour faire relever ses hommes, et ils repartirent une fois de plus. Après deux cents pas, Tungata s'arrêta de nouveau et huma l'air froid et humide de la forêt.

Une odeur de fumée ! Son cœur fit un bond, et il lança le doux cri d'oiseau qui avertissait d'un danger. Il se débarrassa de son lourd sac à dos et le déposa doucement par terre. La ligne des hommes reprit sa progression silencieuse. Devant Tungata, une grosse masse pâle émergea de l'obscurité. Il alluma un bref instant sa torche électrique. C'était l'avant du Viscount, les ailes arrachées, le fuselage coupé en deux. Il était couché sur le côté, de sorte que Tungata put éclairer l'intérieur du cockpit à travers le pare-brise. Le pilote et le copilote étaient encore attachés à leur siège, le visage exsangue, les yeux fixes et vitreux.

Déployés en tirailleurs, les guérilleros parcoururent rapidement la trouée que s'était ouverte l'appareil à travers la forêt. Elle était semée de morceaux d'épave, de débris, de vêtements échappés de la soute à bagages, de livres et de journaux qui voletaient dans la petite brise nocturne. Tungata éclaira le visage d'une femme à cheveux gris. Elle était couchée sur le dos sans blessure visible, sa jupe rentrée chastement sous ses genoux, ses mains reposant mollement sur ses flancs. Elle avait cependant perdu son appareil dentaire et cela lui donnait l'apparence d'une vieille sorcière.

Il reprit sa progression. Ses hommes s'arrêtaient pour fouiller rapidement les cadavres, un sac à main ou un porte-document abandonné. Tungata voulait un survivant. Il lui en fallait un, et tout autour de lui, il n'y avait que des morts.

— De la fumée, murmura-t-il, je sens une odeur de fumée.

Alors, devant lui, en lisière de la forêt, il vit un petit feu agité doucement par la brise. Il modifia la prise de son fusil et glissa le sélecteur en position semi-automatique. Toujours dans l'ombre, il fouilla des yeux la zone autour du feu, puis s'avança sans bruit.

Une femme était étendue près du feu, un bras sur son visage. Elle portait une jupe jaune légère, tachée de sang et de poussière. Tout son corps était parcouru de hoquets. L'une des jambes était sommairement éclissée et bandée. Elle leva lentement la tête. Dans la lumière du foyer, ses orbites semblaient pareilles à celles d'un crâne, et, comme ses vêtements, la peau pâle de son visage était maculée de sang et de poussière. Elle leva la tête très lentement jusqu'à ce qu'elle puisse le regarder, puis les mots se bousculèrent sur ses lèvres gonflées.

— Oh, merci mon Dieu, merci, bredouilla-t-elle en commençant à se traîner vers Tungata, sa jambe glissant derrière elle. Aidez-moi ! J'ai la jambe cassée... Je vous en prie, aidez-moi !

Sa voix était si rauque et brisée qu'il avait du mal à comprendre ce qu'elle disait.

— Je vous en prie, répéta-t-elle en fondant en larmes et agrippant la cheville de Tungata.

— Quel est votre nom ? demanda-t-il avec douceur en s'accroupissant près d'elle.

Le ton de sa voix la toucha, mais elle était incapable de penser, incapable même de se souvenir de son nom. Il s'apprêta à se relever, mais elle lui prit la main, terrorisée à l'idée qu'il allait la laisser seule.

— Ne partez pas, je vous en prie ! Je m'appelle... je suis Janine Ballantyne.

Il lui tapota la main, presque avec tendresse, et sourit. Un sourire de triomphe, sauvage et joyeux, qui l'avertit du danger. Elle retira brusquement sa main, tenta de se redresser et jeta un coup d'œil circulaire. Elle vit alors les autres silhouettes sombres qui sortaient de la nuit, elle vit les visages de ces hommes, l'éclat de leurs dents tandis qu'ils la regardaient en souriant. Elle vit l'éclair qui brillait dans leurs yeux, elle vit les fusils.

— Vous, lâcha-t-elle suffoquée. C'est vous !

— Eh oui, madame Ballantyne. C'est nous !

Tungata se releva et s'adressa à ses hommes :

— Je vous la donne. Elle vous appartient. Profitez d'elle... mais ne la tuez pas. Ne la tuez pas ou vous aurez à en répondre de votre propre vie. Je veux la laisser là vivante.

Deux hommes s'avancèrent, prirent Janine par les poignets et la traînèrent derrière l'empennage de l'avion. Les autres déposèrent leurs armes et les suivirent. Ils riaient et se chamaillaient à voix basse sur l'ordre de préférence en commençant à défaire leurs vêtements. Au début, les cris qui provenaient de l'obscurité étaient si perçants et déchirants que Tungata se détourna, s'accroupit près du feu et l'alimenta avec des brindilles pour distraire son attention, mais les hurlements se turent bientôt ; il n'y eut plus que des sanglots, et les gémissements plus aigus épisodiques étaient immédiatement étouffés.

Cela dura longtemps, et Tungata finit par dominer sa première sensation de malaise. Il n'y avait aucune passion en tout cela, aucun désir charnel. C'était un acte de violence prémédité, une provocation adressée à un ennemi mortel, un acte de guerre, sans aucun sentiment de culpabilité ou de compassion, et Tungata était un guerrier.

Un à un, ses hommes revinrent près du feu en achevant de se rhabiller. Ils avaient perdu leur entrain et arboraient des visages impassibles.

— Vous avez fini ? demanda Tungata. (L'un d'eux s'agita et se leva à moitié en le regardant d'un air interrogateur.) Alors, fais vite. Il ne reste plus que sept heures avant l'aube.

Tous ne retournèrent pas derrière l'épave, mais quand ils furent prêts à partir, Tungata s'y rendit à son tour.

Le corps blanc et nu de Janine Ballantyne était recroquevillé dans la position du fœtus. Sa lèvre qu'elle avait mordue n'était plus qu'un morceau de chair sanguinolent, et elle pleurait doucement de manière monotone.

Tungata s'accroupit à côté d'elle, prit son visage dans ses mains, le tourna vers lui pour la regarder dans les yeux et braqua sur ceux-ci sa torche électrique. C'étaient les yeux d'un animal blessé et terrifié. Peut-être avait-elle déjà franchi la frontière de la folie ; il n'en était pas certain, aussi parla-t-il lentement, comme s'il s'adressait à un enfant attardé.

— Dites-leur que je m'appelle Tungata Zebiwe, Celui-qui-cherche-ce-qui-a-été-volé, qui cherche la justice et poursuit la vengeance, dit-il avant de se lever.

Elle essaya de se détourner de lui en roulant sur le côté, mais la douleur l'en empêcha. Elle se couvrit l'aine de ses mains, et il vit un petit jet de sang s'échapper entre ses doigts. Il s'écarta, prit la jupe jaune tachée que ses hommes avaient jetée sur un buisson et revint vers le feu en la fourrant dans sa poche.

— *Lungela !* lança-t-il. Voilà qui est fait. En route !

— Nous n'avons presque plus de carburant, nous devons rentrer, cria le pilote à Roland Ballantyne, vers minuit. Un camion-citerne nous attend à l'aéroport.

479

Pendant quelques instants, Roland sembla ne pas comprendre. Dans le reflet verdâtre du tableau de bord, son visage était sans expression, mais sa bouche une mince fente cruelle et ses yeux terribles.

— Faites vite ! dit-il. Et revenons ici immédiatement.

Sur l'aire de stationnement, le médecin des Scouts, Paul Henderson, attendait pour relayer le généraliste emmené de Victoria Falls par Roland. Quand il fut à bord, ce dernier prit à part le sergent-major Gondélé.

— Si seulement nous pouvions savoir dans quelle direction se dirigent ces salauds, murmura-t-il. Est-ce qu'ils filent vers le sud ou retournent-ils vers le fleuve ? Vont-ils tenter de passer à gué, et si oui, lequel vont-ils choisir ?

Ésaü Gondélé comprit qu'il avait besoin de parler, de dire quelque chose, uniquement pour cesser de penser à ce qui les attendait là-bas, dans la forêt obscure.

— Nous ne pourrons pas les suivre avec l'hélico, dit-il. La forêt est trop dense. Ils nous entendraient arriver à plusieurs miles de distance et disparaîtraient.

— C'est exact, reconnut Roland. Ils nous dégommeraient avec leur SAM-7. Les suivre en hélico serait du suicide... le seul moyen, c'est de retrouver leur piste et de les prendre en chasse à pied.

— Ils ont une nuit d'avance, une nuit complète, fit remarquer Ésaü Gondélé en secouant sa grosse tête rasée d'un air dubitatif.

— Le chat ne résiste pas à la tentation de malmener l'oiseau mort, dit Roland. Peut-être n'ont-ils pas encore pris la fuite, peut-être sont-ils ivres de sang et pouvons-nous encore leur mettre le grappin dessus.

— Prêt au départ ! cria le pilote tandis que le camion-citerne s'écartait du Super-Frelon.

L'hélicoptère s'éleva rapidement et, sans perdre de temps à prendre de l'altitude, s'éloigna en vrombissant au ras de la brousse plongée dans l'obscurité.

À cinq heures moins dix le lendemain matin, longtemps avant que le soleil ait paru au-dessus de l'horizon, mais alors que la lumière était déjà assez forte pour distinguer formes et couleurs, Roland tapa sur l'épaule du pilote et indiqua un point à bâbord. Le pilote vira dans cette direction. C'était une branche brisée, le dessous des feuilles était plus clair que le feuillage alentour et avait attiré l'œil de Roland. Puis il y eut une autre tache blanche, le moignon d'une branche brisée pointant dans la lumière du matin. Le pilote fit du sur place et ils restèrent suspendus à cinquante pieds au-dessus de l'endroit indiqué. Ils essayaient de percer du regard le dais de verdure, et quelque chose de blanc voltigea dans le tourbillon provoqué par les rotors.

— Descendez ! cria Roland.

Tandis qu'ils descendaient, tout se découvrit soudain à leurs regards : l'épave fracassée et les débris épars.

— Là, une clairière ! fit Roland en indiquant la direction du doigt.

Alors que l'hélicoptère descendait doucement pour se poser, les Scouts sautèrent à la queue leu leu à quinze pieds du sol et se dispersèrent immédiatement en un périmètre défensif. Roland les déploya ensuite en tirailleurs et ils balayèrent rapidement la trouée, prêts à riposter au feu de l'ennemi. En quelques minutes, ils avaient passé la zone au crible.

— Les survivants ! beugla Roland. Cherchez les survivants !

Ils parcoururent la trouée en sens inverse, et dans les premières lueurs de l'aube, le carnage apparut dans toute son horreur. Les Scouts s'arrêtaient un instant près des corps froids et raides, puis continuaient. Roland atteignit la cabine de pilotage et jeta un coup d'œil à travers le pare-brise. Il n'y avait plus rien à faire pour l'équipage. Il fit demi-tour et reprit ses recherches frénétiquement, en quête d'une tache jaune, la couleur de la jupe de Janine.

— Colonel ! lança une voix en lisière de la forêt.

Roland courut dans cette direction. Le sergent major Arnould se trouvait près de l'empennage fracassé de l'avion.

Qu'y a-t-il ? demanda Roland d'une voix rauque.

C'est alors qu'il la vit. Ésaü Gondélé avait couvert le corps nu de Janine d'une couverture bleue de la compagnie aérienne. Elle était recroquevillée comme un enfant endormi et on ne voyait que ses cheveux ébouriffés. Roland posa un genou à terre et souleva doucement le coin de la couverture. Les yeux de Janine disparaissaient sous des ecchymoses violacées et ses lèvres n'étaient plus que de la chair sanglante. Pendant quelques instants, il ne la reconnut pas, et quand il le fit, il crut qu'elle était morte. Il posa sa paume contre sa joue, la peau était humide et chaude.

Janine ouvrit les yeux : ce n'étaient plus que deux fentes dans la chair meurtrie. Elle le regarda, et ce regard morne et sans vie était plus effrayant que ses blessures. Puis ses yeux s'animèrent et elle poussa un hurlement de terreur où perçait la folie.

— Chérie, dit Roland en la prenant dans ses bras.

Elle se débattit violemment sans cesser de crier. Elle avait un regard fou et fixe. Du sang suintait de ses lèvres mâchurées.

— Docteur ! appela Roland. Ici, vite !

Il dut faire appel à toute sa force pour l'immobiliser. Elle avait

481

rejeté la couverture et, toute nue, le bourrait de coups de pied et de poing. Paul Henderson arriva en courant et ouvrit immédiatement sa mallette.

— Tenez-la fermement, murmura-t-il en remplissant une seringue et tamponnant la peau de Janine.

Il enfonça l'aiguille et lui injecta tout le liquide dans le bras. Elle continua de crier et de se débattre pendant près d'une minute puis commença peu à peu à se calmer.

Le médecin la prit des bras de Roland et fit un signe de tête à son assistant. Celui-ci tint une couverture en guise de paravent et le médecin allongea Janine sur une autre.

— Éloignez-vous de là, ordonna-t-il d'un ton sec à Roland en commençant son examen.

Roland ramassa son fusil et se dirigea en titubant vers la partie arrière du Viscount. Il s'y appuya, respirant avec difficulté, puis lentement son souffle redevint régulier et il se redressa.

— Mon commandant ! lança Ésaü Gondélé, apparu à ses côtés. Nous avons retrouvé leur piste.

— Depuis quand sont-ils partis ?

— Au moins cinq heures, probablement davantage.

— Tenez-vous prêts au départ. Nous allons leur donner la chasse.

Roland se détourna. Il avait besoin de rester seul encore un peu, n'ayant pas tout à fait repris le contrôle de lui-même.

Deux Scouts arrivèrent au trot de l'hélicoptère, portant entre eux le brancard en plastique jaune moulé.

— Mon commandant ! appela Paul Henderson en enveloppant avec précaution dans la couverture le corps de Janine.

Puis son assistant et lui déposèrent celui-ci doucement sur le brancard avant de l'attacher avec les sangles. Pendant que l'assistant préparait le goutte-à-goutte de plasma, le médecin entraîna Roland un peu à l'écart.

— Les nouvelles ne sont pas très bonnes, annonça-t-il à voix basse.

— Que lui ont-ils fait ?

Paul Henderson le lui dit. Roland serra si fort la crosse de son fusil que ses bras se mirent à trembler et que des nœuds saillirent sur ses avant-bras.

— Elle a une hémorragie interne, poursuivit Henderson. Je dois la faire opérer le plus vite possible. Il faut une salle où on pratique ce genre de chirurgie. Je ne vois que Bulawayo.

— Prenez l'hélico, ordonna Roland avec brusquerie.

Les deux Scouts coururent avec le brancard jusqu'au Super-Frelon, suivis par l'assistant qui tenait haut la bouteille du goutte-à-goutte et le médecin.

— Mon commandant, dit Henderson en se retournant. Elle est encore consciente. Si vous voulez...

Il n'acheva pas sa phrase. Le petit groupe attendait Roland près du fuselage, hésitant à monter le brancard à bord.

Roland se dirigea vers eux avec une étrange répugnance. Les ennemis avaient abusé de sa femme, elle qui était sacrée. Combien étaient-ils ? Cette pensée l'arrêta, et il dut se forcer pour continuer jusqu'au brancard. Il baissa les yeux vers Janine. Seul son visage dépassait de la couverture, grotesquement tuméfié. Sa bouche était un morceau de chair informe. La crasse et le sang séché avaient raidi ses cheveux, d'habitude si brillants. Son regard était clair, le médicament en avait chassé la folie, et elle avait posé ses yeux bleu indigo sur lui. Eux seuls restaient les mêmes.

Ses lèvres abîmées articulèrent péniblement un mot, mais aucun son n'en sortit. Elle essayait de prononcer son nom : « Roland ! »

Le dégoût l'envahit malgré lui. Combien étaient-ils à avoir profité d'elle ? une douzaine, peut-être davantage ? Elle avait été sa femme, mais le lien était brisé. Il tenta de lutter contre ce sentiment, mais il était pris de nausée et une sueur froide lui glaça le visage. Il essaya de s'obliger à se pencher sur elle, à embrasser ce visage affreusement ravagé, mais il en fut incapable. Il ne pouvait ni parler ni faire un geste, et peu à peu la lueur de reconnaissance s'éteignit dans les yeux de Janine, faisant place à ce regard vide qu'il y avait vu un peu plus tôt. Puis Janine ferma ses paupières gonflées et détourna lentement sa tête de lui.

— Prenez bien soin d'elle, murmura-t-il d'une voix rauque.

Ils embarquèrent le brancard dans l'hélicoptère. Paul Henderson se tourna vers Roland avec une expression de pitié et de colère impuissante et posa son bras sur le sien.

— Roly, elle n'y est pour rien, dit-il.

— Encore un mot et je vous descends.

La voix de Roland était pleine de dégoût et de haine. Henderson tourna les talons et grimpa dans l'hélicoptère. Roland fit un signe au pilote et le gros appareil disgracieux s'éleva bruyamment dans les airs.

— Sergent-major ! Suivons la piste ! cria Roland sans se retourner pour regarder le Super-Frelon monter haut dans le ciel rose de l'aube puis disparaître en direction du sud.

Ils avaient adopté une formation en profondeur de façon que l'arrière-garde, en cas d'embuscade, puisse encercler et déborder les assaillants pour libérer les hommes de tête. Ils progressaient à une vitesse stupéfiante, une allure de marathonien, beaucoup trop rapide pour être sûre. Dès la première heure, Roland avait ordonné à ses Scouts de se débarrasser de leur paquetage. Ils abandonnèrent tout, sauf la radio, leurs armes, leur gourde et les trousses de secours, et Roland poussa encore l'allure.

Ésaü Gondélé et lui se relayaient en tête toutes les heures. À deux reprises ils perdirent la piste en terrain cailouteux, mais à chaque fois la retrouvèrent rapidement plus loin. Elle était droite et bien marquée, et ils n'avaient pas été longs à déterminer le nombre de leurs proies. Depuis deux heures qu'il les traquait, Roland reconnaissait les neufs hommes aux empreintes qu'ils laissaient derrière eux : l'un avait une coupure au talon, l'autre les pieds plats, un troisième des grandes jambes d'une foulée de plus d'un mètre, et tous les autres des caractéristiques moins évidentes qui permettaient néanmoins de les différencier. Il les connaissait et une seule chose l'obsédait : les rattraper.

— Ils se dirigent vers les gués, grogna Ésaü Gondélé en se portant à la hauteur de Roland pour le relayer. Nous devrions lancer un message radio et envoyer une patrouille.

— Il y a douze gués répartis sur quarante miles. Mille hommes ne suffiraient pas, répliqua Roland.

Il voulait les neuf pour lui tout seul. Ésaü Gondélé le comprit, il prit la tête. Ils traversaient une clairière couverte d'herbe dorée dont les tiges encore couchées par le passage des fuyards renvoyaient la lumière avec moins d'intensité. C'était comme suivre une route. Ils la parcoururent au trot. Puis Ésaü Gondélé vit devant lui quelques tiges se relever. Les guérilleros n'étaient plus très loin, et il n'était pas encore midi. Les Scouts avaient au moins repris trois heures sur l'avance des hommes de la ZIPRA.

« Nous pouvons les rattraper avant le fleuve, les avoir pour nous tout seuls », pensa Ésaü Gondélé rageusement, et il résista à la tentation d'allonger la foulée. Ils ne pouvaient pas aller plus vite, sous peine de s'asphyxier, tandis qu'à cette allure ils étaient capables de courir du matin au soir.

À deux heures de l'après-midi, ils perdirent de nouveau la piste. Ils se trouvaient sur une longue crête rocheuse, et le sol n'avait pas gardé d'empreintes. Dès que Ésaü Gondélé eut perdu la trace, toute la file s'arrêta et se mit en position défensive. Seul Roland s'avança à sa hauteur et se plaça sur son flanc afin qu'un seul coup ne pût les faucher tous les deux.

— Comment ça se présente ? demanda Roland en chassant de ses yeux et de ses narines les petites abeilles de mopani, qui s'acharnaient à rechercher l'humidité.

— À mon avis, ils sont allés tout droit.

— S'ils ont eu l'intention de changer de direction, c'est l'endroit idéal, répondit Roland en essuyant son visage sur son avant-bras, où l'enduit de son camouflage laissa une trace graisseuse.

— Si nous ratissons le coin, nous risquons de perdre une demi-heure, c'est-à-dire trois kilomètres, fit remarquer Ésaü Gondélé.

— En courant à l'aveuglette, nous risquons de perdre bien davantage et de ne jamais les rattraper. (Roland balaya du regard la forêt de mopanis qui bordait la crête.) Je n'aime pas ça, dit-il finalement. Nous allons essayer d'autres directions.

Ils sillonnèrent la zone en contrebas de la crête, et comme l'avait craint Gondélé, ils perdirent une demi-heure, mais ne retrouvèrent pas la piste. Il n'y avait pas d'empreintes dans l'axe de la route qu'ils avaient suivie ; leurs proies avaient obliqué.

— Ils n'ont pu que longer la crête. Nous avons une chance sur deux de nous tromper. Vers l'est, on s'éloigne des gués ; je ne pense pas qu'ils aient couru ce risque. Nous allons prendre la crête vers l'ouest, décida Roland.

Ils repartirent de plus belle car ils s'étaient reposés et avaient une demi-heure à rattraper. Roland était rongé par le doute. La roche noire à base de minerai de fer craquait sous ses pas.

Ésaü Gondélé courait à bonne distance sur son flanc droit, sur le terrain plus meuble au pied de la crête. Il cherchait l'endroit où les hommes de la ZIPRA étaient descendus de la crête pour bifurquer vers le nord et reprendre la direction du fleuve si tant est qu'ils l'aient fait.

Le flanc sud de la crête était trop large pour que Roland le couvre aussi efficacement sans diviser ses maigres forces. Il avait fait l'impasse. Si les terroristes étaient revenus sur leurs pas ou avaient obliqué vers l'est, ils lui avaient échappé. Cette idée lui était insupportable. Il serra les mâchoires jusqu'à ce qu'elles lui fassent mal, il eut l'impression que ses dents allaient se briser. Il jeta un coup d'œil à sa montre : ils se trouvaient sur la crête depuis quarante-huit minutes. Il était en train de convertir le temps en distance quand il vit les oiseaux.

Il y en avait quatre, deux paires de gangas. Ils s'inclinaient avec un battement d'ailes rapide, et il était impossible de se méprendre sur leurs intentions.

— Ils descendent vers l'eau, dit Roland à haute voix en notant mentalement le point où ils avaient disparu sous la cime des arbres avant de le signaler à Ésaü Gondélé.

Les oiseaux s'étaient dirigés vers une mare au milieu des mopanis, vestige des dernières pluies. D'une vingtaine de mètres de diamètre, c'était en fait de la boue noire piétinée par les troupeaux de bêtes sauvages. Les empreintes de pieds des neuf

485

fuyards s'y étaient parfaitement imprimées : elles allaient directement jusqu'au milieu de la mare boueuse, puis repartaient droit vers le nord, en direction du Zambèze. Ils avaient retrouvé la piste de leurs proies et Roland sentit en lui une nouvelle flambée de haine.

— Videz vos gourdes, ordonna-t-il.

Il était inutile de polluer ce qui leur restait d'eau douce avec le liquide brunâtre de la mare. Ils burent avidement et l'un d'eux fit la collecte des gourdes pour aller les remplir. Roland ne voulait pas que tous ses hommes risquent en même temps leur vie en s'aventurant à découvert dans la mare boueuse.

Il était près de quatre heures quand ils furent prêts à reprendre la piste. D'après les estimations de Roland, ils étaient encore à une dizaine de miles du fleuve.

— Nous ne devons en aucun cas les laisser traverser, sergent-major, dit-il à voix basse. À partir de maintenant, il n'est plus question de se ménager. On fonce !

L'allure était infernale, même pour les athlètes parfaitement entraînés qu'ils étaient. S'ils rencontraient l'ennemi à présent, ils seraient épuisés, incapables de se défendre durant les longues minutes nécessaires pour récupérer. Ils atteignirent cependant la route de Kazungula sans encombre.

Aucune patrouille n'était passée sur la surface gravillonnée depuis au moins quatre heures. Ils trouvèrent l'endroit où les fuyards avaient pris la précaution de reconnaître la route et d'effacer les traces de leur passage. Cela leur avait coûté de précieuses minutes et les Scouts étaient à deux doigts de les rattraper. La terre était encore humide là où l'un des terroristes avait uriné ; le sol sablonneux n'avait pas eu le temps d'absorber le liquide ni le soleil de l'évaporer. Ils n'avaient plus que quelques minutes d'avance. C'était une folie que de passer à l'attaque dans la foulée, et pourtant, lorsque les Scouts traversèrent la route, Roland répéta : « Allure maximale ! » Quand Ésaü Gondélé se retourna, il le vit sourciller et il ajouta : « Laissez-moi prendre la tête. »

Il courait à fond, sautait par-dessus les buissons épineux rabougris qui se trouvaient en travers de son chemin, ne comptant que sur sa vitesse pour échapper à la première salve quand s'établirait le contact et sachant que même si les terroristes l'abattaient, il pouvait s'en remettre à Ésaü Gondélé et à ses hommes pour achever la besogne à sa place. Peu lui importait de s'en sortir ; une seule chose comptait : rattraper les fuyards et les détruire comme ils avaient détruit Janine.

Quand il entrevit devant lui, dans les broussailles, un mouvement et une tache de couleur, il se jeta cependant à plat ventre et roula rapidement sur le côté. L'instant d'après, il pressait sur la détente, et le F-M lui martela l'épaule. Lorsque l'écho des coups de feu se tut, ce fut le silence complet. Il n'y avait pas eu de riposte, et ses Scouts, couchés à couvert derrière lui, attendaient d'avoir une cible pour tirer.

— Couvrez-moi ! lança-t-il à Ésaü Gondélé.

Il se leva d'un bond et, courbé en deux, se précipita en zigzaguant. Il se jeta de nouveau à terre près d'un buisson. Accroché dans les branches épineuses au-dessus de sa tête, l'objet qui avait attiré son attention claqua encore dans la petite brise chaude qui venait du fleuve. C'était une jupe de femme en coton léger, jaune jonquille, mais maculée de sang séché et de poussière.

Roland tendit la main, arracha la jupe des épines, la roula en boule dans son poing et la pressa contre son visage. Le parfum de Janine s'y attardait encore, faible mais reconnaissable. L'instant d'après, Roland s'était relevé et courait en avant de toutes ses forces, entraîné par sa haine devenue incontrôlable, par sa folie.

À travers les arbres, il vit les petits écriteaux qui marquaient la limite du cordon sanitaire. Les têtes de mort peintes en rouge semblaient le railler, l'aiguillonner. Il les dépassa sans ralentir. Rien ne pouvait désormais l'arrêter, pas même le champ de mines qui s'étendait devant lui. Quelque chose le heurta à l'arrière des genoux et il fut projeté à terre violemment, mais il essaya immédiatement de se relever. Ésaü Gondélé le prit à bras-le-corps et le traîna en arrière. Ils chancelaient et luttaient poitrine contre poitrine.

— Laissez-moi ! haletait Roland. Il faut que...

Ésaü libéra son bras droit, donna un coup de poing dans la joue de Roland pour l'étourdir, puis, profitant de l'avantage, lui fit une clé au bras et l'entraîna hors du champ de mines. Il le projeta de nouveau à terre et, se laissant tomber à genoux près de lui, le cloua au sol de son bras puissant.

— Espèce de dingue ! Vous allez nous tuer tous, rugit-il en plein visage de Roland. Vous y étiez déjà... Un pas de plus...

Roland le regardait sans comprendre comme quelqu'un qui s'éveille d'un cauchemar.

— Ils ont franchi le cordon, annonça Ésaü d'une voix sifflante. Ils sont tirés d'affaire. C'est fini. Ils nous ont échappé.

— Non, rétorqua Roland en secouant la tête. Ils ne sont pas loin. Amenez la radio. Nous ne pouvons les laisser s'enfuir.

Roland lança un appel sur 129,7 mégahertz, la fréquence du réseau des services de sécurité.

— Ici Guépard n° 1, à toutes les unités. Répondez. Ici, Guépard nº 1, répondez, répéta-t-il calmement mais avec un accent de désespoir dans la voix.

La puissance de l'appareil n'était que de quatre watts, et Victoria Falls se trouvait à une trentaine de miles en aval. Pour toute réponse, il n'y eut que le grasseyement du bruit de fond.

Il passa sur la fréquence de l'aviation et essaya l'approche de Victoria Falls sur 126,9 mégahertz. Toujours pas de réponse. Il passa sur la tour de contrôle et régla le micro.

— Tour de contrôle, ici Guépard nº 1. Répondez, s'il vous plaît.

Il y eut un murmure, affaibli et grinçant.

— Guépard nº 1, ici tour de contrôle de Victoria Falls. Vous transmettez sur une fréquence réservée.

— Tour de contrôle, nous sommes une unité des Scouts Ballantyne. Nous sommes à la poursuite de terroristes.

— Guépard nº 1, êtes-vous après ceux qui ont abattu le Viscount ?

— Affirmatif.

— Guépard nº 1, vous pouvez compter sur notre entière coopération.

— J'ai besoin d'un hélico pour nous faire franchir le cordon sanitaire. En avez-vous un de disponible ?

— Négatif, Guépard nº 1. Nous n'avons qu'un avion.

— Ne quittez pas, tour de contrôle.

Roland baissa le micro et regarda le champ de mines. Il était si étroit que vingt secondes auraient suffi pour le traverser, mais, à pied, il était cependant aussi infranchissable que le Sahara.

— S'ils nous envoyaient un véhicule, nous pourrions décoller de Victoria Falls et sauter sur l'autre rive, murmura Ésaü près de son oreille.

— Pas bon. Ça prendrait deux heures... (Roland s'interrompit brusquement.) Mais oui, bon sang ! s'exclama-t-il en appuyant sur le bouton du micro. Tour de contrôle, ici Guépard nº 1.

— Ici tour de contrôle, je vous écoute.

— Un armurier de la police se trouve en ce moment au Victoria Falls Hotel, le sergent Craig Mellow. Je veux qu'il soit déposé ici le plus vite possible pour ouvrir un passage dans le champ de mines. Téléphonez à l'hôtel.

— Ne coupez pas, Guépard nº 1.

La voix lointaine se tut. Ils attendirent, brûlés par la chaleur du soleil, consumés par leur haine.

— Guépard nº 1. Nous avons trouvé Craig Mellow. Il est déjà en route pour le champ de mines à bord d'un Beechcraft Baron de la RUAC. Donnez-nous votre position et un signe de reconnaissance.

— Tour de contrôle, nous sommes en bordure du cordon sanitaire, à une trentaine de miles en amont des chutes. Nous lancerons une grenade au phosphore blanche.

— Compris, Guépard n° 1. Signal de fumée blanche. Compte tenu du danger présenté par SAM-7, nous ne pourrons effectuer qu'un seul passage à basse altitude. Arrivée attendue de l'appareil dans vingt minutes.

— Tour de contrôle, la nuit tombe. Dites-leur d'activer, pour l'amour du ciel, ces salauds vont nous filer entre les doigts.

Ésaü Gondélé avait adapté le lance-grenade sur son F-M. Ils entendirent au loin le grondement d'un bimoteur qui remontait le fleuve.

— Prêt ? demanda Roland en lui touchant l'épaule.

Le bruit des moteurs s'amplifia rapidement. Roland se dressa sur ses genoux et regarda en direction de l'est. Il vit l'éclair argenté juste au-dessus de la cime des arbres et tapa sur l'épaule d'Ésaü.

— Maintenant !

La balle à blanc partit et la grenade s'éleva dans le ciel en décrivant une parabole paresseuse. Elle explosa et une colonne de fumée blanche jaillit haut au dessus de la brousse brûlée par le soleil. Le petit bimoteur vira sur l'aile en direction du signal avant de se stabiliser de nouveau.

À la hauteur de l'aile, la porte des passagers était ouverte. Une silhouette était accroupie dans l'embrasure, le harnais croisé du parachute passé dans l'entrejambe prenait la poitrine et les épaules. La masse volumineuse du parachute plié pendait sur l'arrière des jambes. Craig portait un casque et des lunettes protectrices de para, mais il était en short et avait des Clarks aux pieds.

Le Beechcraft volait bas, peut-être trop. Roland fut pris d'une inquiétude lancinante : Craig n'était pas un Scout. Il avait effectué ses huit sauts pour obtenir son insigne de para, mais c'étaient des sauts ordinaires à quatre mille pieds, alors que le Beechcraft était à peine à deux cents au-dessus de la brousse. Le pilote prenait toutes les précautions pour se prémunir contre les tirs de SAM-7.

— Effectuez un autre passage, cria Roland. Vous êtes trop bas.

Il croisa ses bras au-dessus de sa tête et les agita vers l'extérieur, mais au même moment, Craig se laissa tomber tête la première vers le bord arrière de l'aile argentée. La queue du Beechcraft lui effleura le dos, donnant l'impression de s'abattre sur lui comme une hache de bourreau, et la corde d'ouverture du parachute voltigea derrière lui, encore attachée à l'appareil tel un cordon ombilical.

Craig tombait comme une pierre vers le sol et Roland sentit sa gorge se nouer. Le parachute se déploya tout à coup avec un claquement de fouet et Craig fut tiré violemment à la verticale, ses jambes tendues semblant presque toucher terre. Pendant une longue seconde, il parut suspendu dans les airs comme un condamné à la potence, puis il atterrit et roula sur le dos les pieds joints. Une autre roulade et il était debout, ramenant les suspentes du parachute pour dégonfler la corolle de soie.

— Amenez-le-moi, ordonna Roland après avoir repris sa respiration.

Deux Scouts saisirent Craig par un bras et l'entraînèrent en le forçant à se courber et à courir. Ils le lâchèrent près de Roland, qui l'accueillit sans cérémonie.

— Il faut que tu nous fasses traverser, Sonny, aussi vite que tu peux.

— Est-ce que Janine était à bord du Viscount, Roly ?

— Évidemment qu'elle y était. Allez, maintenant, conduis-nous.

Craig avait ouvert son petit paquetage et rassemblait ses outils : sonde, cisaille, rouleau de bande en plastique coloré, mètre à ruban et boussole.

— Est-elle vivante ?

Craig ne put regarder le visage de Roland en posant la question, mais il se mit à trembler en entendant la réponse.

— Elle l'est à peine.

— Dieu merci, oh, Dieu merci, murmura-t-il.

Roland le regarda pensivement.

— Je ne m'étais pas rendu compte que tu éprouvais pour elle de tels sentiments, Sonny.

— Tu n'as jamais été très perspicace. (Craig le regarda finalement d'un air de défi.) Je l'ai aimée du premier instant où je l'ai vue.

— Eh bien, en ce cas, tu vas avoir autant que moi envie de rattraper ces salauds. Ouvre-nous ce passage, et dépêche-toi.

Roland fit un signe, ses Scouts s'approchèrent rapidement et vinrent s'aligner à plat ventre le long du champ de mines, leurs armes pointées en avant. Roland se tourna vers Craig.

— Prêt ?

Craig hocha la tête.

— Tu connais le schéma ?

490

— Prie que ce soit le cas.

— Vas-y, Sonny, ordonna Roland.

Craig se leva, pénétra dans le champ de mines et commença à opérer avec la sonde et le mètre à ruban. Roland réussit à contenir son impatience pendant près de cinq minutes, puis il lança :

— Bon sang, Sonny, il ne reste plus que deux heures avant la nuit. Combien de temps ça va prendre ?

Craig ne se retourna même pas. Il était penché comme un ramasseur de pommes de terre et sondait le sol doucement. La sueur avait trempé le dos de sa chemise kaki.

— Tu ne peux pas aller plus vite ?

Avec la concentration d'un chirurgien effectuant un pontage coronaire, Craig sectionna le fil de détente d'une mine Claymore, puis avança d'un pas en déroulant la bande colorée derrière lui, leur fil d'Ariane à travers le labyrinthe.

Il effectua un nouveau sondage. Il était malencontreusement tombé sur un mauvais point d'entrée du schéma d'installation des mines, une zone où deux motifs distincts se chevauchaient. En temps normal, il serait revenu sur ses pas en suivant la bande en plastique et aurait recommencé plus loin, mais cela lui aurait coûté un temps précieux, une vingtaine de minutes peut-être.

— Craig, t'avances pas, bon sang, cria Roland. Tu te dégonfles ou quoi ?

Craig broncha en entendant cette accusation. Il aurait dû vérifier le schéma sur sa gauche : si ses estimations étaient exactes, il devait y avoir une mine antipersonnel quatre-vingts centimètres après la dernière qu'il avait trouvée, disposée par rapport à elle selon un angle de 30°. Pour s'en assurer, deux minutes de travail étaient nécessaires.

— Mellow, remue-toi un peu, bon Dieu, l'asticota la voix de Roland. Reste pas planté là. Avance.

Craig rassembla tout son courage, il avait trois chances contre une en sa faveur. Il avança d'un pas et reporta avec précaution son poids sur le pied gauche. Le sol était ferme. Il fit un autre pas, avec la délicatesse d'un chat traquant un oiseau. Sol ferme encore. Il leva son pied gauche, une goutte de sueur lui tomba dans l'œil, l'aveuglant à moitié. Il cilla pour la chasser et acheva son mouvement. Rien.

Il devait à présent y avoir une mine sur sa droite. Il s'accroupit, les jambes flageolantes. Il n'y avait pas de fil ! Il avait mal interprété le schéma et se retrouvait perdu au milieu du champ. Il cligna des yeux et, avec soulagement, aperçut le fil presque invisible exactement à l'endroit où il devait être. Il donnait l'impression de trembler sous l'effet de la tension, comme ses propres nerfs. Craig approchait la cisaille et touchait presque le fil lorsqu'il entendit la voix de Roland derrière son épaule.

— Ne perds pas de temps...

Craig sursauta, éloigna brusquement sa main du fil mortel et regarda en arrière. Roland avait pénétré sur le champ de mines en suivant la bande en plastique et il avait posé un genou à terre à un pas derrière Craig, son fusil-mitrailleur en travers sur sa cuisse. Pareil à quelque guerrier primitif, sauvage et monstrueux, il avait le visage barbouillé par une épaisse couche de peinture de camouflage.

— Je vais aussi vite que je peux, rétorqua Craig en épongeant la sueur de ses sourcils avec son pouce.

— Non, insista Roland. Tu es là depuis près de vingt minutes, et tu n'as pas fait vingt pas. La nuit va tomber avant qu'on ait traversé si tu continues à avoir les jetons.

— Va te faire fiche ! murmura Craig d'une voix rauque.

— Bravo, l'encouragea Roland. Fous-toi en rogne ! C'est le moment où jamais de t'exciter.

Craig coupa le fil de détente qui claqua comme une corde de guitare pincée avec deux doigts.

— Vas-y, Sonny, avance, continuait comme une litanie la voix de Roland dans son dos. Pense à ces salauds, Sonny. Ils ne sont pas loin, en fuite comme des chacals. Imagine qu'ils réussissent à s'échapper.

Craig avança, plus décidé à chaque pas.

— À cause d'eux, tous les passagers de l'avion sont morts, hommes, femmes et enfants. Tous sauf elle. Ils l'ont laissée en vie. Mais quand je l'ai trouvée, elle était incapable de parler, Sonny. Tout ce qu'elle pouvait faire, c'était hurler et se débattre comme un animal sauvage.

Craig s'arrêta brusquement et se retourna, pâle comme un mort.

— Ne t'arrête pas, Sonny. Continue.

Craig se baissa et sonda rapidement le sol devant lui. La mine se trouvait là où elle devait être. Il avança dans le corridor à petits pas rapides, la voix sèche de Roland dans son oreille.

— Ils l'ont violée, Sonny, tous. Elle a eu la jambe cassée quand l'avion s'est écrasé, mais ça ne les a pas arrêtés. Ils lui sont passés dessus l'un après l'autre comme des animaux en rut.

Craig se mit à courir le long du corridor invisible. C'est à peine s'il comptait encore ses pas, et il ne se servit plus du mètre pour vérifier la distance ni de la boussole pour mesurer l'angle du virage. En arrivant au bout, il se laissa tomber à plat ventre et enfonça frénétiquement la sonde dans la terre, mais la voix de Roland était toujours là, derrière lui.

— Quand ils ont eu fini, ils ont recommencé, murmura-t-il. Mais cette fois-ci, ils l'ont retournée et l'ont sodomisée, Sonny...

Craig s'entendit sangloter à chaque coup de sonde. Il heurta l'enveloppe d'une mine juste sous la surface, et la force du choc lui ébranla le bras. Il laissa tomber la sonde et gratta la terre avec ses doigts, découvrant le dessus circulaire de la mine anti-personnel. Elle avait la taille de ces vieilles boîtes de cigarettes Players Navy Cut en fer-blanc. Craig la sortit de terre, la posa sur le côté et continua d'avancer, mais le murmure de Roland le suivait impitoyablement.

— Ils y sont tous passés, Sonny, sauf le dernier. Celui-là n'a pas pu remettre ça, et à la place il lui a enfilé sa baïonnette.

— Ferme-la, Roly ! Pour l'amour du ciel, ferme-la !

— Tu dis que tu l'aimes, Sonny. Alors, dépêche-toi. Par amour pour elle, magne-toi !

Craig trouva la deuxième mine, l'extraya et la jeta au loin. Elle rebondit et roula comme une balle en caoutchouc avant de disparaître dans une touffe d'herbe, mais n'explosa pas. Craig reprit sa progression en donnant de furieux coups de sonde comme s'il avait frappé l'un d'eux au cœur et il trouva la troisième mine, la dernière avant le virage à angle droit du corridor.

La voie était dégagée jusque de l'autre côté du champ de mines où il devait y avoir deux autres Claymore. Craig se leva d'un bond et parcourut le corridor en courant, la main effleurant de chaque côté à quelques centimètres. Il était presque aveuglé par les larmes et sanglotait au rythme de sa course. Il atteignit le bout du corridor et s'arrêta. Encore deux fils de détente à sectionner et ils étaient de l'autre côté du cordon sanitaire.

— Bien joué, Sonny, bien joué, on y est.

Craig prit la cisaille dans sa main droite et fit encore un pas. Il sentit alors sous la semelle de son pied droit un fléchissement élastique presque infinitésimal, comme s'il avait fait s'effondrer un tunnel de taupe.

« Elle n'aurait pas dû se trouver là », pensa-t-il avec désespoir.

Le temps était comme suspendu. Il entendit le déclic de l'allumeur, un bruit pareil à celui de l'obturateur d'un appareil photo, mais amorti par la fine couche de sable qui recouvrait la mine.

« Une mine hors schéma », eut-il le temps de penser. Rien ne se passa, juste ce déclic. Il eut une lueur d'espoir, il allait s'en sortir. « Elle a fait long feu, elle n'éclate pas. »

C'est alors que la mine explosa sous son pied droit. Il eut l'impression que quelqu'un lui donnait de toutes ses forces un coup de barre à mine sous la semelle de ses chaussures. Ce ne fut pas douloureux, juste ce choc terrible dans le pied, qui se propagea le long de sa colonne vertébrale et fit claquer ses mâchoires. Il sentit ses dents se refermer sur sa langue.

Aucune douleur, seulement l'implosion assourdissante de l'onde de choc dans ses tympans, comme si on avait tiré un coup de fusil de chasse à canon double près de sa tête.

Aucune douleur, seulement ce jaillissement aveuglant de poussière et de fumée devant son visage avant d'être lui-même projeté en l'air tel un jouet entre les mains d'un géant sans pitié et de retomber sur le ventre. L'air chassé de ses poumons, il chercha sa respiration, la bouche pleine de sang. Les yeux lui piquaient à cause de la fumée et des grains de sable. Il les essuya : le visage de Roland était devant lui, flou et tremblotant comme un mirage. Les lèvres de Roland bougeaient mais les oreilles de Craig bourdonnaient furieusement et il ne pouvait entendre ses paroles.

— Ça ira, Roly, dit-il, sa propre voix presque noyée par les échos chantants de l'explosion. Ça ira, répéta Craig.

Il se dressa sur son séant. Il avait la jambe gauche tendue devant lui, l'intérieur du mollet lacéré et noirci par l'explosion. Du sang coulait par le bas de son short kaki. Un éclat avait dû le toucher aux fesses et dans le bas-ventre, mais il avait encore sa Clarks au pied. Il essaya de le remuer, et le pied réagit immédiatement.

Mais quelque chose n'allait pas. Il était étourdi, ses oreilles tintaient encore, et pourtant il se rendait compte que quelque chose n'allait pas du tout. Peu à peu, il commença à comprendre.

Il n'avait plus sa jambe droite, seul un moignon sortait de son short. La chaleur de l'explosion l'avait cautérisé et la plaie avait la blancheur d'un membre gelé et exsangue. Il le regardait fixement et savait que ses yeux lui jouaient un mauvais tour car il *sentait* que sa jambe était toujours là. Il essaya de bouger son pied manquant et le *sentit* remuer, mais, à sa place, il n'y avait rien.

— Roly ! (Même à travers son bourdonnement d'oreilles, il perçut l'accent hystérique de sa voix.) Roly, ma jambe. Oh, mon Dieu, ma jambe, j'ai perdu ma jambe !

Alors, le sang artériel jaillit enfin de sa chair brûlée.

— Roly, aide-moi !

Roland l'enjamba et s'accroupit en lui tournant le dos, un pied de chaque côté de son buste, lui cachant le bas de son corps mutilé. Il déroula sa trousse de secours et attacha le garrot autour du moignon. L'hémorragie s'arrêta, et il pansa la plaie. Il travaillait vite, avec dextérité. Dès qu'il eut fini, Roland se retourna vers Craig, dont le visage était pâle et maculé de poussière.

— Sonny, les Claymore. Est-ce que tu peux désamorcer les Claymore ? Pour elle, Sonny, essaie ! (Craig le regardait fixement.) Sonny... fais ça pour Janine, murmura Roland en l'asseyant. Essaie ! Pour elle, essaie !

— La cisaille ! marmonna Craig, ses yeux écarquillés fixés douloureusement sur le linge ensanglanté qui enveloppait son moignon. Cherche la cisaille ! (Roland lui posa l'outil dans la main.) Tourne-moi sur le ventre.

Roland le retourna avec précaution, et Craig commença à ramper sur les coudes, traînant sa jambe restante hors du petit cratère laissé par l'explosion, puis il s'arrêta et tendit la main en avant. Le premier fil de détente claqua entre les mâchoires de la cisaille, puis péniblement, comme un insecte à moitié écrasé sous le talon d'un jardinier, Craig se traîna jusqu'à la limite du champ de mines. Pour la dernière fois il tendit la main. Elle tremblait violemment, et il immobilisa son poignet avec la main gauche. Gémissant sous l'effort, il guida les mâchoires ouvertes de la cisaille sur le fil d'acier fin comme un cheveu et serra. Le fil lâcha avec un bruit métallique et Craig laissa tomber l'outil.

— Voilà, la voie est libre, dit-il dans un sanglot.

Roland tira le cordon de dessous sa chemise et porta le sifflet à ses lèvres. Il siffla une fois et fit avancer ses hommes d'un signe du bras. Les Scouts traversèrent le champ de mines en courant à dix pas d'intervalle et en suivant les zigzags de la bande en plastique que Craig avait laissée le long du corridor pour les guider. Lorsqu'ils arrivaient à l'endroit où Craig était étendu sur le ventre, ils sautaient avec légèreté au-dessus de lui puis disparaissaient dans la brousse les uns à la suite des autres. Roland s'attarda quelques instants à ses côtés.

— Je ne peux te laisser aucun de mes hommes, Sonny, dit-il en déposant la trousse de secours près de lui. Si ça devient trop dur, tu as de la morphine. (Il déposa quelque chose d'autre à côté de la trousse. C'était une grenade.) Il se peut que les terroristes te trouvent avant nos gars. Ne les laisse pas te prendre. Les grenades, c'est pas très propre, mais c'est efficace. (Roland se pencha et embrassa Craig sur le front.) Dieu te bénisse, Sonny !

L'instant d'après, il s'était redressé et reprenait sa course. En quelques secondes, l'épaisse brousse riveraine du Zambèze l'avait englouti. Lentement, Craig enfouit son visage dans le creux de son bras.

Alors seulement la douleur arriva comme un lion vorace.

Accroupi au fond de la tranchée, le commissaire Tungata Zebiwe écoutait la voix rauque qui sortait de la radio portative.

— Ils ont traversé le champ de mines et se dirigent vers le fleuve.

Ses observateurs étaient postés sur la rive nord du Zambèze à des endroits soigneusement choisis d'où ils pouvaient balayer du regard la berge opposée et les îlots couverts de végétation répartis sur les hauts-fonds du large cours d'eau.

— Combien sont-ils ? demanda Tungata dans le micro.

— Pas encore dénombrés.

Il était naturellement impossible de compter des ombres qui se précipitaient à travers la brousse à la tombée du jour en se couvrant mutuellement. Tungata leva les yeux vers le ciel. « Dans moins d'une heure, la nuit sera tombée », estima-t-il, et il fut de nouveau envahi par les doutes qui l'avaient assailli depuis qu'il avait fait passer ses hommes à gué près de trois heures plus tôt.

Y avait-il un moyen d'inciter ses poursuivants à traverser le fleuve ? S'il n'y parvenait pas, la destruction du Viscount, ainsi que tout ce qu'il avait accompli jusque-là, perdrait la moitié de son impact psychologique dans leur propagande contre l'ennemi. Il fallait absolument qu'il amène les Scouts à franchir le Zambèze pour qu'ils tombent dans l'embuscade qu'il avait si soigneusement préparée. C'est dans le but de les pousser à continuer qu'il avait emporté la jupe de la femme et l'avait laissée à la lisière du cordon sanitaire.

Il admettait cependant qu'il était insensé pour un militaire de faire traverser à la tombée de la nuit une barrière naturelle comme le Zambèze par une petite unité pour la conduire en territoire hostile, contre un ennemi de force inconnue qui devait anticiper son arrivée et s'y être préparé à loisir. Tungata ne pouvait s'attendre à les voir arriver, il ne pouvait que l'espérer.

Tout dépendait essentiellement de celui qui se trouvait à la tête des poursuivants. L'appât qu'il avait laissé pour les attirer ne pouvait être réellement efficace que s'il était découvert par un homme et un seul. Le viol collectif, la mutilation de la femme, la jupe ensanglantée, tout cela ne devait exercer pleinement son effet que sur le colonel Roland Ballantyne lui-même. Tungata essaya d'évaluer objectivement les chances que ce soit Ballantyne en personne qui dirige la poursuite.

Il se trouvait au Victoria Falls Hotel, les agents de la ZIPRA l'avaient identifié sans doute possible. La femme s'était présentée comme étant son épouse. Les Scouts constituaient la force d'intervention la plus proche et la plus efficace de la région. Ils avaient dû être les premiers arrivés à l'épave de l'avion, et Ballantyne se trouvait certainement avec eux. D'évidence, Tungata avait plus d'une chance sur deux que son plan se déroule comme prévu.

Il avait eu pour la première fois confirmation que les poursuivants n'étaient plus très loin un peu avant quatre heures de l'après-midi lorsqu'on avait entendu tirer une arme automatique sur la rive sud. Ses hommes venaient alors d'achever la traversée du gué. Étendus à même le sol, ils étaient encore trempés et haletants comme des chiens de chasse menés trop durement, et Tungata avait frissonné en réalisant à quel point les Scouts les avaient talonnés de près, malgré leur retard initial et l'allure infernale qu'il avait imposée à ses hommes. Vingt minutes de plus, et les Scouts les rattrapaient sur la rive sud près du cordon sanitaire. Tungata ne se berçait pas d'illusions sur ce que cela eût signifié. Ses hommes étaient les meilleurs de la ZIPRA, mais ils n'étaient pas de taille à rivaliser avec les Scouts Ballantyne. Sur la rive sud, ils étaient condamnés, mais maintenant qu'ils avaient traversé le Zambèze, l'avantage avait changé de camp de manière spectaculaire. Les préparatifs effectués par Tungata pour accueillir les poursuivants avaient duré dix jours entiers et avaient été accomplis en coopération avec l'armée et la police zambienne.

La radio grésilla de nouveau, Tungata leva le micro jusqu'à ses lèvres et répondit sèchement. Le guetteur parlait à voix basse, comme s'il avait craint d'être entendu par les hommes redoutables de l'autre côté du fleuve.

— Ils n'ont pas tenté de traverser. Ou bien ils attendent la nuit, ou bien ils ont renoncé.

— Il faut qu'ils traversent, se dit Tungata à haute voix avant d'appuyer sur le bouton du micro. Envoyez le signal lumineux, ordonna-t-il.

— Restez à l'écoute, répondit l'observateur.

Tungata baissa le micro et leva les yeux dans l'expectative vers le ciel du soir mauve et rose. C'était courir un risque, mais il n'avait cessé de le faire dès le moment où ils avaient franchi le Zambèze avec le lance-missile.

La fusée jaillit comme un éclair dans le crépuscule et, à cent cinquante mètres au-dessus du fleuve, explosa en une boule de feu cramoisie. Tungata la regarda retomber avec grâce. Il s'aperçut qu'il avait serré si fort le micro qu'il s'était enfoncé les ongles dans les paumes.

Le signal lumineux, lancé de façon cruellement tentante tout près de la berge, juste derrière la première ligne d'arbres qui bordait la rive nord, pouvait les effrayer et les amener à abandonner la poursuite ou, au contraire, avoir l'effet attendu par Tungata : leur montrer qu'ils étaient tout près de leurs proies et déclencher un réflexe félin — pourchasser tout ce qui fuit.

Tungata attendait et les secondes s'éternisaient. Il secoua la tête, envisageant enfin la perspective d'un échec, sensation glaciale qui irradiait à partir du creux de l'estomac. Puis la radio crépita et la voix du guetteur se fit entendre, tendue et rauque.

— Ils arrivent !

Tungata porta précipitamment le micro à ses lèvres.

— À toutes les unités. Ne tirez pas encore. Ici le camarade Tungata. Ne tirez pas encore.

Il dut s'interrompre, à la fois soulagé et redoutant qu'au dernier moment un de ses guérilleros déclenche le piège prématurément par excès de nervosité. Il avait six cents hommes déployés sur le théâtre de l'embuscade, un régiment entier étant nécessaire pour affronter un détachement de *kanka*. Tungata les avait vus se battre de ses propres yeux, et il lui fallait être à vingt contre un pour ne pas prendre de risque.

Il avait donc la supériorité numérique, mais ce nombre représentait en soi un danger. Il était difficile d'exercer un contrôle efficace sur une telle multitude, et tous ses hommes n'étaient pas des guerriers de qualité. Parmi eux, beaucoup étaient nerveux, en proie à une crainte quasi superstitieuse et impressionnés par la mystérieuse aura qui entourait la légende des Scouts Ballantyne.

— À tous les commandants de section, répétait-il inlassablement dans le micro, ne tirez pas encore. Ici le camarade Tungata. Ne tirez pas encore.

Puis il baissa le micro et une dernière fois étudia soigneusement le terrain devant lui. La rive nord était presque à un kilomètre et demi, signalée par une rangée de grands arbres. D'abord les troncs tordus d'énormes figuiers étrangleurs et de mkusis, aux branches chargées de guirlandes de lianes, et, plus haut encore, d'élégants palmiers « bouteille », aux frondaisons hérissées, se découpant sur le fond écarlate du crépuscule. Il était impossible d'apercevoir le fleuve à travers ce rempart de végétation luxuriante.

Cette barrière végétale se terminait brutalement à la hauteur d'une grande prairie, l'une des plaines inondables du Zambèze. À la saison des pluies, lorsque le fleuve débordait, cette zone était transformée en un lagon peu profond couvert de nénuphars et de roseaux, mais à présent elle était asséchée, les roseaux morts étaient tombés et n'offraient plus aucun couvert à d'éventuels poursuivants ou fugitifs.

L'une des principales préoccupations de Tungata avait été de conserver vierge de toute trace de pas cette vaste étendue de terre meuble. Depuis près de dix jours, un régiment entier campait en lisière, un régiment dont les hommes creusaient un réseau de tranchées et des batteries pour les mortiers. Si un seul d'entre eux avait par mégarde traversé la cuvette, ses empreintes auraient alerté les poursuivants des neuf hommes.

Les seules traces qui s'y trouvaient étaient celles des troupeaux de buffles, de délicates antilopes rousses, et, celles-là mêmes qu'ils venaient de laisser trois heures plus tôt et qui avaient conduit les *kanka* de l'épave du Viscount jusqu'ici. Ces traces sortaient de la coulée verte qui longeait le fleuve et traversaient la plaine en direction du coteau boisé où il se trouvait.

La fréquence porteuse de la radio de Tungata se mit à bourdonner et l'observateur murmura :

— Ils ont franchi la moitié du gué.

Tungata imagina la rangée de têtes sombres qui avançait sur les eaux teintées de rose par le crépuscule.

— Combien sont-ils ?

— Douze.

Tungata éprouva une petite déception. Ils étaient si peu nombreux ! Il en avait espéré davantage.

— Y a-t-il un officier blanc ? demanda-t il après un instant d'hésitation.

— Je vois seulement un homme avec une peinture de camouflage. Il est en tête.

— C'est Ballantyne, se dit Tungata à voix haute, le grand chacal en personne. Ce ne peut être que lui.

La voix se fit de nouveau entendre à la radio.

— Ils ont traversé et ont disparu au milieu des arbres.

Allaient-ils maintenant se risquer à traverser la plaine inondable ? Tungata régla ses jumelles de nuit sur la ligne des arbres. Les lentilles spéciales captaient le moindre rayon de lumière ; pourtant, la forme des arbres et des buissons devenait indistincte. Le soleil s'était couché, les derniers rougeoiements s'estompaient et les premières étoiles piquaient le dais sombre du ciel nocturne.

— Ils ne sont pas encore sortis des arbres, annonça à la radio une voix différente, plus grave et rauque, celle d'un des guetteurs de la deuxième ligne qui couvrait la frange méridionale de la plaine.

— Découvrez le feu ! ordonna Tungata dans le micro.

Quelques instants plus tard apparut la petite lueur rougeoyante d'un feu de camp en lisière de la forêt, à la limite du terrain découvert la plus éloignée du fleuve. À travers ses jumelles, Tungata vit une silhouette humaine passer devant le foyer. Cela donnait la parfaite illusion d'un paisible feu de bivouac parmi les arbres, où la petite troupe de fuyards épuisés par la longue poursuite se reposait enfin et préparait le repas du soir en se croyant en sécurité. Mais le piège n'était-il pas trop évident ? se demanda anxieusement Tungata. N'était-ce pas trop compter sur la fureur irréfléchie des poursuivants ?

La grosse voix transmise par la radio apaisa presque tout de suite ses doutes.

— Ils ont quitté le couvert des arbres et traversent la plaine.

L'obscurité était à présent trop grande pour distinguer quoi que ce soit à cette distance. Il devait s'en remettre aux guetteurs des postes les plus avancés et il alluma le cadran de sa montre afin de voir le mouvement de l'aiguille des minutes. La plaine avait un kilomètre et demi de profondeur ; au pas de course, les Scouts mettraient un peu plus de trois minutes pour la traverser.

— Mortiers, paré à tirer obus éclairant, lança Tungata dans le micro sans quitter des yeux le cadran.

— Mortiers, paré à tirer !

L'aiguille des minutes acheva son premier tour et entama le second.

— Mortiers, feu ! ordonna Tungata.

Dans la forêt derrière lui, il entendit le bruit sourd des mortiers de 90 et le son flûté des projectiles qui s'élevaient rapidement au-dessus de leurs têtes, puis soudain, à l'apogée de leur trajectoire, l'éclatement des obus éclairants.

Suspendus à leurs petits parachutes, ils brillaient d'une lumière bleu électrique. La plaine était éclairée comme un gigantesque stade. Le petit groupe d'hommes qui couraient au milieu se trouvait pris au piège dans cette illumination crue, et leurs ombres paraissaient noires et lourdes comme du minerai de fer.

Ils se jetèrent immédiatement à terre, mais il n'y avait pas le moindre couvert. Bien qu'ils se soient aplatis contre le sol, leurs corps formaient des monticules parfaitement définis. Mais ils furent presque immédiatement cachés par le mouvement tournoyant des petites mottes de terre qui jaillissaient autour d'eux. Les six cents hommes de Tungata embusqués dans les arbres autour de la plaine tiraient à présent, et l'ouragan de feu des armes automatiques balayait les silhouettes blotties au milieu.

Depuis les batteries de mortier installées en arrière dans la forêt, les bombes s'élevaient haut dans le ciel avant de retomber dans la plaine. Le fracas de leurs explosions faisait contrepoint au grondement de tonnerre continu des armes légères, et elles soulevaient des geysers de poussière tourbillonnante, fantomatiques à la lumière des obus éclairants.

Personne ne pouvait survivre à un tel déluge de feu. Les Scouts devaient depuis longtemps être réduits en charpie par les balles et les éclats d'obus, mais le mitraillage continuait, minute après minute, tandis que d'autres obus éclairants éclataient au-dessus de leurs têtes en explosions de lumière bleue grésillante qui brûlait les yeux.

Avec ses jumelles, Tungata balaya lentement le nuage dérivant de poussière et de fumée. N'apercevant aucun signe de vie, il finit par prendre le micro pour ordonner le cessez-le-feu. Mais avant d'avoir eu le temps de parler, il vit un mouvement : droit devant lui, à moins de deux cents pas, deux silhouettes spectrales émergeaient du rideau de poussière.

Deux hommes arrivaient en courant côte à côte, comme pataugeant à travers un bourbier, et dans la clarté des obus éclairants, ils paraissaient monstrueux et inhumains. L'un d'eux était un gigantesque Matabélé. Il avait perdu son casque, sa tête était ronde et noire comme un boulet de canon, sa bouche ouverte découvrait deux rangées de dents blanches et son rugissement couvrait même le vacarme des coups de feu. L'autre était un Blanc ; le haut déchiré de sa tenue de combat laissait voir la peau claire de sa poitrine et de ses épaules, mais il avait le visage barbouillé de camouflage traînées vert sombre et brun.

Ils tiraient tout en courant et Tungata sentit un frémissement de crainte superstitieuse, celle-là même qu'il avait méprisée chez ses hommes, car les deux assaillants semblaient invulnérables à la tempête de feu à travers laquelle ils chargeaient.

— Abattez-les ! s'entendit hurler Tungata au moment où un coup de F-M tiré par l'un des deux hommes soulevait un petit jet de terre meuble sur la crête du talus devant sa tranchée.

Il se baissa et courut jusqu'au servant de la lourde mitrailleuse à l'autre bout de la tranchée.

— Vise bien ! cria-t-il.

L'homme tira une longue rafale mais les deux assaillants continuèrent de courir dans leur direction, indemnes. Tungata poussa le servant et prit sa place. Pendant d'interminables secondes, il resta les yeux fixés sur la ligne de mire tout en réglant minutieusement la hausse, puis il ouvrit le feu.

Le grand Matabélé fut projeté en arrière comme s'il avait été heurté par une automobile, puis il parut se désintégrer, les membres désarticulés, tel un pantin.

L'autre continuait de courir et de tirer, hurlant un défi incohérent. Tungata dirigea la mitrailleuse vers lui, visa pendant une fraction de seconde la tache mouvante de chair blanche, le visage au barbouillage diabolique au milieu de la mire.

Il appuya sur la détente. La mitrailleuse tressauta brièvement dans sa main, puis s'enraya et se tut.

Tungata était pétrifié, paralysé par une terreur superstitieuse, car l'homme continuait de courir. L'épaule arrachée, il avait laissé tomber son F-M. Le bras pendait inutile à son côté, mais il était encore debout et venait droit sur Tungata.

Celui-ci se leva d'un bond et tira son pistolet Tokarev de l'étui accroché sur sa hanche. L'assaillant avait presque atteint la tranchée, il était à moins de dix pas. Tungata pointa son arme vers lui, tira et vit la balle pénétrer au milieu de la poitrine nue. L'homme tomba à genoux. Il ne pouvait plus avancer mais essayait de le faire, son bras unique tendu vers son ennemi, aucun son ne sortait de sa bouche ouverte pleine de sang.

De si près, en dépit du masque de camouflage, Tungata reconnut celui qu'il avait vu à la mission de Khami au cours de cette nuit qu'il n'oublierait jamais. Les deux hommes se regardèrent encore un instant, puis Roland Ballantyne tomba face contre terre.

Peu à peu, l'ouragan de feu qui se déversait sur la plaine s'apaisa et se tut. Tungata Zebiwe sortit péniblement de la tranchée et se dirigea vers l'endroit où Roland Ballantyne était étendu. Avec le pied, il le retourna sur le dos et, incrédule, vit ses paupières trembler puis s'ouvrir lentement. À la lumière des obus éclairants, il vit un éclair de fureur et de haine briller encore dans les yeux verts qui le regardaient fixement.

Tungata s'accroupit près de lui

— Je suis heureux de croiser de nouveau votre chemin, colonel Ballantyne, murmura-t-il en anglais.

Puis il se pencha en avant, plaça la gueule du Tokarev contre la tempe de Roland Ballantyne et tira.

La section des paraplégiques de l'hôpital St. Giles était un havre de paix où Craig Mellow se complaisait.

Il avait eu plus de chance que d'autres pensionnaires et n'avait effectué que deux fois le trajet jusqu'à la porte à deux battants de la salle d'opération où flottait l'odeur des antiseptiques et des anesthésiants, le long des interminables couloirs peints en vert, les roues du chariot sur lequel il était étendu grinçant en cadence, les visages masqués impersonnels des infirmières s'affairant au-dessus de lui.

Lors de la première intervention, on lui avait façonné un beau moignon, avec un épais coussin de chair et de peau pour recevoir le membre artificiel. Lors de la seconde, le chirurgien lui avait retiré la plupart des éclats d'obus dont étaient criblés son entrejambe, ses fesses et le bas de son dos. On avait également cherché, mais en vain, une cause mécanique expliquant la complète paralysie de son corps au-dessous de la taille.

Il se remettait rapidement de l'opération, mais la jambe en plastique et acier inoxydable restait appuyée inutilement contre sa table de chevet, et ses bras se musclaient à force de se soulever en tirant sur les poignées et de pousser sur les roues de sa chaise roulante.

Il ne tarda pas à faire son trou dans les vastes bâtiments et le jardin du vieil hôpital. Il passait le plus clair de son temps à travailler dans l'atelier thérapeutique, assis sur sa chaise roulante. Il démonta entièrement sa Land Rover et refit le moteur, avec meulage du vilebrequin et réalésage du bloc. Il y installa ensuite un système de conduite manuelle et adapta le siège du conducteur afin de pouvoir monter à bord du véhicule et en descendre plus facilement. Là où se trouvait le râtelier pour les armes à feu, il confectionna un casier destiné à recevoir sa chaise roulante pliante, et il repeignit enfin la carrosserie en bordeaux.

Quand il eut fini avec la Land Rover, il entreprit de dessiner et d'usiner des équipements pour son bateau, penché des heures entières sur les tours et les perceuses. Le travail manuel chassait les souvenirs obsédants, et il accordait donc le plus grand soin et toute son attention à sa tâche, produisant des petits chefs-d'œuvre en bois et en métal.

Le soir, il écrivait et lisait — aucun journal —, mais ne regardait jamais la télévision dans la salle commune. Il ne prenait jamais part aux discussions que les autres patients avaient sur les combats ou les négociations de paix, lesquelles suscitaient de grands espoirs et capotaient régulièrement. Craig pouvait ainsi se laisser croire à lui-même que les loups ne sillonnaient plus le pays.

Il n'y avait que la nuit qu'il ne parvenait pas à maîtriser les mauvais tours que lui jouaient son esprit et sa mémoire, et de nouveau il suait de terreur dans un interminable champ de mines avec la voix de Roland qui lui chuchotait des obscénités à l'oreille, ou revoyait la lumière éblouissante des obus éclairants dans le ciel nocturne au-dessus du fleuve, ou entendait encore la tempête de feu. Il se réveillait en hurlant, l'infirmière de garde à son chevet inquiète et compatissante.

— Ce n'est rien, Craig, seulement une de vos hallucinations. Ce n'est rien.

Mais ce n'était pas rien, et il savait que ça ne s'effacerait jamais.

Tante Valérie lui écrivait. Elle et l'oncle Douglas étaient torturés à l'idée qu'on ne retrouverait jamais le corps de Roland. Ils avaient appris par les services secrets des forces de sécurité que le cadavre criblé de balles de leur fils avait été exposé en public et que les guérilleros du camp d'entraînement avaient été invités à cracher et uriner sur lui pour se convaincre qu'il était bel et bien mort. Le corps avait été ensuite jeté dans l'une des fosses septiques du camp.

Tante Valérie espérait que Craig comprendrait que ni elle ni l'oncle Douglas n'avaient le cœur à lui rendre visite pour l'instant, mais s'il avait besoin de quoi que ce soit, il lui suffisait de leur écrire.

Par contre, Jonathan Ballantyne venait le voir tous les vendredis. Il arrivait au volant de sa vieille Bentley gris métallisé et apportait un panier de pique-nique qui contenait toujours une bouteille de gin et une demi-douzaine de Schweppes. Craig et lui le partageaient dans un coin tranquille des jardins de l'hôpital. Comme Craig, le vieillard évitait de parler du présent et de ses malheurs, et tous deux trouvaient refuge dans le passé. Chaque semaine, Bawu apportait aussi un des vieux journaux intimes de leurs ancêtres et ils le commentaient avec passion, Craig essayant de glaner tous les souvenirs que son grand-père pouvait avoir de ses jours lointains.

Deux fois seulement, ils rompirent leur accord tacite et évoquèrent le présent. La première, Craig demanda :

— Bawu, qu'est devenue Janine ?

— Valérie et Douglas voulaient qu'elle vienne vivre à Queen's Lynn lorsqu'elle est sortie de l'hôpital, mais elle ne l'a pas fait. Pour autant que je sache, elle travaille toujours au musée.

La semaine suivante, c'est Bawu qui marqua un temps d'arrêt au moment de monter dans sa voiture.

— Quand Roly a été tué, j'ai réalisé pour la première fois que nous allions perdre cette guerre, dit-il.

— Tu le penses vraiment, Bawu ?

— Oui, répondit le vieillard en démarrant, tandis que Craig, sur sa chaise roulante, regardait s'éloigner la Bentley.

À la fin du dixième mois de son séjour à St. Giles, Craig subit une série de tests qui dura quatre jours. On le radiographia et lui posa des électrodes sur le corps, on mesura son acuité visuelle et son temps de réaction à divers stimuli, on passa sa peau au scanner pour tenter de détecter des variations de température qui auraient révélé un dysfonctionnement nerveux. Les médecins effectuèrent une ponction lombaire et prélevèrent un échantillon de fluide spinal. À la fin, Craig était épuisé nerveusement. La nuit suivante, il fit un autre cauchemar. Il était de nouveau étendu sur le champ de mines. Il entendait Janine crier un peu plus loin dans l'obscurité, où elle subissait l'épreuve décrite par Roland. Elle l'appelait à son secours, mais il était incapable de bouger. Il se réveilla finalement, inondé de sueur.

Le lendemain, son médecin traitant lui dit :

— Les résultats de vos tests sont remarquables, Craig. Nous sommes fiers de vous. Vous allez suivre maintenant un nouveau traitement. Je vous envoie au Dr Davis.

Celui-ci était un jeune homme fougueux, au regard direct déconcertant. Craig le prit immédiatement en grippe, pressentant qu'il allait chercher à détruire le cocon dans lequel il avait presque réussi à se replier. Il lui fallut une dizaine de minutes pour comprendre qu'il était psychiatre.

— Je ne suis pas brindezingue, docteur.

— Vous ne l'êtes pas, Craig, mais nous pensons que nous pouvons vous aider un peu.

— Je vais bien. Je n'ai pas besoin d'aide.

— Vous n'avez rien d'anormal sur le plan physique ou nerveux. Nous voulons comprendre pour quelle raison la partie inférieure de votre corps ne fonctionne pas.

— Écoutez, docteur, je peux vous épargner cette peine. La raison pour laquelle je ne peux remuer mon moignon et mon bonne guibolle est tout simplement que j'ai marché sur une mine et qu'elle m'a envoyé dinguer en petits morceaux aux quatre points cardinaux.

— Craig, c'est un état pathologique connu ; on appelle ça le choc...

— Docteur, coupa Craig, vous avez dit que je n'avais rien d'anormal sur le plan physique.

— Votre corps a parfaitement guéri.

— Super. Pourquoi ne me l'a-t-on pas dit plus tôt ? dit Craig en sortant du bureau sur sa chaise roulante.

Il lui fallut cinq minutes pour empaqueter ses livres et ses papiers, puis il se dirigea vers sa Land Rover, jeta son sac à l'arrière, se hissa sur le siège du conducteur, chargea sa chaise roulante derrière lui et regagna son bateau.

À l'atelier de St. Giles, il avait imaginé et assemblé un système de poulies et de treuil manuel pour se hisser sur le pont du voilier le long de la coque. Les autres modifications à apporter au bateau mobilisèrent toute son énergie et son ingéniosité. Il commença par fixer des poignées pour se traîner autour du pont, du cockpit et à l'intérieur. Il cousit des pièces de cuir sur le fond de son pantalon pour pouvoir se déplacer sur les fesses, aménagea la cuisine et l'avant du navire, abaissa la couchette et transforma la table à cartes pour l'adapter à ses besoins. Il travailla avec la musique à fond et un verre de gin à portée de la main, tout cela l'aidant à chasser les souvenirs indésirables.

Le voilier était devenu sa forteresse. Il ne le quittait qu'une fois par mois pour aller chercher sa pension d'invalidité et se réapprovisionner en nourriture et papier.

À l'occasion d'une de ces virées, il trouva une machine à écrire d'occasion et un manuel de dactylographie. Il boulonna le socle de la machine dans un coin de la table à cartes afin qu'elle ne bouge pas même en cas de tempête et commença à recopier à la machine tous ses cahiers de brouillon. Il tapait de plus en plus vite et en arriva à suivre la cadence de la musique avec les touches.

Le Dr Davis, le psychiatre, finit par le retrouver et vint au bateau.

— Vous aviez raison, docteur, lui lança Craig depuis le cockpit, je me suis rendu compte que j'étais un dangereux psychopathe. À votre place, je ne mettrais pas le pied sur l'échelle.

Après quoi, Craig attacha un contrepoids à celle-ci afin de pouvoir la relever derrière lui comme un pont-levis. Il ne la descendait que pour Bawu, et tous les vendredis ils buvaient du gin et se bâtissaient un petit monde imaginaire dans lequel ils pouvaient s'évader.

Puis Bawu vint un mardi. Craig était sur le pont occupé à renforcer le collet de pied de mât. Le vieillard descendit de la Bentley et le cri de joie de Craig mourut sur ses lèvres. Bawu paraissait s'être ratatiné. Il ressemblait à l'une de ces momies que l'on voit au département d'égyptologie du British Museum. Le cuisinier matabélé de King's Lynn, à son service depuis quarante ans, était assis à l'arrière de la voiture. Sur les instructions de Bawu, il sortit du coffre deux grandes caisses et les plaça sur le monte-charge.

Craig les hissa à bord, puis descendit le monte-charge à l'intention de Bawu. Dans le carré, il remplit les verres de gin en évitant de regarder son grand-père, inquiet pour sa santé.

À présent, Bawu était vraiment un vieillard. Il avait les yeux chassieux et dans le vague, sa bouche pendait mollement, de sorte qu'il marmottait et se suçait bruyamment les lèvres. Il renversa du gin sur le devant de sa chemise et ne s'en aperçut pas. Craig et lui restèrent assis sans mot dire pendant un bon moment ; Bawu hochait la tête, émettait des petits grognements et murmures incohérents.

— Je t'ai apporté ton héritage, dit-il soudain.

Craig comprit que les caisses devaient contenir les journaux qu'ils avaient marchandés.

— De toute façon, Douglas n'en aurait que faire.

— Merci, Bawu.

— Est-ce que je t'ai raconté quand M. Rhodes m'a tenu sur ses genoux ? demanda Jonathan en passant du coq à l'âne.

Craig avait déjà entendu l'histoire cent fois.

— Non, jamais. J'aimerais bien que tu me le racontes, Bawu.

— C'était un jour où il y avait un mariage à la mission... ça devait être en 95 ou 96.

Le vieillard continua de bafouiller pendant une dizaine de minutes, jusqu'au moment où il perdit complètement le fil de son récit et retomba dans le silence. Craig remplit leurs verres. Bawu avait les yeux fixés sur la cloison opposée et Craig s'aperçut soudain que des larmes coulaient sur ses joues flétries.

— Qu'y a-t-il, Bawu ? demanda-t-il inquiet, bouleversé par le spectacle de cette douleur.

— As-tu entendu les nouvelles ?

— Tu sais bien que je ne les écoute jamais.

— C'est cuit, mon garçon, définitivement. Nous avons perdu. Roly, toi, tous ces jeunes gens, tout cela a été en vain... nous avons perdu la guerre. Tout ce pour quoi nous nous sommes battus, nous et nos pères, tout ce que nous avons conquis et bâti, tout a été anéanti. Nous l'avons perdu autour d'une table, dans un endroit qui s'appelle Lancaster House.

Les épaules de Bawu tremblaient doucement, les larmes coulaient toujours sur son visage. Craig se traîna sur la banquette à côté de lui et lui prit la main. Elle était fine, légère et sèche comme les ossements d'un oiseau de mer. Tous deux, le jeune et le vieux, restèrent assis en se tenant par la main comme deux enfants effrayés dans une maison vide.

Le vendredi suivant, Craig se glissa hors de sa couchette de bonne heure et fit le ménage dans l'attente de la visite de Bawu. La veille, il avait fait provision d'une demi-douzaine de bouteilles de gin afin de ne pas être à court. Il en ouvrit une et la posa à côté de deux verres. Puis il disposa sur la table les trois cents premières pages dactylographiées de son manuscrit. « Cela va l'égayer », pensa-t-il.

Il lui avait fallu des mois pour se décider à dire à Bawu ce qu'il essayait de faire. Maintenant qu'il allait laisser lire son manuscrit à quelqu'un, Craig était en proie à des émotions contradictoires, d'abord la crainte qu'il soit jugé sans intérêt, d'avoir perdu son temps et fondé sur lui de vains espoirs ;

ensuite, une répugnance à laisser un tiers, fût-il son grand-père bien-aimé, pénétrer dans le monde bien à lui qu'il avait créé au fil de ces pages.

« De toute façon, il faudra bien que quelqu'un le lise un jour », se dit-il pour se consoler en se traînant à l'avant.

Assis sur la cuvette des W-C chimiques, il voyait son visage dans le miroir au-dessus du lavabo. Pour la première fois depuis des mois, il se regarda vraiment. Il ne s'était pas rasé depuis une semaine, et il avait des poches sous les yeux à cause du gin. Ses yeux étaient ceux d'un homme blessé et hanté par de terribles souvenirs, sa bouche était tordue comme celle d'un enfant au bord des larmes.

Il se rasa et s'assit sous la douche, se délectant de la sensation presque oubliée de la mousse chaude sur son corps. Ensuite, il peigna ses cheveux en avant et les coupa à la hauteur des sourcils, puis se brossa les dents jusqu'à faire saigner ses gencives. Il passa une chemise propre, se glissa le long du couloir et se hissa sur le pont. Il descendit l'échelle et s'assit au soleil, adossé à la superstructure de la cabine, pour attendre Bawu.

Il avait dû s'assoupir un moment car le bruit d'un moteur d'automobile le réveilla en sursaut ; ce n'était pas le murmure de la Bentley de son grand-père, mais le gémissement caractéristique d'une VW Coccinelle. Craig ne reconnut pas la voiture à la peinture verte ternie ni la conductrice qui la gara sous les manguiers et se dirigea tout de suite vers le bateau.

C'était une femme un peu boulotte, de cet âge indéterminé dans lequel les filles quelconques entrent à l'approche de la trentaine et qui les amène jusqu'à la vieillesse. Elle marchait sans aucune fierté, légèrement voûtée comme pour dissimuler sa poitrine et le fait qu'elle était une femme. Elle avait la taille épaisse et ses sages chaussures basses détournaient presque l'attention des lignes étonnamment gracieuses de ses mollets et de ses chevilles.

Elle marchait les bras croisés sur la poitrine comme si elle avait froid, même au soleil du matin. Elle regardait le sentier avec des yeux de myope à travers des lunettes à monture d'écaille. Ses cheveux longs, raides et ternes, lui cachaient à moitié le visage, jusqu'au moment où, arrivée sous le bateau, elle leva les yeux vers Craig. Elle avait la peau d'une adolescente qui se nourrit n'importe comment, et le visage plein, mais sa peau un peu flasque avait une apparence et une pâleur malsaines.

Elle enleva alors ses lunettes. La monture laissa des marques rouges sur les ailes de son nez, mais on ne pouvait pas ne pas reconnaître ces yeux, ces immenses yeux de chatte avec un léger strabisme, d'un bleu indigo si foncé qu'il en était presque noir.

— Jan, murmura Craig. Oh, mon Dieu, Jan, c'est toi ?

Dans un geste de coquetterie féminine à fendre l'âme, elle écarta les cheveux de son visage et baissa les yeux, les pieds tournés en dedans, dans sa jupe sans aucun chic.

— Je suis désolée de te déranger, dit-elle d'une voix qui porta à peine jusqu'à Craig. Je sais quels sentiments tu dois éprouver à mon égard, mais est-ce que je peux monter, s'il te plaît ?

— Je t'en prie, Jan, bien sûr.

Il se traîna jusqu'au bastingage et lui tint l'échelle.

— Salut, fit-il avec un sourire timide quand elle arriva sur le pont.

— Salut, Craig.

— Excuse-moi, j'aurais aimé me lever, mais il va falloir t'habituer à me parler d'en haut.

— Oui, j'ai appris ce qui t'était arrivé.

— Descendons dans le carré. J'attends Bawu. Ce sera comme au bon vieux temps.

— Tu as fait un gros travail, dit-elle en regardant autour d'elle.

— Il est presque fini, répondit-il fièrement.

— Il est magnifique.

Janine passa du cockpit dans le carré et il la suivit.

— Nous pouvons attendre Bawu, dit Craig en mettant une cassette, évitant instinctivement Beethoven et choisissant Debussy, dont la musique est plus légère et plus gaie. Ou bien nous pouvons nous servir un verre tout de suite. (Il sourit pour cacher son trouble.) Et pour être franc, il m'en faut un illico.

Janine ne toucha pas à son verre et restait assise à le regarder.

— Bawu m'a dit que tu travaillais toujours au musée.

Elle acquiesça et Craig, pris d'une pitié impuissante pour elle, sentit sa poitrine se serrer.

— Bawu ne va pas tarder..., fit-il, cherchant désespérément quelque chose à dire.

— Craig, je suis venue t'annoncer une nouvelle. La famille m'a demandé de venir te voir ; ils voulaient que ce soit quelqu'un que tu connaisses. (Elle leva les yeux vers lui.) Bawu ne viendra pas aujourd'hui. Il ne viendra plus jamais.

Après un long moment, Craig demanda à voix basse :

— Quand cela s'est-il passé ?

— La nuit dernière, pendant qu'il dormait. Le cœur.

— Oui, murmura Craig. Il avait le cœur brisé... je le savais.

— Les funérailles ont lieu demain après-midi à King's Lynn. Ils veulent que tu sois là. Nous pourrions y aller ensemble, si tu n'y vois pas d'inconvénient.

Le temps avait changé pendant la nuit, le vent s'était levé au sud-est, avait amené la *guti*, une petite pluie fine et froide.

On inhuma le vieillard au milieu de ses épouses, enfants et petits-enfants dans le petit cimetière situé à l'arrière des collines. Sous la pluie, la terre rouge retournée près de la tombe ouverte semblait saigner d'une mortelle blessure.

Craig et Janine rentrèrent ensuite à Bulawayo avec la Land Rover.

— J'habite toujours au même endroit, dit-elle tandis qu'ils traversaient le parc. Peux-tu me déposer ?

— Si je reste seul maintenant, je vais me soûler et avoir le vin triste. Viens passer un moment sur le bateau, s'il te plaît, dit Craig, avec un ton de supplique dans la voix.

— Je ne suis plus d'une compagnie bien plaisante avec les gens.

— Moi non plus. Mais toi et moi ne sommes pas simplement des gens, n'est-ce pas ?

Craig prépara du café et revint de la cuisine. Ils étaient assis l'un en face de l'autre, et il avait du mal à la regarder.

— Je ne dois pas être bien jolie à voir, dit-elle à brûle-pourpoint, et il ne savait pas comment lui répondre.

— Tu seras toujours la plus belle femme que j'aie connue.

— Est-ce qu'on t'a raconté ce qui m'était arrivé, Craig ?

— Oui, je le sais.

— Tu dois donc savoir que je ne suis plus vraiment une femme. Je ne pourrai plus laisser un homme, quel qu'il soit, me toucher.

— Ça peut se comprendre.

— C'est une des raisons pour lesquelles je n'ai pas essayé de te revoir.

— Quelles sont les autres raisons ?

— J'ai pensé que tu ne souhaitais pas me voir, que tu ne voulais plus avoir affaire à moi.

— Ça, je ne le comprends pas.

Janine se tut de nouveau, blottie sur la banquette, les bras croisés sur la poitrine dans un geste protecteur.

— C'est comme cela qu'a réagi Roly, lâcha-t-elle. Quand il m'a trouvée près de l'épave et a compris ce qu'ils m'avaient fait, il a été incapable de me toucher. Il ne pouvait même plus m'adresser la parole.

— Jan..., commença Craig.

— Ne te mets pas en peine, le coupa-t-elle. Je ne t'ai pas dit cela pour t'entendre le nier. Je te l'ai dit pour que tu saches où j'en suis, pour que tu saches que je n'ai plus rien à offrir à un homme sur ce plan-là.

— En ce cas, je peux te le dire. Comme toi, moi non plus je n'ai plus rien à offrir sur ce plan-là.

Une ombre de chagrin passa dans les yeux de Janine.

— Oh, Craig, mon pauvre Craig... je ne m'étais pas rendu compte... je pensais que c'était seulement la jambe...

— Par contre, je peux encore donner à quelqu'un de l'amitié, de l'attention et à peu près tout le reste, reprit-il avec un sourire. Je peux même lui servir un verre de gin.

— Je croyais que tu ne voulais pas te soûler, fit-elle en lui rendant son sourire.

— J'ai dit que je ne voulais pas avoir le vin triste, mais nous pourrions boire en l'honneur de Bawu. Ça lui aurait fait plaisir.

Assis face à face à la table du carré, ils échangèrent des propos décousus et, à mesure que le gin les échauffait, commencèrent à se détendre et à retrouver un peu de cette camaraderie qui avait existé entre eux.

Janine expliqua pourquoi elle n'avait pas accepté l'invitation de Douglas et de Valérie de vivre à Queen's Lynn.

— Ils me regardaient avec un tel air de pitié que je n'aurais pu oublier tous ces souvenirs. J'aurais eu l'impression de prendre le deuil *ad vitam aeternam*.

Il lui parla de St. Giles et de la façon dont il s'en était enfui.

— Ils disent que ce n'est pas à cause de mes jambes mais de ma tête que je suis incapable de marcher. Ou bien ils sont fous, ou bien c'est moi qui le suis... je préfère croire que c'est eux.

Pendant qu'elle préparait une vinaigrette pour la salade, il fit griller deux steaks qu'il avait dans le réfrigérateur tout en lui expliquant toutes les modifications qu'il avait apportées à l'aménagement du bateau.

— Avec le winch, je pourrais réduire ou envoyer la toile sans quitter le cockpit. Je pense pouvoir manœuvrer le bateau tout seul. Je n'aurai malheureusement jamais la possibilité d'essayer.

— Que veux-tu dire ? demanda-t-elle en interrompant son travail, un oignon dans une main, un couteau dans l'autre.

— Mon bébé ne sentira jamais la caresse de l'eau salée sur ses flancs, expliqua-t-il. Ils l'ont confisqué.

— Je ne comprends pas.

— J'ai déposé une demande à l'office de contrôle des changes pour obtenir l'autorisation de le transporter jusqu'à la côte. Tu sais comment ils sont, n'est-ce pas ?

— J'ai entendu dire qu'ils étaient plutôt rudes.

— Rudes ? C'est comme si on disait qu'Attila n'était pas gentil. Si tu désires quitter le pays, ils te laissent emporter seulement mille dollars en espèces ou l'équivalent en biens meubles. Ils ont envoyé un inspecteur, qui a évalué le bateau à deux cent cinquante mille dollars. Si je veux le sortir du pays, je dois effectuer un dépôt d'un quart de million de dollars, un quart de million ! Je dispose d'un peu plus de dix mille dollars. Tant que je n'en aurai pas trouvé deux cent quarante mille, je serai contraint de rester là.

— C'est invraisemblable, Craig. Ne peux-tu pas faire appel ? Je veux dire dans ta situation ?

Elle s'arrêta en le voyant froncer les sourcils. Il fit comme s'il n'avait pas entendu cette allusion à son infirmité.

— Il faut se mettre à leur place. Tous les Blancs qui vivent ici veulent s'en aller avant que les grands méchants Noirs prennent les rênes. S'il n'y avait pas de contrôle, il ne resterait plus rien dans le pays.

— Mais alors, que vas-tu faire ?

— Rester ici. Je n'ai guère le choix. Je vais rester assis là à lire *Seul autour du monde sur un voilier* de Slocum et *Le Bateau de croisière* d'Hiscock.

— J'aimerais pouvoir faire quelque chose pour t'aider.

— Tu peux mettre la table et prendre une bouteille de vin dans le placard.

Janine laissa la moitié de son steak et ne toucha presque pas à son verre de vin, puis elle traversa le carré pour aller examiner sa collection de cassettes.

— *Les Caprices* de Paganini, murmura-t-elle. Je sais maintenant que tu es maso.

Son attention fut alors attirée par la pile de feuilles dactylographiées rangée sur l'étagère à côté des cassettes.

— Qu'est-ce que c'est ?

Elle feuilleta les premières pages puis leva les yeux vers lui. Ces beaux yeux bleus et ce visage qui l'avait été aussi et était à présent bouffi et déformé par la graisse, couvert autour du menton de petits boutons, lui serrèrent le cœur.

— Qu'est-ce que c'est ? répéta-t-elle, puis voyant son expression : Oh, excuse-moi. Ça ne me regarde pas.

— Oh non, dit-il avec empressement. Ce n'est pas ça, mais seulement que je ne sais pas exactement ce que c'est... (Il ne pouvait dire que c'était un livre, il eût été prétentieux de l'appeler un roman.) C'est quelque chose que j'ai bricolé.

Janine feuilleta le bord des pages. La pile faisait près de quarante centimètres de haut.

— Ça ne ressemble pas à du bricolage, objecta-t-elle en gloussant, la première fois qu'il l'entendait rire depuis qu'ils s'étaient retrouvés. Ça me paraît être du travail bigrement sérieux !

— C'est une histoire que j'ai essayé de raconter.

— Puis-je la lire ? demanda-t-elle.

— Oh, ça ne t'intéressera pas, fit-il, pris de panique.

— Comment le sais-tu ? (Elle porta l'énorme manuscrit sur la table.) Je peux le lire ?

Il haussa les épaules, résigné.

— Je ne crois pas que tu iras bien loin, mais si tu y tiens...

Elle s'assit et lut la première page.

— Ce n'est encore qu'un premier jet, tu dois être indulgente.

— Craig, tu ne sais toujours pas quand tu dois te taire, dit-elle sans lever les yeux, avant de tourner la page.

Il emporta les assiettes et les verres dans la cuisine et fit la vaisselle, puis prépara du café et apporta la cafetière sur la table du carré. Janine ne leva pas les yeux. Il lui versa une tasse, et elle ne quitta pas la page des yeux.

Au bout d'un moment, il la laissa et se glissa dans sa cabine. Il s'étendit sur sa couchette et prit le livre qu'il était en train de lire sur la table de chevet. C'était *La Navigation céleste* de Crawford, et, l'esprit ailleurs, il commença à se colleter avec les distances zénithales et les angles azimutaux. Il se réveilla au contact de la main de Janine sur sa joue. Il se dressa précipitamment sur son séant et elle retira sa main d'un geste brusque.

— Quelle heure est-il ? demanda-t-il encore à moitié endormi.

— C'est le matin. Il faut que je parte. Je n'ai pas fermé l'œil de la nuit. Je crois bien que je vais m'endormir sur mon microscope.

— Tu reviendras ? demanda-t-il, pleinement réveillé.

— Il le faut, je n'ai pas fini ma lecture. J'emmènerais bien le manuscrit avec moi, mais il faudrait un chameau pour le transporter.

Elle se tenait à côté de la couchette et le regardait d'un air spéculatif.

— J'ai peine à croire que ça a été écrit par quelqu'un que je croyais connaître, dit-elle d'un air songeur. Je me suis rendu compte que je ne savais pas grand-chose de toi. (Elle jeta un coup d'œil à sa montre.) Nom d'un chien ! Il faut que je file !

Le soir, elle gara sa VW sous les manguiers un peu après cinq heures.

— J'ai apporté des steaks et du vin, lança-t-elle. (Elle grimpa à l'échelle et se pencha pour entrer dans le carré. Sa voix monta jusqu'au cockpit.) Mais je te laisse le soin de faire cuire les steaks. Excuse-moi, je n'ai pas le temps.

Lorsque Craig arriva dans le carré, elle était assise et complètement absorbée par la lecture du gros manuscrit.

Minuit était largement passé quand elle tourna le dernier feuillet. Quand elle eut fini, elle s'adossa tranquillement à la ban-

513

quette sans mot dire, les mains jointes sur son giron, le regard fixé sur la pile de papiers.

Lorsqu'elle leva les yeux vers lui, ils étaient brillants de larmes.

— C'est superbe, dit-elle à voix basse. Il me faut un peu de temps pour l'assimiler, afin d'en parler rationnellement. Ensuite, je le relirai.

Le lendemain soir, elle apporta un gros poulet cornouaillais.

— C'est un poulet de ferme, annonça-t-elle. Un steak de plus et il aurait commencé à te pousser des cornes.

Elle prépara un coq au vin et, pendant le repas, lui demanda des éclaircissements sur les personnages de son récit.

— M. Rhodes était-il vraiment homosexuel ?

— Il ne semble pas y avoir d'autre explication. Beaucoup de grands hommes courent avec acharnement après la grandeur à cause de leurs imperfections.

— Et Lobengula ? Une jeune Blanche a vraiment été son premier amour ? Il s'est vraiment suicidé ? Et Robyn Ballantyne... dis-m'en davantage sur elle. S'est-elle réellement déguisée en homme pour pouvoir entrer à la faculté de médecine ? Quelle est la part de vérité dans tout cela ?

— Est-ce que ça a de l'importance ? dit Craig en riant. Ce n'est qu'une histoire qui raconte comment les choses ont pu se passer. J'ai seulement tenté de dépeindre une époque et son atmosphère.

— Bien sûr que ça a de l'importance, répondit Janine avec sérieux. Ça en a beaucoup pour moi. Tu as fait en sorte que ça en ait. C'est comme si je faisais partie de l'histoire... tu m'y as fait entrer.

Quand il commença à se faire tard, Craig dit simplement :

— Je t'ai préparé la couchette de devant. C'est idiot de faire toute cette route.

Elle resta là, et le lendemain soir, elle apporta un sac de voyage dont elle rangea le contenu dans le placard de la cabine, et ils s'installèrent dans une routine. Le matin, elle se servait la première de la douche pendant qu'il préparait le petit déjeuner. Il faisait le ménage et les couchettes, elle se chargeait des achats et d'autres courses pour lui à l'heure du déjeuner. Le soir, quand elle rentrait, elle se changeait, passait un jean et un T-shirt, et l'aidait à travailler sur le bateau. Elle se montrait particulièrement efficace, plus patiente et adroite que Craig, pour le ponçage au papier de verre et le vernis.

— Tu ferais de sérieuses économies en rendant ton appartement, suggéra celui-ci à la fin de la première semaine.

— Je te paierai un loyer, admit-elle, puis, face à ses protestations : Bon, d'accord, alors je me chargerai d'acheter la nourriture et la boisson, d'accord ?

Ce soir-là, après avoir éteint la lampe à pétrole, elle lança vers la cabine de poupe :

— Craig, tu sais, c'est la première fois que je me sens en sécurité depuis...

— Je le sais, assura-t-il.

— Bonne nuit, capitaine.

Pourtant, quelques nuits plus tard, il fut réveillé par ses cris. Ils étaient si angoissés, si torturés et déchirants que pendant quelques secondes, il resta pétrifié, puis il dégringola de sa couchette et, dans sa hâte, rampa sur le plancher. Dans le carré, il chercha en tâtonnant l'interrupteur du néon et alluma, puis se traîna le long de la coursive.

Dans la clarté qui provenait du carré, il la vit accroupie dans un coin de la cabine. Les draps pendaient en désordre de la couchette. Elle avait remonté sa chemise de nuit autour de ses cuisses nues et ses doigts formaient une cage devant son visage déformé par la terreur. Elle se mua immédiatement en animal enragé et se précipita sur lui, lui lacérant le front avec les ongles. S'il ne s'était pas reculé, il aurait perdu un œil ; les griffures sanglantes descendaient jusqu'à ses sourcils, du sang lui coulait dans l'œil et l'aveuglait. La force de Janine était hors de proportion avec sa taille, il n'arrivait pas à la maîtriser, et plus il essayait, plus elle devenait furieuse. Elle lui planta ses dents dans l'avant-bras, y laissant une profonde morsure.

Il s'écarta d'elle et, instantanément, elle repartit en rampant se blottir dans l'angle de la cabine, geignant et pleurant à chaudes larmes, les yeux brillants fixés sur lui sans le voir. Pris de terreur, Craig avait la chair de poule. Il essaya de nouveau de s'approcher d'elle, mais au premier mouvement, elle lui montra les dents en grondant comme un chien enragé.

Il se traîna hors de la cabine et regagna le carré. Il fouilla frénétiquement dans ses cassettes et trouva la *Pastorale* de Beethoven, la fourra dans le lecteur et mit le volume à fond. La somptueuse musique emplit le bateau.

Les bruits provenant de la cabine cessèrent peu à peu, puis Janine sortit en hésitant dans le couloir. Elle se protégeait la poitrine de ses bras, mais ses yeux avaient perdu leur lueur de folie.

— J'ai fait un mauvais rêve, dit-elle en venant s'asseoir à la table.

— Je vais préparer du café.

Dans la cuisine, il lava ses écorchures à l'eau froide puis revint avec la cafetière.

— La musique..., commença-t-elle, puis voyant son visage griffé : C'est moi qui ai fait ça ?

— Ce n'est rien.

— Pardonne-moi, Craig, murmura-t-elle. Il ne faut pas que tu essaies de me toucher. Tu vois, je suis un peu folle, moi aussi. Tu ne dois pas essayer de me toucher.

Le camarade Tungata Zebiwe, ministre du Commerce, du Tourisme et de l'Information dans le gouvernement nouvellement élu du Zimbabwe, marchait d'un bon pas le long des allées couvertes de gravier qui serpentaient à travers les jardins du palais gouvernemental. Ses quatre gardes du corps le suivaient à une distance respectueuse. Tous avaient fait partie de son ancien cadre de la ZIPRA, des hommes endurcis, à la fidélité cent fois éprouvée. Ils avaient cependant troqué leur treillis contre des costumes sombres et des lunettes de soleil, le nouvel uniforme de l'élite politique.

Le pèlerinage quotidien auquel allait se livrer Tungata était devenu un rituel de sa maison. En tant que ministre d'État, il avait droit à l'un des luxueux logements de fonction aménagés dans les annexes. Le trajet qui menait à l'arbre de l'*indaba* en passant par les jardins et longeant le bâtiment principal constituait une agréable promenade.

Le siège de la législature était un vaste édifice à arcades, murs et pignons blancs, dans la tradition des grandes demeures du Cap. Il avait été construit sur les instructions de Cecil Rhodes, l'impérialiste par excellence. Son goût pour le monumental et le tape-à-l'œil transparaissait dans l'architecture, et son sens de l'histoire dans le choix du site. Le palais avait été bâti à l'endroit où se trouvait jadis le kraal de Lobengula avant qu'il ne soit détruit par les maraudeurs de Rhodes lorsqu'ils avaient pris possession du pays.

Au-delà du grand édifice, à moins de deux cents pas de ses larges vérandas, se dressait un arbre, un vieux prunier sauvage tout noueux, entouré d'une grille en fer. Tel était l'objet du pèlerinage de Tungata. Il s'arrêta devant la grille et ses gardes du corps s'écartèrent pour ne pas troubler ce moment d'intimité.

Tungata se tenait les pieds légèrement écartés, les mains dans le dos. Il était vêtu d'un costume bleu marine à fines rayures tennis, l'un des douze que lui avaient faits sur mesure Hawkes et Gieves de Saville Row lors de son dernier voyage à Londres. Il tombait parfaitement sur ses larges épaules et soulignait discrètement l'étroitesse de sa taille et la longueur de ses jambes. Il avait une chemise blanche et une cravate bordeaux avec la petite

516

boucle et la bride du logo Gucci qui ressortaient en bleu. Ses chaussures étaient de la même marque, et il portait ces luxueux vêtements occidentaux avec la même élégance que ses ancêtres lorsqu'ils arboraient les plumes de héron bleues et les peaux de léopard.

Il ôta ses Ray-Ban et, conformément à son petit rituel, lut l'inscription gravée sur la plaque rivetée à la grille.

« Sous cet arbre, Lobengula, dernier roi des Matabélé, tenait son tribunal et rendait jugement. »

Il leva ensuite les yeux vers les frondaisons comme en quête de l'esprit de son ancêtre. L'arbre mourait de vieillesse, certaines des branches centrales étaient noires et sèches, mais dans le riche humus à son pied, de jeunes pousses jaillissaient, vibrantes de vie.

Tungata y vit un symbole et se dit : « Elles deviendront aussi vigoureuses que l'a été le grand arbre. Moi aussi, je suis une pousse issue de la souche du vieux roi. »

Il entendit derrière lui un léger bruit de pas et se retourna en fronçant les sourcils, mais quand il vit qui arrivait son visage s'éclaira.

— Camarade Leila, dit-il pour accueillir la femme blanche au visage empreint d'exaltation.

— Je suis honorée que tu m'appelles ainsi, camarade ministre, fit Leila en allant directement à lui pour lui serrer la main.

— Toi et ceux de ta famille ont toujours été de vrais amis de mon peuple, dit-il simplement. Sous cet arbre, ta grand-mère, Robyn Ballantyne, rencontrait souvent Lobengula, mon arrière-grand-oncle. Elle venait sur son invitation lui prodiguer ses conseils.

— Je viens moi aussi sur ton invitation, et crois bien que je serai toujours à tes ordres.

Il lâcha sa main et se retourna vers l'arbre.

— Tu étais à mes côtés lorsque l'Umlimo, l'oracle médiumnique de notre peuple, a émis son ultime prédiction. J'ai pensé qu'il était juste que tu sois là lorsque cette prédiction se réaliserait.

— Les faucons de pierre sont revenus sur leur perchoir, acquiesça Leila à voix basse. Mais ce n'est pas là toute la prophétie de l'Umlimo. Elle a présagé que l'homme qui aura rendu les faucons au Zimbabwe gouvernera le pays comme l'ont fait jadis les Mambos et les Monomatapas ainsi que tes ancêtres Lobengula et le grand Mosélékatsé.

Tungata se retourna lentement pour lui faire face de nouveau.

— C'est un secret entre toi et moi, camarade Leila.

— Il le restera, camarade Tungata, mais toi et moi savons aussi que dans les années difficiles qui s'annoncent, le besoin se fera sentir d'un homme aussi fort que l'était Mosélékatsé.

Tungata ne répondit pas. Il leva les yeux vers les branches de l'arbre vénérable et ses lèvres prononcèrent une supplique silencieuse. Puis il remit ses lunettes à monture dorée et s'adressa à Leila :

— La voiture nous attend.

C'était une Mercedes 500 noire blindée, escortée par quatre motards et suivie par une Mercedes plus modeste pour ses gardes du corps. Le petit convoi roulait à toute vitesse, sirènes hurlantes, le fanion officiel claquant sur le capot de la voiture de Tungata.

Ils descendirent l'avenue de trois kilomètres de long, bordée de jacarandas, que Cecil Rhodes avait tracée pour conduire au palais du gouvernement, puis ils traversèrent le principal quartier commerçant de Bulawayo sans s'arrêter aux feux rouges à l'intersection des rues et avenues perpendiculaires. Ils franchirent la grand-place où les chariots avaient formé le laager durant la rébellion, lorsque Bazo et ses régiments avaient menacé la ville, remontèrent la large avenue qui coupait les pelouses méticuleusement entretenues du jardin public, puis bifurquèrent et s'arrêtèrent devant l'immeuble moderne à trois étages du musée.

Un tapis rouge avait été déroulé sur les marches de l'entrée où attendait un petit groupe de dignitaires dirigé par le maire de Bulawayo, le premier Matabélé à occuper cette fonction, et le conservateur du musée.

— Bienvenue, camarade ministre, en ce jour historique.

Ils l'escortèrent le long du grand couloir qui menait à l'auditorium public. Tous les sièges étaient occupés, et quand Tungata entra, toute l'assistance se leva et applaudit, les Blancs renchérissant sur les Matabélé pour démontrer leur bonne volonté.

On présenta à Tungata les autres dignitaires debout sur l'estrade.

— Voici le Dr Van der Walt, conservateur du musée d'Afrique du Sud.

C'était un homme de haute taille à moitié chauve, avec un fort accent sud-africain. Tungata lui donna une brève poignée de main sans daigner sourire. Le conservateur représentait une nation qui s'était activement opposée à la marche vers la gloire de l'armée républicaine du peuple. Tungata se tourna vers la personne suivante, une jeune femme blanche.

Il eut immédiatement l'impression de l'avoir déjà vue. Il la regarda attentivement, sans réussir cependant à se souvenir des circonstances dans lesquelles il l'avait rencontrée. Elle avait pâli

518

sous son regard inquisiteur, et ses yeux sombres étaient terrifiés comme ceux d'un animal traqué. La main molle et froide qu'elle lui tendit tremblait violemment, mais Tungata ne se rappelait toujours pas de l'endroit où il l'avait vue.

— Le Dr Carpenter est conservatrice du département entomologique.

Ce nom ne lui dit rien, et il se détourna, irrité par son incapacité à la situer. Il prit sa place au centre de l'estrade, face à l'assistance, et le conservateur du musée d'Afrique du Sud se leva pour prononcer une allocution.

— Tout le mérite de la réussite des négociations qui ont abouti à cet échange entre nos deux institutions revient à M. le ministre qui a bien voulu nous honorer aujourd'hui de sa présence. (Il lisait son discours sur une feuille dactylographiée et avait manifestement hâte d'en avoir fini et de se rasseoir.) C'est à l'initiative de M. le ministre Tungata Zebiwe que les discussions ont eu lieu, et il les a encouragées au cours de la période difficile où elles semblaient s'enliser. Notre principal problème a été d'attribuer une valeur relative à deux ensembles d'objets aussi différents. D'une part, nous avions l'une des collections d'insectes tropicaux les plus importantes et complètes du globe, représentant des décennies d'un travail acharné de collecte et de classification, de l'autre, ces artefacts uniques provenant d'une civilisation inconnue. (Van der Wolf paraît être assez emporté par son sujet pour lever les yeux de son texte.) Cependant, la détermination de l'honorable ministre à restituer à son pays une partie inestimable de son héritage l'a emporté, et c'est grâce à lui et à lui seul que nous sommes aujourd'hui réunis ici.

Lorsque le conservateur finit par s'asseoir, il y eut quelques applaudissements polis, puis un silence d'expectative quand Tungata se leva. Le ministre avait une présence extraordinaire et, sans avoir encore prononcé un mot, il les transperça de son imperturbable regard voilé.

— Mon peuple a un dicton que se transmettaient les sages de notre tribu, commença-t-il de sa voix profonde comme un roulement de tonnerre. Le voici : « L'aigle blanc s'est abattu sur les faucons de pierre et les a jetés à terre. L'aigle blanc va maintenant les relever, et ils vont s'envoler au loin. Il n'y aura pas de paix dans les royaumes des Mambos et des Monomatapas tant qu'ils ne seront pas de retour, l'aigle blanc et le buffle noir seront en guerre jusqu'à ce qu'ils reviennent sur leur perchoir. »

Tungata marqua une pause, laissant ses paroles lourdes de sens exercer leur effet.

— Je suis certain que vous savez tous comment ces sculptures de l'oiseau du Zimbabwe ont été volées par les pillards de

Rhodes et comment, en dépit des efforts de mes ancêtres pour les en empêcher, elles ont été transportées de l'autre côté du Limpopo.

Tungata descendit du podium et se dirigea à grandes enjambées vers l'arrière de la salle, caché par des rideaux.

— Mes amis, mes camarades, les faucons de pierre sont revenus sur leur perchoir ! dit-il en se tournant de nouveau vers l'assistance avant de tirer les rideaux.

Il y eut un long silence ému, tous les regards braqués avidement sur la rangée de grandes sculptures en saponite révélées à leurs yeux. Il y en avait six, celles que Ralph Ballantyne avait rapportées de la cité en ruine. Celle que son père avait emportée trente ans plus tôt lors de son premier voyage au Zimbabwe avait brûlé dans l'incendie de Groote Schuur, la demeure de Cecil Rhodes. Il ne restait plus que ces six-là.

La saponite dans laquelle les oiseaux étaient sculptés était verdâtre avec une apparence satinée. Chaque faucon était juché sur un socle orné d'un motif constitué de triangles en quinconce, qui évoquait des dents de requin. Les statues n'étaient pas identiques, certains des socles supportaient des crocodiles et des lézards qui montaient en rampant vers l'oiseau.

Certaines étaient très abîmées, ébréchées et usées par les intempéries, mais celle au centre de la série était presque parfaite. L'oiseau était un prédateur stylisé aux longues ailes pareilles à des lames de couteau et croisées sur le dos. La tête se dressait fièrement, avec son nez crochu et ses yeux au regard impitoyable et plein de morgue. C'était un chef-d'œuvre d'art primitif, et toute l'assemblée se leva spontanément pour applaudir.

Tungata Zebiwe toucha la tête du bel oiseau. Il tournait le dos à l'assistance, si bien que personne ne vit ses lèvres remuer, et les applaudissements couvrirent son murmure.

— Bienvenue chez toi, bienvenue au Zimbabwe, oiseau de ma destinée.

— Et maintenant, tu ne veux pas y aller ! s'écria Janine, tremblante de fureur. Après tout le mal que je me suis donné pour obtenir ce rendez-vous. Tu ne veux tout simplement pas y aller !

— C'est du temps perdu, Jan.

— Merci ! fit-elle en rapprochant son visage du sien. Est-ce que tu te rends compte de ce que signifie pour moi être de nouveau confrontée à ce monstre ? Mais j'étais prête à le faire pour toi, et maintenant, voilà que c'est du temps perdu.

— Jan, je t'en prie...

— Va te faire fiche, Craig Mellow, c'est toi qui représente une perte de temps, toi et ton éternelle lâcheté. (Suffoqué, il s'écarta d'elle.) Oui, ta lâcheté, répéta-t-elle délibérément. Je le dis et je le pense. Tu avais trop la trouille pour expédier ton fichu manuscrit à un éditeur. Il a littéralement fallu que je te l'arrache des mains pour l'envoyer à ta place.

Elle s'interrompit, haletante de colère, cherchant des paroles assez cinglantes pour exprimer sa fureur.

— Tu as peur d'affronter la vie, peur de quitter cette coquille que tu t'es construite, peur de courir le risque que quelqu'un refuse ton livre, peur de faire le moindre effort pour mettre à l'eau cet engin que tu as fabriqué. (D'un grand geste, elle montra le bateau.) Je m'en rends compte maintenant, tu n'as pas vraiment envie d'aller sur l'océan, tu préfères te cacher ici à protéger tes rêves en t'envoyant des gins. Tu ne veux pas marcher, tu préfères te traîner sur le cul... c'est ton excuse, ton excuse en béton pour te dérober à la vie.

Il lui fallut encore s'interrompre pour reprendre sa respiration.

— C'est ça, fais-moi ton sourire de petit garçon, fais-moi tes grands yeux tristes, ça marche à chaque fois, pas vrai ? Eh bien, pas cette fois, mon pote, pas cette fois. On m'a proposé le poste de conservateur du musée d'Afrique du Sud. Je dois veiller à ce que la collection soit installée sans dommage là-bas. Je veux accepter. Tu m'entends, Craig Mellow ? Je vais te laisser ramper à ton aise sur le plancher parce que tu as trop les jetons pour te remettre debout.

Elle se précipita dans sa cabine et commença à retirer ses vêtements du placard et à les jeter sur la couchette.

— Jan, dit-il derrière elle.

— Qu'est-ce qu'il y a ? répondit-elle sans se retourner.

— Si on doit être là-bas à trois heures, on ferait mieux d'y aller tout de suite.

— Alors, tu conduiras.

Elle passa devant lui et monta dans le cockpit en le laissant la suivre comme il pouvait. Ils roulèrent en silence jusqu'au moment où ils s'engagèrent dans la longue avenue rectiligne bordée de jacarandas. Janine regardait droit devant elle les grilles blanches du palais gouvernemental à l'autre bout.

— Excuse-moi, Craig. Je t'ai dit des choses qui étaient dures... dures à dire et plus dures encore à entendre. La vérité est que j'ai aussi peur que toi. Je vais être confrontée à l'homme qui m'a détruite. Si j'y parviens, peut-être pourrai-je retrouver une partie de moi-même parmi les ruines. J'ai menti quand j'ai dit que j'avais fait ça pour toi. Je l'ai fait pour tous les deux.

Le garde s'approcha de la Land Rover côté conducteur, et, sans un mot, Craig lui tendit la carte de convocation. Le policier vérifia sur le registre des visites, puis lui demanda de noter son nom, son adresse et la raison de sa venue.

« Rendez-vous avec le camarade ministre Tungata Zebiwe », écrivit Craig. Le garde reprit le registre et salua avec élégance.

Les grilles en fer forgé s'ouvrirent, et la Land Rover entra. Ils tournèrent à gauche vers l'annexe du ministre en accordant à peine un regard aux pignons blancs et au toit en ardoise bleutée du bâtiment principal qu'on apercevait au milieu des arbres.

Craig se gara dans le parking public et se laissa glisser sur sa chaise roulante. Janine marcha à côté de lui jusqu'à l'escalier menant à la véranda de l'annexe. Il y eut un moment difficile quand Craig négocia les marches à la seule force de ses bras. Puis ils suivirent les écriteaux qui, sur la véranda ombragée par de la glycine et des bougainvilliers mauves, conduisaient à l'anti-chambre. L'un des gardes du corps du ministre fouilla le sac de Janine puis Craig, rapidement mais de façon experte. Ensuite il s'écarta pour laisser entrer les visiteurs dans la pièce lumineuse et aérée.

Il y avait au mur des carrés plus clairs là où on avait décroché les portraits d'anciens administrateurs et hommes politiques blancs. Les deux drapeaux, celui de la ZIPRA et celui du Zimbabwe nouveau-né, qui flanquaient la porte de communication à deux battants, constituaient à présent la seule décoration murale.

Craig et Janine attendirent près d'une demi-heure, puis la porte s'ouvrit et un autre garde du corps en costume noir entra.

— Le camarade ministre va vous recevoir.

Craig fit avancer sa chaise dans l'autre pièce. Les portraits de Robert Mugabe et de Josiah Inkunzi, les leaders de la nation, étaient accrochés au mur d'en face. Au milieu de la pièce moquettée, était assis Tungata Zebiwe derrière un immense bureau Louis XIV dont la taille imposante n'arrivait pas à le rapetisser.

Craig s'arrêta malgré lui à mi-chemin du bureau.

— Sam ? murmura-t-il. Sam Kumalo ? Je ne savais pas...

Le ministre se leva brusquement. La surprise de Craig se reflétait sur son visage.

— Craig, lâcha-t-il à voix basse, que t'est-il arrivé ?

— La guerre. Je crois que j'étais du mauvais côté, Sam.

Tungata se reprit rapidement et se rassit.

— Mieux vaut oublier ce nom, dit-il. Ainsi que ce que nous avons été l'un pour l'autre. Tu as demandé à me voir par l'intermédiaire du Dr Carpenter. Quel est l'objet de ta visite ?

Tungata écouta Craig attentivement, puis se renversa dans son fauteuil.

— D'après ce que tu me dis, tu as déjà effectué une demande auprès du contrôle des changes pour obtenir l'autorisation d'exporter ton bateau. Cette autorisation t'a été refusée ?

— C'est cela, camarade ministre, acquiesça Craig.

— Qu'est-ce qui a pu te laisser penser que je serais disposé à annuler cette décision ou même que je jouis de l'autorité nécessaire pour le faire ? demanda Tungata.

— Je ne l'ai jamais vraiment pensé, admit Craig.

— Camarade ministre, intervint Janine, qui prenait la parole pour la première fois, j'ai sollicité ce rendez-vous parce que je crois que le cas de M. Mellow est particulier. Il est définitivement invalide et ce navire est son seul bien.

— Il a de la chance, docteur Carpenter. Les forêts et la brousse de ce pays sont semées de tombes invisibles, celles d'hommes et de femmes qui ont payé plus chèrement leur liberté que ne l'a fait M. Mellow. Il vous faut avoir une meilleure raison que celle-là.

— Je crois que je l'ai, répondit doucement Janine. Camarade ministre, nous nous sommes déjà rencontrés, vous et moi.

— Votre visage ne m'est pas inconnu, admit Tungata. Mais je ne me souviens pas...

C'était une nuit, dans la forêt, près de l'épave d'un avion...

Elle vit l'éclair du souvenir retrouvé dans ses yeux troublants. Elle eut l'impression que leur regard portait jusqu'au fond de son âme. La terreur la submergea de nouveau, elle sentit la terre vaciller sous ses pieds et il lui sembla que le visage de l'homme emplissait tout son champ de vision. Il lui fallut rassembler tout ce qui lui restait de force et de courage pour parler de nouveau.

— Vous avez conquis un pays, mais ce faisant, avez-vous perdu à jamais toute humanité ?

Elle perçut le changement qui s'opérait dans son regard hypnotique et l'adoucissement presque imperceptible de la ligne de sa bouche. Tungata Zebiwe baissa alors les yeux vers ses mains puissantes posées sur le buvard blanc.

— Vous êtes un bon avocat, docteur Carpenter, dit-il à voix basse.

Il prit son stylo en or, griffonna quelques mots sur le bloc de papier à lettres monogrammé, arracha la feuille et se leva, puis fit le tour du bureau et s'approcha de Janine.

— Pendant les guerres, même de braves hommes commettent des atrocités, poursuivit-il sur le même ton. La guerre fait de nous des monstres. Je vous remercie de m'avoir rappelé mon humanité. (Il lui tendit la feuille de papier.) Apportez cela au directeur du contrôle des changes. Vous aurez votre autorisation.

— Merci, Sam, dit Craig, les yeux levés vers lui.

Tungata se baissa et l'embrassa, rapidement mais avec ardeur.

— Va en paix, vieil ami, dit-il en ndébélé avant de se redresser. Emmenez-le, docteur Carpenter, avant qu'il me fasse perdre complètement courage, ordonna rudement Tungata en se dirigeant à grandes enjambées vers les larges fenêtres à guillotine.

Il garda les yeux fixés sur les pelouses jusqu'au moment où il entendit la porte à deux battants se refermer derrière lui, puis il soupira doucement et retourna à son bureau.

— Cela fait un drôle d'effet de penser que c'est la même vue de l'Afrique qu'ont eue Robyn et Zouga Ballantyne en 1860 lorsqu'ils sont arrivés à bord du *Huron*, le clipper négrier, dit Craig en montrant par-dessus la poupe la masse imposante de la montagne de la Table.

Elle montait sempiternellement la garde à l'extrême pointe sud du continent, enveloppée dans les nuages argentés qui débordaient du bord usé de son plateau de roche nue comme du lait d'une casserole. Avec leurs fenêtres qui miroitaient au soleil matinal tels dix mille fanaux, les constructions blanches formaient un collier au pied de la montagne.

— C'est là qu'a commencé la grande aventure africaine de ma famille et là qu'elle prend fin.

— C'est une fin, mais aussi un nouveau commencement, fit observer Janine, qui, debout à la poupe, se tenait à l'étai de mât.

Elle portait un T-shirt, et son jean, qu'elle avait coupé pour en faire un short, découvrait ses longues jambes bronzées. Au cours des mois qu'ils avaient passés au Royal Yacht Club du Cap pour achever d'armer le voilier, elle s'était mise au régime : elle ne buvait plus d'alcool et évitait une nourriture trop riche. Sa taille s'était affinée et ses fesses, qu'on apercevait à travers le fond de son short déchiré, étaient redevenues rondes et fermes.

Elle s'était coupé les cheveux à la garçonne et l'air marin les avait fait frisotter. Le soleil avait tanné son visage et séché les boutons qu'elle avait autour de la bouche et sur le menton. Elle se retourna lentement, embrassant du regard le vaste horizon devant eux.

— Quelle immensité, Craig. Tu n'as pas peur ?

— J'ai une trouille bleue, répondit-il avec un sourire, et je ne sais trop si notre prochaine escale sera en Amérique du Sud ou en Inde, mais c'est ça qui est amusant.

— Je vais nous préparer un chocolat, dit-elle.

— J'en ai par-dessus la tête de cette cure de désintoxication.

— C'est toi qui as décidé de ne pas emporter d'alcool à bord... il va te falloir attendre l'Amérique du Sud, l'Inde ou ailleurs.

Elle se baissa pour descendre dans le carré, mais avant qu'elle soit arrivée à la cuisine, la radio brailla au-dessus de la table à cartes :

— Zoulou Roméo Fox-trot. Ici la radio marine du Cap. Répondez, s'il vous plaît.

— Jan, c'est pour nous. Prends la communication, cria Craig. Probablement quelqu'un du Yacht Club qui veut nous dire au revoir.

— Radio marine du Cap, ici Zoulou Roméo Fox-trot. Passons sur canal 10.

— Vous êtes bien le *Bawu* ? demanda la voix de l'opérateur, claire et nette car ils étaient encore en vue de l'antenne du port.

— Affirmatif. Nous sommes bien le *Bawu*.

— Nous avons un message pour vous. Êtes-vous prêts à prendre note ?

— Allez-y.

— Le message dit : « À l'attention de Craig Mellow concernant votre manuscrit *L'Œil du faucon* STOP sommes désireux de le publier et proposons 5 000 $ d'à-valoir sur droits d'auteur à 12,5 % pour tous pays STOP répondez au plus tôt STOP félicitations de Pick président éditions William Heinemann Londres. »

— Craig, tu as entendu ? cria Janine depuis l'intérieur du bateau. Tu as entendu ça !

Il était incapable de lui répondre. Les mains serrées sur la barre, il regardait droit devant lui par-dessus l'étrave du *Bawu* qui se soulevait et retombait doucement à travers l'horizon bleu de l'Atlantique.

Après deux jours de mer, le vent du sud-est se mit brusquement à souffler en tempête. Le *Bawu* donna de la bande jusqu'au moment où une grande masse d'eau verte passa par-dessus le bastingage et emporta Janine hors du cockpit. Seul le fait d'avoir été amarrée la sauva, et Craig batailla pendant une dizaine de minutes pour la ramener à bord tandis que le bateau abattait brutalement et que le foc se gonflait dans un fracas de coup de canon.

Le coup de vent dura cinq jours et cinq nuits pendant lesquels il sembla qu'il n'y avait pas de ligne de partage nette entre l'océan déchaîné et la bourrasque furieuse. Assourdissante cacophonie, le vent jouait sur la coque du *Bawu* comme un violoniste dément et les lames à barbe grise de l'Atlantique marchaient sur eux en une majestueuse succession. Ils étaient transis de froid, trempés jusqu'aux os. Leurs mains, blanches et ridées comme celles d'un noyé, avaient la peau déchirée par les écoutes en nylon et les voiles rigides. De temps à autre, ils avalaient un biscuit sec ou une bouchée de haricots en conserve froids, les faisaient passer avec un peu d'eau puis remontaient sur le pont en rampant. Ils dormaient à tour de rôle quelques minutes d'affilée sur les voiles humides qu'ils avaient rentrées et entassées dans le carré.

Quand la tempête s'était abattue sur eux, ils étaient encore des novices. Lorsque le vent tomba tout aussi brusquement qu'il s'était levé, ils étaient devenus des marins — complètement épuisés, le visage creusé par la terreur dans laquelle ils avaient vécu, mais fiers d'eux-mêmes et assurés que le bateau tenait bien la mer.

Craig eut juste assez de force pour mettre en panne et laissa le navire chevaucher seul la houle longue mais toujours énorme. Puis il se traîna jusqu'à sa couchette, laissa tomber ses vêtements mouillés sur le plancher, se jeta tout nu sur la couverture et dormit dix-huit heures d'une seule traite.

Il s'éveilla dans un tumulte de sensations, ne sachant trop s'il rêvait ou si c'était la réalité. Insensible jusque-là, la partie inférieure de son corps était prise d'un spasme terrible. Il sentait chacun de ses muscles ; c'était à celui qui se banderait le plus fort, au point de sembler sur le point de se déchirer. De la plante des pieds à l'estomac, il avait l'impression d'avoir les nerfs à vif. Il cria, en proie à une douleur atroce, puis, du plus profond de la douleur, surgirent les premières vagues d'un plaisir presque insupportable.

Il cria de nouveau et entendit l'écho de son cri. Il ouvrit les yeux, le visage de Janine était à quelques centimètres au-dessus du sien, son corps nu collé contre le sien de la poitrine jusqu'aux cuisses. Il voulut parler, mais elle lui fit un bâillon de ses lèvres tout en gémissant. Il se rendit compte soudain qu'il était enfoui au fond de sa chair chaude et élastique, et ils furent emportés par une vague triomphante plus haute et plus violente que celles que l'Atlantique avait précipitées sur eux pendant la tempête.

Elle les laissa soudés l'un à l'autre, sans voix et à peine capables de respirer.

Quand Craig avait repris la barre du *Bawu*, elle lui avait apporté une tasse de café et s'était juchée sur le bord du cockpit, une main sur son épaule.

— J'ai quelque chose à te montrer.

Il désigna sa jambe nue, tendue droit devant lui et posée sur un coussin, puis écarta les orteils et les remua d'avant en arrière.

— Oh, chéri, dit-elle d'une voix émue, je n'ai jamais vu quelqu'un faire quelque chose d'aussi intelligent.

— Comment m'as-tu appelé ?

— Tu sais, je crois que toi et moi allons bien nous entendre..., fit-elle sans répondre immédiatement à sa question, puis elle posa sa joue contre la sienne et lui murmura à l'oreille : Je t'ai appelé « chéri », ça te va ?

— Ça me va, chérie, répondit-il avant de brancher le pilote automatique pour pouvoir la prendre dans ses bras.

Imprimé au Canada